EM LADOS OPOSTOS

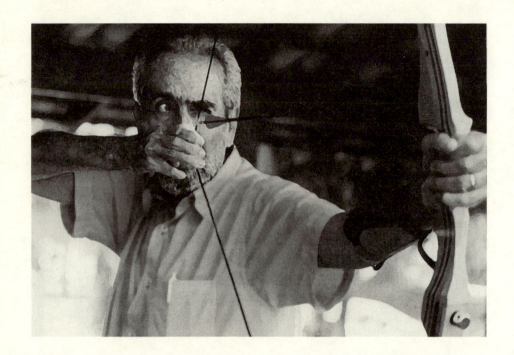

O Arqueiro

GERALDO JORDÃO PEREIRA (1938-2008) começou sua carreira aos 17 anos, quando foi trabalhar com seu pai, o célebre editor José Olympio, publicando obras marcantes como O menino do dedo verde, de Maurice Druon, e Minha vida, de Charles Chaplin.

Em 1976, fundou a Editora Salamandra com o propósito de formar uma nova geração de leitores e acabou criando um dos catálogos infantis mais premiados do Brasil. Em 1992, fugindo de sua linha editorial, lançou Muitas vidas, muitos mestres, de Brian Weiss, livro que deu origem à Editora Sextante.

Fã de histórias de suspense, Geraldo descobriu O Código Da Vinci antes mesmo de ele ser lançado nos Estados Unidos. A aposta em ficção, que não era o foco da Sextante, foi certeira: o título se transformou em um dos maiores fenômenos editoriais de todos os tempos.

Mas não foi só aos livros que se dedicou. Com seu desejo de ajudar o próximo, Geraldo desenvolveu diversos projetos sociais que se tornaram sua grande paixão.

Com a missão de publicar histórias empolgantes, tornar os livros cada vez mais acessíveis e despertar o amor pela leitura, a Editora Arqueiro é uma homenagem a esta figura extraordinária, capaz de enxergar mais além, mirar nas coisas verdadeiramente importantes e não perder o idealismo e a esperança diante dos desafios e contratempos da vida.

John Grisham

~~~~

EM LADOS OPOSTOS

Título original: *The Boys from Biloxi*

Copyright © 2022 por Belfry Holdings, Inc.
Copyright da tradução © 2023 por Editora Arqueiro Ltda.

Todos os direitos reservados. Nenhuma parte deste livro pode ser utilizada ou reproduzida sob quaisquer meios existentes sem autorização por escrito dos editores.

Esta é uma obra de ficção. Nomes, personagens, lugares e acontecimentos são fruto da imaginação do autor ou foram usados de forma fictícia. Qualquer semelhança com pessoas reais, vivas ou mortas, eventos ou localidades é mera coincidência.

tradução: Bruno Fiuza e Roberta Clapp
preparo de originais: Karen Alvares
revisão: Rachel Rimas e Suelen Lopes
diagramação: Abreu's System
capa: Andrea Falsetti
adaptação de capa: Ana Paula Daudt Brandão
impressão e acabamento: Associação Religiosa Imprensa da Fé

CIP-BRASIL. CATALOGAÇÃO NA PUBLICAÇÃO
SINDICATO NACIONAL DOS EDITORES DE LIVROS, RJ

G888L

Grisham, John, 1955-
  Em lados opostos / John Grisham ; [tradução Bruno Fiuza, Roberta Clapp]. – 1. ed. - São Paulo : Arqueiro, 2023.
  448 p. ; 23 cm.

  Tradução de: The boys from Biloxi
  ISBN 978-65-5565-576-6

  1. Ficção americana. I. Fiuza, Bruno. II. Clapp, Roberta. III. Título.

23-86141
CDD: 813
CDU: 82-3(73)

Gabriela Faray Ferreira Lopes – Bibliotecária – CRB-7/6643

Todos os direitos reservados, no Brasil, por
Editora Arqueiro Ltda.
Rua Artur de Azevedo, 1.767 – Conj. 177 – Pinheiros
5404-014 – São Paulo – SP
Tel.: (11) 2894-4987
E-mail: atendimento@editoraarqueiro.com.br
www.editoraarqueiro.com.br

Parte Um

Os Garotos

1

Cem anos atrás, Biloxi era uma comunidade pesqueira e um popular destino de férias na Costa do Golfo. Alguns de seus doze mil habitantes trabalhavam na construção naval, outros em hotéis e restaurantes, mas a maior parte dos meios de subsistência da população vinha do oceano e de seu abundante suprimento de frutos do mar. Os trabalhadores eram imigrantes do Leste Europeu, a maioria da Croácia, e seus ancestrais tinham passado séculos pescando no mar Adriático. Os homens trabalhavam nas escunas e traineiras pescando frutos do mar no Golfo, enquanto as mulheres e crianças abriam ostras e embalavam camarões por dez centavos a hora. Havia quarenta fábricas de conservas, uma ao lado da outra, em uma área conhecida como Back Bay. Em 1925, Biloxi distribuiu vinte milhões de toneladas de frutos do mar para o resto do país. A demanda era tão grande e a oferta tão abundante que, àquela altura, a cidade já podia se orgulhar de ser a "Capital Mundial de Frutos do Mar".

Os imigrantes moravam em alojamentos ou em minúsculas casas de madeira em Point Cadet, uma península no extremo leste de Biloxi, bem perto das praias do Golfo. Seus pais e avós eram poloneses, húngaros, tchecos e também croatas, e se adaptaram depressa aos costumes do novo país. As crianças aprenderam inglês, ensinaram o idioma aos pais e raramente falavam a língua materna em casa. A maioria de seus sobrenomes era impronunciável para os funcionários da imigração e foi americanizada no porto de Nova Orleans e na ilha Ellis. Nos cemitérios de Biloxi, havia lápides com sobrenomes como Jurkovich, Horvat, Conovich, Kasich, Rodak, Babbich e Peranich. Foram espalhados e misturados a outros como Smith, Brown, O'Keefe, Mattina e Bellande. Os imigrantes eram unidos e se protegiam, mas já na segunda geração começaram a se casar com membros das primeiras famílias francesas a chegar ao país e com todos os tipos de cidadão dos Estados Unidos.

A Lei Seca ainda vigorava, e em todo o Extremo Sul a maioria dos batistas e metodistas seguia as regras com devoção. Ao longo da Costa, no entanto, os descendentes de europeus e católicos tinham uma visão mais vaga da abstinência. Na verdade, Biloxi nunca estava "seca", independentemente da Décima Oitava Emenda. Quando a Lei Seca varreu o país em 1920, Biloxi mal sentiu a diferença. Seus bares, botequins, botecos com música, pubs e boates de luxo não apenas continuaram abertos, como também prosperaram. Bares secretos não eram necessários porque bebidas alcoólicas eram algo absolutamente comum, e ninguém, em especial a polícia, se importava. Biloxi tornou-se um destino popular para os sulistas que sofriam com a lei. Somando a isso as praias fascinantes, os deliciosos frutos do mar, o clima temperado e os bons hotéis, o turismo floresceu. Cem anos atrás, a Costa do Golfo ficou conhecida como "Riviera dos pobres".

Como sempre, vícios não controlados se provaram contagiosos. O jogo juntou-se à bebida no posto de atividade ilegal mais popular. Cassinos improvisados surgiram em bares e boates. Os jogos de pôquer, blackjack e dados aconteciam a olhos vistos e podiam ser encontrados em toda parte. Nos saguões dos hotéis da moda havia fileiras de máquinas caça-níqueis em operação, em flagrante desrespeito à lei.

Os bordéis sempre existiram, mas na clandestinidade. Não em Biloxi, contudo. Lá eles eram abundantes e serviam não apenas seus clientes fiéis, mas também policiais e políticos. Muitos deles ficavam no mesmo prédio de bares e mesas de apostas, e um jovem em busca de prazer precisava, portanto, de apenas uma parada.

Embora não fossem tão amplamente disseminadas quanto sexo e bebida, drogas como maconha e heroína eram fáceis de encontrar, sobretudo em casas de shows e lounges.

Os jornalistas muitas vezes achavam difícil acreditar que tantas atividades ilegais fossem abertamente toleradas em um estado tão conservador em termos religiosos. Muitas reportagens sobre os hábitos livres e desgovernados de Biloxi foram publicadas nos jornais, mas nada mudou. Ninguém com mínima autoridade parecia se importar. Predominava o clima "Biloxi é assim mesmo". Políticos em campanha protestavam contra o crime e pastores trovejavam dos púlpitos, mas nunca houve um verdadeiro esforço para "limpar a Costa".

O maior obstáculo enfrentado por qualquer tentativa de reforma era a corrupção de longa data da polícia e dos funcionários públicos eleitos. Os policiais e assistentes dos xerifes tinham um salário de fome e estavam mais do que dispostos a aceitar o dinheiro e fazer vista grossa. Os políticos locais eram facilmente subornados e prosperavam bastante. Todo mundo estava ganhando dinheiro, todo mundo estava se divertindo. Por que estragar algo tão bom? Ninguém obrigava ninguém a ir beber e jogar em Biloxi. Quem não gostasse dos vícios de lá podia ficar em casa ou ir para Nova Orleans. Mas quem decidia gastar seu dinheiro na cidade sabia que não seria incomodado pela polícia.

A atividade criminosa ganhou força em 1941, quando os militares construíram uma grande base de treinamento em um terreno que um dia havia sido o Country Club de Biloxi. A instalação ganhou o nome de Keesler Army Airfield, em homenagem a um herói da Primeira Guerra Mundial oriundo do Mississippi, e o nome logo se tornou sinônimo do mau comportamento protagonizado por dezenas de milhares de soldados se preparando para a guerra. A quantidade de bares, cassinos, bordéis e boates de striptease aumentou drasticamente, assim como o crime. A polícia foi inundada com reclamações de soldados: caça-níqueis fraudados, roletas manipuladas, crupiês desonestos, bebidas adulteradas e prostitutas de mão leve. Como os proprietários estavam ganhando dinheiro, reclamavam pouco, mas havia muitas brigas, agressões às funcionárias, janelas e garrafas de uísque quebradas. Como sempre, os policiais protegiam quem os pagava, e os soldados viviam entrando e saindo da cadeia. Mais de meio milhão deles passaram por Keesler a caminho da Europa e do Pacífico e, posteriormente, da Coreia e do Vietnã.

O vício em Biloxi era tão lucrativo que naturalmente atraía os já conhecidos personagens do submundo: criminosos de carreira, bandidos, contrabandistas de bebidas alcoólicas, traficantes de drogas, vigaristas, matadores de aluguel, cafetões, capangas e uma classe mais ambiciosa de senhores do crime.

No final dos anos 1950, uma divisão de uma gangue de bandidos violentos apelidada de Dixie Mafia chegou a Biloxi com planos de se estabelecer no território e assumir o comando de uma parte dos vícios. Antes dela, sempre houve competição entre os donos de boates, mas todos estavam ganhando dinheiro e a vida era boa. De vez em quando alguém era morto, e havia a intimidação de sempre, mas ninguém se esforçava de fato para assumir o controle.

Além da ambição e da violência, a Dixie Mafia tinha pouco em comum com a verdadeira *Cosa Nostra*. Não era uma família, portanto havia pouca lealdade. Seus membros – e o FBI nunca tinha certeza de quem era membro, quem não era, nem de quantos afirmavam ser – eram uma variedade de bad boys e desajustados que preferiam o crime ao trabalho honesto. Não havia organização nem hierarquia estabelecida. Nenhum *Don* no alto escalão ou capanga na base, com bandidos medianos no meio do caminho. Com o tempo, um dono de boate conseguiu consolidar seus estabelecimentos e conquistou maior influência. Ele se tornou "o Chefe".

O que a Dixie Mafia tinha era uma propensão à violência que muitas vezes surpreendia o FBI. Ao longo de sua história, deixara para trás um número surpreendente de cadáveres, e praticamente nenhum dos homicídios foi resolvido. Havia uma só regra, um juramento de sangue rigoroso e inflexível: "Não delatarás à polícia." Aqueles que o fizeram foram achados em valas ou jamais foram encontrados. Corria à boca pequena que determinados barcos de camarão descarregavam cadáveres a 30 quilômetros da orla, nas águas profundas e quentes do estreito do Mississippi.

Apesar da reputação de ilegalidade, o crime em Biloxi era controlado pelos donos dos estabelecimentos e vigiado de perto pela polícia. Com o tempo, o vício se concentrou praticamente em uma área principal da cidade, um trecho de um quilômetro e meio da Highway 90, ao longo da orla, conhecido como Strip. Era um lugar repleto de cassinos, bares e bordéis, e era facilmente ignorado pelos cidadãos cumpridores das leis. A vida longe dali era normal e segura. Se alguém queria arrumar confusão, era bem simples. Caso contrário, era fácil evitar. Biloxi prosperava por causa dos frutos do mar, da construção naval e civil, do turismo e em razão de uma formidável ética profissional alimentada por imigrantes e seus sonhos de uma vida melhor. A cidade construiu escolas, hospitais, igrejas, rodovias, pontes, quebra-mares, parques, instalações recreativas e tudo o mais necessário para melhorar a vida de seu povo.

2

A rivalidade começou como uma amizade entre dois garotos com muita coisa em comum.

Ambos eram netos de uma terceira geração de imigrantes croatas e nasceram e foram criados no "Point", como Point Cadet era conhecido. As famílias moravam a duas ruas de distância uma da outra. Os pais e avós se conheciam bem. Os dois frequentavam a mesma igreja católica, as mesmas escolas, brincavam nas mesmas ruas, campinhos e praias, e pescavam com os pais no Golfo nos fins de semana de preguiça. Nasceram em 1948, com apenas um mês de diferença, filhos de jovens veteranos de guerra que se casaram com a namorada de adolescência e deram início a uma família.

Os jogos oriundos do Velho Mundo de seus antepassados tinham pouca importância em Biloxi. Os campos e quadras eram feitos para beisebol e nada mais. Como todos os meninos do Point, eles começaram a arremessar e rebater logo depois de aprenderem a andar, e vestiram com orgulho seu primeiro uniforme aos 8 anos de idade. Aos 10, as pessoas os notavam e faziam comentários.

Keith Rudy, o mais velho por 28 dias, era um arremessador canhoto que lançava forte, mas um tanto sem controle, e assustava os rebatedores com sua falta de jeito. Ele também rebatia do lado esquerdo e, quando não se encontrava no montinho, estava em qualquer lugar que os técnicos desejassem – o campo externo, a segunda ou a terceira base. Como não havia luvas para canhotos, ele aprendeu sozinho a apanhar a bola, defender e arremessar com a mão direita.

Hugh Malco era um arremessador destro que lançava com ainda mais força e precisão. Mesmo a 14 metros de distância era assustador enfrentá-lo, e a maioria dos rebatedores de 10 anos preferia se esconder no banco de reservas. Um técnico o convenceu a rebater do lado esquerdo, partindo do princípio básico de que a maioria dos arremessadores nessa idade era destra. Babe Ruth rebatia com a esquerda, assim como Lou Gehrig e Stan Musial. Mickey Mantle, claro, era capaz de golpear de ambos os lados, mas ele era um Yankee. Hugh ouviu o técnico porque era fácil de ser treinado e queria vencer.

O beisebol era o mundo deles, e o clima quente da Costa permitia que jogassem praticamente o ano inteiro. Os times da Little League eram convocados no final de fevereiro, e os jogos começavam em meados de março, duas partidas por semana durante pelo menos doze semanas. Quando a temporada regular terminava, com o campeonato da cidade, o beisebol de verdade começava com o Jogo das Estrelas da Major League. Biloxi dominava as eliminatórias estaduais, e todos esperavam que avançasse para o torneio regional. Até então, nenhuma equipe havia chegado a Williamsport para a grande final, mas o otimismo aumentava a cada ano.

A igreja era importante, ao menos para seus pais e avós, mas para os meninos a verdadeira instituição era o Cardinals. Não havia times profissionais de ligas importantes no Extremo Sul. A KMOX, estação de rádio de St. Louis, transmitia todos os jogos, com Harry Caray e Jack Buck, e os meninos conheciam os jogadores do Cardinals, suas posições, estatísticas, cidade natal e seus pontos fortes e fracos. Ouviam todos os jogos, recortavam os resultados das partidas do *Gulf Coast Register* e depois passavam horas nos montinhos repetindo cada entrada. Todo e qualquer centavo que sobrava era economizado para comprar cartões de beisebol, e o comércio era um negócio sério. A Topps era a marca preferida, principalmente porque o chiclete durava mais.

Quando chegava o verão, junto com as férias escolares, as ruas do Point ficavam cheias de crianças jogando corkball, kickball, wiffle ball e uma dezena de outras variações do esporte. Os meninos mais velhos comandavam os campinhos do bairro e os campos da Little League, onde escolhiam os times e passavam horas jogando. Nos bons tempos, iam para casa, tomavam banho, comiam alguma coisa, descansavam os braços e pernas exaustos, vestiam o uniforme e voltavam apressados aos campos para jogos de verdade, que atraíam multidões de familiares e amigos. No final da tarde e no início da noite, já com as luzes acesas, os meninos jogavam sério e corriam de um lado para outro no campo. Gostavam dos aplausos dos fãs e repreendiam uns aos outros sem piedade. Um erro trazia uma avalanche de vaias. Um home run silenciava a arquibancada adversária. Um arremessador forte no montinho deixava qualquer oponente emburrado. Reagir a uma má decisão de um árbitro era proibido, pelo menos para os jogadores, mas para os torcedores não havia restrições. E em toda parte, nas arquibancadas, nos estacionamentos, até mesmo no banco de reservas, rádios transmitiam a narração da KMOX, e todos sabiam o placar do Cardinals.

Aos 12 anos, Keith e Hugh passaram por temporadas incríveis. Keith jogou por um time patrocinado pela DeJean Packing, enquanto Hugh jogou por um patrocinado pela Shorty's Shell. Eles dominaram a temporada, e cada time perdeu apenas uma vez, para o outro, por uma corrida. Em um golpe de sorte, o time da DeJean Packing chegou ao campeonato municipal, durante o qual massacrou um time de West Biloxi. Keith arremessou todas as seis entradas, desistiu de duas corridas, foi atrás de quatro e fez dois home runs. Ele e Hugh foram escolhas unânimes para o Time das Estrelas de Biloxi e, pela primeira vez, foram companheiros oficiais de equipe, embora tenham jogado juntos em inúmeras partidas no campinho.

Com Hugh atirando pela direita e Keith aterrorizando os rebatedores pela esquerda, Biloxi era o grande favorito para vencer mais um campeonato estadual. Depois de uma semana de treinos, os técnicos encheram três caminhonetes com seus times para a viagem de vinte minutos a oeste pela Highway 90 até o torneio estadual em Gulfport. Centenas de fãs seguiram em uma caravana barulhenta.

O torneio foi dominado por times do sul do estado: Biloxi, Gulfport, Pascagoula, Pass Christian e Hattiesburg. No primeiro jogo contra o Vicksburg, Keith fez um one-hitter – uma sequência de arremessos – e Hugh acertou um grand slam. No segundo jogo, Hugh fez um one-hitter e Keith retribuiu o favor com dois home runs. Em cinco jogos, o Biloxi marcou 36 corridas, desistiu de apenas quatro e saiu com o título estadual. A cidade comemorou e mandou os meninos para Pensacola com uma festa. O nível seguinte da competição eram outros quinhentos, porque quem os aguardava eram as equipes da Flórida.

Nada deixava os garotos mais animados do que uma viagem de carro, com hotéis de beira de estrada, piscinas e restaurantes. Hugh e Keith dividiram o mesmo quarto e foram, disparados, os melhores da equipe, tendo sido nomeados cocapitães por seus técnicos. Eram inseparáveis, dentro e fora de campo, e todas as atividades giravam em torno dos dois. Durante os jogos, eram competidores ferrenhos e líderes de torcida, sempre incentivando os outros a jogar com inteligência, a ouvir os técnicos, a evitar erros e a estudar o jogo. Fora de campo, faziam reuniões de equipe, pregavam peças, aprovavam apelidos, decidiam a quais filmes assistir, quais restaurantes frequentar e apoiavam os companheiros que ficavam no banco.

Na primeira partida, Hugh desistiu de quatro rebatidas, e o Biloxi venceu um time de Mobile, campeão estadual do Alabama. Na segunda, Keith estava mais fora de controle do que nunca e fez oito walks antes de ser substituído na quarta entrada; o Biloxi perdeu para um time de Jacksonville por três corridas. Dois dias depois, um time de Tampa marcou quatro corridas contra Hugh no final da sexta entrada e saiu com a vitória.

A temporada chegou ao fim. Os sonhos de jogar na Little League World Series em Williamsport foram mais uma vez destruídos pelo estado da Flórida. A equipe voltou para o hotel para se recuperar da derrota, mas logo os meninos estavam pulando na piscina e tentando chamar a atenção de algumas garotas mais velhas de biquíni.

Os pais assistiam debaixo de guarda-sóis à beira da piscina e desfrutavam de coquetéis. Uma longa temporada finalmente havia acabado, e eles estavam ansiosos para voltar para casa e terminar o verão sem o incômodo das partidas diárias de beisebol. Quase todos os pais estavam lá, acompanhados de outros parentes e alguns fãs inveterados do Biloxi. Alguns eram amigos próximos, outros apenas conhecidos. A maioria era do Point e se conhecia bem, e a solidariedade entre eles estava um pouco abalada.

Os pais de Hugh, Lance e Carmen Malco, estavam se sentindo um pouco rejeitados, e por um bom motivo.

3

Quando o avô de Hugh desceu do barco em Nova Orleans em 1912, tinha 16 anos e mal falava inglês. Sabia pronunciar "Biloxi", e isso era tudo de que o funcionário da imigração precisava. Os barcos estavam cheios de imigrantes do Leste Europeu, muitos com parentes ao longo da costa do Mississippi, e o serviço de imigração ansiava por juntar aquela gente e mandar todo mundo para outro lugar. Biloxi era um dos destinos favoritos.

O nome do garoto, na Croácia, era Oron Malokovic, mais um difícil de pronunciar. Alguns funcionários eram pacientes e faziam o trabalho entediante de registrar os nomes corretamente. Outros eram apressados, impacientes ou indiferentes, ou talvez achassem que estavam fazendo um favor ao imigrante ao lhe dar um novo nome que pudesse ajudá-lo a se adaptar com maior facilidade ao novo país. No fundo, alguns dos nomes de "lá" eram difíceis de pronunciar para os falantes de inglês. Nova Orleans e a Costa do Golfo tinham uma vasta história de domínio francês e espanhol, e, por volta de 1800, os dois idiomas haviam se fundido facilmente ao inglês. Mas as línguas eslavas carregadas de consoantes eram outra questão.

De todo modo, Oron se tornou Aaron Malco, uma identidade que ele abraçou com relutância, mas não havia escolha. Armado com a nova papelada, correu para Biloxi, onde um parente arranjou um quarto em um alojamento e um emprego abrindo ostras em uma "casa de ostras". Como seus compatriotas, ele ganhava a vida trabalhando o máximo de horas possível e economizava alguns trocados. Depois de dois anos, arranjou um emprego melhor construindo escunas em um estaleiro na Back Bay, em Biloxi. O trabalho pagava mais, ainda que fosse fisicamente exigente. Já crescido, Aaron tinha mais de 1,80 metro de altura, ombros largos e carregava vigas de madeira maciça que em geral exigiam dois ou três outros homens. Era querido pelos chefes e ganhou sua própria equipe, bem como um aumento. Aos 19 anos, recebia 50 centavos por hora, um salário alto, e trabalhava quantas horas a empresa lhe oferecesse.

Quando tinha 20 anos, Aaron se casou com Lida Simonovich, uma jovem croata de 17 que tivera a sorte de nascer nos Estados Unidos. A mãe dera à luz dois meses depois que ela e o marido chegaram de barco da Europa. Lida trabalhava em uma fábrica de conservas e nas horas vagas ajudava a mãe, costureira. O jovem casal mudou-se para uma casinha de madeira alugada no Point, onde viviam cercados por familiares e amigos, todos da Europa.

Seus sonhos foram frustrados oito meses após o casamento, quando Aaron caiu de um andaime. O braço e a perna quebrados se resolveriam, mas as vértebras esmagadas na base da coluna o deixaram praticamente sem mexer as pernas. Durante meses, ele convalesceu em casa e lentamente recuperou a capacidade de andar. Sem trabalho, o casal sobrevivia com o apoio irrestrito da família e dos vizinhos. As refeições eram fartas, o aluguel era pago, e o pároco, padre Herbert, aparecia todos os dias para rezar, tanto em inglês quanto em croata. Com a ajuda de uma bengala, que jamais seria capaz de abandonar por completo, apesar de seus esforços heroicos, Aaron iniciou a difícil tarefa de procurar trabalho.

Um primo distante era dono de uma das três mercearias de esquina no Point. Ele teve pena de Aaron e ofereceu-lhe um emprego: ficaria responsável por varrer o chão, estocar mercadorias e vez ou outra operar a caixa registradora. Em pouco tempo, Aaron estava administrando o local e os negócios haviam melhorado. Ele conhecia todos os clientes, seus filhos e avós, e faria qualquer coisa para ajudar uma pessoa necessitada. Atualizou o estoque, parou de vender itens que não tinham saída e expandiu a loja. Mesmo quando a mercearia estava fechada, buscava itens para os clientes e os entregava em domicílio usando uma bicicleta antiga. Com Aaron no comando, seu chefe decidiu abrir um armazém de secos e molhados a dois quarteirões de distância.

Aaron viu uma oportunidade com outra expansão. Convenceu seu chefe a alugar o estabelecimento ao lado e abrir um bar. Era 1920, o país estava nas garras da Lei Seca e os imigrantes católicos em Biloxi estavam com mais sede do que nunca. Aaron fez um acordo com um contrabandista local e abasteceu o bar com uma variedade impressionante de cervejas, inclusive algumas da Europa, e uma dúzia de marcas de uísques irlandeses populares.

Ele abria a mercearia todas as manhãs ao nascer do sol e oferecia café forte e doces croatas aos pescadores e funcionários da fábrica de conservas. Tarde da noite, Lida assava uma bandeja de *krostules*, uma massa frita em óleo polvilhada com açúcar de confeiteiro, costume que a tornou, junto com o marido, imensamente populares entre os clientes que chegavam cedo. Durante as manhãs, Aaron andava apressado com sua bengala de um lado para outro, trabalhando no balcão, cortando carnes, estocando prateleiras, varrendo o chão e atendendo aos pedidos de seus clientes. No final da tarde, abria o bar e recebia os frequentadores. Quando não estava servindo bebidas, voltava correndo para a loja, que fechava após o último cliente ir embora, geralmente por volta das sete. A partir de então, ficava atrás do bar servindo bebidas, batendo papo com os amigos, contando piadas e espalhando fofocas. Geralmente fechava por volta das onze, quando o último turno de trabalhadores da fábrica de conservas finalmente encerrava a noite.

Em 1922, Lida e Aaron deram as boas-vindas ao primeiro filho e o batizaram com um nome norte-americano, Lance. Uma filha e outro filho logo vieram a seguir. A casinha de madeira estava lotada, e Aaron convenceu seu chefe a alugar para ele um espaço que ficava em cima do bar e da mercearia. A família se mudou enquanto uma equipe de carpinteiros erguia paredes e construía uma cozinha. Os dias de dezesseis horas de Aaron tornaram-se ainda mais longos. Lida largou o emprego para cuidar da família e também para trabalhar na mercearia.

No ano de 1925, seu chefe morreu repentinamente por conta de um infarto. Aaron não gostava da viúva e não via futuro sob o controle dela. Ele a convenceu a lhe vender o bar e a mercearia e, por mil dólares em dinheiro e uma nota promissória, tornou-se o proprietário. A nota foi paga em dois anos, e Aaron abriu outro bar no lado oeste do Point. Com dois bares populares e uma mercearia movimentada, os Malcos tornaram-se mais prósperos do que a maioria das famílias de imigrantes, embora não aparentassem. Trabalhavam mais do que nunca, economizavam dinheiro, continuaram morando no mesmo apartamento em cima da mercearia e tocavam a vida como imigrantes frugais e comedidos. Sempre ajudavam os outros, e Aaron costumava fazer pequenos empréstimos a amigos quando os bancos lhes diziam não. Eram generosos com a igreja e nunca faltavam à missa dominical.

Os filhos começaram a trabalhar na loja assim que tiveram idade suficiente. Aos 7 anos, Lance era uma presença constante no Point, pedalando sua bicicleta com uma cesta cheia de mantimentos para entrega em domicílio. Aos 10, deslizava garrafas de cerveja geladas por cima do balcão e ficava de olho nos clientes.

No início de sua carreira empresarial, Aaron testemunhou o lado negativo do jogo e não quis fazer parte dele. Ilegalidades à parte, optou por não permitir jogos de cartas e dados em uma sala nos fundos do bar. A tentação estava sempre presente, e alguns de seus clientes reclamavam, mas ele se manteve firme. O padre Herbert aprovava a decisão.

A Crise de 1929 desacelerou o setor de frutos do mar, mas Biloxi resistiu melhor do que o resto do país. Camarões e ostras ainda eram abundantes, e as pessoas tinham o que comer. O turismo sofreu um baque, mas as fábricas de conservas continuaram a funcionar, embora a um ritmo mais lento. No Point, os trabalhadores perderam seus empregos e ficaram com os aluguéis atrasados. Sem alarde, Aaron assumiu as hipotecas de dezenas de casas e tornou-se proprietário delas. Ele aceitava notas promissórias como pagamento de aluguéis vencidos e geralmente se esquecia disso. Ninguém que morasse em uma casa dos Malcos jamais foi despejado.

Quando Lance terminou o ensino médio, na Biloxi High, flertou com a ideia de ir para a faculdade. Aaron não gostou disso, porque precisava dos filhos nos negócios da família. Lance frequentou um curso técnico perto dali, e não foi nenhuma surpresa quando mostrou aptidão para negócios e finanças. Seus professores o encorajaram a prosseguir os estudos em uma faculdade estadual próxima, em Hattiesburg, e, embora ele alimentasse tal sonho, tinha medo de mencioná-lo ao pai.

A guerra interveio, e Lance abandonou a ideia de se aprofundar nos estudos. Um dia depois do ataque a Pearl Harbor, ele se juntou aos fuzileiros navais e deixou seu lar pela primeira vez. Embarcou com a Primeira Divisão de Infantaria e se envolveu em inúmeras batalhas no Norte da África. Em 1944, desembarcou com a primeira leva em Anzio quando os Aliados invadiram a Itália. Como falava croata, ele e uma centena de outros foram enviados ao Leste Europeu, para onde os alemães estavam fugindo. No início de 1945, pisou na Croácia, o local de nascimento do pai e dos avós, e escreveu a Aaron uma longa carta descrevendo a terra devastada pela guerra. Ela terminava com: "*Obrigado, pai, por ter tido coragem de ir embora de casa e buscar uma vida melhor nos Estados Unidos.*" Aaron chorou ao ler a carta do filho e depois a compartilhou com os amigos e com a família de Lida.

Enquanto os Aliados perseguiam os alemães para o oeste, Lance lutou na Hungria e na Polônia. Dois dias após a libertação de Auschwitz, ele e seu pelotão caminharam pelas estradas de terra do campo de concentração e assistiram, com espanto e descrença, a centenas de cadáveres esquálidos sendo enterrados em valas comuns. Três meses após a rendição dos alemães, Lance voltou a Biloxi, sem ferimentos, mas com memórias tão horríveis que jurou esquecê-las.

Em 1947, casou-se com Carmen Coscia, uma italiana que conhecera na escola. Como presente de casamento, Aaron deu a eles uma casa no Point, em uma nova região com imóveis mais bonitos que estavam sendo construídos para veteranos. Lance naturalmente assumiu seu papel nos negócios de Aaron e deixou a guerra para trás, mas vivia inquieto e entediado com a mercearia e os bares. Era ambicioso e queria ganhar dinheiro de verdade com o jogo. Aaron continuava se opondo firmemente a isso, e pai e filho tiveram divergências.

Treze meses após o casamento, Carmen deu à luz Hugh, e a família ficou em êxtase com o início de uma nova geração. Os bebês estavam surgindo em todo o Point, e o padre Herbert vivia ocupado com a enxurrada de batizados. As famílias jovens cresciam, e os mais velhos comemoravam. A vida no Point nunca fora tão boa.

Biloxi era próspera de novo, e os negócios de frutos do mar prosperavam cada vez mais. Hotéis de luxo foram construídos nas praias conforme o turismo se recuperava. O Exército decidiu manter Keesler como base de treinamento, garantindo assim um suprimento constante de jovens soldados em busca de diversão. Mais bares, cassinos e bordéis foram abertos, e a Strip ficou ainda mais movimentada. Como era de costume, a polícia e os políticos pegavam o dinheiro e faziam vista grossa. Quando o hotel em estilo art déco Broadwater Beach foi inaugurado, o saguão estava tomado de fileiras de máquinas caça-níqueis novinhas em folha, compradas de um corretor em Las Vegas, e ainda completamente ilegais.

Como pai, Lance tentava conter suas ambições de mergulhar mais fundo no vício. Além disso, Aaron ainda estava no total controle e levava a sério sua reputação. Os negócios da família mudaram de forma drástica em 1950, quando o patriarca morreu repentinamente de pneumonia aos 54 anos. Como não deixou testamento, seus bens foram divididos em quatro partes iguais entre Lida e os três filhos. A mulher ficou transtornada e caiu em uma longa e debilitante depressão. Lance e seus dois irmãos brigaram pelas propriedades da família, e uma séria rixa teve início. Os três duelaram por anos, para desgosto da mãe. À medida que a saúde dela piorava, Lance, seu primogênito e favorito desde sempre, a convenceu a assinar um testamento que o deixava no controle dos bens. Isso foi mantido em segredo até a morte dela. Quando a irmã e o irmão leram o documento, ameaçaram entrar com um processo, mas Lance resolveu a disputa oferecendo a cada um a quantia de 5 mil dólares em dinheiro vivo. O irmão pegou o dinheiro e deixou a Costa. A irmã se casou com um médico e mudou-se para Nova Orleans.

Apesar do drama familiar e do fato de Lance ter conseguido passar a perna nos irmãos, ele e Carmen continuaram a ser bem vistos no Point. Viviam de forma modesta, embora pudessem pagar por algo melhor, e eram ativos e generosos. Eram os maiores contribuintes da igreja de St. Michael e de seus programas de extensão, e nunca deixaram de ajudar os menos afortunados. Lance era até admirado por alguns, considerado o Malco mais esperto e que estava disposto a qualquer coisa para ganhar dinheiro.

Longe do Point, porém, o homem vinha cedendo às suas ambições. Como sócio-fantasma, comprou uma boate e transformou metade dela em um cassino. A outra metade era um bar com bebidas aguadas e caras pelas quais os soldados ficavam mais do que felizes em pagar, principalmente quando servidas por garçonetes bonitas em roupas reveladoras. Os quartos do andar de cima eram alugados por meia hora. Os negócios iam tão bem que Lance e seu sócio abriram outra boate, maior e mais bonita. Eles lhe deram o nome de Red Velvet e ergueram um berrante letreiro em néon, o mais brilhante da Highway 90. Assim nasceu a Strip.

Carmen se aposentou da loja e se tornou mãe em tempo integral. Lance trabalhava longos dias e noites e estava sempre ausente, mas Carmen mantinha o lar unido e adorava os três filhos. Ela desaprovava as aventuras do marido no mundo da clandestinidade, mas raramente discutiam sobre as boates. O dinheiro era bom, e eles ganhavam mais do que a maioria das pessoas no Point. Reclamar não surtiria efeito. Lance era das antigas, seu pai vinha da Croácia; o homem governava a casa com mão de ferro, e a mulher criava os filhos. Carmen aceitava seu papel sem reclamar.

Talvez seus momentos mais felizes tenham sido nos campos de beisebol. O jovem Hugh se tornou um excelente jogador aos 8 anos de idade e melhorava a cada ano. Durante a escalação anual, o garoto era a primeira opção de todos os técnicos. Aos 10, foi escolhido para a liga de 12 anos, uma raridade. Igual a ele havia apenas um: seu amigo Keith Rudy.

4

Os Rudys viviam no Point havia quase tanto tempo quanto os Malcos. Em algum momento da burocracia do Serviço de Imigração de Nova Orleans, *Rudic* tornou-se *Rudy*, que não era um sobrenome norte-americano comum, embora fosse mais palatável do que qualquer um vindo da Croácia.

O pai de Keith, Jesse Rudy, nasceu em 1924 e, como todas as outras crianças, cresceu em meio a fábricas de conservas e barcos de camarão. No dia seguinte ao seu aniversário de 18 anos, ingressou na Marinha e foi enviado para lutar no Pacífico. Centenas de garotos do Point foram para a guerra, e aquela comunidade tão unida se juntou também nas inúmeras orações. A missa diária estava sempre lotada. Cartas das tropas eram lidas em voz alta para amigos e discutidas pelos pais em meio a cervejas e pelas mães em clubes de tricô. Em novembro de 1943, a guerra bateu à porta da casa dos Bonovichs. Harry, fuzileiro naval, fora morto em Guadalcanal, a primeira morte no Point e apenas a quarta no condado de Harrison. Os vizinhos sofreram junto e ajudaram a família de centenas de maneiras diferentes, enquanto a nuvem sombria da guerra pairava, ainda mais pesada. Dois meses depois, um segundo rapaz foi morto.

Jesse serviu em um contratorpedeiro da Frota do Pacífico. Em outubro de 1944, durante a Batalha do Golfo de Leyte, acabou sendo ferido quando o navio foi atingido diretamente por um bombardeiro de mergulho kamikaze. Foi retirado do mar com queimaduras graves nas duas pernas. Dois meses depois, chegou ao hospital naval de São Francisco, onde foi tratado por bons médicos e não faltavam enfermeiras jovens e bonitas.

Um romance floresceu, e, quando recebeu alta, na primavera de 1945, ele voltou para a Costa com duas pernas frágeis, uma mochila com todos os seus pertences e uma noiva de 19 anos. Agnes era uma camponesa do Kansas que acompanhou Jesse de volta para casa, embora tomada por uma grande ansiedade. Ela nunca tinha estado no Extremo Sul e nutria todos os estereótipos habituais: meeiros descalços, caipiras desdentados, crueldades decorrentes da segregação racial e assim por diante, mas estava perdidamente apaixonada por Jesse. Eles alugaram uma casa no Point e foram atrás de trabalho. Agnes foi contratada como enfermeira no Keesler enquanto Jesse pulava de um trabalho sem futuro para outro. Suas limitações físicas o impediam até mesmo de trabalhar meio período em um barco de camarão, para seu grande alívio.

Agnes logo abraçou a vida na Costa, o que no fundo a surpreendeu. Ela adorava a união das comunidades de imigrantes e foi recebida sem reservas ou preconceitos. Sua origem anglo-protestante foi deixada de lado. Depois de oitenta anos no país, casamentos entre os grupos étnicos eram comuns e aceitos. Agnes gostava dos bailes e das festas, de beber vez ou outra e das grandes reuniões familiares. A vida na zona rural do Kansas era muito mais tranquila e bem mais "seca".

Em 1946, o Congresso forneceu financiamento para a G.I. Bill, uma lei que trouxe benefícios a veteranos da Segunda Guerra, e milhares de jovens de repente puderam pagar pelo ensino superior. Jesse se matriculou em uma faculdade e fez todas as disciplinas de história oferecidas. Seu sonho era ensinar história dos Estados Unidos para alunos do ensino médio. E seu sonho não declarado era se tornar um professor erudito e dar aulas em uma universidade.

Começar uma família não estava nos planos, mas os Estados Unidos do pós-guerra provaram ser uma terra fértil. Keith nasceu em abril de 1948, em Keesler, onde os veteranos e suas famílias recebiam serviços médicos gratuitos.

Vinte e oito dias depois, Hugh Malco nasceu na mesma ala. Suas famílias se conheciam das panelinhas de imigrantes do Point, e seus pais eram conhecidos, embora não muito próximos.

Cinco meses após o nascimento de Keith, Jesse e Agnes surpreenderam a família com a notícia de que iriam embora de lá para se dedicar aos estudos. Quer dizer, Jesse, pelo menos. O curso de formação para professores mais próximo era em uma faculdade estadual 120 quilômetros ao norte, em Hattiesburg. Eles passariam alguns anos fora e depois voltariam. Ele seria a primeira pessoa a ter um diploma universitário na família dos Rudics/Rudys, e seus pais estavam orgulhosos. Jesse e Agnes encaixotaram seus pertences e, levando Keith em seu Mercury 1938, seguiram para o norte pela Highway 49. Alugaram um minúsculo apartamento estudantil no campus e, em dois dias, Agnes conseguiu um emprego como enfermeira com um grupo de médicos. Conciliavam seu horário de trabalho com as aulas do marido, evitando gastar dinheiro com uma babá para o pequeno Keith. Jesse se matriculou no máximo de disciplinas possível e se saía muito bem nos estudos.

Em dois anos, concluiu o curso, e o casal pensou em continuar por lá para que ele pudesse fazer um mestrado. No entanto, a questão da fertilidade estava de volta. Quando Agnes percebeu que estava grávida do segundo filho, eles concluíram que o período na faculdade havia chegado ao fim e que Jesse precisava começar uma carreira. Então, voltaram e alugaram uma casa no Point. Como não havia vagas no departamento de história da Biloxi High, Jesse se apressou para encontrar um emprego como professor de educação moral e cívica para alunos do primeiro ano do ensino médio em Gulfport. Seu primeiro salário foi de 2.700 dólares por ano. Agnes voltou para o Keesler como enfermeira, mas passou por uma gravidez difícil e teve que pedir licença.

Beverly nasceu em 1950. Jesse e Agnes concordaram que dois filhos eram suficientes e começaram a levar a sério o planejamento familiar. Ele finalmente conseguiu um emprego como professor de história na Gulfport High e recebeu um pequeno aumento. Agnes trabalhava meio período e, como a maioria dos jovens casais do pós-guerra, mal tinham como pagar as contas e sonhavam com uma vida melhor. Apesar de seus esforços, algo acabou dando errado, e Agnes engravidou pela terceira vez. Laura chegou apenas catorze meses depois de Beverly, e da noite para o dia a casa ficou pequena demais. Mas os pais de Jesse moravam a apenas quatro casas de distância, e havia tios e tias praticamente do outro lado da rua. Quando Agnes precisava de ajuda ou mesmo de uma pausa de vez em quando, bastava dar um grito, e alguém vinha. As mães e avós do quarteirão tinham muito orgulho de criar os filhos umas das outras.

Um dos assuntos favoritos de Jesse e Agnes, e sobre o qual viviam cochichando em seus raros momentos de calmaria, era a ideia de sair do Point. Embora a rede de apoio fosse crucial e eles a valorizassem bastante, às vezes também a achavam sufocante. Todo mundo sabia da vida deles. Havia pouca privacidade. Se no domingo faltassem à missa por qualquer motivo, com certeza haveria uma multidão de familiares e amigos passando por lá durante a tarde para saber quem estava doente. Se uma das crianças tivesse febre, a rua inteira era tomada pela situação, que se tornava uma questão de vida ou morte. Se privacidade era um problema, espaço era outro ainda maior. A casa era apertada e ficaria ainda mais à medida que os filhos crescessem. Mas qualquer melhoria seria um desafio. Com três filhos pequenos no seu pé, Agnes não conseguia ter um emprego, o que era um revés, porque, quando trabalhava em tempo integral, ganhava mais que Jesse. O salário dele ainda não chegava a 3 mil dólares ao ano, e aumentos salariais para professores nunca eram prioridade.

Então, eles sonhavam. E, por mais difícil que fosse, tentavam se abster ao máximo de relações sexuais. Um quarto filho estava fora de questão.

Mas ele veio mesmo assim. Em 14 de maio de 1953, chegou Timothy, e ele encontrou uma casa cheia de gente, pessoas que tinham ido até lá desejar-lhe tudo de bom e que não tinham dúvidas de que quatro eram o suficiente. Os vizinhos estavam cansados de balões e bolo.

DURANTE SEU BREVE INTERLÚDIO como universitário, Jesse fez apenas um amigo importante. Felix Perry também era formado em história, mas mudou abruptamente de curso após o ciclo básico e decidiu se tornar advogado. Como era um excelente aluno, não teve dificuldade em entrar para o curso de Direito da Universidade do Mississippi, que concluiu em três anos como o primeiro da turma. Conseguiu um emprego em um ótimo escritório em Jackson e recebia um salário invejável.

Ele ligou para dizer que estava indo a Biloxi a trabalho e perguntou o que Jesse achava de sair para jantar. Com quatro filhos com menos de 5 anos, Jesse não conseguia nem imaginar a possibilidade de sair à noite, mas Agnes insistiu.

– Só não volta bêbado pra casa – disse ela com uma risada.

– E quando foi a última vez que isso aconteceu?

– Nunca. Vai, anda.

Solteiro, longe de casa e com dinheiro no bolso, Felix estava em busca de diversão. Eles comeram *gumbo*, ostras e peixe grelhado no Mary Mahoney's, acompanhados por uma garrafa de vinho francês. Felix deixou claro que a noite era por sua conta; na verdade, disse que colocaria na conta de um cliente. Jesse nunca se sentira tão mimado. Mas, à medida que o jantar avançava, começou a ficar irritado com o nível de presunção do velho amigo. Felix ganhava um bom dinheiro, usava ternos impressionantes, dirigia um Ford 1952 e sua carreira estava decolando. Seria sócio do escritório dali a sete anos, talvez oito, e isso era como tirar a sorte grande.

– Você já pensou em cursar Direito? – perguntou ele. – Quer dizer, você não pode passar o resto da vida dando aula em escola, né?

Sem dúvida, mas Jesse não estava pronto para admitir isso.

– Tenho pensado em muitas coisas ultimamente – respondeu. – Mas eu amo o que faço.

– Isso é importante, Jesse. Bom pra você, mas não sei como dá pra sobreviver nesse estado em termos financeiros. Os salários são péssimos. Ainda é o mais baixo do país, não?

De fato era, mas tal observação vinda de Felix era desnecessária.

Eles passaram metade do jantar conversando sobre sociedade, processos judiciais e julgamentos, e para Jesse a conversa teve um lado bom e um ruim. Foi levemente irritante ser lembrado de que ser professor de escola seria conviver com uma tensão financeira o tempo inteiro, principalmente para um homem que sustentava uma família com quatro filhos. Por outro lado, quanto mais conversavam, mais intrigado Jesse ficava com a ideia de se tornar advogado. Dado que já tinha 30 anos, parecia um desafio impossível, mas talvez ele estivesse pronto para algo do tipo.

Felix pagou a conta e os dois amigos partiram em busca de "encrenca", nas palavras dele. O advogado era de um condado pequeno e "seco" (em 1954, não havia bebida alcoólica em nenhum dos 82 condados) e só tinha ouvido a lenda sobre Biloxi e seus vícios. Queria beber, jogar dados, ver algum show de strip e, quem sabe, pagar pelos serviços de alguma garota.

Como todos os garotos de Biloxi, Jesse tinha crescido em uma cultura e em uma cidade onde alguns dos homens gostavam de coisas ruins – jogos de azar, prostitutas, strippers, uísque –, tudo ilegal, mas aceito mesmo assim. No início da adolescência, havia furtado cigarros dos salões de bilhar e cervejas de alguns bares, mas depois atividades proibidas como essas perderam a graça, e ele deixou para lá. Todas as famílias tinham alguma história de um jovem com dívidas de jogo ou problemas com bebida, e todas as mães ensinavam a seus filhos os perigos que espreitavam do outro lado da cidade. Na véspera da partida de Jesse para a base de treinamento e para a guerra, ele e alguns amigos encheram a cara em bares e gastaram seus últimos dólares com garotas. Na manhã seguinte, durante o café, a mãe não dissera nada sobre a noite anterior. Ele não fora o único soldado a se despedir de ressaca. Quando voltou para casa, três anos depois, trouxe uma esposa, e sua breve experiência enquanto arruaceiro tinha chegado ao fim. De vez em quando, no máximo uma vez por mês, encontrava alguns amigos para tomar uma cerveja depois do trabalho. Seu bar favorito era o Armazém do Malco, e muitas vezes ele via Lance lá, preparando drinques.

Não sabia ao certo em que tipo de "encrenca" Felix estava pensando, mas o lugar mais seguro para gastar dinheiro era a Parada do Jerry, uma parada de caminhões na Highway 90, a principal via ao longo da Costa. Nos últimos anos, Jerry havia vendido óleo diesel e cuidado da manutenção dos caminhões que passavam por lá. Acrescentou então um bar nos fundos da cafeteria e passou a oferecer os drinques mais baratos da Costa. Os caminhoneiros ficaram encantados e espalharam por toda a região que dava para tomar cerveja gelada comendo um prato de ovos e salsicha. Jerry expandiu o bar e estava ganhando um dinheirinho, até que o xerife o informou de que beber e dirigir não eram verbos compatíveis. Aconteceram alguns acidentes causados por caminhoneiros embriagados, e pessoas haviam morrido. Jerry tinha uma escolha: ou vendia óleo diesel ou bebida alcoólica. Ele escolheu a bebida, recolheu as bombas, converteu a loja em um cassino e começou a atender soldados em vez de caminhões de carroceria longa. A Parada do Jerry tornou-se o lounge mais famoso de Biloxi.

Felix pagou a entrada de um dólar, e eles se viram no bar comprido e brilhante. Jesse ficou imediatamente de queixo caído ao se deparar com duas adoráveis dançarinas ao redor de um *pole* fazendo movimentos que ele jamais havia visto. A boate era barulhenta, escura e enfumaçada, com luzes coloridas varrendo a pista de dança. Eles encontraram um lugar no bar e foram imediatamente abordados por duas jovens com maquiagem pesada, blusa decotada e saia curta.

– Vamos tomar alguma coisa, rapazes? – perguntou a primeira, se espremendo entre os dois e esfregando os seios no peito de Felix.

A outra foi em direção a Jesse, que sabia como o jogo funcionava.

– Claro – respondeu Felix, ansioso para gastar algum dinheiro. – O que vai ser?

Jesse olhou para um dos quatro bartenders, que estava pronto para preparar os drinques. Em segundos, dois coquetéis altos e esverdeados chegaram para elas, acompanhados de dois uísques para eles.

O simpático barman assentiu, entusiasmado, e disse em voz alta:

– Lembrem-se, são quatro drinques pelo preço de três.

– Uau!

Felix praticamente tinha dado um grito. Então, para economizar de verdade, era preciso pelo menos oito drinques antes de encerrar a noite.

As bebidas verdes não passavam de água com açúcar, e cada uma incluía um palito de plástico colorido com uma cereja no topo. No devido tempo, as garotas recolheriam os palitos e os esconderiam em um bolso. Quando a noite terminasse e fossem acertar a conta, receberiam 50 centavos por palito, não por hora. Quanto mais bebidas pediam, mais dinheiro ganhavam. Os locais conheciam bem aquele golpe; os turistas e militares, não, e continuavam fazendo pedidos.

As garotas eram bonitas e, quanto mais novas, melhor. Como o dinheiro era bom e as oportunidades para as mulheres nas cidades pequenas eram escassas, elas iam para a Costa e optavam pela solução mais rápida. De acordo com as histórias, havia uma legião de moças do interior que passavam alguns anos trabalhando duro nas boates, juntavam dinheiro e voltavam para casa, onde ninguém sabia o que vinham fazendo. Elas se casavam com o ex-namorado do colégio e criavam seus filhos.

Felix estava com Debbie, uma verdadeira veterana que sabia como identificar um bom alvo, embora isso não exigisse tanta intuição assim.

– Nós vamos dançar – avisou Felix a Jesse. – Toma conta dos nossos drinques.

Os dois desapareceram na multidão. Sherry Ann se aproximou de Jesse, que sorriu e disse:

– Olha, eu não tô a fim. Sou casado, muito feliz com a minha mulher, e tenho quatro filhos em casa. Desculpa.

Ela suspirou e, com um sorriso compreensivo, respondeu:

– Obrigada pelo drinque.

Em segundos, já estava trabalhando na outra ponta do bar. Depois de alguns minutos de movimentos sensuais na pista, Felix e Debbie passaram e pegaram os drinques. Ele cochichou para Jesse:

– Olha só, a gente vai subir. Me dá meia hora, beleza?

– Claro.

Sozinho no bar de repente, Jesse foi até o cassino para evitar outra cantada. Tinha ouvido boatos sobre a crescente popularidade da Parada do Jerry, mas ficou surpreso com a quantidade de mesas. Máquinas caça-níqueis cobriam as paredes. Roletas e mesas de dados ficavam de um lado, as de pôquer e blackjack do outro. Dezenas de apostadores, quase todos homens e fardados dos pés à cabeça, jogavam enquanto fumavam, bebiam e gritavam. Garçonetes carregando coquetéis se apressavam de um lado para outro, tentando atender à demanda. E era apenas uma terça-feira à noite.

Jesse sabia que deveria evitar a roleta e os dados, porque os jogos eram manipulados. Todo mundo sabia que o único jogo honesto de fato na cidade era o blackjack. Ele encontrou um banquinho vazio em uma mesa de apostas de 25 centavos lotada de gente e sacou 2 dólares, seu limite. Uma hora depois, tinha ganhado só 50 centavos a mais, e Felix não estava por perto.

Às onze, ligou para o irmão e pediu uma carona para casa.

NO ANO SEGUINTE, 1955, Jesse se matriculou no curso noturno de Direito da Faculdade de Loyola, em Nova Orleans. Desde o jantar com Felix, havia se apaixonado pela ideia de se tornar advogado e não falava de outra coisa, pelo menos com Agnes. Ela por fim se cansou das mesmas conversas e deixou de lado sua relutância. Com quatro filhos pequenos, um emprego de enfermeira, mesmo que de meio período, era impensável, mas ela o apoiaria e juntos poderiam fazer com que desse certo. Ambos desprezavam a ideia de fazer dívidas, mas, quando o pai dele ofereceu um empréstimo de 2 mil dólares, não tiveram escolha a não ser aceitar.

Às terças-feiras, depois do trabalho na escola, Jesse saía correndo para Nova Orleans, uma viagem de duas horas de carro, e geralmente chegava quinze minutos atrasado para a aula das seis. Os professores entendiam seus alunos e o quanto era duro trabalhar em tempo integral em outra cidade. Eles faziam um curso de Direito à noite, a maneira mais difícil de estudar, e por isso a maioria das regras era flexível. Ao longo de quatro horas, cobrindo duas disciplinas, Jesse fazia muitas anotações, participava de discussões e, quando possível, lia o material para as aulas seguintes. Absorvia todas aquelas leis e ficava entusiasmado com os desafios. Tarde da noite, quando a segunda aula chegava ao fim, muitas vezes ele era o único aluno ainda acordado e ansioso para conversar com o professor. Às 21h50 em ponto, saía apressado da sala de aula e entrava no carro para voltar para casa. À meia-noite, Agnes estava sempre esperando com um prato de comida quente e perguntas sobre as aulas.

Ele raramente dormia mais de cinco horas por noite e acordava antes do amanhecer para preparar suas aulas de história ou corrigir as provas dos alunos.

Nas noites de quinta-feira, partia novamente para Loyola, para mais duas aulas. Nunca faltava a nenhuma, tampouco ao trabalho, à missa ou a um jantar em família. À medida que os filhos cresciam, sempre tinha tempo para brincar no quintal ou levá-los à praia. Agnes frequentemente o encontrava à meia-noite no sofá, completamente exausto, com uma grossa pasta aberta e apoiada no peito. Quando ele sobreviveu ao primeiro ano com notas excelentes, eles abriram uma garrafa de champanhe barato tarde da noite e comemoraram. Capotaram logo em seguida. A parte boa do cansaço era a falta de energia para o sexo. Quatro filhos já estavam de bom tamanho.

À MEDIDA QUE OS estudos avançavam e se tornava mais evidente para sua família e amigos que ele não estava atrás de um sonho maluco, certo grau de orgulho se instalou em seu mundo. Ele seria o primeiro advogado do Point, o primeiro de todos aqueles filhos e netos de imigrantes que trabalharam e se sacrificaram no Novo Mundo. Havia rumores de que ele iria embora e outros de que ficaria. Será que iria trabalhar em um bom escritório em Biloxi ou abriria um no Point e ajudaria seu povo? Era verdade que ele queria trabalhar para um grande escritório em Nova Orleans?

Os curiosos, porém, guardavam suas perguntas para si. Jesse nunca ouviu os boatos. Estava ocupado demais para se preocupar com os vizinhos. Não tinha planos de deixar a Costa e tentou fazer contato com todos os advogados da cidade. Vivia pelos tribunais e tornou-se amigo dos juízes e dos taquígrafos.

Depois de quatro anos de dedicação intensa à faculdade à noite e de pesquisa nas horas de sono, Jesse Rudy se formou na Loyola com louvor, passou no exame da Ordem do Mississippi e assumiu o cargo de associado em um escritório conduzido por três sócios na Howard Avenue, no centro de Biloxi. Seu salário inicial estava no mesmo nível do de um professor de história do ensino médio, mas havia o fascínio do bônus. Ao final de cada ano, o escritório apurava sua receita e premiava cada advogado com um bônus baseado nas horas trabalhadas e nos novos negócios gerados. Extremamente determinado, Jesse logo começou sua carreira batendo ponto todos os dias às cinco da manhã.

Embora o diploma de Direito a princípio significasse pouco em termos de dinheiro, representava algo mais para o banco. O responsável pela hipoteca conhecia bem o escritório e tinha muito apreço pelos sócios. Ele aprovou o pedido de empréstimo que Jesse fez, e a família se mudou para uma casa de três quartos na parte oeste de Biloxi.

Como o primeiro advogado local de ascendência croata, Jesse foi imediatamente inundado com os problemas jurídicos cotidianos de seu povo. Ele não podia dizer não, então passava horas preparando testamentos, escrituras e contratos banais que não davam dinheiro. Nunca se incomodava com nada disso e recebia seus clientes em seu belo escritório como se fossem milionários. O sucesso de Jesse Rudy tornou-se a fonte de muitas histórias cheias de orgulho no Point.

Para seu primeiro grande caso, um sócio pediu que ele pesquisasse várias questões envolvendo um negócio que não tinha dado certo. O proprietário da Parada do Jerry havia concordado verbalmente em vender seu negócio para uma gangue liderada por um trambiqueiro local chamado Snead. Foi realizado também um contrato escrito relacionado ao terreno, e um ou dois de locação. As partes vinham negociando há um ano, sem o auxílio de um advogado, e, como era de se esperar, houve confusão e tensão. Todos estavam irritados e prontos para entrar com um processo. O dono da Parada do Jerry chegou a ser ameaçado de levar uma bela surra.

Os líderes da gangue preferiram se esconder atrás de Snead e permanecer anônimos, mas, à medida que algumas coisas começaram a vir à tona, descobriu-se, pelo menos entre os advogados, que o principal investidor era ninguém menos que Lance Malco.

5

A guerra dos preços começou em um bordel. Um gângster inexpressivo chamado Cleveland comprou uma antiga boate na Strip, o Foxy's. De um lado, um espaço decadente destinado a jogos de azar e, do outro, um ligeiramente melhor para suas prostitutas. Embora não houvesse valor fixo para meia hora de prazer com uma garota, o preço tacitamente acordado entre os proprietários das casas era de 20 dólares. No Foxy's, o valor caiu pela metade, e a notícia logo se espalhou por Keesler. E, como os soldados sentiam sede antes e depois, o preço da cerveja barata que bebiam também caiu. O lugar ficava lotado e não havia espaço suficiente para os clientes estacionarem.

Para sobreviver, algumas das outras boates de baixo custo também reduziram os preços. Então, os proprietários começaram a aliciar garotas. A economia do vício de Biloxi – e sua frágil estabilidade – foi derrubada. Em uma tentativa de restaurar a ordem, alguns trogloditas passaram no Foxy's tarde da noite, esbofetearam um barman, espancaram dois seguranças e repassaram o aviso de que vender sexo e bebida por menos do que o "preço padrão" era inaceitável. As surras se mostraram contagiosas, e uma onda de violência varreu a Strip. Uma emboscada atrás de um bar levou à retaliação em outro. Os proprietários reclamaram com a polícia, que ouviu, mas não ficou muito preocupada. Ninguém havia sido morto ainda e, bem, homens são violentos mesmo. O que haveria de tão ruim em umas briguinhas aqui e ali? Que cada um cuidasse de seu próprio negócio.

Em meio àquele tumulto, que durou mais de um ano, um novato entrou em cena e ganhou destaque. Seu nome era Nevin Noll, um recruta de 20 anos que se juntou à Aeronáutica para fugir de confusão em sua cidade natal no leste de Kentucky. Ele vinha de uma família excêntrica de fabricantes de bebidas alcoólicas e bandidos, e foi criado para ter uma visão imprecisa da lei. Em décadas, nenhum parente do sexo masculino havia tentado encontrar um trabalho honesto. O jovem Nevin, porém, sonhava em partir e seguir uma vida mais gloriosa como um famoso gângster. Saiu de lá mais cedo do que o esperado e às pressas.

Em seu rastro, havia pelo menos duas moças grávidas, com pais furiosos, e um mandado de prisão por lesão corporal resultante de uma surra violenta que dera em um policial de folga. Brigar era algo instintivo; ele preferia trocar socos a tomar cerveja gelada. Media quase 1,90 metro, tinha o peito largo e era forte como um touro, com punhos absurdamente rápidos e eficientes. Em seis semanas de treinamento básico em Keesler, já havia quebrado duas mandíbulas, arrancado inúmeros dentes e mandado um garoto para o hospital com uma concussão.

Mais uma briga e Nevin seria dispensado de forma desonrosa, o que não demorou a acontecer. Ele estava jogando dados no Red Velvet com alguns amigos em uma noite de sábado, quando uma discussão eclodiu por desconfiança de que os dados eram suspeitos. Um jogador furioso disse que os dados eram viciados e pegou suas fichas. O crupiê foi mais rápido. Outro crupiê empurrou o jogador, que havia bebido e que, evidentemente, não levou o empurrão numa boa. Nevin tinha acabado de jogar os dados, perdido, e também desconfiava da mesa. Como muitos clientes eram soldados e tendiam a beber, o Red Velvet tinha muitos seguranças, e eles estavam sempre de olho nos garotos de uniforme. Nada empolgava mais Nevin do que uma chuva de socos, e ele se enfiou na discussão. Quando um crupiê o empurrou para trás, ele disparou um gancho de esquerda no queixo do homem e o nocauteou. Em segundos, dois seguranças estavam em cima de Nevin e ambos tiveram seus narizes achatados antes que pudessem desferir um soco. Corpos voavam em todas as direções, e ele queria mais. Seus dois amigos da base se afastaram e observaram com admiração. Já tinham visto aquilo antes. Homens adultos, independentemente do tamanho, não passavam de sacos de pancadas quando chegavam muito perto do Sr. Noll.

O crupiê pulou por cima da mesa e desferiu um golpe violento. Acertou

Nevin no ombro, mas não causou nenhum dano. Ele socou o cara quatro vezes no rosto, tirando sangue a cada golpe.

Todos os jogos foram paralisados conforme uma multidão se reunia em torno da mesa de dados. Nevin ficou parado no meio da pilha de homens espancados e ensanguentados, observou em volta com os olhos arregalados e disse:

– E aí? Quem é o próximo?

Mas ninguém se moveu em sua direção.

A confusão terminou sem mais derramamento de sangue quando dois seguranças com espingardas apareceram. Nevin sorriu e levantou as mãos. Venceu a luta, mas perdeu a batalha. Assim que foi algemado, os guardas lhe deram um chute nas pernas e o arrastaram dali. Apenas mais uma noite na cadeia.

No início da manhã de domingo, Lance Malco e seu chefe da segurança cercaram os dois crupiês e os dois seguranças, nenhum deles com vontade de conversar, e repetiram a briga. A mandíbula de um dos crupiês estava horrivelmente inchada. O rosto do outro estava cheio de cortes: um em cada sobrancelha, e outro na ponta do nariz, além de um lábio inferior arrebentado. Os dois seguranças tinham compressas de gelo no nariz e tentavam enxergar através de olhos embaçados e inchados.

– Que bela equipe – ironizou Lance. – Um cara só causou todo esse estrago?

Ele fez todos descreverem o que havia acontecido. Os quatro homens admitiram, com alguma relutância, a velocidade com que foram derrubados.

– O cara deve ser boxeador ou algo assim – disse um dos seguranças.

– O desgraçado é bom de soco, isso eu garanto – assegurou o outro.

– Não precisa nem falar – comentou Lance, com uma risada. – Dá pra ver na sua cara.

Ele não os demitiu. Em vez disso, foi ao tribunal e acompanhou enquanto Nevin Noll comparecia perante o juiz e se declarava inocente das quatro acusações de agressão. O advogado, nomeado pelo tribunal, explicou à corte que seu cliente havia, apenas no dia anterior, sido liberado de Keesler e estava voltando para Kentucky. Isso já era punição suficiente, não?

Noll foi libertado com uma fiança baixíssima e recebeu a ordem de retornar dois dias depois. Lance encurralou o advogado de Nevin e perguntou se seria possível falar com seu cliente, afirmando que poderia retirar as acusações se houvesse a possibilidade de chegar a um acordo. Lance tinha faro para talentos, fossem eles espertos crupiês, garotas bonitas ou homens violentos. Recrutava os melhores e pagava bem.

Para Nevin Noll, foi um milagre. Ele poderia esquecer as Forças Armadas, a ideia de voltar para Kentucky e, em vez disso, conseguir um emprego de verdade fazendo o que sonhava – trabalhar para um chefe do crime, cuidar da segurança, frequentar bares e bordéis e, ocasionalmente, partir o crânio de alguém. Em questão de segundos, Nevin Noll se tornou o funcionário mais leal que Lance Malco contrataria na vida.

O Patrão, como era conhecido na época, rebaixou os seguranças com os narizes quebrados e alocou-os em um caminhão que buscava bebida em um barco. Noll foi transferido para o escritório no andar de cima do Red Velvet, uma "suíte corporativa", e começou a aprender sobre o negócio.

Cleveland, o dono do Foxy's, havia resistido a inúmeras ameaças e ainda vendia sexo barato. Algo precisava ser feito, e Lance viu a oportunidade de mostrar que estava na liderança. Ele e seus garotos elaboraram um plano de ataque simples, que faria Nevin Noll chegar a outro nível ou o mataria.

Às cinco da tarde de uma sexta-feira no início de março de 1961, o Patrão foi informado por um vigia que Cleveland acabara de estacionar seu novo Cadillac no lugar de sempre atrás do Foxy's. Dez minutos depois, Nevin Noll entrou, dirigiu-se ao bar e pediu uma bebida. O salão estava praticamente vazio, mas uma banda se instalava em um canto, e os preparativos para mais uma noite agitada estavam em andamento. Havia poucos seguranças, mas isso mudaria em mais ou menos uma hora.

Noll perguntou ao barman se o Sr. Cleveland estava e disse que queria dar uma palavrinha com ele.

O barman franziu a testa, continuou secando uma caneca de cerveja e respondeu:

– Não tenho certeza. Quem quer saber?

– Bom, eu quero. O Sr. Malco me mandou aqui. Você sabe quem é o Sr. Lance Malco, não sabe?

– Nunca ouvi falar.

– Claro que não. Eu não esperava mesmo grande coisa de você.

Noll desceu da banqueta e se dirigiu aos fundos do bar.

– Ei, babaca! – gritou o barman. – Aonde pensa que tá indo?

– Falar com o Sr. Cleveland. Eu sei onde ele tá se escondendo ali atrás.

O barman não era um homem pequeno e já havia participado de várias brigas.

– Peraí, amigo! – exclamou ele.

Então, agarrou o braço esquerdo de Noll – um erro. Com a mão direita, Noll girou e acertou um golpe esmagador na mandíbula esquerda do barman, que caiu feito uma pedra. Um bandido com um chapéu de caubói preto se materializou das sombras e fez uma investida contra Noll, que pegou uma caneca de cerveja vazia do balcão e acertou sua orelha. Com ambos no chão, Noll olhou em volta. Dois homens em uma mesa olhavam para ele sem acreditar. Os membros da banda estavam paralisados e não tinham certeza do que fazer, se é que deveriam fazer alguma coisa. Noll acenou com a cabeça para eles e depois desapareceu pelas portas de vaivém. O corredor era escuro, a cozinha ficava mais à frente. Um ex-barman dissera a Malco que o escritório de Cleveland ficava atrás de uma porta azul no final do corredor estreito. Noll a abriu com um pontapé e anunciou sua chegada com: "Olá, Cleveland, tem um minutinho?"

Um garoto corpulento de paletó e gravata estava prestes a pular de uma cadeira. Nem teve chance, pois Noll o esmurrou com três socos rápidos no rosto. Ele caiu no chão, gemendo. Cleveland estava atrás de sua mesa e falava ao telefone, que agora segurava no ar. Por um ou dois segundos, ficou surpreso demais para reagir. Largou o telefone e estendeu a mão para abrir uma gaveta, mas era tarde demais. Noll se lançou sobre a mesa, deu-lhe um forte tapa no rosto e o derrubou da cadeira. O objetivo era bater com força, mas não matar. O Patrão queria Cleveland vivo, pelo menos por enquanto. Usando apenas os punhos, Noll quebrou maxilar e dentes, arrebentou lábios, fechou olhos, dilacerou bochechas e testas, e separou o osso nasal de uma cavidade craniana. Quando o garoto corpulento soltou alguns ruídos, Noll pegou um cinzeiro pesado e bateu na parte de trás do crânio dele.

Uma portinha lateral se abriu e uma loira platinada de uns 30 anos apareceu. Ao ver a carnificina, quase deu um grito. Cobriu a boca com as duas mãos e olhou horrorizada para Noll. Ele rapidamente tirou um revólver do bolso de trás e acenou com a cabeça para uma cadeira.

– Senta aí e cala a boca! – vociferou.

Ela recuou em direção à cadeira, ainda incapaz de emitir qualquer som. De um dos bolsos da frente, Noll tirou um tubo de 20 centímetros, um silenciador, e o enroscou no cano do revólver. Em seguida, disparou um tiro para o teto, e a mulher gritou. Disparou outro tiro na parede um metro acima da cabeça dela e falou:

– Me escuta, porra!

A mulher estava horrorizada demais para reagir. Ele disparou outro tiro na parede, o mesmo baque surdo.

Noll parou na frente dela, apontou a pistola e disse:

– Fala pro Cleveland que ele tem sete dias pra fechar esse lugar. Entendeu?

Ela conseguiu assentir. *Sim.*

– Daqui a uma semana, eu volto. Se ele estiver aqui, vai se machucar de verdade.

Ele desatarraxou o silenciador, jogou-o no colo dela como lembrança e enfiou o revólver no cinto. Saiu do escritório, meteu-se na cozinha e foi embora pela porta dos fundos.

A GUERRA DOS PREÇOS havia acabado.

Cleveland passou três semanas em um hospital, preso a vários tubos e a um respirador. Seu cérebro inchava de vez em quando, e os médicos induziram um coma após o outro. Temendo outra visita de Noll, sua namorada, a loira platinada, fechou o Foxy's para aguardar ordens de Cleveland. Quando ele finalmente teve alta do hospital, não conseguia andar e saiu de lá em uma cadeira de rodas. Embora com danos cerebrais, teve bom senso para perceber que sua ambiciosa aventura na Strip havia chegado ao fim.

Como Nevin Noll era novo no pedaço, ninguém sabia quem ele era e não foi possível identificá-lo. No entanto, seu ataque individual ao Foxy's se tornou uma lenda de imediato e não deixou dúvidas de que Lance Malco era de fato o Patrão.

O banco executou a hipoteca do Foxy's, e suas portas e janelas foram fechadas com placas de madeira. Passou seis meses coberto com as tábuas, depois foi vendido para uma empresa de Nova Orleans, controlada por Lance Malco.

Com quatro boates agora sob seu controle, Lance Malco comandava a maior parcela do vício ao longo da Costa. O dinheiro entrava e ele o dividia com sua gangue e com os políticos que importavam. Acreditava na importância de gastar dinheiro para atender às demandas de seus clientes, e oferecia as melhores bebidas, garotas e jogos de azar a leste do Mississippi.

A concorrência era um problema constante. O sucesso levava à imitação, e havia uma fila interminável de trambiqueiros em busca de apoio. Alguns Lance conseguiu fechar com o apoio do xerife. Outros foram mais resistentes e reagiram. Sempre havia a ameaça de violência, e muitas vezes elas se concretizavam.

A família Malco mudou-se do Point para uma casa nova e muito bonita ao norte de Biloxi. Viviam cercados por portões e seguranças, e era raro o Patrão ir a qualquer lugar sem Nevin Noll ao seu lado.

6

A outrora promissora carreira esportiva de Hugh Malco foi interrompida de forma abrupta em um dia quente de agosto. Estudante do segundo ano na Biloxi High, ele e vários outros garotos de 15 anos vinham sofrendo com os dois treinos ao dia, típicos do período que antecedia a temporada, e sonhando com a convocação. As coisas não estavam indo bem. Havia pelo menos cem jogadores em campo, a maioria deles mais velhos, maiores e mais rápidos. O Biloxi Indians participava da Big Eight, a competição de elite do estado, e talento nunca era um problema. A equipe estava repleta de veteranos, muitos dos quais jogariam na faculdade. Os alunos do segundo ano raramente chegavam ao time titular e em geral eram relegados ao banco de reservas.

Os dias de glória do beisebol da Little League, quando Hugh e Keith Rudy dominavam todos os jogos, haviam acabado fazia tempo. Algumas das estrelas naquela idade continuaram a crescer e se desenvolver, outras foram ficando para trás. Havia atletas que tiveram seu auge aos 12 ou 13 anos. Os mais sortudos foram amadurecendo e melhorando. Hugh não crescia tão rápido quanto os outros, e todo mundo sabia que sua velocidade, ou a falta dela, era um problema.

Naquele dia, ele torceu o joelho e saiu de campo mancando rumo à sombra. Um assistente lhe deu uma compressa de gelo e informou ao técnico, que tinha pouco tempo sobrando para se preocupar com um mero aluno do segundo ano. Hugh foi ao médico no dia seguinte, e o diagnóstico foi de lesão nos ligamentos. Nada de futebol por pelo menos um mês. O garoto foi a alguns treinos de muletas, mas logo se cansou de ver os amigos suando, em meio ao calor e à terra. Quanto mais assistia, mais percebia que no fundo não amava futebol americano. Ele gostava mesmo era de beisebol, embora temesse que o esporte também estivesse cada vez mais longe do seu alcance. A temporada de verão não tinha corrido bem. O braço direito que tanto apavorava os rebatedores antigamente não era tão intimidante contra os veteranos. Ele havia enfrentado dificuldades tanto no montinho quanto na base, e não tinha conseguido ficar entre os melhores. Keith agora era 10 centímetros mais alto e ainda mais rápido nas bases. Hugh estava orgulhoso do amigo por ele ter chegado ao time das estrelas, mas também estava morrendo de inveja. A amizade deles ficou ainda mais complicada quando Keith foi convocado em agosto e se tornou o terceiro quarterback do time do colégio, um entre os únicos cinco alunos do segundo ano na equipe. Em uma cidade louca por futebol americano, seu status foi elevado e ele entrou para um grupo diferente. Os alunos o admiravam. As líderes de torcida passaram a considerá-lo ainda mais bonito.

Com as tardes livres, Hugh vadiou por algumas semanas até que o pai chamou o filho à realidade. Lance nunca tinha ficado sem fazer nada e não tolerava a ideia de filhos preguiçosos. Havia vários pequenos serviços em suas boates e propriedades, e ele incluiu o filho mais velho na folha de pagamento. O pagamento era em espécie, claro. Lance controlava mais dinheiro vivo do que qualquer um no estado e era generoso. Deu a Hugh uma caminhonete usada e fez dele um garoto de recados. Hugh não transportava nada ilegal; na maioria das vezes, carregava apenas alimentos e suprimentos para os restaurantes, além de materiais de construção para as obras.

Carmen odiava a ideia do filho rondando as boates e se misturando com gente estranha, mas Hugh gostava do trabalho e do dinheiro. Ela reclamou com Lance, e o marido prometeu ficar de olho no garoto e evitar que se metesse em confusão.

O submundo, porém, provou ser irresistível para um adolescente curioso, principalmente em se tratando do filho do proprietário, e em pouco tempo Hugh conheceu Nevin Noll em uma mesa de sinuca nos fundos da Parada do Jerry. Nevin deu a ele um maço de cigarros, depois uma cerveja gelada, e eles logo se tornaram amigos. O segurança ensinou o garoto a jogar sinuca, pôquer e blackjack, e o básico sobre apostas em cavalos e jogos de futebol.

Em pouco tempo, Hugh estava organizando apostas entre os amigos da escola. Enquanto Keith se esforçava durante os treinos diários no campo e passava as noites de sexta-feira sentado no banco, Hugh estava ganhando dinheiro com apostas em jogos de futebol universitário e profissional. Lance sabia dos perigos que o garoto enfrentava, mas não tinha tempo para se importar. Estava construindo um império, o mesmo que Hugh provavelmente herdaria um dia. Mais cedo ou mais tarde, o filho seria exposto a todo tipo de atividade criminosa. Nevin disse ao chefe que estava de olho no filho dele e que não havia com o que se preocupar. Lance ficou meio em dúvida, mas continuou com seus negócios, torcendo pelo melhor.

A VIDA DE HUGH mudou drasticamente quando conheceu Cindy Murdock, uma loirinha alegre e graciosa com belos olhos castanhos e um corpo deslumbrante. Ela apareceu no Red Velvet uma tarde em que o garoto estava descarregando engradados de refrigerante e o cumprimentou ao passar por ele. Hugh ficou apaixonado e perguntou a um barman quem ela era. Apenas mais uma garota que afirmava ter 18 anos, exatamente como as outras, embora ninguém jamais verificasse.

Hugh a mencionou para Nevin, que logo farejou encrenca, ainda que inofensiva, mas achou aquilo bom demais para deixar para lá. Arranjou um encontro entre os dois, e Hugh, aos 15 anos, adentrou um novo mundo. Foi dominado de imediato pela Srta. Murdock e não conseguia pensar em mais nada. Enquanto os colegas contavam piadas sujas, trocavam revistas masculinas e fantasiavam, Hugh estava vivendo o mundo real. A moça estava mais do que disposta e achava muito engraçado ter o filho do Sr. Malco na coleira. Nevin ficou preocupado que o romance caísse na boca de outros funcionários e arrumou um lugar mais seguro para os pombinhos em um dos hotéis baratos de propriedade da empresa.

Lance ficou impressionado com o crescente interesse do filho pelos negócios, enquanto, ao mesmo tempo, Carmen notou uma mudança ameaçadora no comportamento do garoto. Ela encontrou os cigarros do filho, confrontou-o e foi avisada para não se preocupar, porque todos os jovens estavam fumando. Era inclusive permitido na escola, desde que os pais estivessem cientes. A mulher sentiu cheiro de cerveja em seu hálito, e o filho deu risada. Ora, ela bebia, Lance bebia, todo mundo que eles conheciam gostava de álcool. Não era um problema, então era só ela relaxar. O garoto vinha faltando à escola e à missa aos domingos, e andando com um pessoal mais barra-pesada. Lance, quando estava em casa, ignorava as preocupações da esposa e dizia que o garoto estava apenas sendo um adolescente. O novo rumo que o filho havia tomado na vida e a indiferença do marido acrescentaram uma tensão a um casamento que já vinha se deteriorando.

Cindy morava em um apartamento barato com outras quatro prostitutas. Como suas noites eram longas, elas muitas vezes dormiam até o meio-dia. Pelo menos uma vez por semana, Hugh faltava à escola e as acordava com cheeseburgers e refrigerantes. Ele se tornou um membro da turma e gostava de ouvi-las reclamar. Eram frequentemente incomodadas pelos bartenders, seguranças e leões de chácara. Elas contavam histórias hilárias de velhos que não conseguiam comparecer e de bêbados com pedidos estranhos. Convivendo com prostitutas, Hugh aprendeu mais sobre o negócio do que os gângsteres que o administravam.

Um dia, ele chegou ao apartamento no final da manhã e encontrou todas ainda dormindo. Ao desempacotar o almoço, notou a bolsa de Cindy na bancada da cozinha. Ele a virou e algumas coisas caíram. Uma delas foi a carteira de motorista. O nome verdadeiro de Cindy era Barbara Brown, 16 anos, natural de uma cidadezinha do Arkansas.

Era presumido que todas as garotas fossem mais jovens do que afirmavam. O limite de 18 anos era a regra, mas ninguém se importava com isso. A prostituição era ilegal de qualquer maneira, então não fazia mesmo diferença. Metade dos policiais da cidade era cliente.

A idade dela o incomodou por um ou dois dias, mas não mais que isso. Ele tinha apenas 15 anos. Tudo era consensual, e eles com certeza combinavam. Com o tempo, porém, à medida que começou a se apegar mais a ela, passou a se ressentir com a ideia de sua namorada dormir com qualquer homem que tivesse dinheiro. Por vários motivos, principalmente por conta da idade, ele não era bem-vindo nas boates e nunca a tinha visto circular entre os soldados em seus trajes minúsculos. Quando soube que ela havia começado a fazer striptease e *lap dance*, pediu que Cindy parasse. Quando ela se recusou, os dois tiveram uma briga feia, durante a qual a garota o lembrou de que os outros caras estavam pagando em dinheiro vivo pela companhia que ele recebia de graça.

Nevin avisou a Hugh que Lance andava perguntando por aí sobre seu relacionamento com a garota. Alguém de uma das boates o havia delatado. Hugh disse à namorada que os dois precisavam dar um tempo e tentou ficar longe dela. Passou uma semana sem vê-la, mas não conseguiu pensar em mais nada. Cindy o recebeu de volta de braços abertos.

Uma tarde, ela não compareceu a um encontro, e Hugh revirou a cidade atrás da garota. Depois de escurecer, foi ao apartamento da namorada e ficou chocado com o que encontrou. Seu olho esquerdo estava machucado e inchado, e o lábio inferior tinha um pequeno corte. Em meio às lágrimas, ela contou em detalhes que na noite anterior havia levado um tapa de seu último cliente, um assíduo que vinha se tornando cada vez mais violento. Dada a sua aparência, perderia vários dias no trabalho e, como sempre, precisava do dinheiro.

Aquilo era sério por muitos motivos, vários além do óbvio. Uma adolescente havia sido espancada por um brutamontes de pelo menos 40 anos. Era possível denunciá-lo, embora Hugh soubesse que a polícia não seria chamada. Se ela decidisse contar ao supervisor o que havia ocorrido, o assunto seria tratado "internamente". Lance protegia suas garotas e pagava bem, e contava com um fluxo constante de novas moças vindas de lugares desconhecidos. Se a notícia de que elas não estavam seguras em suas boates se espalhasse, o negócio sofreria as consequências.

CINDY HAVIA SAÍDO ÀS pressas na noite anterior e não contara ao gerente. Tinha medo de delatar alguém; estava com medo de tudo naquele momento e precisava de um amigo. Hugh passou horas sentado ao lado dela, colocando gelo em seus machucados.

No dia seguinte, ele se encontrou com Nevin Noll e contou ao homem o que havia acontecido. Nevin disse que lidaria com a situação. Consultou o gerente da boate e descobriu a identidade do cliente. Três dias depois, com Cindy de volta ao trabalho e escondendo os danos sob uma camada ainda maior de maquiagem, Nevin chamou Hugh para dar uma volta com ele.

– Aonde vamos? – perguntou o garoto.

Mas, na verdade, isso não importava. Ele admirava Noll e queria se aproximar ainda mais dele. Por muitos motivos, considerava-o um irmão mais velho, alguém que já havia passado por muitas situações difíceis.

– Vamos a Pascagoula ver os novos Chryslers – disse Noll, com um sorriso.

– Você vai comprar um?

– Não. Acho que nosso cara vende carros por lá. Vamos fazer uma visita e dar uma palavrinha com ele.

– Parece divertido.

– Você fica no carro, tá bem? Eu vou falar com ele.

Meia hora depois, estacionaram perto de uma fileira de belos sedãs Chrysler novinhos. Nevin saiu, caminhou até um deles, examinou-o e estava estudando um adesivo na janela quando um vendedor se aproximou com um grande olá e um sorriso gigantesco. Estendeu a mão como se os dois fossem velhos amigos, mas Nevin o ignorou.

– Estou procurando Roger Brewer.

– Sou eu mesmo. Como posso ajudar?

– Você estava no Red Velvet na segunda à noite.

O sorriso de Brewer desapareceu, e ele deu uma olhadinha para trás. Deu de ombros e fez uma cara de "E daí?".

– Passou um tempo com uma das nossas garotas, a Cindy.

– Do que se trata, hein?

– Talvez eu queira comprar um carro.

– Quem diabos é você?

– Ela pesa menos de 50 quilos e você bateu nela.

– E daí?

Brewer era o tipo de homem que adorava bater nos outros e que não se intimidava com violência. Ele se aproximou de Nevin e abriu um sorriso de desdém.

Nevin deu um passo adiante, diminuindo a distância, e disse:

– Ela é uma garota. Por que não bate em gente do seu tamanho?

– Tipo você?

– É uma boa ideia.

Brewer pensou duas vezes e retrucou:

– Vá embora daqui.

Hugh se encolheu ainda mais no banco da frente, mas não perdeu nada. Sua janela estava abaixada, e ele estava perto o suficiente para ouvir a conversa.

– Não volte mais, entendeu? – avisou Nevin. – Você está proibido de pisar lá.

– Vá pro inferno. Faço o que eu quiser.

O primeiro soco foi tão rápido que Hugh quase não viu. Um curto cruzado de direita acertou bem o queixo de Brewer, jogando sua cabeça para trás e dobrando seus joelhos. Ele caiu na frente de um dos sedãs novinhos, se segurou e lançou um gancho de direita atrapalhado do qual Nevin se esquivou com facilidade. O golpe seguinte foi um forte soco de direita na barriga de Brewer, que o fez guinchar. Uma combinação esquerda-direita-esquerda rasgou suas sobrancelhas e dilacerou seus lábios. Um forte gancho de direita o derrubou no capô do sedã. Nevin puxou seus pés e arrastou-o para fora do capô, batendo no caminho a nuca do sujeito no para-choque. No asfalto, Nevin o chutou bem no nariz e parecia pronto para espancá-lo até a morte.

– Ei! – gritou alguém, e Hugh viu dois homens correndo na direção deles.

Nevin os ignorou e chutou Brewer novamente no rosto. Quando o primeiro homem estava bem perto, Nevin girou com um gancho de esquerda e o derrubou. O segundo parou, pensou duas vezes e perguntou:

– Quem é você?

Como se isso importasse. Nevin o agarrou pelo nó da gravata e enfiou a cabeça dele na calota dianteira esquerda do sedã. Com os três no chão, Nevin voltou até Brewer e o chutou duas vezes na virilha, o segundo golpe triturando seus testículos e fazendo-o grunhir como um animal moribundo.

Nevin entrou no carro e saiu dirigindo calmamente como se nada tivesse acontecido. Ao deixarem o estacionamento, Hugh olhou para trás. Os três ainda estavam caídos, embora um dos que chegaram depois estivesse de quatro e tentando se recompor.

Minutos se passaram antes que falassem qualquer coisa. Por fim, Nevin perguntou:

– Quer tomar um sorvete?

– É... claro.

– Tem uma sorveteria aqui na estrada – disse Nevin com indiferença, como se nada tivesse acontecido. – Os melhores milk-shakes de banana da Costa.

– Tá. – Hugh ainda estava incrédulo, mas tinha algumas perguntas. – Aqueles caras lá... Eles vão chamar a polícia?

Nevin riu de tamanha tolice.

– Não. Eles não são burros. Se chamarem a polícia, eu ligo pra esposa do Brewer. É a lei da selva, meu garoto.

– Você não tá preocupado com eles?

– Por quê? Preocupado com o quê?

– Bom, aquele primeiro cara, o Brewer, ele pode estar machucado.

– Espero que esteja. Esse é o objetivo, jovem Hugh. Você machuca eles, mas não mata. Ele acabou de receber uma mensagem que nunca mais vai esquecer, e jamais vai bater de novo nas nossas garotas.

Hugh apenas assentiu.

– Aquilo foi incrível. Você derrubou três caras num piscar de olhos.

– Bom, meu garoto, digamos que já tenho alguma experiência.

– Então você faz isso o tempo todo?

– Não, não o tempo todo. A maioria dos nossos clientes conhece as regras. Às vezes, a gente se depara com um babaca feito o Brewer e precisa enxotar o sujeito. Mas o que costuma acontecer com mais frequência são uns pilotos que ficam bêbados e começam a brigar.

Nevin entrou no Tastee-Freez e estacionou no drive-in. Pediu dois milk-shakes grandes de banana e ligou o rádio na WVMI Biloxi, que por acaso também era a preferida de Hugh.

– Você já lutou boxe? – perguntou Nevin.

Hugh balançou a cabeça.

– Eu usava muito meus punhos quando era criança – prosseguiu Nevin. – Precisava. Um dos meus tios lutava boxe no Exército, antes de ser expulso, e me ensinou o básico. E nem sempre usávamos luvas. Quando eu tinha 16 anos, nocauteei meu tio. Ele disse que eu tinha as mãos mais rápidas que já havia visto. Me encorajou a entrar pro Exército ou pra Aeronáutica, principalmente pra conseguir me mandar daquele lugar, mas também pra lutar boxe em times organizados.

Nevin acendeu um cigarro e olhou para o relógio. Hugh observou as mãos e os dedos dele, mas não viu nenhum sinal do espancamento.

– Você lutava boxe em Keesler? – perguntou Hugh.

– Um pouco, sim, mas era mais divertido lutar contra os Yankees, que sempre acabavam com a gente. Eu vivia me metendo em confusão, e por fim eles me expulsaram. Eu odiava usar uniforme de qualquer maneira.

Uma linda garota de patins foi até o carro e entregou os milk-shakes. Quando voltaram à Highway 90 e se dirigiram para Biloxi, Nevin sentiu a necessidade de oferecer conselhos mais mundanos a seu jovem protegido. Depois de um longo gole, falou:

– Essa garota com quem você tá saindo, a Cindy. Não se apega muito, hein? Eu sei, eu sei, nesse momento você tá todo apaixonado, andando atrás dela feito um cachorrinho, mas ela só vai te trazer problemas.

– Você que arranjou pra gente.

– Claro, mas você já se divertiu, então segue em frente. Como você vai acabar aprendendo, tem muita mulher por aí.

Hugh tomou um pouco de milk-shake e assimilou aquele conselho não solicitado.

– Antes que você perceba, ela vai ter ido embora – declarou Nevin. – Elas vêm e vão. Ela é bonita demais pra ficar dando sopa por aí. Vai voltar pra casa e se casar com um velho conhecido da igreja.

– Ela só tem 16 anos.

– Como você sabe?

– Eu só sei.

– Não me surpreende. Todas elas mentem.

Hugh ficou calado enquanto pensava em como seria sua vida sem Cindy Murdock. Nevin já tinha falado demais e concluiu que era hora de calar a boca. Ele tinha apenas 23 anos e, embora tivesse visto muita coisa, nunca se apaixonara por uma mulher.

Uma sirene assustou os dois. Hugh se virou e viu um policial em uma viatura azul e branca.

– Merda! – exclamou Nevin, recuando para o acostamento da rodovia movimentada. Em seguida, olhou para Hugh com um sorriso e assegurou: – Eu cuido disso.

Nevin saiu e encontrou o policial entre os carros. Felizmente, o oficial era do condado de Harrison. Eles haviam atravessado o condado de Jackson menos de um quilômetro antes.

O condado de Harrison era território do xerife Albert Bowman, mais conhecido como Pança, considerado o funcionário público mais bem pago do estado, com muito pouco de sua renda chegando aos livros de contabilidade.

– A carteira de motorista, por favor – começou o policial, com um tom áspero.

Nevin entregou o documento e tentou não ser arrogante. Ele sabia o que estava prestes a acontecer. O policial, não.

– Tenho que ligar pra Pascagoula – informou ele. – Disseram que um cara dirigindo um carro igualzinho a esse aqui precisava responder a algumas perguntas. Algo a ver com uma agressão numa loja da Chrysler.

– Então, qual é a sua pergunta?

– Você esteve na loja da Chrysler em Pascagoula?

– Acabei de sair. Precisava falar com um cara chamado Roger Brewer. Ele provavelmente tá no hospital agora, levando pontos. O Brewer esteve no Red Velvet na segunda à noite e bateu em uma das nossas garotas. Ele não vai fazer isso de novo.

O policial devolveu a carteira de motorista a Nevin e olhou ao redor, sem saber ao certo o que fazer.

– Bom, imagino que você trabalhe no Red Velvet.

– Trabalho, sim. Lance Malco é meu chefe. Ele me mandou falar com o Brewer. Tá tudo certo agora.

– Muito bem. Acho que não tem problema nenhum, então. Vou ligar pra Pascagoula e dizer pra eles que não vimos nada por aqui.

– Ótimo. Pode me dizer seu nome? O Sr. Malco vai querer saber.

– Claro. Wiley Garrison.

– Obrigado, oficial Garrison. Se precisar de uma bebida em algum momento, é só avisar.

– Eu não bebo.

– Obrigado mesmo assim.

7

O Baricev era um conhecido restaurante de frutos do mar na praia de Biloxi, próximo ao centro. Era um local popular, com poucas mesas diante da demanda gerada por moradores que o apreciavam e turistas que tinham ouvido falar de sua reputação. Não faziam reservas, pois a manutenção de registros não era uma prioridade, então geralmente havia uma longa fila de espera na porta. Alguns moradores, no entanto, conseguiam mesas preferenciais sem precisar aguardar nem um segundo.

O xerife Albert Bowman, o Pança, era um cliente assíduo e insistia em sempre pegar a mesma mesa de canto. Comia lá pelo menos uma vez por semana, sempre com a conta paga por um dono de boate ou gerente de hotel. Ele adorava as patas de caranguejo e o linguado recheado, e muitas vezes passava horas lá.

O homem nunca jantava usando seu uniforme oficial; para essas ocasiões, escolhia um terno bonito, folgado e amarrotado. Não queria que as pessoas ficassem encarando, embora todos o conhecessem. Nem todo mundo o admirava, levando-se em conta sua merecida reputação de corrupto, mas Bowman era um político das antigas que apertava todas as mãos e beijava todos os bebês. Os resultados esmagadores nas reeleições faziam valer a pena.

Pança e Rudd Kilgore, seu assistente-chefe e chofer, chegaram cedo e bebericaram uísque enquanto esperavam pelo Sr. Malco. O empresário chegou às oito em ponto e trazia consigo seu braço direito, um tenente conhecido apenas como Tip. Como de costume, Nevin Noll era o motorista e aguardaria no carro. Embora Lance confiasse nele de olhos fechados, Noll ainda era muito jovem para participar de reuniões de negócios.

Os quatro apertaram as mãos, trocaram cumprimentos como velhos amigos e sentaram-se ao redor da mesa. Mais bebidas foram pedidas enquanto eles devoravam um extenso jantar.

Lance havia marcado aquele encontro por um motivo. Alguns dos jantares não passavam de uma boa maneira de agradecer a um xerife corrupto que recebia sua parte e ficava fora do caminho. No entanto, às vezes havia algum assunto que gerava preocupação. Uma grande travessa de ostras foi colocada no centro da mesa, e eles começaram a comer.

Bowman precisava resolver um probleminha insignificante.

– Já ouviu falar de um garoto chamado Winslow? – perguntou. – É conhecido como Butch.

Lance olhou para Tip, que na mesma hora balançou a cabeça. Em resposta a qualquer pergunta direta, especialmente vinda de um policial, Tip sempre começava com um breve "não".

– Acho que não – acrescentou Lance. – Quem é esse?

– Vai saber. Foi encontrado numa vala no fim de semana passado ao lado da Nelly Road, a 800 metros da Highway 49. Estava vivo, mas foi por pouco. Esse daí foi até o inferno e voltou. Ainda tá no hospital. O último local de trabalho conhecido é o Yacht Club. Demos uma olhada por aí, ficamos sabendo que o tal Butch fazia crupiê pra blackjack e era trapaceiro. Alguém comentou que em algum momento ele trabalhou pra vocês na Parada do Jerry.

Tip sorriu e disse:

– Ah, sim, agora me lembro. A gente pegou o garoto roubando e enxotou ele de lá. Faz mais ou menos um ano.

– E mais nada?

– Não fomos nós, xerife – disse Tip.

– Eu imaginei mesmo. Olha, vocês sabem que não me envolvo em questões disciplinares, a menos que apareça um cadáver. Alguém chegou muito perto de matar esse garoto.

– Aonde quer chegar, xerife? – perguntou Lance.

– A lugar nenhum.

– Entendi.

Tip pediu duas jarras de cerveja, e eles se dedicaram a devorar as ostras.

Quando chegou a hora de entrar nas questões de trabalho, Bowman perguntou:

– Então, o que você tem em mente?

Lance se inclinou um pouco mais e falou:

– Bem, não é nenhuma surpresa, mas esse lugar tá ficando lotado. Lotado demais. E agora estamos sabendo que tem uma gangue nova na área.

– Você tá indo bem, Lance – disse Bowman. – Tem suas boates, seus bares, tem mais do que qualquer outra pessoa. A gente imagina que você esteja no comando de pelo menos um terço dos negócios da Costa.

Ele lançou aquela informação na mesa como se estivesse especulando os números. Pança mantinha seus próprios e meticulosos registros. Quando dizia algo que começava com "a gente imagina", a mensagem era de que ele sabia exatamente, tim-tim por tim-tim, a fatia dos negócios ilícitos comandados por Malco.

– Talvez sim, mas o desafio é manter isso sob controle. Tenho certeza de que já ouviu falar da State Line Mob, a máfia da fronteira.

– Ouvi falar, mas nunca vi ninguém.

– Bom, eles estão aqui. Há mais ou menos um mês, ouvimos um boato de que estavam se mudando pra cá. Parece que as coisas estão esquentando muito na fronteira, e eles estão vindo pro sul. Biloxi parece atraente, dado o ambiente favorável aos negócios.

O xerife acenou para a garçonete e pediu *gumbo*, patas de caranguejo e linguado recheado. Quando ela foi embora, o homem comentou:

– Um pessoal desagradável, segundo a reputação deles.

– Sim, essa é a reputação. A gente tem contato com um cara que trabalhou lá e conhece esse povo bem. Ele foi expulso por algum motivo, disseram que teve sorte de escapar.

– E essa máfia da fronteira tem um bar?

– Tá rolando um boato de que estão tentando comprar o O'Malley.

Bowman franziu a testa e olhou fixamente para Kilgore. Eles não gostaram da notícia, principalmente porque não foram contatados pelos novos moradores da cidade. As regras de convivência eram simples: para operar qualquer estabelecimento ilegal no condado de Harrison, a aprovação tinha que ser obtida de Albert Bowman, o Pança. Ficava acertada uma mensalidade, e ele então distribuía o dinheiro entre a polícia e os políticos. Pança não se incomodava com a concorrência. Mais boates e bares significavam mais dinheiro para ele. As gangues podiam lutar entre si, desde que os negócios dele não fossem afetados.

– Você é muito bom em proteger seu território, Lance – elogiou ele. – Fez um bom trabalho de consolidação. O que eu deveria fazer?

Lance riu.

– Sei lá, xerife. Expulsá-los daqui, talvez?

Pança riu também e acendeu um cigarro. Soprou uma nuvem de fumaça e apoiou o cigarro no cinzeiro.

– Isso é com você, Lance. Eu não regulo o comércio. Só me certifico de que vocês continuem na ativa.

– E nós agradecemos, xerife, não me entenda mal. Só que continuar na ativa também é meu objetivo. No momento, as coisas nunca estiveram melhores, pra mim e pra você, e eu gostaria de continuar assim. Todo mundo está seguindo as regras, ninguém tá sendo ganancioso demais, pelo menos por enquanto. Mas se a gente deixar essa gangue entrar, vamos ter problemas.

– Cuidado, Lance. Se alguém for morto, não tem mais volta. Olho por olho e por aí vai. Nada agita mais os cidadãos de bem por aqui do que uma guerra de gangues. Você quer que o seu negócio vá parar na primeira página do jornal?

– Não, e acho que esse é o momento perfeito pra você evitar uma guerra. Dá um jeito nesses caras e manda eles embora daqui. Se comprarem o O'Malley, você fecha o bar. Eles não vão atirar em você, xerife. Não são tão malucos assim.

O *gumbo* chegou em tigelas grandes, e as cascas das ostras foram retiradas. Tip voltou a encher as quatro canecas de cerveja, e os homens saborearam a comida. Depois de algumas garfadas, Bowman disse:

– Vamos esperar e dar um tempo. Vou trocar uma ideia com o O'Malley, ver o que ele vai me dizer.

Lance grunhiu, sorriu e comentou:

– Nada, como sempre.

O PUB O'MALLEY FICAVA em um antigo armazém a um quarteirão da Strip. Duas semanas após a reunião no Baricev, Kilgore, o assistente-chefe do xerife, passou por lá numa tarde e entrou. O bar estava escuro e silencioso; era cedo demais para o happy hour. Dois motociclistas jogavam sinuca nos fundos e um morador da cidade estava sentado numa das pontas da bancada.

– O que vai ser? – perguntou o barman, com um sorriso.

– Tô procurando por Chick O'Malley.

O sorriso desapareceu.

– Isso aqui é um bar. Quer alguma coisa pra beber?

– Já te disse o que eu quero.

Kilgore vestia paletó e gravata. De um bolso, tirou um distintivo e o sacudiu para o barman, que deu uma olhada demorada.

– O Chick não tá mais aqui. O bar foi vendido.

– Ah, é? Quem é o novo dono?

– Ela não está.

– Dona, então. Não perguntei se ela estava. Perguntei quem comprou o bar.

– O nome dela é Ginger.

– Eu costumo prender mulheres que só têm um nome.

– Ginger Redfield.

– Agora estamos melhorando. Pega o telefone e diz pra ela que eu tô aguardando.

O barman olhou para o relógio de pulso e disse:

– Ela deve chegar a qualquer minuto. Quer beber alguma coisa?

– Café puro. Fresco.

– Volto já.

Kilgore se sentou no bar e observou as garrafas abaixo do espelho. O café não estava fresco, mas ele bebeu assim mesmo. Evidentemente, Ginger usaria a porta dos fundos, porque ninguém mais entrou pela frente. Quinze minutos depois, o barman reapareceu.

– A Ginger vai falar com você agora.

Kilgore sabia onde ficava o escritório porque já estivera lá várias vezes para cobrar dívidas. Ele seguiu o barman até os fundos e subiu um lance estreito de escada que se abria para um corredor escuro e comprido onde havia uma fileira de portinhas à esquerda. A prostituição não era o foco do O'Malley. Chick ganhava dinheiro com bebida e pôquer, mas quase todos os bares tinham alguns quartos no andar de cima, só para garantir. As paredes cheiravam a tinta fresca e o carpete felpudo era novo. Um toque feminino.

No final do corredor, Ginger abriu a porta de seu escritório quando os dois homens se aproximaram e acenou para Kilgore entrar. O barman desapareceu. Ela era uma mulher corpulenta na casa dos 50 anos, com um vestido muito justo e decotado na frente. Seus seios eram fartos e pareciam um tanto desconfortáveis naquela roupa, embora Kilgore tentasse não prestar atenção. O cabelo dela era pintado de preto e combinava com o rímel forte nos olhos. A dona do pub apertou a mão dele com força e era toda sorrisos.

– Prazer em conhecê-lo. Ginger Redfield.

A voz dela era baixa e rouca, como se devastada pela nicotina.

– Prazer. Rudd Kilgore.

– Estava imaginando quando vocês passariam por aqui.

– Aqui estou. Se importa se eu perguntar quando você assumiu o lugar?

– Algumas semanas atrás.

– Você é daqui?

– Daqui e dali.

Kilgore sorriu, quase deixou passar, mas disse:

– Respostas como essa só trazem problemas, Srta. Redfield.

– Pode me chamar de Ginger. Sou originalmente de Mobile, passei os últimos anos na divisa do estado.

– E você pode me chamar de Kilgore. Assistente-chefe do Departamento do Xerife do Condado de Harrison.

DENTRO DE 24 HORAS, Pança e Kilgore descobririam que Ginger Redfield e seu marido haviam gerenciado um lounge na divisa entre os estados do Tennessee e do Mississippi e tinham um longo histórico de atividades criminosas. O marido dela estava cumprindo pena de dez anos no Tennessee pelo homicídio culposo de um contrabandista. O filho mais velho estava cumprindo pena em uma penitenciária federal na Flórida por posse de armas. Para não ficar para trás, o filho mais novo era suspeito de dois homicídios, mas naquele momento estava foragido. Corria à boca pequena que ele era matador de aluguel.

Esse histórico foi fornecido pelo xerife do condado de Alcorn, Mississippi, um veterano das antigas que conhecia bem a família. De acordo com sua narrativa bastante prolixa, Ginger e seu pessoal estavam em guerra com outros proprietários de boates ao longo da fronteira estadual.

– Esses desgraçados estão sempre atirando uns nos outros – descreveu o xerife. – Queria que atirassem melhor. Não preciso dessa gente por aqui.

De todo modo, alguém levantou uma bandeira branca, uma trégua foi acordada, e as coisas se acalmaram até que o marido de Ginger matou um contrabandista numa briga por causa de um caminhão cheio de bebida. Ela vendeu tudo, desapareceu e não foi vista por aquelas bandas ao longo do ano anterior.

– Que bom que agora ela é toda sua, amigo – concluiu o xerife. – Mulher só traz problema.

– CADÊ O CHICK? – perguntou Kilgore.

Ginger abriu um sorrisinho atraente que suavizou consideravelmente sua cara de poucos amigos. Vinte anos e 15 quilos atrás, provavelmente era bonita, mas uma vida em lounges havia acrescentado muitas rugas ao seu rosto e endurecido suas feições. Ela acendeu um cigarro sem filtro, e Kilgore, um mentolado.

– Não faço ideia – respondeu ela. – Ele não disse, e eu não perguntei. Fiquei com a impressão de que ele estava saindo da cidade.

– É mesmo? Você assumiu as dívidas do bar?

– Você tá sendo um pouco intrometido, não acha?

– Chame como quiser. O Chick estava cheio de contas pra pagar.

– Que contas?

– Olha, Ginger, não sou burro a ponto de acreditar que o Chick vendeu esse lugar pra você sem te explicar o básico. E é o seguinte: a porta continua aberta enquanto o alvará estiver em vigor.

Ela sorriu de novo, deu um longo trago no cigarro e disse:

– Acho que ele falou alguma coisa a respeito de um alvará. Até onde sei, não dá pra conseguir um desses na prefeitura.

Ele riu.

– Nós controlamos esses documentos e eles custam mil dólares por mês. O Chick estava dois meses atrasado. Se quer manter o bar aberto, precisa zerar as dívidas.

– Estamos falando de um valor bem alto, hein, Kilgore. Um preço alto por proteção.

– Não fazemos proteção e não nos envolvemos em brigas de rua nem em guerras por território. A licença só permite que mantenha o negócio aberto e se comporte, mais ou menos isso.

– Que eu me comporte? Tudo o que a gente vende é ilegal.

– E você vai vender muito se mantiver os preços sob controle, proteger suas garotas e reduzir ao mínimo as brigas e as trapaças. Isso é o que chamamos de bom comportamento.

Ela deu de ombros e pareceu concordar.

– Tá, então a gente deve 2 mil, certo?

– Três. Dois atrasados e um de agora. Tudo em dinheiro. Vou mandar um cara chamado Gabe vir aqui amanhã a essa hora. Você vai saber quem é porque ele tem só um braço.

– Um bandido de um braço só.

Ele deu risada.

– A propósito, são os caça-níqueis que dão dinheiro, caso esteja fazendo algum planejamento de longo prazo.

– Já mandei trazer alguns. Tem limite pra quantidade?

– Não temos limites. O jeito que administra esse lugar depende estritamente de você. Apenas se comporte, Ginger.

Kilgore apagou seu Salem em um cinzeiro da mesa dela e se virou para a porta. Depois, parou, deu um sorriso e completou:

– Bem, passei só para te dar as boas-vindas. A sua reputação é conhecida por aqui, e você pode não ser muito bem recebida por alguns dos outros licenciados.

– Já estou com problemas?

– Provavelmente. Alguns dos garotos sabem sobre o State Line Mob e estão um pouco preocupados.

Ela deu risada.

– Ah, isso. Bom, diz pra eles relaxarem. Viemos em paz.

– Eles não entendem esse conceito. Não gostam de competição, especialmente de outras organizações.

– Não somos uma organização, Sr. Kilgore. Essa máfia tá longe daqui.

– Toma cuidado.

Ele abriu a porta e saiu.

8

Após três anos dando o sangue como único associado do escritório de advocacia, Jesse Rudy estava pronto para uma mudança de ares. Os dois senhores mais velhos que o contrataram depois que passou no exame da Ordem haviam exercido a advocacia em um ritmo vagaroso por duas décadas e se contentavam em revirar papéis e lidar com assuntos que não exigiam questões litigiosas. Jesse, no entanto, gostava da emoção e do desafio que o tribunal proporcionava e via seu futuro ali. Estava com quase 40 anos, tinha quatro filhos para sustentar e sabia que redigir testamentos e escrituras não lhe forneceria a renda de que precisava. Ele e Agnes decidiram arriscar, pegar um empréstimo no banco e abrir seu próprio escritório. Ela trabalhava meio período como secretária sempre que não estava fazendo todos os malabarismos que envolviam seus deveres enquanto mãe. Jesse trabalhava ainda mais que antes e usava seus contatos do Point para encontrar casos melhores. Ele se oferecia para representar réus que não podiam pagar por um advogado, e assim aperfeiçoou suas habilidades no tribunal. A maioria dos advogados em Biloxi, como na maioria das cidades pequenas, preferia a estabilidade de um escritório tranquilo. Jesse era mais ambicioso e via que casos de tribunal do júri poderiam lhe trazer dinheiro.

Mas seu novo escritório na Howard Avenue continuava aberto a todos, e ele nunca se recusava a atender alguém que estivesse precisando de advogado. Logo, estava mais ocupado do que nunca e gostava da ideia de ficar com a totalidade dos honorários. Como único advogado do escritório, não precisava dividir sua renda com ninguém além de Agnes. Ela cuidava da contabilidade e era melhor do que o marido em dispensar a ralé.

Certa manhã, Jesse estava sozinho no escritório. A campainha tocou, e ele não teve como ignorá-la. Nenhum compromisso havia sido agendado àquela hora, então a perturbação significava mais um possível cliente aparecendo sem avisar. Foi até a porta e cumprimentou Guy e Millie Moseley, de Lima, Ohio. Os dois estavam na casa dos 50 anos, bem-vestidos, e havia um Buick, último modelo, estacionado junto ao meio-fio. Ele os conduziu até a sala de reuniões e buscou três xícaras de café.

Os dois começaram se desculpando por aparecerem do nada, mas algo terrível havia acontecido, e, além de completamente sem dinheiro, estavam longe de casa. Voltavam de uma viagem de duas semanas para Tampa, a caminho de Nova Orleans para passar uma noite na cidade, e a tragédia se dera no dia anterior.

Era óbvio que não estavam feridos. O belo carro estacionado do lado de fora parecia intacto. Como um advogado bastante atento ao que se passava nas ruas de Biloxi, ele imediatamente suspeitou que os dois tivessem se envolvido em alguma confusão no lado mais obscuro da cidade.

Guy começou a contar a história, enquanto Millie enxugava os olhos vermelhos e inchados com um lenço de papel. O homem continuou olhando para a esposa como se estivesse desesperado por aprovação, mas isso aparentemente não ia acontecer. Era óbvio que tinha estragado tudo, era o vilão; a mulher tentara dissuadi-lo de qualquer historinha em que ele havia caído, então cabia a Guy confessar e buscar a absolvição.

Cinco minutos depois, Jesse sabia exatamente o que havia acontecido. A primeira pista foi a localização: a Lanchonete Blue Spot, na Highway 90, com vista para a praia. Era uma antiga birosca que anunciava biscoitos caseiros e comida barata. Alguns anos antes, um vigarista chamado Shine Tanner comprara o lugar, mantivera o café do mesmo jeito e acrescentara uma sala nos fundos onde realizava noites de bingo e cerveja que atraíam multidões. Também havia carteado e alguns caça-níqueis, mas nada de prostitutas. Ele preferia atrair um pessoal mais velho e manter os soldados e universitários longe do local.

– E então tomamos um ótimo café da manhã, já bem tarde, e o lugar estava vazio – relatou Guy.

Essa foi a segunda pista. Shine gostava de ludibriar as pessoas de fora da cidade quando o movimento estava tranquilo.

– Então chegou uma conta de 2 dólares. Eu estava me preparando para pagar quando a garçonete, o nome dela era Lonnie, perguntou se gostaríamos de participar de uns jogos de azar. Ficamos na dúvida, então ela disse: "Olha, todo mundo faz isso por aqui. É só uma brincadeira inofensiva. Aqui está um baralho de cartas. Eu escolho uma. Você escolhe outra. Se a sua carta for maior, o café da manhã sai de graça. Um jogo simples, de tudo ou nada."

– Ela tinha um baralho no bolso – disse Millie, com dificuldade. – Tenho certeza de que as cartas eram marcadas.

Guy abriu um sorriso para a esposa, que não sorriu de volta.

– Aí ela embaralhou as cartas, quer dizer, aquela garota era mesmo muito boa nisso, e depois de três rodadas eu tinha ganhado 4 dólares. Então, 8. Aí eu perdi, voltei à estaca zero. Depois, voltei pra 8. Outro cliente entrou, e ela anotou o pedido. Eu não podia ir embora porque ela me devia 8 pratas.

– Eu queria ir embora – protestou Millie.

Guy a ignorou. Não tirava os olhos de sua xícara de café. Ao prosseguir, seu tom de voz ficou mais baixo.

– Apareceu um cara, acho que era o dono do lugar, um sujeito muito simpático, e perguntou se queríamos conhecer o cassino dele.

– Baixinho, careca, pele muito bronzeada? – indagou Jesse.

– Ele mesmo. Você conhece esse cara?

– É o dono.

A pista seguinte. Shine Tanner chegou ao local para preparar a armadilha.

– Ela pagou os 8 dólares, e nós o acompanhamos por uma porta na lateral do restaurante, que dava para o cassino. Estava escuro e vazio. Ele disse que o cassino estava fechado, só abria às seis, mas que tinha um jogo novo que queria mostrar pra gente.

– Bolita? – perguntou Jesse.

– Sim, você já esteve lá?

– Não, mas ouvi falar da tal mesa de Bolita.

– Foi o que ele disse. Havia uma mesa verde de feltro, como um grande tabuleiro de damas, com quadrados numerados de um a cinquenta. Ele disse que o jogo envolvia dados e aritmética, e que era fácil de ganhar. Perguntou se eu queria apostar alguns dólares e começou a me guiar pelo jogo.

Lonnie, a garçonete, apareceu e me perguntou se eu queria beber alguma coisa. O dono disse que o bar estava fechado, eles ficaram discutindo, fazendo um grande estardalhaço sobre poder ou não me oferecer uma bebida. Eu não queria, mas depois de toda aquela conversa me senti na obrigação de pedir uma cerveja.

Millie balançou a cabeça e fixou o olhar na parede.

– Em seguida, ele sacudiu oito dados e rolou os "ossos", como os chamava, depois os pegou quase com a mesma rapidez. Disse que o total tinha sido 38. Colocou 2 dos meus dólares no número. Se a jogada seguinte fosse maior, eu venceria. Se fosse menor, perderia, mas havia outras regras que ele introduzia conforme o jogo avançava. Disse que a única maneira de perder era parar de jogar antes de ganhar dez jogos. Não tenho certeza de que consegui entender todas as regras.

– Você não entendeu – acrescentou Millie.

– A Lonnie me trouxe uma cerveja.

– Eram só dez e meia da manhã – interveio Millie novamente.

– Sim, querida, eram só dez e meia, e eu deveria ter parado. Nós já tivemos essa conversa, mais de uma vez. Eu deveria ter saído de lá e entrado no carro, não deveria ter desperdiçado nosso dinheiro. Você se sente melhor agora?

– Não.

Jesse já tinha ouvido o suficiente. Histórias como aquela eram comuns ao longo da Costa – turistas de classe média alta em belos carros com placas de fora do estado sendo ludibriados por trapaceiros. Ele ergueu as mãos e disse:

– Olha, pessoal, vamos direto ao ponto. Quanto dinheiro vocês perderam na Blue Spot?

Millie mal podia esperar para disparar:

– Foram 600 dólares, tudo o que a gente tinha. Não temos dinheiro nem para a gasolina pra chegar em casa. Como você pôde ser tão burro?

O coitado se encolheu mais um ou dois centímetros depois desse último ataque. Era óbvio que tinha ouvido coisa muito pior nas horas anteriores.

– Não tem nada que a gente possa fazer? – implorou Millie. – Ele não passa de um vigarista ardiloso que enganou a gente e roubou nosso dinheiro. Deve haver alguma lei sobre isso nesse estado atrasado.

– Infelizmente não, senhora. Todos os jogos de azar são ilegais no Mississippi, mas é com muito constrangimento que lhe digo que isso é ignorado aqui na Costa.

– A gente só entrou lá pra tomar café da manhã.

– Eu sei. Isso acontece o tempo todo.

Eles se calaram. Millie chorou um pouco mais, e Guy encarou o chão, como se procurasse um buraco para se enterrar. Jesse olhou para o relógio. Havia perdido quase vinte minutos com aqueles dois pobres coitados.

– Conta pra ele o resto – ordenou a esposa.

– O quê?

– Você sabe, hoje de manhã.

– Ah, sim. Bom, não temos dinheiro pra ir pra Nova Orleans, então conseguimos um quarto barato aqui perto. Hoje de manhã bem cedo, voltamos ao restaurante, porque eu não consegui pregar o olho ontem à noite e queria esculachar o sujeito e pegar meu dinheiro de volta. Mas, quando paramos o carro, vimos dois policiais tomando café da manhã lá dentro. Entrei e olhei para Lonnie, a garçonete. Ela fez uma cara debochada e perguntou: "O que você quer?" Eu respondi: "Quero meu dinheiro." Então ela falou: "Você não vai arrumar confusão aqui. Vou ter que pedir pra se retirar." Insisti que queria meu dinheiro de volta. Antes que eu me desse conta, os policiais já estavam vindo na minha direção. Eles me empurraram, me mandaram pegar a estrada e nunca mais voltar.

Millie havia ficado quieta por tempo suficiente. Então disse a Jesse:

– Ele quase foi preso, ainda por cima. Olha que maravilha! O durão Guy Moseley jogado numa cela com um bando de bêbados.

Jesse ergueu as mãos mais uma vez e falou:

– Tá certo, pessoal. Olha, sinto muito mesmo pelo que aconteceu, mas não há nada que eu possa fazer.

– Você não pode processar esse cara? – questionou Guy.

– Não, porque não existe causa legal para mover a ação.

– Que tal roubo? – perguntou ela. – Era um jogo de trapaça, ele só estava esperando um otário aparecer. Parece que eles conseguiram fisgar um.

– Dá um tempo – vociferou Guy para a esposa. – Você viu aqueles policiais. Caramba, eles provavelmente também estão metidos nessa.

Jesse reprimiu um sorriso e pensou: *Finalmente você está certo sobre alguma coisa.*

– Ele pegou até os nossos cheques de viagem – murmurou ela.

61

– Por favor, fica quieta – disse Guy.

Mas ela o ignorou e continuou a falar:

– Ele foi se afundando cada vez mais. Eu ficava dizendo: "Vamos dar o fora daqui." Mas, não, o Sr. Grande Apostador aqui não desistia. O bandido deixava ele ganhar de vez em quando, apenas o suficiente pra prender a gente ali. Fiquei muito irritada e fui pro carro, então esperei, esperei, e sabia muito bem que ele ia perder tudo. Por fim, ele saiu, quase chorando, parecia que tinha visto um fantasma, teve sorte em ainda estar de camisa.

– Por favor, Millie.

Jesse queria muito que eles saíssem de seu escritório antes que uma briga começasse. Por um segundo, pensou em recomendar um bom advogado especializado em divórcios, mas para isso primeiro teriam que conseguir voltar para casa. Olhou para o relógio e disse calmamente:

– Preciso estar no fórum às nove, então temos que encerrar por aqui.

Naquele momento, Guy parecia prestes a chorar. Ele enxugou o rosto e disse, com uma voz seca:

– Você poderia nos emprestar 50 dólares pra voltarmos pra Ohio?

– Sinto muito, mas não é ético um advogado emprestar dinheiro a um cliente.

– Vamos pagar de volta, eu juro – insistiu Millie. – Assim que chegarmos em casa.

Jesse se levantou e tentou ser educado.

– Sinto muito, pessoal.

Eles saíram sem agradecer. Jesse os ouviu chegando ao Buick e só conseguia imaginar como ficaria mais difícil conseguir dinheiro conforme avançassem para o norte.

Serviu outra xícara de café e voltou para a sala de reuniões, onde se sentou de frente para a rua. Era solidário até certo ponto, mas uma boa dose de cautela teria economizado tempo, dinheiro e problemas. Muitas pessoas vinham para a Costa atrás de confusão e sabendo muito bem onde encontrar. Outras, como os Moseleys, vagavam sem rumo e esbarravam no mundo do vício por acidente. Eram cordeirinhos inocentes nas mãos de lobos e não tinham a menor chance de saírem ilesos da jogada. Havia muitos Shine Tanners ganhando dinheiro com sua inteligência, e não com trabalho honesto.

A corrupção nunca é algo limitado a um determinado espaço. Ela se espalha porque homens gananciosos se deparam com dinheiro fácil, e há uma demanda infinita por gratificação e promessa de grana rápida. Jesse não se ressentia dos clubes e boates, nem do comércio ilícito que ofereciam a clientes dispostos a pagar. Também não se ressentia de homens como Lance Malco e Shine Tanner, nem de seus semelhantes que lucravam com o vício. O que Jesse detestava era o suborno ao qual se submetiam aqueles encarregados de defender a lei. A corrupção estava enriquecendo homens como Albert Bowman, o Pança, e outras autoridades eleitas. A maioria dos policiais e políticos tinha as mãos sujas. A pior parte era não saber em quem confiar.

O atual promotor de justiça do distrito, também eleito, era um homem decente que nunca havia demonstrado interesse em combater o crime organizado. Verdade seja dita, se a polícia não investigasse nem fosse atrás dos criminosos, não haveria casos para o promotor processar. Isso frustrava os reformistas – policiais honestos, pastores, cidadãos que respeitavam a lei – que queriam "limpar a Costa".

Um mês antes, Jesse havia se encontrado com um juiz aposentado e um pastor. Foi uma reunião tranquila em uma cafeteria sem máquinas caça-níqueis à vista. Os dois homens alegaram representar um grupo de pessoas preocupadas com seus deveres cívicos e com o crescimento de empreendimentos criminosos. Havia rumores de que drogas, em especial maconha, eram contrabandeadas e estavam prontamente disponíveis em algumas casas noturnas. Alguns crimes mais antigos já existiam havia décadas e, embora ainda fossem práticas ilegais, tinham se tornado aceitos em determinados círculos. Mas as drogas representavam uma ameaça mais sinistra, e o tráfico precisava ser interrompido. O futuro das crianças estava em jogo.

Os homens se frustravam com os políticos. Albert Bowman estava profundamente envolvido, dirigia uma aparelhagem bem organizada e era quase intocável. Havia provado ser capaz de comprar qualquer eleição. Mas o promotor era outra coisa; ele representava o Estado, era considerado o advogado do povo e, portanto, estava incumbido do dever de combater o crime. O juiz e o pastor tinham se reunido com o promotor e expressado suas preocupações, mas, mais uma vez, ele demonstrara pouco interesse.

Então tiveram uma ideia ousada: Jesse Rudy daria um excelente promotor de justiça. Ele era de Biloxi e todos o conheciam por lá, além de ter fãs no Point, onde ficava uma das maiores delegacias daquele distrito de três condados. Sua reputação era impecável. Era considerado acima de qualquer suspeita. Mas será que teria coragem de lutar contra a máfia?

JESSE FICOU LISONJEADO COM a ideia e honrado pela confiança. Era o início de 1963, um ano eleitoral em que todos os cargos, desde o governador ao legista do condado, estariam na cédula de votação. Até o momento, não havia oposição na corrida pelo cargo de promotor, como de costume. Todos esperavam que Albert Bowman pegasse mais quatro anos, sem nenhuma oposição que o ameaçasse. Nada mudaria a menos que um novo promotor assumisse o cargo com interesses completamente diferentes.

Ele prometeu pensar sobre o assunto, mas tinha sérias reservas. Estava tentando se estabelecer na advocacia, e para isso precisava trabalhar duro todos os dias. Não tinha dinheiro para uma campanha. Nunca havia se considerado um político, nem por um segundo, e não tinha certeza se isso estava em seu sangue. A maior desvantagem seria a promessa de que iria atrás dos criminosos. Ele conhecia Lance Malco desde sempre e, embora ainda fossem educados um com o outro quando a situação exigia, viviam e trabalhavam em mundos diferentes. Era quase impossível imaginar ameaçar seu império.

Jesse tampouco tinha interesse em colocar em risco a segurança de sua família. Seu filho Keith e Hugh Malco ainda eram amigos, embora não tão próximos quanto na época em que foram estrelas do beisebol, aos 12 anos. Entre os meninos, era sabido que Hugh dava sinais de seguir os passos do pai. Ele vivia rondando as boates, fumando, bebendo e se gabando de conhecer as garotas. Havia desistido dos esportes coletivos e se autodenominava boxeador.

Mas, uma vez plantada, a ideia não ia mais embora. Depois de alguma hesitação, Jesse finalmente contou a Agnes. A recepção não foi lá essas coisas.

9

Em quatro lutas na Buster's Gym, Hugh teve uma vitória, uma derrota e dois empates. O fato de ter sobrevivido sem ser nocauteado o encorajou a dar o próximo passo. Buster, seu treinador, não estava tão seguro assim, mas raramente dizia não quando um novo lutador estava ansioso para entrar no ringue. O torneio Golden Gloves ocorreu no final de fevereiro no ginásio da igreja católica de St. Michael, e Buster, o incontestável chefão do boxe amador ao longo da Costa, controlava o card. Ele tentou proteger seus novatos e se certificar de que sobreviveriam pelo menos ao primeiro round.

A primeira aula de Hugh não foi em uma academia. Nevin Noll encontrou dois pares de luvas de 16 onças, e, certa tarde, eles foram para os fundos do Red Velvet para uma aula amigável. Apenas o básico: postura, posição das mãos, esquiva, movimentos dos pés. Hugh estava apavorado porque tinha visto Nevin em ação e sabia como os punhos dele eram rápidos, mas aceitou o fato de que um nariz sangrando era parte do treinamento. Nas primeiras aulas, enquanto Nevin pacientemente ensinava Hugh a manter as mãos erguidas, isso não aconteceu. Ele também alertou o garoto para que largasse o cigarro e a cerveja durante o treinamento.

Durante o primeiro treino de Hugh na Buster's, o velho treinador gostou do que viu. Embora seus pés fossem um pouco lentos, o garoto era um atleta disposto a dar duro. Hugh lutou com alguns boxeadores experientes e finalmente levou um golpe feio no nariz, mas isso só o deixou mais determinado.

Jamais disputaria uma medalha olímpica, mas era um lutador nato que tinha gosto pelo contato físico e sem medo de apanhar. Em pouco tempo, estava na academia quase todas as tardes. Gostava de conciliar seu trabalho de meio período, os encontros amorosos com a Srta. Cindy e uma ou duas horas na Buster's. Cada vez mais, os estudos foram deixando de ser prioridade.

Lance gostava de ver o filho se dedicando ao boxe. Todo garoto precisava de disciplina, e ele nunca fora um bom jogador de futebol. Carmen estava horrorizada e jurou que não iria a nenhuma luta.

Depois de uma péssima temporada no futebol sentado no banco, Keith estava passando por um momento ainda pior como ala reserva no time de basquete de juniores. O tempo de jogo era escasso, mas pelo menos ele suava todas as tardes. Como a maioria de seus amigos, via o basquete como um meio de ficar em forma entre as temporadas de futebol e beisebol. Eles ficaram intrigados com o súbito interesse de Hugh pelo boxe e maravilhados ao saber que o amigo realmente entraria no ringue no torneio anual Golden Gloves. Hugh não espalhou a notícia. Embora ansiasse por sua primeira luta de verdade, também se preocupava com a possibilidade de ser nocauteado na frente dos amigos.

O torneio atraía uma grande multidão todos os anos e, quando o *Gulf Coast Register* publicou uma matéria que apresentava dois dos favoritos locais, listou também as lutas do primeiro turno. Na divisão dos meio-médios até 65 quilos, Hugh Malco enfrentaria Jimmy Patterson na décima luta do card de abertura. Como sempre, Keith leu a seção de esportes durante o café da manhã e, quando viu o nome de Hugh, ficou orgulhoso do amigo e decidiu fazer alguma coisa. Na escola, organizou uma torcida, e Hugh se tornou "o cara", recebendo muito mais atenção do que gostaria. O nó em seu estômago ficou mais apertado, e ele perdeu a vontade de almoçar. No meio da tarde, começou a se questionar e compartilhou seus incômodos com Nevin Noll.

– É natural – argumentou Nevin, tentando tranquilizá-lo. – Eu vomitei duas vezes antes da minha primeira luta.

– Ah, valeu, agora tô me sentindo bem melhor.

– Esse embrulho vai desaparecer quando você levar o primeiro soco.

– E se for um nocaute?

– Acerta ele primeiro. Você vai se sair bem, Hugh. Mantenha a calma. São só três rounds, mas vai parecer uma hora.

Hugh acendeu um cigarro, e Nevin disse:

— Achei que tivesse dito pra você parar de fumar.
— Eu tô nervoso.

O torneio começou na tarde de terça-feira, com a final marcada para a noite de sábado. As primeiras lutas foram entre novatos nas categorias mais leves e não tiveram nada de especial. A maioria dos garotos parecia relutante em lutar. Às sete horas, o ginásio estava lotado e a multidão estava pronta para a ação. Uma espessa camada de fumaça de charuto e cigarro pairava não muito acima do ringue. Vendedores ambulantes anunciavam cachorro-quente e pipoca, e, em um canto, um bar tinha cerveja gelada.

O álcool ainda era ilegal em todo o estado, mas ali era Biloxi, afinal.

Keith e sua gangue de arruaceiros chegaram e aguardaram ansiosamente pela grande luta. Quando Hugh entrou no ringue, seus amigos aplaudiram sem parar, tornando aquela experiência já estressante ainda pior. O locutor apresentou os lutadores, e a torcida gritou por Hugh Malco, obviamente o favorito. Seu oponente, Jimmy Patterson, era um garoto magro de Gulfport com apenas uma meia dúzia de fãs.

Pouco antes de soar o gongo, Hugh olhou para a primeira fila e sorriu para o pai, que estava sentado ao lado de Nevin Noll. A mãe estava em casa, rezando por ele. Não havia mulheres na plateia. Buster passou vaselina nas bochechas e na testa dele e disse, pela enésima vez:

— Vai na manha. Mantenha o ritmo. Você vai pegar ele no terceiro round.

Buster sabia exatamente o que iria acontecer. Os dois novatos passariam o primeiro minuto saltitando no ringue, depois um deles acertaria um soco que daria início a uma briga de rua à moda antiga. Eram necessárias pelo menos cinco lutas antes que os garotos aprendessem a se controlar.

Keith, o líder de torcida, levantou-se e começou a gritar:

— Vamos, Hugh! Vamos, Hugh!

Hugh levantou-se num salto, juntou as luvas na frente do rosto e abriu um sorriso largo e confiante para os amigos. O gongo tocou, e a luta teve início. Os competidores se encontraram no centro do ringue e se balançaram de um lado para outro algumas vezes, se analisando. Jimmy Patterson era quase 8 centímetros mais alto, com braços mais compridos, e se afastou de Hugh, mantendo distância. Os braços longos se tornaram um problema quando ele atingiu Hugh com alguns jabs de esquerda inofensivos. Nevin tinha razão. Ser atingido o acalmou. Hugh manteve as mãos no alto e encurralou Patterson em um canto, onde os dois se enfrentaram, embora os danos tenham sido poucos. O alvoroço agitou a multidão. Os gritos de "Vamos, Hugh!" abafavam todos os outros. Patterson girou e saltitou até o centro do ringue, e Hugh veio logo atrás. No meio do primeiro round, Hugh ficou surpreso com a dificuldade de respirar. *Malditos cigarros. Ritmo, ritmo, ritmo.* Patterson conseguiu ajustar seu ritmo e o acertou com jabs de esquerda. Ele estava marcando pontos, mas causando pouco estrago. Hugh se abaixava e se esquivava, e, do canto, Buster gritava:

– Cabeça erguida! Cabeça erguida!

Para Lance, era impossível ficar de braços cruzados assistindo ao filho no ringue. Ele continuava gritando:

– Acerta ele, Hugh! Acerta ele, Hugh!

Nevin Noll também estava na beirada do assento, gritando.

Hugh não ouvia nada além da própria respiração. Conseguiu encurralar Patterson em um canto, mas ele se defendeu e escapou. O primeiro round pareceu durar uma hora e, quando o gongo finalmente soou, Hugh caminhou até seu corner e sorriu novamente para Keith e os amigos. Buster o fez se sentar, e um segundo homem jogava água na boca do garoto.

– Olha só, quando o outro garoto lança aquele jab de esquerda, ele abaixa a mão direita. Finge que vai dar um gancho de direita e lança um de esquerda. Entendeu?

Hugh assentiu, mas achou difícil se concentrar em qualquer coisa. Seu coração batia acelerado, o sangue corria depressa. Havia sobrevivido ao primeiro round sem nenhum dano e, enquanto a multidão gritava, percebeu o quanto estava gostando da luta. Tudo de que precisava agora era acabar com Patterson.

Mas o rival tinha outros planos. Ele abriu o segundo round com a mesma ginga e os socos de longa distância, e Hugh não conseguiu prendê-lo nas cordas. Ele errou feio alguns golpes de direita violentos, e Patterson rebateu com mais jabs no nariz. No meio do caminho, Hugh ficou frustrado, se abaixou e tentou atacar. Patterson o acertou com um soco de direita forte que o surpreendeu e fez seus joelhos bambearem. Ele não caiu, mas o árbitro interveio e contou até oito para garantir que Hugh tinha condições de prosseguir. No final, ele enxergava bem e estava cheio de energia. Ao permitir que Patterson o bombardeasse, estava perdendo a luta. Tinha que entrar com tudo e acertar alguns golpes. Buster continuava gritando:

– Cabeça erguida! Cabeça erguida!

Mas o problema eram os braços compridos de Patterson. Hugh praticamente se atirou em cima dele, e os dois lutaram nas cordas até o árbitro separá-los. Patterson deu um passo para trás e lançou um forte soco de esquerda, que acabou errando. Exatamente como Buster tinha avisado, ele baixou a mão direita. Hugh deu um gancho de esquerda, e Patterson caiu no golpe. O gancho atingiu o lado direito da mandíbula, atirou-o contra as cordas, a cabeça caída para trás, e Hugh foi rápido o suficiente para acertar um violento soco de direita quando Patterson estava caindo. Ele desabou em um dos cantos, e ficaria lá por algum tempo.

Aquele foi o primeiro nocaute da noite, e a torcida foi à loucura. Hugh não sabia o que fazer – nunca havia nocauteado ninguém antes – e teve que ser empurrado pelo árbitro para um canto neutro. Quando ele começou a contar, ficou óbvio que Patterson não se levantaria tão cedo. Keith e seus amigos gritavam, e Hugh deu outro sorriso e se balançou na ponta dos pés. Estava quase tão atordoado quanto Patterson. Minutos se passaram, e Patterson finalmente se sentou, bebeu um pouco d'água, balançou a cabeça e ficou de pé. Seu treinador andou com ele pelo ringue algumas vezes conforme o garoto ia recuperando os sentidos. No momento apropriado, Hugh se aproximou e disse:

– Bela luta.

Jimmy sorriu, mas era óbvio que queria ir embora dali.

Quando o árbitro ergueu a mão de Hugh e o locutor o declarou vencedor por nocaute, o público gritou em aprovação. Hugh se deleitou com a vitória e sorriu para o pai e Nevin, e também para o pessoal da escola. De um jeito estranho, pensou em Cindy e desejou que ela estivesse a seu lado, presenciando o melhor momento dele. Mas não, a namorada estava de novo se prostituindo com os soldados no Red Velvet. Nevin tinha razão. Era hora de parar de vê-la.

QUARTA-FEIRA ERA UM DIA de aula como outro qualquer. O autor do nocaute chegou alguns minutos antes do normal. Seu nome estava no jornal matutino, e ele previa que aquele seria um dia agradável, sendo admirado por seus colegas. A notícia se espalhou depressa, e diferentes versões de sua dramática vitória circulavam. Keith, que sempre tinha muito a dizer, anunciou o nocaute na sala de aula e convidou todo mundo para a segunda rodada de lutas na noite de quinta-feira. O novo herói da turma enfrentaria um sujeito chamado Todd Foster, também conhecido como Pelinho, que, de acordo com o jornal, continuava invicto após oito lutas.

O jornal não tinha dito tal coisa. Keith estava exagerando e tentando ao máximo aumentar as expectativas em relação à luta. Com um aceno de cabeça do professor, Keith continuou dizendo que, depois de assistir a pelo menos uma dúzia de lutas na noite anterior, ele agora achava que o novo herói, o autor do nocaute, precisava com urgência de um apelido cativante. "Hugh" não era suficiente. Portanto, cabia a eles, seus maiores fãs, encontrar um. Vários surgiram. Mercenário, Esquiva, Assassino, Bazuca, Cicatriz, Bruno, Rocha, Morfeu, Carinha de Bebê, Navalha, Laser, Malco Metralhadora. Como a situação começou a sair do controle, o professor listou uma dúzia dos melhores no quadro-negro e convocou uma votação, mas o sinal tocou e nada foi feito. Hugh se arrastou para as aulas antes do intervalo sem mudar de identidade, sem nenhum apelido pitoresco que pudesse intimidar os adversários ou torná-lo famoso.

Ele assistiu a todas as aulas daquela quarta-feira sem pular nenhuma e foi embora após o último sinal para ver Cindy. Ela não estava em casa, e uma de suas colegas de quarto finalmente admitiu que a garota havia deixado a cidade.

– Ela desistiu, Hugh.

– Como assim?

– Desistiu, ué. Voltou pra casa. Acho que o irmão dela veio aqui e convenceu a Cindy a ir embora.

Hugh ficou surpreso.

– Mas eu preciso falar com ela – insistiu.

– Deixa isso pra lá, Hugh. Ela não vai voltar.

O garoto saiu de lá e foi atrás de Nevin Noll. Ele não estava na Parada do Jerry, no Red Velvet, no Foxy's nem em qualquer um de seus pontos de encontro habituais. Um barman contou a Hugh, em tom de segredo:

– Acho que eles estão tendo problemas com o O'Malley. Pode ser que o Nevin esteja lá, mas é melhor você ficar longe. As coisas estão esquentando.

Hugh seguiu o conselho e deixou a Strip sozinho em sua caminhonete, onde ninguém poderia ouvir sua dor de cotovelo. Eles estavam juntos há mais de cinco meses, e ela lhe ensinou coisas com as quais ele nunca sonhara. Por mais que desprezasse o que ela fazia para viver, havia encontrado um jeito de fazer vista grossa e seguir em frente. Ela não podia simplesmente desaparecer sem se despedir.

Hugh dirigiu até a Buster's e fez um treino leve, mas apenas porque Buster esperava que fizesse isso. Perguntou se alguém tinha visto Pelinho no ringue, mas saiu sem nenhuma informação. Sua cabeça estava na garota, não no boxe. Ele sabia que Nevin estava no Red Velvet trabalhando todas as noites às cinco da tarde, quando o happy hour começava e a taxa de couvert entrava em vigor. Encontrou-o no bar, tomando um refrigerante e fumando um cigarro com uma das garçonetes.

Nevin franziu a testa ao vê-lo e perguntou:

– Tá querendo lutar de novo?

– Não, só preciso conversar.

– Bom, aqui não. Você ainda é muito jovem, Sugar Ray.

– Vamos lá fora.

Atrás da boate, os dois acenderam cigarros.

– O que aconteceu com a Cindy? – perguntou Hugh.

Nevin balançou a cabeça, soprando uma nuvem de fumaça.

– Já tem tempo que eu tô te falando pra esquecer essa garota.

– Eu sei, mas, por favor, o que aconteceu?

– Ontem a gente recebeu uma ligação de uns policiais do Arkansas. Alguém rastreou a garota e sabia que ela estava trabalhando aqui. Como você sabe, ela só tem 16 anos. A gente fingiu que não sabia de nada e disse pra polícia que a garota tinha uma identidade que dizia que ela tinha 18. Você sabe como funciona. Então, hoje de manhã, dois policiais do Arkansas apareceram com o irmão dela. Não tivemos escolha a não ser colaborar, e agora ela já tá de novo em casa, de onde nunca deveria ter saído. Esquece essa garota, Hugh. Ela é só mais uma prostituta. Vai ter muito mais de onde ela veio.

– Eu sei.

– Você precisa é se concentrar na luta de amanhã à noite. Só fica mais difícil.

– Vou estar pronto.

– Então joga esse cigarro fora.

À PRIMEIRA VISTA, NÃO ficou claro de onde surgiu o apelido "Pelinho". O garoto não era peludo, nem apresentava bigodes dignos de serem mencionados. Com apenas 16 anos, contou num tom casual a um dos boxeadores de Biloxi que havia vencido cinco de suas seis lutas. Ninguém ainda havia perguntado sobre o apelido, não que isso importasse no final das contas. O que importava era seu corpo robusto e seus bíceps imensos, impressionantes para um adolescente. Enquanto Jimmy Patterson era magro feito uma vassoura, Todd Foster era pesado como um hidrante. Também não tinha paciência para gingar e trocar socos. O que ele queria era um nocaute no primeiro round, de preferência nos primeiros trinta segundos, e quase conseguiu.

Ao sinal do gongo, enquanto Hugh ainda sorria para os amigos da escola, Todd, conhecido como Pelinho, cruzou o ringue a toda, como um touro furioso, e começou a despejar cruzados de direita e de esquerda capazes de ferir um peso-pesado se tivessem atingido qualquer lugar próximo à cabeça de Hugh. Felizmente, nenhum deles o acertou e, assustado, ele se defendeu e tentou ficar longe das cordas. De imediato, os instintos de sobrevivência de Hugh entraram em ação, e ele se abaixou e desviou do ataque o melhor que pôde. Pelinho era um doido, disparando socos de todos os lados, sibilando e grunhindo como um animal ferido.

– Levanta a guarda, levanta a guarda. Ele é maluco!

Hugh, assim como todas as outras pessoas no local, sabia que Pelinho estava indo com tudo e não duraria três rounds. A questão era se Hugh conseguiria sobreviver ao ataque. De qualquer maneira, a plateia estava adorando a ação desenfreada e ia à loucura.

UM UPPERCUT PASSOU RASPANDO e desestabilizou Hugh. Um cruzado de direita o acertou, e tudo ficou preto. O garoto caiu na lona enquanto Pelinho, de pé sobre ele, gritava algo que ninguém conseguia entender. O árbitro o empurrou para um canto quando Hugh conseguiu ficar de quatro. Olhando através das cordas, ele fez contato visual com Nevin Noll, que gritava e agitava o punho. *Levanta! Levanta! Levanta!*

Hugh respirou fundo, olhou para o árbitro e, depois de cinco segundos, ficou de pé num salto. Ele se firmou com ajuda da corda superior, limpou o nariz com o antebraço e viu sangue. Precisava fazer uma escolha. Ficar ali, se escondendo nas cordas como um boxeador de verdade e ser comido vivo, ou ir atrás do desgraçado.

Pelinho atacou, rosnando, mãos baixas, pronto para ir com tudo no alvo. Em vez de recuar, Hugh deu um passo rápido à frente e lançou o mesmo gancho de esquerda com o qual acertara Patterson. Acertou perfeitamente na boca e fez Pelinho cair de bunda, como se alguém tivesse puxado sua cadeira. Ele olhou ao redor, incrédulo, e tentou se levantar. Tropeçou, caiu nas cordas e lutou para se firmar. Quando o árbitro começou a contar até dez, a multidão gritou ainda mais alto. No dez, Pelinho assentiu e recomeçou a rosnar.

Os dois se encontraram no centro do ringue, e a luta seguiu como uma briga de rua, até que o gongo salvou a vida deles. O árbitro correu para separá-los. Ambos estavam com o nariz sangrando. Em seu banquinho, Hugh bebia água e tentava recuperar o fôlego enquanto um segundo cotonete preenchia suas narinas.

– Você tem que se defender! – dizia Buster, ou algo parecido com isso. – Ele não vai conseguir continuar assim.

As palavras do treinador eram apenas parte do barulho. A cabeça de Hugh latejava, e era impossível pensar em outra coisa senão sobreviver. Quando o gongo tocou, ele se ergueu com um pulo e percebeu como os pés estavam pesados.

Se o corner de Pelinho queria que ele diminuísse o ritmo, o conselho foi ignorado pelo lutador. Ele atacou de novo, com todas as forças.

Hugh se defendeu por um momento nas cordas e tentou dar alguns socos, mas não havia graça nenhuma em ser atingido. Como Pelinho lutava com as mãos ao lado do corpo, sua cabeça ficava sempre exposta. Hugh viu um espaço aberto, disparou uma combinação rápida de direita-esquerda, conseguiu atingi-lo em cheio e observou com orgulho Pelinho cair com força e rolar para um canto. O barulho do público era ensurdecedor.

– Fica aí, porra! – exclamou Hugh, mas Pelinho não se deu por vencido.

Ele se levantou de um salto, agitou os braços, esperou o árbitro contar até dez e então atacou. Trinta segundos depois, Hugh estava no chão, derrubado por um golpe de direita feroz que sequer viu chegar. Estava atordoado e grogue, e por um instante pensou em apenas não se levantar. Era mais seguro ficar ali, caído de costas. Uma derrota em sua segunda luta de verdade não era grande coisa. Então pensou em seu pai e em Nevin Noll, e em Keith e todos os seus amigos, e se levantou aos cinco segundos e começou a pular na ponta dos pés.

NO MEIO DO SEGUNDO ROUND, ficou claro que o vencedor seria o cara que ainda estivesse de pé no final do terceiro. Nenhum dos dois recuou e, nos últimos noventa segundos, enfrentaram-se frente a frente e trocaram socos. No intervalo, o árbitro foi nos dois cantos para verificar o estrago.

– Ele tá bem – assegurou Buster, limpando o rosto de Hugh com água gelada. – É só o nariz que tá sangrando, não tem nada quebrado.

– Não quero ver nenhum corte – avisou o árbitro.

– Nada de cortes – garantiu Buster.

– Ele já apanhou o suficiente?

– De jeito nenhum.

Fale por você, Hugh quase disse. Estava cansado de lutar e esperava nunca mais colocar os olhos em Todd Foster, o Pelinho, de novo. Então, os gritos de "Vamos, Hugh! Vamos, Hugh!" recomeçaram e sacudiram as paredes do ginásio. Os fãs estavam adorando aquela briga de rua à moda antiga e queriam mais. Dane-se o boxe cavalheiresco. Eles queriam sangue.

Hugh ficou de pé, pesado como tijolos naquele momento, e saltitou enquanto esperava o sino tocar. Houve uma comoção no outro canto. O árbitro estava gritando com o treinador de Pelinho.

– O garoto tá com um corte acima do olho direito – avisou Buster. – Vai direto na ferida. Pra cima dele! Entendeu?

Hugh assentiu e bateu as luvas uma na outra. Sentiu o olho direito se fechando e o esquerdo, embaçado.

O gongo soou, e Pelinho se pôs de pé. O árbitro ainda estava conversando com o treinador dele, que deslizou por debaixo das cordas. Com a ameaça de desclassificação por conta de um corte horrível, Pelinho precisava de um nocaute rápido. Ele se aproximou depressa e acertou um soco baixo no rim direito de Hugh. O golpe doeu muito, e ele se curvou de dor. Pelinho o sacudiu com uppercuts e, a segundos do final do último round, Hugh estava novamente no chão, impossibilitado até de ficar de quatro e lembrar seu nome.

– Vamos, Hugh! – gritou a multidão, incentivando-o.

Ele se levantou pela última vez, balançou a cabeça para o árbitro como se tudo estivesse maravilhoso e se preparou para o ataque. Ele e Pelinho trocaram socos e começaram a se espancar enquanto os fãs gritavam por mais. Para a surpresa de Hugh, Pelinho caiu depois de uma rajada e parecia finalmente estar sem forças. Hugh certamente estava, mas faltava pelo menos um minuto. Pelinho se levantou com dificuldade. O árbitro fez os dois tocarem luvas, então sinalizou para que prosseguissem. Eles se enroscaram no meio do ringue, ambos cansados demais para desferir novos socos. O árbitro interrompeu a luta de repente e levou Hugh para o canto. Enxugou o rosto do garoto e disse para o treinador:

– Ele tem um corte. O outro garoto também. Os dois estão com os narizes arrebentados. Ambos foram derrubados três vezes. Vou encerrar a luta. Temos um empate. Já chega.

A multidão vaiou muito quando o locutor anunciou que havia um empate, mas os lutadores não se importaram. Hugh e Pelinho se parabenizaram pela luta e deixaram o ringue.

DUAS HORAS DEPOIS, HUGH estava deitado no sofá da sala com compressas de gelo no rosto. Carmen estava trancada no quarto, aos prantos. Lance estava do lado de fora, fumando um cigarro. Eles haviam discutido, brigado e falado demais na frente das crianças. Carmen não conseguia acreditar que o filho voltara para casa machucado, cortado e espancado daquele jeito. Lance estava orgulhoso do menino e disse que o árbitro errara ao interromper a luta. Na opinião dele, Hugh estava a caminho de uma decisão unânime.

10

Sempre houve rumores de que o Lounge Carrossel estava à venda. Seu proprietário, Marcus Dean Poppy, era um empresário errático e instável que bebia demais e tinha dívidas de jogo. O lugar não era bem administrado, já que Poppy geralmente estava com muita ressaca para cuidar dos detalhes. Mesmo assim, o negócio gerava lucro, por conta de sua localização no centro da Strip. Bebidas, strippers, prostitutas, jogos de azar: o estabelecimento oferecia de tudo e continuava em funcionamento, não se sabia por quanto tempo. O que poucas pessoas sabiam era que Poppy estava envolvido até o pescoço com uns caras de Las Vegas e precisava de dinheiro. Ele mandou Earl Fortier, um tenente de sua confiança, em uma reunião com Lance Malco no escritório do empresário no Red Velvet. Lance, Tip e Nevin Noll deram as boas-vindas a Fortier, embora desconfiassem de sua reputação duvidosa.

A maioria dos homens com quem geralmente se reuniam tinha, até certo ponto, uma reputação duvidosa.

Tomaram uma cerveja gelada com Fortier, conversaram sobre a pesca e, por fim, entraram no assunto que realmente interessava. Era um acordo simples. Poppy queria 25 mil dólares pelo Carrossel, em dinheiro vivo. A boate não tinha dívidas, todas as contas estavam em dia.

Lance franziu a testa, balançou a cabeça e disse:

– Vinte e cinco é muito. A boate vale vinte.

– Você tá oferecendo vinte? – perguntou Fortier.

– Sim, e o Marcus Dean fica fora da concorrência por três anos.

– Em relação a isso, não tem problema nenhum. Ele não vai ficar por aqui. Disse que vai voltar pra Hot Springs, gosta de ficar perto da pista de cavalos.

– Ele vai aceitar esse valor?

– Só me resta perguntar. Te ligo amanhã.

Fortier foi embora e dirigiu até o O'Malley, onde se encontrou sozinho com Ginger Redfield no escritório dela. A mulher lhe ofereceu uma bebida, mas ele recusou. Disse que Marcus Dean Poppy ia vender o Carrossel e tinha fechado um acordo com Lance Malco por 20 mil. Será que ela poderia cobrir a proposta?

Sim, poderia. Ela ficou encantada com a oportunidade e ofereceu o que eles queriam: 25 mil dólares à vista, pagos com um cheque cujos fundos seriam certificados pelo banco.

No dia seguinte, Fortier ligou para Lance e disse que eles podiam fechar em 20 mil em dinheiro, com metade da quantia adiantada com um simples contrato de compra e venda, o resto quando os advogados concluíssem a papelada, dentro de uma semana ou mais. Dois dias depois, Fortier estava de volta ao Red Velvet com um contrato de duas páginas, já assinado por Marcus Dean. O advogado de Lance estava no local e aprovou o contrato. Como não envolvia a venda de nenhum imóvel, apenas um arrendamento de longo prazo, a papelada seria concluída sem demora. Fortier saiu de lá com 10 mil em dinheiro, pegou o carro e foi até o O'Malley, onde fechou outro acordo, também pré-assinado por Marcus Dean Poppy. Ginger leu com atenção, assinou seu nome e entregou a Fortier um cheque de 25 mil dólares. Fortier foi direto no banco, descontou o cheque e entrou no Carrossel Lounge, triunfante, com 35 mil dólares em espécie dentro da pasta.

Marcus Dean estava felicíssimo e deu uma gorjeta de 2 mil dólares ao garoto. Aguardou dois dias e ligou para o próprio Lance com a terrível notícia de que a Receita Federal tinha acabado de invadir sua casa e estava em vias de taxar tudo. Não poderiam prosseguir com o acordo. A surpresa de Lance logo se transformou em raiva, e ele exigiu seus 10 mil de volta. Marcus Dean disse que não seria um problema, tirando o fato de que, obviamente, havia um problema. A Receita Federal estava confiscando todo o dinheiro em espécie que encontrava pelo caminho. Marcus Dean poderia conseguir 5 mil para ele dali a um dia ou dois, no máximo "muito em breve".

Lance sentiu que algo não cheirava bem e fez alguns telefonemas. Como prosperava em um mundo de dinheiro ilícito, não se relacionava com ninguém, ainda que remotamente, ligado à Receita Federal. Mas seu advogado tinha um amigo que conhecia alguém. Nesse ínterim, espalhou-se a notícia de que Ginger Redfield havia comprado o Carrossel. O local estava temporariamente fechado, pelo visto, por conta de questões fiscais.

Marcus Dean desapareceu e parou de atender às ligações de Lance Malco. Logo, todos ficaram sabendo que a Receita Federal não estava investigando nem o Carrossel nem Marcus Dean Poppy.

Na Strip, em 1963, roubar mil dólares da pessoa errada poderia resultar em danos permanentes – ferimentos graves na cabeça, membros amputados, cegueira. No caso de 10 mil dólares, o sujeito estava praticamente morto. Nevin Noll finalmente encontrou Fortier e deu o ultimato: sete dias para devolver o dinheiro, ou se veria com ele.

UMA SEMANA SE PASSOU, depois outra. Ninguém tinha visto Poppy. Lance estava convencido de que ele realmente havia fugido da região para sempre e ficado com o dinheiro. Uma equipe de construtores contratada por Ginger baixou no Carrossel e começou a reformá-lo para uma grande reabertura.

Fortier também estava escondido e havia deixado a Strip, mas não a Costa. Ele vendia carros usados para um amigo em Pascagoula e morava num pequeno apartamento por lá. No sábado, já tarde da noite, voltava de uma festa meio bêbado com a namorada, Rita. Eles rapidamente se despiram, pularam na cama, e as coisas estavam esquentando quando um homem saiu do armário a pouco mais de 2 metros de distância do casal e começou a disparar. Earl levou três tiros na cabeça, assim como Rita, que chegou a dar um breve grito antes de tudo acabar.

Um dos vizinhos, o Sr. Bullington, ouviu os tiros e os descreveu como "baques abafados", certamente não os sons de uma arma sendo disparada de perto. O setor de balística logo verificaria que o atirador provavelmente tinha usado alguma espécie de silenciador, o que faria sentido para um homicídio cuidadosamente planejado.

O Sr. Bullington também ouviu o grito, e isso o levou a apagar as luzes, ir até a cozinha e observar pela janela dos fundos. Segundos depois, viu um homem sair do prédio, atravessar correndo um pequeno estacionamento e desaparecer em uma esquina. Branco, cerca de 1,80 metro, peso mediano, cabelos escuros sob um boné escuro, idade por volta dos 25 anos. O homem esperou um pouco, depois saiu pela porta dos fundos e, em meio às sombras, o seguiu. Ele ouviu o ruído do motor de um carro sendo ligado e, escondendo-se atrás de alguns arbustos, observou o assassino se afastar em um Ford Fairlane 1961 marrom-claro, placa do Mississippi, mas estava longe demais para enxergar os números.

Fortier estava morto em sua cama, mas Rita não. Por três dias, os médicos esperaram o momento de desligar os aparelhos, mas ela resistiu. No quarto dia, começou a balbuciar algumas palavras.

Os crimes viraram notícia ao longo da Costa, nada fora do esperado. Fortier foi descrito como um vendedor de carros usados com um passado duvidoso. Havia trabalhado nas boates de Biloxi e cumprido pena por lesão corporal gravíssima. O último emprego de Rita foi servindo mesas em uma churrascaria em Pascagoula, mas sua trajetória rapidamente a levou a uma longa carreira como garçonete no Carrossel Lounge. Um funcionário que conhecia os dois afirmou que o romance deles já vinha de muitos anos. Na opinião dele, ela era mesmo só garçonete e não trabalhava nos quartos do andar de cima. Não que isso importasse quando ela estava em um hospital, ligada a aparelhos.

Pascagoula ficava no condado de Jackson, domínio do xerife Heywood Hester, um funcionário público relativamente honesto que detestava Albert Bowman e toda a sua aparelhagem política na cidade ao lado. Hester chamou de imediato a polícia estadual e dedicou-se de corpo e alma à investigação. A população de sua cidade via com mais reservas as trocas de tiros entre gangues, e ele estava determinado a resolver o crime e levar alguém a julgamento.

Uma semana depois de ser baleada, Rita conseguiu rabiscar em um bloco de papel o nome *Nevin*. Evitando as autoridades de Biloxi, um policial estadual à paisana ficou rondando a Strip por tempo suficiente para descobrir a rixa entre Lance Malco e Marcus Dean Poppy. Era de conhecimento geral que Nevin ocupava um cargo de alto escalão no pessoal de Malco. Foi fácil descobrir que ele possuía um Ford Fairlane 1961 marrom-claro, informação confirmada pelo Sr. Bullington posteriormente.

Em um ataque surpresa, Nevin Noll foi acordado às três da manhã por uma batida na porta. Ele tratava todas as batidas suspeitas da mesma forma, e pegou uma pequena pistola debaixo do colchão. Na porta, foi informado de que a polícia tinha um mandado de prisão contra ele e outro para revistar seu apartamento. Eles cercaram o local. *Saia com as mãos para cima.* Ele obedeceu e ninguém se feriu.

Foi levado para Pascagoula e atirado numa cela sem direito a fiança. A polícia revistou seu apartamento e encontrou um pequeno arsenal de revólveres, rifles, espingardas, socos-ingleses, canivetes, porretes e todos os outros tipos de armas de que um bandido que se preze pudesse precisar. A polícia estadual e o xerife Hester tentaram interrogá-lo, mas ele exigiu a presença de um advogado.

Lance Malco ficou furioso com Nevin por se meter em uma encrenca tão séria. Havia autorizado o atentado contra Fortier, ordenando a Nevin que cuidasse do assunto, mas presumiu que ele contrataria um assassino profissional. Havia anos que Nevin enchia o saco dele: queria matar alguém, estava cansado das surras e queria dar um passo além, mas Lance o repreendia sempre que o assunto vinha à tona. Queria que Nevin ficasse onde estava, ao seu lado. Assassinatos por encomenda eram baratos, coisa de 5 mil dólares. Nevin valia muito mais do que isso.

Lance foi à cadeia dois dias depois e se encontrou em particular com Nevin. Depois de uma bronca séria, na qual o chefe apontou a burrice que tinha sido matar Fortier no condado de Jackson, e não no de Harrison, onde Pança estava no comando, e depois de citar outros erros óbvios que o garoto cometera, Lance perguntou sobre a mulher, Rita. Não era para ela estar lá. Fortier morava sozinho, e Nevin tinha presumido que ele voltaria sozinho para casa no sábado tarde da noite. Nevin já estava escondido na casa quando o casal entrou cambaleando e começou a se despir. Não tinha escolha a não ser matá-la, ou pelo menos tentar.

— É, mas você errou, não foi? Ela sobreviveu e agora tá abrindo o bico pra polícia.

— Eu dei três tiros nela. Foi um milagre.

— Milagres acontecem, né? Uma regra básica é nunca deixar uma testemunha para trás.

— Tô sabendo. Não tem como a gente dar um jeito nela?

— Cala a boca. Você já tem problemas suficientes.

— Você consegue me tirar daqui?

– Tô dando um jeito nisso. O Burch vai passar aqui amanhã. Só faz o que ele disser.

JOSHUA BURCH ERA UM criminalista bastante conhecido ao longo da Costa. Sua reputação ia de Mobile a Nova Orleans, e ele era o cara certo a procurar quando um sujeito com algum dinheiro se encontrava em apuros. Era o favorito dos gângsteres havia muito tempo e frequentava regularmente os melhores bares da Strip. Trabalhava muito, se divertia bastante também, mas mantinha uma fachada respeitável na comunidade. Era um advogado feroz no tribunal, frio sob pressão e sempre preparado. Os júris confiavam nele, não importavam as coisas terríveis das quais seus clientes eram acusados, e ele raramente perdia um veredito. Quando Burch estava presente, a sala de audiências sempre estava lotada.

Ele ficou entusiasmado ao ouvir a notícia do assassinato de Fortier, suspeitou que estivesse relacionado a alguma gangue e passou quase uma semana aguardando o telefonema. Queria que a polícia prendesse alguém e resolvesse o crime. E queria ser chamado para a defesa.

A primeira coisa de que não gostou em Nevin Noll foi seu olhar: frio, duro, em nenhum momento interrompido por piscadas normais, o olhar de um psicopata que não sabia o que era misericórdia. Se ele encarasse um jurado daquele jeito, ele ou ela votariam pela sua condenação na mesma hora. Eles precisavam trabalhar aquele olhar, provavelmente começando com um par de óculos excêntricos.

A segunda coisa foi sua prepotência. Encarcerado em uma prisão do condado, o garoto era arrogante, imperturbável e indiferente em relação às graves acusações que enfrentava. Não havia nada de errado, mas, se fosse esse o caso, certamente existiria uma maneira de fazer aquilo desaparecer. Burch teria que ensiná-lo a ser humilde.

– Onde você estava na hora do crime? – perguntou Burch ao cliente.

– Sei lá. Onde você quer que eu esteja?

Até aquele momento, não houvera respostas diretas.

– Bom, parece que o estado está montando um caso bastante convincente. A polícia acredita que você está em posse da arma do crime, embora o setor de balística ainda esteja pra enviar o relatório. Há algumas testemunhas oculares... uma delas levou três tiros no rosto e aparentemente declara que você puxou o gatilho. Começamos mal, Nevin. E, quando as provas vão contra o réu, geralmente ter um álibi é bastante útil. É possível que você estivesse jogando pôquer com uns amigos em Biloxi no momento em que o Sr. Fortier levou um tiro em Pascagoula? Ou quem sabe você pudesse estar com uma namorada? Afinal, era sábado à noite.

— A que horas eles acham que o Fortier levou um tiro?

— A estimativa inicial é onze e meia.

— Era mais perto da meia-noite. Então, sim, olha, eu estava jogando cartas com uns amigos e depois, por volta da meia-noite, fui dormir com a minha namorada. O que acha?

— Parece bom. Quem eram os seus amigos?

— Humm, bom, vou ter que pensar nisso.

— Tá, e quem é a garota?

— Vou pensar sobre isso também. Tem mais de uma, sabe como é, né?

— Claro. Só acerta os nomes direitinho, Nevin. E essas pessoas serão convocadas a depor e confirmar a sua história, então elas precisam ser firmes como uma rocha.

— Sem problemas. Tenho muitos amigos. Você pode me tirar daqui?

— Estamos trabalhando nisso, mas a sua fiança é de um milhão de dólares. O juiz tem uma visão negativa do crime, mesmo envolvendo um canalha feito o Fortier. Temos uma audiência de fiança na semana que vem, e vou tentar reduzir o valor. O Sr. Malco está disposto a dar algum imóvel como garantia. Vamos aguardar.

DUAS SEMANAS APÓS O enterro de Fortier, Marcus Dean Poppy sentou-se à sua mesa de café da manhã de sempre, no salão de jantar principal do Arlington Hotel em Hot Springs, Arkansas. Ele não havia comparecido ao velório. Na verdade, nem sequer passou pela cabeça dele chegar perto de Biloxi. O assassinato tinha sido um aviso claro para o Sr. Poppy, que entendeu muito bem o significado daquilo tudo e planejava passar alguns meses na América do Sul. Ele já estaria lá, não fosse uma incrível maré de sorte em Oaklawn, a pista de cavalos próxima. Não podia ir embora. O anjo na sua orelha lhe dizia para pegar seu dinheiro e partir naquele mesmo instante. Já o demônio na outra o havia convencido de que sua maré de sorte jamais chegaria ao fim. Naquele momento, o diabo estava no controle.

Wilfred, seu garçom, em um smoking preto desbotado, colocou um copo alto de Bloody Mary na frente dele e disse:

– Bom dia, Sr. Poppy. O de sempre?

– Bom dia, Wilfred. Sim, por favor.

Ele pegou o drinque, olhou em volta para ver se havia alguém olhando, então sugou o canudo com força. Estalou os lábios, sorriu e esperou que a vodca subisse rapidamente para o cérebro e aliviasse a ressaca da noite anterior. Andava bebendo demais, mas também estava ganhando dinheiro. Por que mexer em uma combinação tão bela? Pegou um jornal, abriu na seção de esportes e começou a conferir as corridas do dia. Sorriu de novo. Era incrível a rapidez com que a vodca viajava do canudo até sua mente.

Wilfred trouxe torrada com manteiga e ovos mexidos, e perguntou se ele queria mais alguma coisa. O Sr. Poppy o dispensou com grosseria. Enquanto dava uma garfada nos ovos, um jovem cavalheiro em um belo terno apareceu de repente e, sem dizer uma palavra, sentou-se em frente a ele.

– Posso ajudar? – indagou o Sr. Poppy.

– Olha aqui, Marcus Dean – disse Nevin –, eu trabalho pro Lance, e ele manda lembranças. Nós já demos um jeito no Fortier. Você é o próximo. Cadê o dinheiro?

Poppy se engasgou com os ovos e tossiu. Limpou a camisa com um guardanapo de linho e tentou não entrar em pânico. Tomou um pouco de água gelada e deu um pigarro.

– Saiu no jornal que você estava preso.

– Você acredita em tudo que lê no jornal?

– Mas…

– Eu saí sob fiança. Ainda não tem data pro julgamento. Cadê o dinheiro, Marcus Dean? Dez mil, em espécie.

– Bom, eu, é… você sabe, não é tão fácil assim.

Nevin olhou ao redor e disse:

– Seu padrão de vida anda bem alto ultimamente. É bem agradável aqui, é fácil de entender por que o Al Capone era um convidado frequente, naquela época. Os quartos não são baratos. Corridas de cavalos todos os dias. Você tem 24 horas, Marcus Dean.

Wilfred se aproximou com um olhar preocupado e perguntou:

– Tudo bem por aqui, Sr. Poppy?

Ele deu um aceno de cabeça hesitante. Nevin apontou para a bebida de Marcus e disse:

– Vou querer um desses.

Marcus Dean observou Wilfred se afastar e perguntou:

– Como você me encontrou?

– Não importa, Poppy. Nada mais importa além dos 10 mil. A gente se encontra aqui amanhã de manhã pro café, no mesmo horário, e você me dá o dinheiro. E não faça nada idiota, como tentar fugir. Eu não tô sozinho, e nós estamos de olho.

Marcus Dean pegou o garfo e o deixou cair. As mãos tremiam, e gotas de suor cobriam sua testa. Do outro lado da mesa, o jovem Nevin Noll estava absolutamente calmo, sorrindo, até. O segundo Bloody Mary chegou, e Nevin sugou o canudo. Ele olhou para o prato e perguntou:

– Você não vai comer essa torrada?

– Não.

Ele estendeu o braço, pegou meia fatia de pão e comeu a maior parte. Marcus Dean terminou sua bebida e parecia respirar melhor.

– Vamos ser claros aqui – disse ele em voz baixa. – Eu te dou o dinheiro, e depois, o que acontece?

– Eu vou embora, entrego o dinheiro pro Sr. Malco, o legítimo dono dele.

– E eu?

– Não vale a pena te matar, Poppy. Por que se dar a esse trabalho? A menos, claro, que você decida voltar pra Costa. Isso seria um grande erro.

– Não se preocupa com isso. Não vou voltar.

Nevin sugou o canudo de novo e continuou sorrindo. Marcus Dean respirou fundo e disse, quase em um sussurro:

– Sabe, existe um jeito mais fácil de resolver isso.

– Fala aí.

Poppy olhou ao redor mais uma vez, como se espiões estivessem observando. Na mesa mais próxima, um casal na casa dos 90 anos mexia seu mingau de aveia e tentava ignorar um ao outro.

– Então, o dinheiro tá lá em cima no meu quarto – contou ele. – Aguenta aí que vou lá buscar.

– Gostei da ideia. Melhor agora do que depois.

– Me dá dez minutos.

Poppy enxugou a boca e colocou o guardanapo na mesa.

– Vou esperar aqui – disse Noll. – Sem gracinhas, hein? Tenho homens lá fora. Se der alguma bobeira, eu acabo contigo mais rápido do que o Fortier. Você não faz ideia, Sr. Poppy, de como está perto de um final infeliz nesse momento.

Poppy, por outro lado, sabia muito bem. Ele entregou o dinheiro em um envelope e observou Noll deixar o restaurante. Tomou outro Bloody Mary para acalmar os nervos, depois foi até o banheiro, entrou na cozinha, desceu as escadas para o porão, saiu por uma porta de serviço e se escondeu num beco até se certificar de que ninguém estava olhando. Entrou no carro, foi embora e não conseguiu relaxar até cruzar a fronteira do estado com o Texas.

11

O promotor do Décimo Nono Distrito era um jovem sério e inexperiente chamado Pat Graebel. Ele havia sido eleito quatro anos antes e estava em campanha, sem oposição, em 1963, quando o maior caso de sua vida caiu em seu colo. Ele nunca havia trabalhado em um caso de homicídio, e o fato de Nevin Noll ser uma figura tão conhecida no submundo de Biloxi aumentava consideravelmente as apostas. Os cidadãos do condado de Jackson, os mesmos eleitores que haviam elegido Graebel promotor de justiça do distrito, orgulhavam-se de sua reputação de cumpridores da lei e desprezavam a ralé da vizinha Biloxi. Vez ou outra, o crime transbordava, e eles tinham que lidar com a confusão, o que causava ainda mais ressentimento. A pressão sobre o jovem Graebel para conseguir uma condenação era imensa.

A princípio, o caso parecia inquestionável. Rita Luten, a outra vítima e uma sólida testemunha ocular, estava se recuperando lenta, mas continuamente. Estava paralisada e não conseguia falar muito, mas os médicos esperavam que sua condição melhorasse. O Sr. Bullington, o vizinho do lado, tinha ainda mais certeza de ter visto Nevin Noll fugir do local. O especialista em balística do laboratório de perícia criminal do estado afirmou que o revólver calibre .22 encontrado no apartamento de Noll era a mesma arma que havia realizado os seis disparos. O motivo seria mais difícil de provar, dadas as imprevisibilidades do submundo, mas a promotoria acreditava que conseguiria pressionar testemunhas da Strip a depor, e elas diriam que o crime foi resultado de um negócio que havia ido por água abaixo. Mais uma história assustadora de violência entre gangues.

Pat Graebel não fazia ideia do quão longe a máfia era capaz de ir para sabotar um caso. Uma semana antes do início do julgamento no Tribunal do Condado de Jackson, em Pascagoula, Rita Luten desapareceu. Graebel não havia se dado ao trabalho de intimá-la, um erro perdoável, mas grave. Ele supôs, como todo mundo, que ela estaria ansiosa para ir até lá e apontar o réu como o assassino que tinha atirado três vezes no rosto dela. Rita queria justiça, sim, mas também precisava de dinheiro. Ela voluntariamente entrou em uma ambulância tarde da noite e foi levada para uma clínica de reabilitação privada perto de Houston, onde foi internada sob um pseudônimo. Todos os contatos, assim como todas as contas, apontavam para um advogado que trabalhava para Lance Malco, embora isso nunca fosse comprovado de fato. Três meses se passariam até ela ser localizada por Graebel, mas aí o julgamento já havia acabado.

A testemunha que desapareceu logo depois foi o Sr. Bullington. Ele, como Rita, sumiu no meio da noite e não parou de dirigir até se registrar no Flamingo Hotel & Casino em Las Vegas. Além de algum dinheiro no bolso, ele tinha também a segurança de saber que não seria espancado até perder os sentidos pelos dois bandidos que o vinham perseguindo.

Um dia antes do início do julgamento, Graebel pediu uma audiência e, no decorrer dela, esbravejou sobre o desaparecimento de suas testemunhas. Joshua Burch entrou no jogo, parecendo genuinamente preocupado com o que estava acontecendo, e garantiu ao tribunal que não sabia de nada sobre o assunto. Ele era esperto demais para sujar as mãos intimidando testemunhas.

Burch tinha preparado mais uma armadilha, e Graebel caiu nela. Ele havia convencido o juiz a julgar os casos separadamente, começando pelo homicídio de Fortier. O tiroteio e a tentativa de homicídio de Rita Luten iriam a juízo um mês depois. Rita seria uma testemunha importante no julgamento de Fortier, mas sua ausência não necessariamente prejudicaria o processo.

Joshua Burch sabia que ela desapareceria no último minuto, embora nunca tenha admitido isso.

Durante a audiência, Graebel alegou em alto e bom som que as forças do mal estavam em ação, que seu caso estava sendo prejudicado, a justiça não estava sendo respeitada, e por aí vai. Sem provas, porém, o juiz nada poderia fazer. Como a promotoria não fazia ideia de onde Rita e o Sr. Bullington estavam naquele momento, parecia improvável que os dois fossem encontrados e trazidos de volta para testemunhar. O julgamento tinha que continuar.

Um bom julgamento por homicídio era capaz de quebrar a monotonia de qualquer cidade pequena, e a sala de audiências estava lotada quando os doze escolhidos se sentaram na bancada do júri e olharam para os advogados. Pat Graebel foi primeiro e se atrapalhou bastante. Verdade seja dita, era difícil dizer o que o Ministério Público pretendia provar, uma vez que era muito difícil dizer qual das testemunhas poderia desaparecer em seguida. Ele confiava demais na arma do crime e brandiu a pistola como se estivesse em um bar do Velho Oeste. Oficiais do laboratório de perícia criminal do estado declararam em juízo que a arma tinha sido usada para matar Earl Fortier e ferir gravemente Rita Luten. E o mesmo revólver fora encontrado no apartamento do réu, Nevin Noll, além de várias outras armas.

Resmungando e gaguejando no final de suas alegações iniciais, Graebel tentou vincular décadas de corrupção e crime organizado ao longo de sua "amada Costa" às forças do mal ainda em ação "lá", mas não conseguiu amarrar o argumento. Não foi um bom desempenho no maior caso de sua vida.

Joshua Burch, entretanto, estava no centro do palco em um tribunal onde havia defendido muitos réus. Usava um terno risca de giz cinza-claro, com um colete combinando, o traje completo, incluindo um lenço de bolso rosa, um relógio de bolso e uma corrente de ouro. Levantando-se da mesa da defesa, acendeu um charuto e soprou nuvens de fumaça sobre os jurados, andando de um lado para outro.

O Ministério Público não tinha nenhuma prova, nenhuma evidência. Haviam arrastado seu cliente, Nevin Noll, um jovem sem antecedentes criminais, para um tribunal sob acusações falsas. A lei não exigia que seu cliente depusesse, apenas esperasse. O Sr. Noll estava ansioso para se sentar lá, jurar dizer a verdade e contar ao júri exatamente o que ele não tinha feito. As acusações contra ele eram ultrajantes. A polícia tinha pegado o cara errado. O julgamento era uma perda de tempo porque, naquele exato momento, o homem que matara Earl Fortier estava lá fora, provavelmente rindo do espetáculo dentro do tribunal.

O promotor falou primeiro, e Graebel mal podia esperar para marcar pontos com as fotos sangrentas da cena do crime. Os jurados alarmados as passaram adiante depressa e tentaram não ficar boquiabertos. Os investigadores descreveram o apartamento e as posições dos corpos. O patologista passou duas horas explicando em detalhes excruciantes o que havia tirado a vida de Earl Fortier, embora fosse dolorosamente óbvio para os jurados e para todos os demais na sala que as três balas na cabeça resolveram a questão.

Joshua Burch sabia que não deveria discutir com um perito e fez apenas algumas perguntas irrelevantes. Nevin Noll se sentou ao lado dele e conseguiu parecer confiante. O olhar frio e duro se fora, substituído por um sorriso permanente, mantido no lugar por relaxantes musculares. A jurada número sete era uma jovem atraente de 26 anos, e seus olhares se cruzaram algumas vezes.

A prova mais preocupante veio no início do segundo dia, quando o perito em balística vinculou a arma do crime diretamente ao réu. Não havia nenhuma maneira de contornar aquilo. O revólver calibre .22 encontrado no apartamento de Noll era, sem dúvida, a pistola usada para matar Earl Fortier e ferir Rita Luten.

Quando o promotor deu por encerradas as perguntas por volta da hora do almoço, seus argumentos pareciam ter ganhado força.

Depois do almoço, porém, não demorou muito para que Joshua Burch começasse a encontrar furos neles. Ele começou com um jogo de pôquer numa salinha nos fundos do Foxy's e chamou para depor três jovens que juraram estar jogando cartas com Nevin na hora do assassinato, a 30 quilômetros do local. Durante o interrogatório, Graebel os atacou e afirmou que todos os três eram amigos de Noll e trabalhavam em uma das várias empresas de propriedade de Lance Malco. Os três tinham sido cuidadosamente treinados por Joshua Burch e conseguiram desviar as insinuações com protestos de que, sim, eram amigos e tudo mais, mas nada seria capaz de impedi-los de dizer a verdade. Eles jogavam cartas o tempo todo e, sim, iam a festas e se divertiam com as moças, tomavam cerveja e bons uísques. Caramba, eles eram todos solteiros e na casa dos 20 anos, então, por que não?

Bridgette foi a testemunha seguinte, e roubou a cena. Contou ao júri que ela e Nevin namoravam havia alguns meses e estavam começando a pensar num futuro juntos. Na noite em questão, ela estava trabalhando como garçonete no Foxy's e planejava se encontrar com Nevin quando seu jogo de pôquer terminasse. Ela o fez, de fato, e por volta da meia-noite estavam juntos em um quarto no andar de cima. Ela era bastante atraente, de corpo farto e curvilíneo, com longos cabelos loiros e, quando falava, meio que balbuciava no microfone como Marilyn Monroe.

Havia dez jurados homens, duas mulheres. A maioria dos homens parecia absorver Bridgette e seu depoimento, sem dúvida pensando que o réu tivera uma noite e tanto. A ideia de que ele seria capaz de deixá-la na cama e sair correndo para atirar na cabeça de duas pessoas era absurda.

Graebel abordou o passado dela, mas conseguiu tirar muito pouco dali. Ela também tinha sido bem ensaiada. O jovem advogado estava curioso sobre os quartos do andar de cima e caiu em outra armadilha. Bridgette se irritou e explodiu:

– Eu não sou prostituta, Sr. Graebel! Sou uma garçonete que trabalha em três empregos pra poder voltar para a faculdade.

Graebel congelou como um cervo diante dos faróis de um carro e deixou cair suas anotações. De repente, ele não tinha mais perguntas para a testemunha e correu para sua cadeira.

Depois que a faculdade fora mencionada, Joshua Burch sentiu a necessidade de redirecionar as perguntas e questionar a jovem sobre seus estudos. Seu sonho era ser enfermeira e depois, quem sabe, médica. A única coisa que os jurados do sexo masculino conseguiam fazer era fantasiar com ela medindo sua pressão sanguínea.

A verdade é que Doris (o nome verdadeiro dela) era uma jovem de 19 anos que abandonara o ensino médio e vinha atendendo às necessidades de clientes abastados nos quartos do andar de cima havia pelo menos dois anos. Com a aparência e o corpo que ela tinha, era boa demais para trabalhar como uma prostituta comum e foi rapidamente elevada à lista VIP, e a boate cobrava 75 dólares por uma hora de sua companhia. Seus clientes eram homens mais velhos e que tinham mais dinheiro.

Quando Joshua Burch terminou suas perguntas, ela foi instruída a descer do banco de testemunhas. A maioria dos jurados do sexo masculino observou cada movimento enquanto a jovem deixava o tribunal. Eles não tiveram problemas em engolir o álibi da defesa.

E a arma também poderia ser explicada. Joshua sabiamente chamou seu cliente para depor logo depois que Bridgette se retirou. Nevin, treinado com muito cuidado, franziu a testa solenemente para os jurados ao colocar a mão na Bíblia e jurar dizer a verdade, e depois começou a mentir. Mentiu sobre o jogo de pôquer com os três amigos, mentiu sobre o encontro com Bridgette no exato momento em que Fortier e Rita estavam sendo baleados e mentiu sobre a arma. Claro, o objeto estava em sua posse, assim como muitas outras armas.

– Por que tem tantas armas? – perguntou Burch em um tom dramático.

– É muito simples – respondeu Noll, em um tom sério e sincero. – No meu trabalho, como chefe de segurança da boate, muitas vezes tenho que separar brigas e pedir a alguns de nossos clientes mais agitados que saiam. Costumam ter armas de fogo e facas com eles. Às vezes, eu os levo embora. Outras vezes, apenas peço para deixarem o local. Esse pode ser um trabalho arriscado, principalmente numa sexta ou sábado à noite, quando os ânimos estão exaltados. Alguns desses caras voltam à boate no dia seguinte, pedem desculpas e pegam suas armas de volta. Alguns a gente nunca mais vê. Ao longo dos anos, fui acumulando uma grande coleção de armas. Fico com as melhores e vendo o resto.

Joshua Burch caminhou até a mesa do taquígrafo, pegou a arma e a entregou à testemunha.

– Muito bem, Sr. Noll, reconhece essa pistola?

– Sim, senhor.

– E quando viu essa arma pela primeira vez?

Nevin parecia quebrar a cabeça para lembrar a data exata, embora uma lhe tivesse sido fornecida semanas antes.

– Bom, acho que foi na terça-feira depois do assassinato do Sr. Fortier.

– Conte ao júri, por favor, o que aconteceu.

– Sim, senhor. Eu estava no Foxy's, e o movimento estava devagar, como costuma ser nesse dia da semana. Dois caras entraram, pegaram uma mesa num canto, pediram uns drinques. Duas das nossas meninas se juntaram a eles, e todos continuaram bebendo. Depois de várias rodadas, houve uma discussão envolvendo uns garotos que estavam jogando sinuca, alguma coisa a ver com uma das garotas. Antes que a gente pudesse se dar conta, rolou uma briga imensa... cadeiras, garrafas, tacos de sinuca voando, as moças gritando. A gente tentou separar. Vi um cara pegar a arma, essa pistola bem aqui, estava no bolso do casaco, mas antes que pudesse puxar a arma do bolso, ele foi atingido na cabeça por um taco de sinuca. Partiu a cabeça do cara. Eu peguei a arma antes que ele acabasse matando alguém, e logo conseguimos controlar a situação. Escorracei os dois primeiros sujeitos pra fora da boate, coloquei no carro, disse pra nunca mais voltarem. Estavam completamente bêbados. O dono da arma tinha sangue espalhado na cara toda. Eu nunca tinha visto aquele pessoal antes e nunca mais vi desde então.

– E você ficou com a arma?

– Sim, senhor. Levei pra casa, limpei. É uma peça muito bonita e esperei que o dono retornasse à boate e a pedisse de volta. Mas, como já disse, nunca mais o vi.

– Pode descrever esse homem para o júri?

Nevin deu de ombros. Quando se está inventando um personagem, ele pode ser do jeito que o criador quiser.

– Sim, senhor. Mais ou menos da minha altura, mesmo porte físico. Eu diria que uns 30 anos, cabelos escuros.

– Ele estava dirigindo?

– Não, senhor. O carro era dele, mas, como estava muito machucado, o amigo assumiu o volante.

– Qual era o carro?

– Um Ford Fairlane, marrom-claro.

Pat Graebel afundou mais alguns centímetros em sua cadeira à medida que seu caso inteirinho virava cinzas. O álibi havia colado. Bridgette e os amigos do pôquer tinham se saído muito bem e, depois daquilo, a arma havia sido perdida, explicada, e nunca mais serviria como uma evidência clara de culpa.

Normalmente, os promotores não têm a chance de interrogar réus que são criminosos conhecidos e trabalham para gângsteres igualmente conhecidos, geralmente com registros e fichas criminais que precisam ser mantidos longe dos júris. Nevin Noll, porém, estava em início de carreira e ainda não havia sido condenado por nada significativo nem grave; além disso, parecia bastante confiante de que poderia lidar com qualquer coisa que Graebel fosse capaz de lançar nele.

– Sr. Noll, quem é o seu empregador? – perguntou Graebel.

– Trabalho pro Foxy's, um restaurante em Biloxi.

– E quem é o dono do Foxy's?

– O Sr. Lance Malco.

– E você afirmou que era o chefe de segurança.
– Isso mesmo.
– E o que significa esse trabalho?
– Eu chefio a segurança.
– Entendi. Por que um restaurante precisa de segurança?
– Por que qualquer negócio precisa de segurança?
– Eu faço as perguntas, Sr. Noll.
– Sim, senhor. Pode continuar.
– Que tipo de problemas de segurança vocês têm no Foxy's?
– Bom, acabei de descrever uma briga. Temos isso de vez em quando. A gente tem que separar os clientes, sabe, se livrar dos arruaceiros.
– Você disse que os dois homens estavam bebendo, certo?
– Isso mesmo.
– Então, o Foxy's serve bebida alcoólica?
– Isso é uma pergunta?
– Acredito que sim.

Noll começou a rir e olhou para os jurados, quase todos prontos para se juntar a ele.

– Dr. Graebel, o senhor tá me perguntando se servimos bebidas alcoólicas no Foxy's? Porque, se for isso, então a resposta é sim.
– E isso é ilegal, certo?

Noll sorriu e ergueu as mãos.

– Aí o senhor vai ter que falar com o meu chefe. Não sou o dono do lugar e não sirvo as bebidas. O doutor me trouxe aqui pra ser julgado por homicídio, isso já não é sério o suficiente?

Vários dos jurados riram alto, o que fez Noll começar a rir de novo, e dezenas de espectadores se juntaram ao coro.

O pobre Pat Graebel ficou parado no púlpito, o alvo das piadas, o otário do momento, o promotor importante cujo caso havia evaporado.

Duas horas depois, os jurados voltaram ao tribunal. A maioria parecia se divertir com o caso. A audiência se transformou numa anedota. Todos os doze votaram "inocente", e Nevin Noll venceu seu primeiro julgamento.

12

Keith estava no campo da direita, sonolento, um olho nos vaga-lumes piscando na semiescuridão, o outro no que acontecia ao longe. As bases estavam ocupadas, o arremessador em apuros, e ninguém se importava. Aquele jogo não significava nada. Era um torneio sem sentido que pretendia atrair times de toda a Costa, mas a maioria havia desistido de participar. O vencedor avançaria para lugar nenhum. A temporada da American Legion havia acabado, e os garotos estavam cansados de jogar. Era óbvio que os pais também estavam cansados, uma vez que as arquibancadas estavam vazias, com apenas algumas namoradas entediadas fofocando e ignorando o jogo.

Uma buzina soou no estacionamento, e Keith acenou para seu grupo de amigos. O carro era um Pontiac Grand Prix 1963 novinho em folha, vermelho como uma maçã do amor, conversível e talvez o carro mais descolado de Biloxi naquele momento. O motorista era Hugh Malco, e a ocasião era seu aniversário de 16 anos. Seu pai havia feito uma surpresa para ele, e os garotos, todos ainda dirigindo os velhos sedãs da família, quando muito, nunca haviam visto um presente melhor. Claro que ficaram com inveja, mas também empolgados por poderem cruzar as ruas com tanto estilo. Hugh parecia determinado a esgotar os 20 mil quilômetros de garantia dos primeiros dois meses. Ele sempre tinha dinheiro para a gasolina, que ganhava trabalhando para o pai, além de sua generosa mesada.

E tinha muito tempo livre. Havia desistido do beisebol e dos outros esportes coletivos e, por diversão, treinava na Buster's Gym três vezes por semana. Lutava boxe em torneios do estado inteiro e havia perdido e ganhado praticamente a mesma quantidade de lutas, mas gostava mesmo era da emoção. Também sentia orgulho de estar no ringue e seus amigos, não. Torciam por ele, mas não tinham coragem de calçar as luvas.

Um arremesso preguiçoso chegou à base do campo direito, e Keith aproveitou a oportunidade para fazer a finalização. Dez minutos depois, estava no banco traseiro do Grand Prix, partindo para a marina. Hugh ia ao volante, dirigindo com mais cuidado desde a segunda multa por excesso de velocidade na semana anterior. No banco do carona, encontrava-se Denny Smith, encarregado do cooler cheio de cerveja. Ao lado de Keith, no banco de trás, estava Joey Grasich, outro garoto de Point Cadet que havia feito a primeira série com Hugh e Keith. O pai de Joey ganhava a vida como capitão de um barco pesqueiro. Era dono de vários barcos, incluindo o Carolina Skiff de 25 pés que os meninos pegaram emprestado para a viagem. Todos os pais haviam autorizado a aventura – um acampamento noturno em Ship Island.

Eles descarregaram o porta-malas do Grand Prix e empilharam seus equipamentos e coolers no barco. Hugh odiava deixar seu carro novinho no estacionamento da marina, mas não tinha escolha. Ele o admirou, limpou uma mancha de sujeira do para-choque traseiro, trancou-o, saltou para o cais e pulou dentro do esquife que já se afastava. O capitão do porto assobiou para Joey e pediu que ele diminuísse a velocidade. Ele obedeceu enquanto os amigos abriam outra rodada de cerveja. Logo, estavam no estreito do Mississippi, e as luzes da cidade desapareciam atrás deles.

A Ship Island ficava a pouco mais de 20 quilômetros de distância. Tratava-se de uma faixa de areia que havia sofrido o impacto dos inúmeros furacões que assolaram a Costa, mas entre uma tempestade e outra o lugar era popular entre os campistas e excursionistas. Nos fins de semana, as famílias saíam de barco para longos piqueniques. As balsas realizavam excursões para turistas e moradores locais. Adolescentes se esgueiravam até lá para se divertir e fazer besteiras. Os soldados eram conhecidos por passar os fins de semana enchendo a cara na ilha, festas que constantemente geravam reclamações.

Os quatro amigos conheciam bem a área e pescavam nas águas ao redor desde crianças. Navegando em um Carolina Skiff com um pequeno motor de popa, a ilha ficava a uma hora de distância. Eles se despiram, ficando apenas com os calções, e relaxaram no convés enquanto atravessavam o mar. Todos acenderam um cigarro enquanto tomavam uma cerveja. Keith não fumava, mas gostava de um Marlboro de vez em quando. Além de Hugh com o boxe, Keith era o único atleta de verdade que restava. Seu primeiro ano no ensino médio estava se aproximando, e ele teve a chance de começar como quarterback. Os temidos dois treinos por dia estavam chegando, e ele estava prestes a entrar em forma. A cerveja tão saborosa provavelmente exalaria pelos seus poros com o calor e a umidade. A ideia de um cigarro o faria engasgar durante os treinos de velocidade. Mas, naquele momento, saboreava seus pequenos vícios. Os garotos tinham 16 anos e estavam muito entusiasmados com a independência do fim de semana, livres para fazer quase tudo o que quisessem.

Joey, o capitão do barco, havia jogado beisebol na Little League contra Keith e Hugh, mas nunca ficou entre os melhores. Como o pai, preferia passar seu tempo no barco e no Golfo, de preferência praticando pesca desportiva. Denny Smith era talvez o garoto mais lento da Biloxi High e nunca havia tentado esportes coletivos. Era um excelente músico que tocava vários instrumentos. Ele pegou seu violão e começou a dedilhar enquanto avançavam rumo à ilha.

Todos sabiam que Hugh frequentava as boates que para os outros eram estritamente proibidas. Ele não se vangloriava disso, mas deixava claro que tinha estado com algumas das moças que trabalhavam nos negócios da família. Nunca havia contado aos amigos sobre Cindy e não admitiria nem sob a mira de um revólver que havia se apaixonado por uma prostituta adolescente. Ela fazia parte do passado, e ele havia seguido em frente e estado com outras garotas, com Nevin Noll sempre de olho. Os garotos faziam piada, pedindo para entrar escondidos nas boates junto dele e assistir às strippers. Hugh, porém, sabia que eles falavam sério e estava determinado a um dia mostrar aos amigos os quartos do andar de cima.

Denny dedilhava e tocava "Your Cheatin' Heart", de Hank Williams, um de seus cantores favoritos e uma lenda que já havia se apresentado várias vezes no Slavonian Lodge. Ele também era muito conhecido nos bares, e algumas de suas bebedeiras eram famosas. Os garotos cantaram junto, tão alto e desafinado quanto tinham vontade. Não havia nenhum outro barco à vista. O estreito estava silencioso, e a lua, cheia. Perto da praia, Joey levantou o motor de popa, e o Carolina Skiff flutuou silenciosamente até a praia. Eles descarregaram seus equipamentos, armaram duas barracas e fizeram uma fogueira. Quatro costeletas grossas foram para a grelha, e, claro, cada um dos campistas tinha muitas opiniões sobre como prepará-las. Eles comeram a carne, acompanharam-na com cerveja e, quando estavam cheios, sentaram-se próximo à rebentação e ficaram conversando até a meia-noite, enquanto as ondas quebravam suavemente ao redor deles. Havia outra fogueira a mais ou menos 100 metros a leste, mais campistas, e a oeste ouviram a risada de algumas meninas.

Os garotos dormiram tarde e acordaram com o sol quente. Depois de um mergulho matinal, saíram para explorar e encontraram as meninas. Elas eram um pouco mais velhas e estavam com seus namorados. Eram de Pass Christian, uma cidade que ficava 30 quilômetros a oeste de Biloxi, e eram bastante simpáticas, mas não queriam companhia.

Joey os conduziu ao redor da ilha até o píer, onde turistas desciam de uma balsa. Um homem vendia cachorros-quentes e refrigerantes, e eles desfrutaram de um almoço leve, observando os barcos irem e virem. Perto de um antigo forte, viram um grupo de pilotos em meio a uma turbulenta partida de vôlei de praia. Eles tinham muita cerveja e chamaram seus novos convidados para se juntarem à diversão. Tinham cerca de 20 anos, vinham de várias partes do país, e eram mais cascas-grossas e usavam uma linguagem mais grosseira. Keith achou melhor recusarem com educação, mas Hugh queria jogar. Após uma hora de muito sol e umidade, as partidas foram suspensas, a fim de fazer uma pausa para uma cerveja e um banho de mar.

No final da tarde, eles voltaram para o acampamento e tiraram longas sestas. Estavam cansados, queimados de sol, desidratados de tanta cerveja, então fazia todo o sentido começar mais uma rodada. Quando o sol se pôs, acenderam uma fogueira e assaram salsichas para o jantar.

No domingo bem cedo, Hugh acordou o grupo e disse que precisavam se apressar. O fim de semana incluiria mais uma aventura, uma da qual já tinham ouvido falar, mas nunca haviam experimentado. Levantaram acampamento, empurraram o Carolina Skiff para dentro da água e dirigiram-se ao farol de Biloxi. Uma hora depois, atracaram na marina e descarregaram o barco. Hugh ficou muito feliz ao ver seu carro novo em folha e intacto, à espera deles.

SAÍRAM DA CIDADE RUMO ao norte, cruzando a Highway 49 por alguns quilômetros, depois pegaram uma estrada do condado que levava ao interior da floresta de pinheiros. Passando por uma trilha de cascalho, viram outros carros e caminhonetes estacionados ao acaso ao longo das valas e também nos campos. Homens caminhavam em direção a um velho celeiro com um telhado de zinco descascado. Eles estacionaram e seguiram com os outros até serem parados por um sujeito com uma espingarda na mão.

– Vocês são muito novos pra estar aqui – vociferou ele.

Hugh não se intimidou.

– Somos convidados de Nevin Noll.

A testa franzida do homem se amenizou. Ele assentiu e disse:

– Muito bem. Venham comigo.

Ao se aproximarem do celeiro, ouviram gritos e vozes de homens animados. Uma fila aguardava para entrar. Eles contornaram o celeiro até uma porta lateral e foram instruídos a esperar. O segurança desapareceu lá dentro.

– Isso ainda é ilegal, né? – perguntou Joey.

– Ilegal pra burro – respondeu Hugh com uma risada. – As melhores rinhas de galos da Costa.

Nevin apareceu, e o garoto o apresentou aos outros três. Eles sabiam seu nome porque Hugh havia lhes contado muitas histórias sobre o segurança.

– Vocês ficam no fundo, longe da multidão – instruiu Nell. – A casa tá cheia hoje.

Eles passaram pela porta estreita e entraram em outro mundo.

O celeiro fora convertido em uma arena de rinha de galos. Um grande fosso cheio de areia, talvez de uns 2 metros quadrados, ficava bem no centro, e todo o resto tinha sido construído ao redor. Era ladeado por uma parede de tábuas de madeira de pouco mais de meio metro de altura, para evitar que os galos escapassem, e no topo da parede havia um balcão estreito onde os homens das primeiras fileiras podiam apoiar os cotovelos e suas bebidas. Atrás deles, havia fileiras de bancos, a de trás sempre mais alta que a da frente, de modo que os espectadores pudessem assistir. Atrás da última fileira de bancos e nos corredores e saídas havia uma miscelânea de cadeiras de jardim, antigas poltronas de teatro, bancos de igreja, banquetas, barris virados ao contrário e qualquer outra coisa em que um homem pudesse se sentar. Apenas homens.

A plateia estava lotada; os espectadores, ombro a ombro. Uma espessa camada de fumaça de charuto e cigarro pairava acima da arena, imperturbável mesmo com os inúmeros e imensos ventiladores que tentavam amenizar a umidade. A temperatura lá fora era de pelo menos 32 graus, mas estava ainda mais alta perto do fosso. O fumo para mascar era popular ali, e alguns dos homens nos bancos da frente cuspiam os restos na areia. Quase todo mundo segurava um copo de papel grande com alguma bebida, e as garrafas eram passadas de mão em mão.

OS HOMENS ERAM BARULHENTOS, falavam alto e chegavam a gritar uns com os outros do outro lado do fosso de forma divertida e bem-humorada. Estavam esperando a próxima luta, momento em que seus humores mudariam. Em um canto, atrás de um setor de assentos, dois homens de camisa branca e gravata trabalhavam atrás de um balcão, recebendo dinheiro, registrando as apostas e tentando freneticamente controlar o ritmo delas. Em outro canto, as vozes ficaram mais altas e houve mais gritos quando dois treinadores emergiram dos currais externos e caminharam em direção ao fosso. Cada um deles carregava um galo e, quando entraram no fosso, ergueram o animal bem alto para a multidão admirar.

Os galos de briga eram naturalmente agressivos com todos os machos da espécie. Bons criadores escolhiam os mais pesados e rápidos, e faziam com que cruzassem repetidamente para aumentar a força e a resistência das gerações seguintes. Eles os treinavam forçando-os a correr longas distâncias e pistas de obstáculos, e os entupiam de esteroides e adrenalina para melhorar seu desempenho. Duas semanas antes da luta, eram mantidos em pequenas caixas escuras para isolá-los e aumentar sua agressividade. Ambos os treinadores foram extremamente cuidadosos, porque seus galos estavam equipados com arpões de aço afiados amarrados às pernas, armas letais que se assemelhavam a pequenos picadores de gelo.

Um senhor de chapéu de caubói preto e gravata-borboleta combinando gritava sem parar, encorajando as apostas.

– Aquele ali é Phil Arkwright – disse Hugh –, ele é o dono. Ganha muito dinheiro com essa maracutaia.

– E você já veio aqui antes? – perguntou Keith, já sabendo a resposta.

– Algumas vezes – respondeu Hugh, com um sorriso. – O Nevin adora essas lutas.

– E o seu pai? Ele sabe disso?

– Provavelmente.

Eles estavam atrás da última fileira, olhando para baixo em direção ao fosso. Hugh se sentia em casa. Os outros três só conseguiam ficar boquiabertos. Os dois treinadores se encontraram no centro do ringue, agacharam-se, permitiram que os bicos dos galos se tocassem e depois os soltaram. Eles se atacaram com seus bicos, grasnaram ferozmente e cantaram, rolando na areia enquanto as penas voavam. Um conseguiu imobilizar o outro e descarregou os arpões, golpeando com os pés. O pássaro ferido se levantou, e havia sangue em seu peito. Eles trocaram ataques e ferimentos, e nenhum dos dois recuou. O que sangrava mais começou a perder as forças, e o outro avançou para matá-lo. Metade da multidão queria mais sangue, metade queria um intervalo. Ninguém ficava calado.

As regras não permitiam um relógio ou quaisquer paralisações. Na arena de Arkwright, todas as lutas eram até a morte.

Quando o perdedor ficou imóvel, Arkwright entrou no fosso e acenou para o treinador para que o vencedor viesse recolher seu animal. Ele conseguiu contê-lo sem ser atingido e o ergueu novamente para que a multidão aplaudisse. O galo parecia não se importar com a adulação. Esticou o pescoço para observar o moribundo caído na areia e queria acabar com ele. O treinador do perdedor apareceu carregando um saco de juta, pegou o bicho com cuidado e o retirou de lá sob as vaias daqueles que apostaram um bom dinheiro nele. Seu dono o comeria no jantar.

Grupos de homens desceram ao balcão para receber os lucros de suas apostas. Um garoto que trabalhava no celeiro varreu a areia e tentou cobrir o sangue. Novos charutos foram acesos e garrafas foram distribuídas.

– Vocês querem apostar? – perguntou Hugh.

Os três balançaram a cabeça.

– O que a polícia acha disso? – indagou Joey.

Hugh riu e apontou para o fosso.

– Tá vendo aquela primeira fila lá do outro lado? O grandalhão de camisa listrada e boné verde? Aquele é o nosso adorado xerife, Albert Bowman. E aquele é o lugar reservado dele. Vem aqui todo domingo de manhã, exceto durante as campanhas eleitorais, quando de vez em quando vai à igreja.

– Então aquele ali é Albert Bowman? – reforçou Denny. – Eu nunca tinha visto o xerife antes.

– O xerife mais desonesto do estado – complementou Hugh. – E também o mais rico. Olha só, tá na hora de apostar, e a próxima luta é a mais importante da manhã. Tem um criador perto de Wiggins que cria os galos mais barra-pesada do estado. Ele tem um Whitehackle novo chamado Elvis, que supostamente é imbatível.

– Whitehackle? – perguntou Keith.

– Sim, é uma das raças mais populares de galos de briga.

– Ah, sim, foi mal.

– Elvis? – perguntou Joey. – Eles têm nomes?

– Alguns têm. O Elvis tem as penas pretas, se acha muito bonito. Vai lutar contra um Hatch da Louisiana, e é o favorito. Vou apostar 5 dólares no Hatch. Se eu ganhar, recebo quinze. Alguém tá a fim de se aventurar?

Os três fizeram que não e observaram Hugh abrir caminho em meio à multidão e se dirigir ao balcão de apostas. Ele devia estar se sentindo com sorte, porque voltou com quatro garrafas de cerveja Falstaff.

Durante o evento principal, o barulho no fosso aumentou ainda mais. Os homens faziam fila para apostar enquanto Phil Arkwright pedia para que se apressassem, pois os galos estavam ficando impacientes. Os animais finalmente entraram, com seus treinadores apertando as asas deles com firmeza para mantê-los sob controle. Quando as aves se viram, ficaram alucinadas. Ambas as raças eram famosas por seu estilo de luta bem vida ou morte, "sem retirada, sem rendição".

Hugh, agora com dinheiro em jogo, começou a gritar como os outros, como se um galo a 30 metros de distância fosse capaz de entendê-lo. Elvis não se parecia em nada com o cantor, exceto por uma espessa plumagem negra que subia pela nuca e cobria a cabeça. Suas esporas pareciam navalhas e brilhavam como se tivessem sido polidas.

Os bicos se tocaram, e os treinadores se retiraram rapidamente. A multidão berrava enquanto homens adultos gritavam com dois pássaros lutando na areia. Os galos cantaram e se atacaram, deixando um rastro de sangue. Elvis se empertigou, ficando um pouco mais alto, e usou sua altura para bicar o outro furiosamente. O Hatch o derrubou, fez o adversário rolar na areia e parecia pronto para atacar quando Elvis de repente levantou voo, passou por cima do Hatch e pousou em suas costas, fincando os dois arpões. De repente, o Hatch estava completamente coberto de sangue e não conseguia fugir. Elvis pressentiu o nocaute e o atingiu ainda mais rápido. O

Hatch finalmente conseguiu escapar do ataque, mas tinha dificuldade para andar. Era óbvio que estava gravemente ferido. A multidão, ou pelo menos aqueles que haviam apostado no Hatch, ficaram surpresos com a rapidez com que Elvis acabou com seu favorito. Ele investiu contra o Hatch, girou-o e, como um especialista em artes marciais, cortou sua garganta com um arpão. O golpe quase decapitou o animal, que de repente pareceu indefeso.

Era um esporte sangrento, e a morte fazia parte dele. Arkwright não era do tipo que mostrava simpatia nem iludia seu público, então permitiu que Elvis arrebentasse o oponente por mais alguns segundos. A surra durou menos de um minuto.

Hugh ficou sem palavras, então seus amigos vieram em seu socorro.

– Bela aposta, Hugh – disse Keith, com uma risada.

– Você vem aqui sempre? – perguntou Denny.

– Isso não foi nem uma luta de verdade – acrescentou Joey.

Hugh, que sempre levava na esportiva, ergueu as mãos em sinal de rendição e disse:

– Tá certo, tá certo, eu mereço. Vocês querem me mostrar como se faz? Vamos fazer uma aposta paralela na próxima luta. Um dólar cada.

Mas eles estavam duros demais para apostar. Terminaram suas cervejas enquanto desfrutavam de mais algumas lutas, então voltaram para o carro. O longo fim de semana havia acabado. Eles não contariam a ninguém sobre a visita à arena de Arkwright, embora Lance Malco logo fosse acabar descobrindo. Na verdade, ele não se importava. Hugh tinha apenas 16 anos, mas era maduro para sua idade e certamente sabia cuidar de si mesmo. O filho não mostrava nenhum interesse em ir para a faculdade, e isso era bom para Lance também.

O garoto era necessário nos negócios da família.

13

Dois dias após o Dia de Ação de Graças em 1966, o corpo de Marcus Dean Poppy foi encontrado em um beco atrás de um bordel na Decatur Street, no French Quarter, o bairro central de Nova Orleans. Ele havia sido espancado com um instrumento contundente e executado com dois tiros na cabeça. Seus bolsos estavam vazios; não havia carteira, nem qualquer meio de identificação. Não foi nenhuma surpresa que ninguém dentro do bordel o tivesse visto antes disso. Ninguém ouviu um pio no beco. A polícia de Nova Orleans levou duas semanas para identificá-lo e, àquela altura, qualquer esperança de encontrar o assassino havia ido por água abaixo. Era uma cidade violenta, com muitos crimes, e a polícia estava acostumada a encontrar corpos em becos. Um detetive deu uma volta por Biloxi e traçou um breve perfil da vítima, um homem que já havia sido dono do Carrossel Lounge, mas que não era visto na cidade havia mais de três anos. Um irmão que vivia no Texas foi localizado e informado da morte, mas não demonstrou interesse em recuperar o corpo.

A notícia por fim chegou ao *Gulf Coast Register,* mas passou facilmente despercebida na página três, canto inferior esquerdo. O repórter conseguiu vincular o homicídio ao de Earl Fortier, em 1963. O caso tinha dado início a um julgamento no qual Nevin Noll acabara absolvido.

Absolutamente ninguém ia comentar. As pessoas que conheciam Poppy e Fortier no passado já tinham morrido havia muito tempo ou se esconderam em meio às sombras. Aqueles que leram a reportagem e conheciam os agentes do submundo de Biloxi imaginaram que Lance Malco finalmente havia liquidado outra dívida antiga. Era de conhecimento geral que Poppy o enganara quando vendeu o Carrossel Lounge para Ginger Redfield e sua gangue, e era apenas uma questão de tempo até que Lance botasse as mãos no sujeito. O Carrossel havia se tornado uma boate-cassino ainda mais popular, que concorria com o Foxy's e o Red Velvet, e que Malco ainda cobiçava. Ginger era uma empresária linha-dura e administrava bem seus negócios. Além do O'Malley, ela havia adquirido outra boate na Strip e alguns bares no lado norte da cidade. Era ambiciosa e, à medida que seu império se expandia, inevitavelmente invadia o território que Lance Malco acreditava ser seu por direito.

Um confronto era iminente. As duas gangues estavam de olho uma na outra, e a tensão pairava no ar. Albert Bowman sabia como as ruas funcionavam e havia advertido os dois senhores do crime, desencorajando uma guerra declarada. Pensando apenas em si mesmo, queria mais boates, mais apostas, mais tudo, mas era inteligente o bastante para compreender a necessidade de um comércio pacífico. Se e quando a troca de tiros começasse, não haveria jeito de controlar. Estavam todos ganhando dinheiro, e muito, então por que tanta ganância? Um antiquado conflito entre gangues só irritaria a freguesia, chamaria atenção indesejada e possivelmente provocaria interferência externa da polícia estadual e do FBI.

AO LER A MATÉRIA sobre o assassinato de Poppy, Jesse Rudy entendeu de imediato o que havia acontecido. Aquele era outro lembrete sombrio de como a ilegalidade crescia em sua cidade. Ele finalmente havia tomado a decisão de fazer algo a respeito.

Keith estava em casa para as festas de fim de ano e, certa noite, depois do jantar, Jesse e Agnes reuniram os quatro filhos na sala para uma conversa em família. Beverly tinha 16 anos, Laura, 15, e ambas eram alunas da Biloxi High. Tim tinha 13 anos e estava no ensino fundamental.

Jesse explicou que ele e a esposa haviam tido várias longas conversas sobre o futuro da família e tomado a decisão de que ele se candidataria ao cargo de promotor de justiça nas eleições do ano seguinte, 1967. Rex Dubisson, o atual promotor, estava completando seu segundo mandato e seria um adversário formidável. Mantinha relações estreitas com a velha guarda, e seria muito bem financiado. A maioria dos advogados locais o apoiaria, assim como a maior parte das outras autoridades eleitas. Mais importante ainda, ele receberia o apoio de donos de boates, mafiosos e outros bandidos que vinham controlando a política local havia anos. Seus filhos conheciam os filhos deles.

Com sorte, Jesse teria o apoio daqueles do lado certo da lei, o que deveria ser a maioria dos eleitores. Mas muitos falavam apenas da boca para fora, enquanto desfrutavam da vida fácil na Costa por trás dos panos. Eles gostavam das boates sofisticadas, os restaurantes finos, com coquetéis e cartas de vinhos, e que os botecos ficassem longe da Strip. Muitos políticos haviam feito campanha com promessas de reforma, apenas para sucumbir à corrupção depois de eleitos. E houve aqueles que deram um jeito de manter sua integridade ao fecharem os olhos para a situação. Ele não tinha planos de fazer nada disso.

A campanha seria extenuante e talvez perigosa. Uma vez que os mafiosos percebessem que ele estava falando sério sobre a reforma, poderia haver ameaças e intimidações. Ele jamais arriscaria o bem-estar da família, mas duvidava seriamente que alguém fosse ousado o suficiente para causar algum dano real. E, sim, todos ali na família iriam às ruas, batendo de porta em porta e colocando placas nos jardins.

Keith, o mais velho e líder inquestionável do bando, falou primeiro e disse que não tinha medo de porcaria nenhuma. Estava orgulhoso de seus pais pela decisão e mal podia esperar para começar a campanha. Na faculdade, tinha se acostumado aos comentários em relação a Biloxi. A maior parte dos alunos tinha uma visão romantizada do vício e de toda a diversão que o local oferecia. Muitos conheciam as boates e os bares. Poucos entendiam o lado ruim da Strip. E havia quem olhasse com desconfiança para qualquer um que viesse da cidade.

Se a ideia fosse boa o suficiente para Keith, então Beverly, Laura e Tim embarcariam nela. Seriam capazes de lidar com qualquer comentário malicioso dos colegas na escola. Estavam orgulhosos do pai e apoiaram sua decisão.

Ele os advertiu a manter os planos em segredo. Anunciaria a candidatura em um mês ou mais; até então, nem uma palavra sobre o assunto. A eleição seria decidida nas primárias democratas em agosto, ou seja, tinham um verão agitado à frente.

Quando a conversa acabou, a família deu as mãos, e Jesse conduziu uma oração.

DUAS NOITES DEPOIS, KEITH encontrou o velho grupo de amigos em um novo bar no centro da cidade. O estado havia finalmente alterado suas antiquadas leis sobre bebidas alcoólicas e permitido que cada condado votasse sim ou não para a venda de álcool. Não era nenhuma surpresa que os condados da Costa – Harrison, Hancock e Jackson – tenham votado sim imediatamente. Lojas de bebidas e bares logo começaram a fazer dinheiro. Para maiores de 18 anos, era legal beber. Isso prejudicava o comércio de vícios, mas os bandidos preencheram o vazio com maconha e cocaína. Os homens ainda iam atrás de jogos de azar e prostitutas. Os negócios na Strip continuaram a prosperar.

Hugh trabalhava para o pai e administrava uma equipe responsável pela construção de novos apartamentos, ou pelo menos foi o que ele disse. Os outros suspeitavam que ele frequentava as boates. Joey Grasich estava em casa, de licença da Marinha. Denny Smith estudava em tempo integral na faculdade e nunca havia saído de casa.

Os quatro se retiraram para uma mesa, pediram jarras de cerveja e acenderam seus cigarros. Joey contou histórias do treinamento na Califórnia, um lugar que o deixou bastante impressionado. Com alguma sorte, seria designado para um submarino e ficaria longe do Vietnã.

Os garotos achavam difícil acreditar que haviam saído do ensino médio e se aproximavam da idade adulta. Estavam curiosos sobre a carreira de Keith no beisebol no Southern Miss, e ele contou que tinha ido muito bem em um teste durante o outono. Não havia entrado para o time, mas também não fora cortado. O treinador queria que ele treinasse todos os dias, a partir de fevereiro, para ver como seu braço se desenvolveria. O time tinha muitos arremessadores, mas, no beisebol, nunca há arremessadores suficientes.

Hugh havia se aposentado como boxeador. Em seus dois anos de carreira, passou por 18 lutas, com nove vitórias, sete derrotas e dois empates. Buster, seu treinador, havia se frustrado com os hábitos de Hugh, que admitia não ter a intenção de largar a cerveja, os cigarros e as garotas. Ele sempre ganhava o primeiro round, perdia o fôlego no segundo e precisava dar a vida no terceiro, quando seus pés ficavam pesados e ele tinha dificuldade para respirar.

Enquanto a cerveja corria solta, Hugh perguntou:

– Ei, vocês se lembram do Todd Foster, o Pelinho, meu segundo adversário no Golden Gloves?

Eles riram e disseram que era óbvio que se lembravam.

– Bom, lutei com ele mais duas vezes, no ringue. O árbitro parou aquela primeira luta porque nós dois tínhamos cortes no rosto. Um ano depois, ganhei dele por pontos em um campeonato em Jackson. Dois meses depois disso, ele me venceu por pontos. Cheguei a desprezar muito o cara, sabe? Então, uns três meses atrás, tivemos nossa quarta luta, e dessa vez não foi no ringue. Sem luvas. Ele estava no Foxy's uma noite com um grupo de amigos, todos bêbados feito gambás, tocando o terror. Eu estava trabalhando na segurança e tentei ficar longe deles. Como era de se esperar, uma briga começou e tive que ir separar. Quando o Pelinho me viu, abriu um sorrisão e nos cumprimentamos. Nós acabamos com a briga, colocamos alguns babacas pra fora, então o Pelinho veio com um papo sobre como ele tinha acabado comigo nas três lutas e sido sacaneado pelos árbitros. Ele ainda lutava boxe, e começou a se gabar de ter vencido o meio-médio estadual uns meses antes e ido pras Olimpíadas. Palhaçada. Falei pra ele baixar a bola, porque estava falando muito alto. O lugar estava cheio, outros clientes poderiam ficar cansados daquele papo. Ele ficou irritado, começou a gritar comigo e perguntou se eu queria outra luta. Havia vários seguranças por perto, e um outro cara se colocou entre nós. Isso irritou o Pelinho de verdade, e ele lançou um soco de direita que ricocheteou no topo da minha cabeça, um daqueles ganchos bêbados que bons boxeadores evitam. Mas vocês conhecem o Pelinho, sempre atrás do grande nocaute. Acertei a mandíbula dele, e a briga começou. Nós dois lutamos enquanto os amigos dele se amontoavam ao redor. Uma confusão danada. Foi maravilhoso. O Pelinho não estava no seu melhor porque estava bêbado e instável. Eu joguei ele no chão e estava batendo na cara dele quando me puxaram. Finalmente a gente conseguiu tirar o pessoal dele de lá e chamar a polícia. Da última vez que vi o Pelinho, estava sendo levado pela polícia, algemado.

– Vocês deram queixa?

– Não, a gente quase nunca faz isso. Fui ao fórum no dia seguinte, troquei uma ideia com os policiais e tirei o Pelinho de lá. Ele estava com o nariz quebrado e os dois olhos inchados. Levei o cara pra casa e disse pra nunca mais voltar. Acabei mesmo com ele.

– Então você trabalha como segurança? – perguntou Joey. – Eu achava que você estivesse cuidando da construção dos apartamentos.

– Esse é o meu trabalho diurno. Às vezes, trabalho nas boates. É sempre bom fazer alguma coisa à noite.

A arrogância de Hugh só havia piorado com a idade. O pai dele era o rei do submundo, tinha muito dinheiro e poder, e agora estava preparando o filho mais velho para entrar para os negócios. Ele pagava bem, e Hugh sempre tinha muito dinheiro, além de carros velozes, roupas bacanas, gostos mais refinados.

Eles continuaram implicando uns com os outros, depois ficaram ouvindo mais das façanhas de Hugh nas boates. Ele era o centro das atenções e adorava contar histórias sobre os personagens obscuros com quem esbarrava na Strip.

Keith ouviu, riu, tomou cerveja e agiu como se estivesse tudo bem, mas sabia que aqueles momentos eram passageiros. Suas amizades estavam prestes a mudar ou acabar por completo. Em poucos meses, seu pai e sua família estariam no meio de uma dura campanha que opunha o novo contra o velho, o bem contra o mal.

Provavelmente aquela seria a última cerveja dele e de Hugh juntos. No momento em que Jesse Rudy anunciasse sua campanha, o conflito estaria claramente definido e não haveria jeito de voltar atrás. De início, o submundo se divertiria com mais um político prometendo limpar Biloxi, mas isso logo mudaria. Jesse Rudy era um sujeito ferrenho, tinha uma forte bússola moral e jogava para vencer. Lutaria contra os bandidos até o amargo fim, até as urnas.

E sua família estaria ao seu lado.

Keith não sabia ao certo aonde seus outros amigos iriam parar. Denny já estava entediado com a faculdade, mas não queria correr o risco de servir no Exército. Ele e Hugh vinham conversando sobre reformar alguns espaços comerciais juntos. Denny não tinha um centavo, então qualquer financiamento sem dúvida viria do Sr. Malco. Todo mundo sabia que ele tinha seus tentáculos em muitos negócios legítimos e os usava para lavar seu dinheiro sujo.

O pai de Joey um dia fora próximo de Lance, mas era um pescador comercial e se mantinha distante dos mafiosos. Keith não fazia ideia de como Joey lidaria com um racha no grupo.

A ideia dos amigos se dividindo por causa de política era perturbadora, mas as rachaduras estavam logo ali, sob a superfície.

Eles deixaram o bar e entraram no mais recente carro de Hugh, um Mustang 1966 conversível. Ele os levou até ao Mary Mahoney's Old French House e pagou em dinheiro vivo por um grande jantar com direito a filés e frutos do mar.

Keith havia previsto o futuro ao ter a sensação de que aquela seria a última noite deles juntos na cidade.

Parte Dois

O Reformista

14

Num dia frio e de muito vento no final de fevereiro, Jesse Rudy caminhou até o tribunal do condado de Harrison para se encontrar com Rex Dubisson, o promotor de justiça. O gabinete ficava no segundo andar, no fim do corredor da sala de audiências principal. Os dois se conheciam havia anos e tinham trabalhado em muitos casos em lados opostos. Em quatro ocasiões, tinham se enfrentado no tribunal e brigado pela condenação ou pela absolvição dos clientes de Jesse. Como esperado, Rex venceu três dos quatro casos. Os promotores raramente levavam a julgamento casos que não tivessem certeza de que venceriam. Os fatos estavam do lado deles, porque os réus geralmente eram culpados.

Os dois se respeitavam, embora a admiração de Jesse fosse atenuada pela crença de que Rex tinha pouco interesse em combater o crime organizado. Ele era um bom promotor, que conduzia um gabinete bastante sério, e se gabava, como era de se imaginar, da taxa de condenação de noventa por cento. Isso soava muito bem nos almoços do Rotary Club, mas a verdade é que pelo menos noventa por cento das pessoas que ele indiciava eram culpadas de alguma coisa.

Depois que o café foi servido e de falarem sobre amenidades, Jesse disse:
– Não vou ficar enrolando. Vim aqui pra dizer que estou concorrendo à promotoria e que vou anunciar minha candidatura amanhã.

Rex olhou para ele, incrédulo, e por fim respondeu:
– Bom, obrigado por avisar. Posso saber por quê?

– Preciso de um motivo?

– Mas é claro que precisa. Você tem algum problema com a forma como administro meu gabinete?

– Bom, acho que é possível dizer isso, sim. Estou cansado de tanta corrupção, Rex. Albert Bowman tá de conchavo com a máfia desde que assumiu o cargo, doze anos atrás. Ele tem participação nos lucros gerados pelo vício e distribui dinheiro para outros políticos. A maioria se beneficia disso. Você sabe muito bem. Ele regula o negócio e permite que gente como Lance Malco, Shine Tanner, Ginger Redfield e outros donos de boates continuem com seus negócios sujos.

Rex deu risada.

– Então você é um reformista? Mais um político prometendo limpar a Costa?

– É por aí.

– Todos eles quebraram a cara, Jesse. Você também vai quebrar a sua.

– Bom, pelo menos vou tentar. Já é mais do que você fez.

Rex pensou por alguns minutos e declarou:

– Muito bem, os pelotões estão a postos. Bem-vindo à guerra. Só espero que você não se machuque.

– Não estou preocupado com isso.

– Pois deveria.

– Isso é uma ameaça, Rex?

– Eu não faço ameaças, mas às vezes dou avisos.

– Bom, obrigado pelo aviso, mas não vou me deixar intimidar por você, pelo Pança, nem por qualquer pessoa. Vou fazer uma campanha honesta e espero o mesmo de você.

– Nada relacionado à política é honesto por aqui, Jesse. Você tá sendo ingênuo. É um jogo sujo.

– Não precisa ser.

JESSE HAVIA IMAGINADO UMA festa de lançamento da campanha para a qual convidaria amigos, outros advogados, talvez algumas autoridades eleitas e alguns reformistas engajados para declarar sua candidatura. Ficou claro que se tratava de algo difícil de organizar porque havia pouquíssimo interesse em uma proposta tão explícita de reforma. Em vez de lançar sua campanha com discursos e manchetes, decidiu iniciá-la discretamente.

Um dia após o encontro com Dubisson, ele se reuniu com um grupo que incluía vários pastores, um vereador da cidade de Biloxi e dois juízes aposentados. Eles ficaram entusiasmados com a notícia de que Jesse concorreria ao cargo e prometeram, além de apoio, doar algum dinheiro para a campanha.

No dia seguinte, o candidato se reuniu com a equipe editorial do *Gulf Coast Register* e expôs seus planos. Era hora de fechar as boates e acabar com os mafiosos. Jogos de azar e prostituição ainda eram ilegais, e ele prometeu usar a lei para se livrar deles. O álcool agora era legal no condado e, teoricamente, o conselho estadual de bebidas não concederia a uma boate uma licença para vender bebida se o local permitisse a realização de jogos de azar. Jesse estava determinado a fazer cumprir a lei. Um problema óbvio era o fato de que os shows de striptease não eram ilegais. Uma boate com uma licença válida para vender bebidas poderia operar livremente e empregar todas as garotas que quisesse. Seria quase impossível monitorar essas boates e determinar quando o striptease levava a mais atividades ilícitas. Jesse sabia que seria um desafio e foi vago sobre quaisquer planos específicos.

Os editores ficaram encantados com uma campanha que certamente geraria muitas notícias, mas o otimismo de Jesse não os convenceu. Já tinham ouvido tudo aquilo antes. Foram enfáticos ao perguntarem como ele planejava fazer cumprir as leis quando o xerife tinha pouco interesse em fazê-lo. Sua resposta foi que nem todos os policiais estavam envolvidos. Ele estava certo de que poderia ganhar a confiança dos honestos, confiar na polícia estadual e conseguir indiciar algumas pessoas. Uma vez que isso acontecesse, planejava usar toda a sua força para ir atrás de denúncias e condenações.

Jesse teve o cuidado de evitar dar nome a qualquer um de seus alvos em potencial. Todos sabiam quem eles eram, mas era muito cedo para declarar guerra ao desafiar abertamente os mafiosos e vigaristas. Os editores sondaram um pouco, mas Jesse se recusou a citar nomes. Haveria muito tempo para isso mais adiante.

Ele ficou animado com a reunião e saiu acreditando que o jornal, uma voz importante na Costa, o apoiaria. No dia seguinte, a primeira página trazia uma bela foto sua com a manchete: "Jesse Rudy entra na corrida da Promotoria."

LANCE MALCO LEU A reportagem e achou graça. Conhecia Jesse desde a infância em Point Cadet e, em algum momento, muitos anos antes, o havia considerado um amigo, embora nunca um amigo próximo. Esses tempos acabaram. Novas fronteiras tinham sido traçadas, e a guerra havia começado. Lance, porém, não estava preocupado. Antes de poder começar sua aventura, Jesse precisava ser eleito, e Albert Bowman e sua aparelhagem nunca haviam perdido uma eleição. Pança sabia como as coisas funcionavam e era adepto dos truques mais baixos: fraude nas urnas, arrecadação de imensas quantias de dinheiro não declarado, compra de votos, disseminação de mentiras, intimidação de eleitores, assédio contra os funcionários responsáveis pela eleição, suborno desses mesmos funcionários, e até mesmo o uso de cédulas de pessoas já falecidas para aumentar o número de votos. Pança nunca havia sido seriamente desafiado e gostava de se gabar da necessidade de ter pelo menos um oponente em cada eleição. Um inimigo nas urnas permitia que arrecadasse ainda mais dinheiro. Ele também era candidato à reeleição e, quando finalmente surgia um adversário, Pança acionava toda a força de sua aparelhagem política.

Lance se encontraria com Pança em breve, e os dois tomariam alguma coisa e comentariam as últimas notícias. Mapeariam seus opositores e planejariam seus golpes sujos. Lance seria claro, porém, em relação a uma coisa. Era proibido mexer com Jesse e sua família, e eles não deveriam ser ameaçados. Pelo menos, não nos primeiros meses. Se sua campanha reformista ganhasse força, do que Lance duvidava seriamente, então Pança e seus rapazes poderiam voltar às suas velhas formas de intimidação.

DURANTE A PRIMAVERA DE 1967, Jesse atingiu o circuito de clubes de serviço e fez dezenas de discursos. Membros de clubes como Rotary, Civitan, Lions, Jaycees e Legionnaires estavam sempre em busca de palestrantes para o horário do almoço e convidavam praticamente qualquer um que estivesse nos noticiários. Jesse aperfeiçoou suas habilidades no púlpito e falou sobre uma nova era na Costa, sem corrupção e aquele vale-tudo de vícios desenfreados. Ele era cria de Biloxi e Point Cadet, e tinha orgulho disso. De origem humilde, havia sido criado por imigrantes trabalhadores que amavam seu novo país e estava cansado da péssima reputação de sua cidade. Como sempre, evitava citar nomes, mas logo começou a mencionar alguns como Red Velvet, Foxy's, O'Malley, Carrossel, Parada do Jerry, Siesta, Sunset Bar, Blue Ocean Club e outros como exemplos de "poços de iniquidade" que não tinham mais espaço na nova Costa do Golfo. Seu apoio favorito era um memorando saído de Keesler. Era um alerta oficial a todos os membros das Forças Armadas e listava 66 "estabelecimentos" na Costa que estavam "proibidos". A maioria ficava em Biloxi, e a lista incluía praticamente todos os bares, lounges, boates, salões de bilhar, hotéis e cafés da cidade.

– Em que espécie de lugar nós vivemos? – perguntava Jesse ao seu público.

Em geral, ele era bem recebido e gostava dos aplausos educados, embora a maioria dos ouvintes duvidasse de suas chances de vitória.

Por mais agitado que fosse seu escritório, reservava duas ou três horas todas as tardes para ir às ruas e bater de porta em porta. Havia quase 41 mil eleitores registrados no condado de Harrison, 6.600 em Hancock e 3.200 em Stone, e seu objetivo era atingir o maior número possível de pessoas. O dinheiro mal dava para os panfletos e placas de jardim. Anúncios de rádio e outdoors estavam fora de cogitação. Ele contava com trabalho pesado, corria atrás e estava obstinado em marcar presença com os eleitores. Quando estava livre, Agnes se juntava a ele, e os dois trabalharam juntos em muitas ruas, Jesse em uma calçada, a esposa na outra. Quando as aulas terminaram em maio e Keith voltou da faculdade, os quatro filhos ansiosamente pegaram pilhas de folhetos e foram atrás de centros comerciais, partidas de futebol, piqueniques na igreja, mercados ao ar livre e qualquer lugar onde pudessem encontrar uma multidão.

Era ano de eleição, época de politicagem de verdade, e todos os cargos, desde governador, passando a policial do condado, até juiz de paz, estavam na cédula. Havia comícios todo fim de semana em pelo menos um lugar do distrito, e a família Rudy nunca perdia um. Várias vezes, Jesse falou antes ou depois de Rex Dubisson, e os dois conseguiram manter uma relação cordial. Rex confiava em sua experiência e se vangloriava de sua taxa de condenação de noventa por cento. Jesse rebatia com o argumento de que o Dr. Dubisson não ia atrás dos verdadeiros bandidos. Pança conseguiu coagir um velho assistente a concorrer contra ele, e sua aparelhagem funcionava a todo vapor. Seus discursos sempre garantiam a presença de uma multidão. A corrida para governador colocava dois políticos conhecidos, John Bell Williams e William Winter, um contra o outro, e, quando o clima esquentou no meio do verão, os eleitores ficaram ainda mais entusiasmados. Os especialistas previam uma participação recorde nas urnas.

Havia poucos candidatos republicanos em nível local. Todos – conservadores, liberais, negros ou brancos – concorriam como democratas, e a eleição seria definida nas primárias em 4 de agosto.

O movimento reformista com que Jesse sonhava não cresceu. Ele tinha muitos apoiadores que queriam mudanças e estavam ávidos para ajudar, mas vários pareciam reticentes em se identificar com uma campanha que aspirava a um distanciamento tão radical da maneira como as coisas eram feitas havia décadas. Ele ficava frustrado com isso, mas não conseguia desacelerar. Em julho, havia praticamente abandonado a advocacia e passava a maior parte do tempo apertando mãos. Das seis às nove da manhã era um advogado cuidando de seus clientes, mas depois disso era um candidato com quilômetros a percorrer.

Jesse dormia pouco e, à meia-noite, ele e Agnes geralmente estavam na cama, repassando o dia e planejando o seguinte. Estavam aliviados porque, até então, não houvera ameaças, ligações anônimas, nenhum sinal de intimidação de Pança e dos mafiosos.

O primeiro sinal de problema surgiu no início de julho, quando quatro pneus novos de um Chevrolet Impala foram cortados e esvaziados. O carro pertencia a Dickie Sloan, um jovem advogado que vinha trabalhando voluntariamente como gerente de campanha de Jesse. O carro estava estacionado na entrada de sua garagem, onde ele o encontrou vandalizado uma manhã quando saía para o escritório. Na época, Sloan não conseguiu pensar em nenhum motivo para alguém querer cortar seus pneus além de suas atividades políticas. Ele ficou abalado com a ameaça, assim como sua esposa, e decidiu se afastar. Jesse confiava muito na gestão de Sloan e ficou decepcionado ao ver que o advogado se assustara tão facilmente. Faltando um mês, seria difícil encontrar outro voluntário disposto a dedicar o tempo necessário para realizar a campanha.

Keith imediatamente ocupou aquele espaço e, aos 19 anos, assumiu a responsabilidade de arrecadar dinheiro, administrar voluntários, lidar com a imprensa, monitorar a oposição, imprimir cartazes e folhetos e fazer todo o necessário para manter a campanha dentro do orçamento. Ele mergulhou no trabalho e logo estava trabalhando dezesseis horas por dia, como o pai.

O rapaz estava jogando em um time semiprofissional na Coast League e sentiu que estava perdendo tempo. Ainda gostava de jogar, mas também aceitava o fato de que seus dias no beisebol estavam contados. Imerso na política e aprendendo em primeira mão, havia prosperado no desafio de montar uma campanha e em seu objetivo de obter mais votos do que o adversário. Acabou deixando o time e o beisebol, e nunca mais olhou para trás.

Vez ou outra, encontrava-se com Joey, Denny e outros velhos amigos do Point, mas não via Hugh Malco havia meses. De acordo com os colegas, Hugh andava ficando na moita e vivia ocupado, trabalhando para o pai. Keith suspeitava que eles estivessem se intrometendo nas campanhas locais, mas ainda não havia nenhuma prova disso. Os pneus furados tinham sido a primeira indicação de que o pessoal estava ficando incomodado. E não havia como provar quem estava por trás do ato de vandalismo. A lista de possíveis suspeitos era longa.

Jesse alertou sua família e os voluntários para que ficassem atentos.

As leis eleitorais exigiam que todos os candidatos apresentassem relatórios trimestrais sobre os gastos e os fundos arrecadados. Em 30 de junho, Jesse havia arrecadado 11 mil dólares e gastado tudo. A campanha de Rex Dubisson relatou 14 mil em receitas e 9 mil em despesas. As leis que tratavam dos relatórios estavam repletas de brechas, e era evidente que não cobriam os fundos que entravam "por baixo dos panos". Ninguém acreditava de fato que Rex estivesse contando com somas tão insignificantes. E, como os relatórios seguintes não seriam entregues até 30 de setembro, muito depois das primárias de 4 de agosto, a maior parte do dinheiro estava sendo acumulada sem que seus donos se preocupassem com as leis.

O ataque começou em 10 de julho, três semanas antes da eleição, quando todas as famílias cadastradas receberam pelo correio um pacote de materiais impressos de forma profissional, incluindo uma folha 20x25cm com uma imensa foto do registro policial de Jarvis Decker, um homem com uma carranca ameaçadora. Acima dela, uma pergunta: "Por que Jesse Rudy pega leve com criminosos?" Abaixo da imagem havia um texto de dois parágrafos descrevendo como Jesse Rudy, apenas dois anos antes, havia representado Jarvis Decker em um caso de violência doméstica e "livrado o bandido da cadeia". Decker, um criminoso condenado com um "passado violento", tinha espancado a esposa, que, embora tivesse prestado queixa, acabou vendo o caso ser "varrido para debaixo do tapete" pelo trabalho jurídico evasivo de Jesse Rudy. Uma vez livre, Decker deixou a região e foi para a Geórgia, onde foi condenado não por um, mas dois estupros. Ele estava cumprindo pena de prisão perpétua e jamais seria libertado.

Se não fosse por Jesse Rudy, Decker teria sido condenado em Biloxi, mandado para a cadeia e "retirado das ruas". A narrativa tendenciosa deixava poucas dúvidas de que Jesse Rudy era o responsável pelos estupros.

A verdade é que Jesse havia sido nomeado pelo tribunal para representar Decker. Sua esposa, a suposta vítima, não compareceu à audiência e pediu à polícia que as acusações fossem retiradas. Eles então se divorciaram, e Jesse nunca mais ouviu falar do cliente.

Mas a verdade não importava. Jesse, um advogado que representava muitos criminosos culpados, pegava leve com criminosos. Um dos folhetos do pacote elogiava a ferocidade de Rex Dubisson, um promotor veterano conhecido por "pegar pesado com bandidos".

A correspondência foi devastadora, não apenas porque era praticamente infiel à veracidade dos fatos, mas pior ainda porque Jesse não tinha meios possíveis de combatê-la. Uma correspondência em massa como aquela custava milhares de dólares e não havia tempo, e certamente nenhum dinheiro, para preparar uma resposta.

A grande sala de reuniões do escritório de Jesse Rudy tinha sido convertida na sede da campanha, com cartazes e mapas cobrindo as paredes, e voluntários andando de um lado para outro. Lá, ele se encontrou com Keith, Agnes e alguns outros, e juntos tentaram medir o impacto da correspondência. A sala estava tensa e sombria. Haviam levado um soco no estômago, e parecia quase inútil voltar às ruas e continuar batendo de porta em porta.

Ao mesmo tempo, oito outdoors de destaque ao longo da Highway 90 surgiram com uma bela imagem de Rex Dubisson sob a frase: "Pega pesado com os bandidos." Anúncios de rádio começaram a ser veiculados de hora em hora divulgando o recorde de Dubisson como um aniquilador do crime.

Dirigindo ao longo da Costa e ouvindo rádio, Jesse passou em cada um dos outdoors e reconheceu o óbvio. Seu oponente e seus apoiadores haviam estocado dinheiro, planejado cuidadosamente a emboscada de última hora e desferido um golpe esmagador. Faltando menos de um mês, sua campanha parecia fadada ao fracasso.

Keith trabalhou a noite toda e montou um folheto que apresentou ao pai de manhã bem cedo durante o café. A ideia era espalhar pelo distrito uma correspondência que não mencionasse Dubisson, mas que fosse atrás do crime organizado, o verdadeiro motivo da campanha de Jesse. Haveria fotos das casas noturnas mais infames, onde jogos de azar, prostituição e drogas tinham sido autorizados a florescer por anos. Keith dispunha dos detalhes e explicou que o material custaria 5.500 dólares. Eles não tinham tempo de arrecadar dinheiro com os apoiadores, que de todo modo já haviam investido tudo que podiam. Keith, que nunca havia pegado um centavo emprestado, perguntou se existia algum jeito de conseguir um empréstimo. Jesse e Agnes haviam discutido casual e privadamente a possibilidade de uma segunda hipoteca para ajudar a financiar a campanha, mas estavam hesitantes em fazê-lo. Naquele momento, a ideia estava de volta à mesa, e Keith, pronto para apostar tudo. Ele estava confiante de que conseguiriam pagar a dívida. Se Jesse ganhasse a eleição, não faltariam novos amigos, além de um cargo de poder. O banco ficaria impressionado e condições melhores poderiam ser negociadas. Se Jesse perdesse a eleição, a família poderia trabalhar com a advocacia e encontrar um jeito de resolver o problema.

A coragem do filho os convenceu a ir ao banco. Keith foi até a gráfica, decidido a não aceitar um não como resposta. Durante um longo fim de semana, uma equipe de dez voluntários trabalhou dia e noite endereçando e enchendo envelopes. Na manhã de segunda-feira, Keith levou quase 7 mil pacotes volumosos até os correios e exigiu que fossem realizadas entregas expressas. Todas as casas, apartamentos e trailers registrados no distrito receberiam a correspondência.

A resposta foi encorajadora. Jesse e sua equipe aprenderam a duras penas que a mala direta era uma ferramenta extremamente eficaz.

15

Sendo o funcionário eleito mais rico do estado, Albert Bowman tinha um impressionante portfólio de propriedades. Ele e a esposa moravam em um bairro tranquilo em West Biloxi, numa casa modesta pela qual qualquer xerife honesto poderia pagar. Estavam lá havia vinte anos e ainda pagavam mensalmente a hipoteca, como todos os demais moradores da rua. Quando queriam dar uma escapadinha, passavam férias em seu apartamento na Flórida ou no chalé em Smokies, casas sobre as quais raramente comentavam. Pança e um amigo eram donos de uma propriedade à beira-mar em Waveland, que ficava bem ao lado, no condado de Hancock. Também era sócio de um novo empreendimento em Hilton Head, o que não era de conhecimento de sua esposa.

O esconderijo favorito dele era seu acampamento de caça nas profundezas da floresta de pinheiros do condado de Stone, pouco mais de 30 quilômetros ao norte de Biloxi. Lá, longe de olhares indiscretos, Pança gostava de chamar seus rapazes e associados para discutir negócios e política.

Duas semanas antes da eleição, ele convidou alguns amigos até o acampamento para um churrasco regado a bebida. Eles se reuniram em um pátio coberto à beira de um pequeno lago e sentaram-se em cadeiras de balanço de vime sob um ventilador de teto barulhento. Rudd Kilgore, seu assistente-chefe, chofer e responsável pelas cobranças envolvidas nas atividades ilícitas do grupo, servia bourbon e ficava de olho na grelha. Lance Malco estava acompanhado por Tip e Nevin Noll. Rex Dubisson tinha ido sozinho.

Cópias da recente correspondência enviada pela campanha de Rudy foram distribuídas. Lance estava irritado com o elegante folheto que incluía uma foto colorida do Red Velvet, sua principal boate, e com a narrativa que dizia coisas ruins a respeito dele. Para Lance, aquele era o primeiro sinal que Jesse Rudy dava de que uma guerra estava a caminho.

– Fica tranquilo – assegurou Pança com a fala arrastada, um charuto preto preso entre dois dedos e um bourbon na outra mão. – Não consigo ver o Rudy chegando a lugar nenhum. O garoto tá falido e acho até que esteja pedindo dinheiro emprestado, mas não vai ser o suficiente. A gente tem tudo resolvido. – Ele perguntou para Dubisson: – Quanto dinheiro você tem?

– Estamos bem – respondeu Rex. – Nossa última correspondência vai ser enviada amanhã e vamos pegar pesado. Ele não vai ter como responder.

– Você disse isso da última vez – comentou Lance.

– Disse.

– Sei lá – rebateu Lance, sacudindo o folheto. – Isso aqui tá chamando a atenção dos benfeitores da cidade. Você não tá preocupado?

– É claro que eu tô – respondeu Rex. – Isso aqui é política e tudo pode acontecer. O Rudy fez uma boa campanha e trabalhou duro. Não vamos nos esquecer do seguinte, pessoal, eu não passo por uma corrida acirrada já tem oito anos. Isso é novo pra mim.

– Você tá fazendo um bom trabalho – disse Pança. – Continua escutando o que eu te digo.

– E quanto ao voto da população negra? – perguntou Lance.

– Bom, não é muita gente, como você sabe. Menos de vinte por cento do eleitorado, isso se eles forem votar. Já acertei com os pastores, e vamos entregar o dinheiro no domingo antes da eleição. Eles me disseram que não há nada com o que se preocupar.

– Dá pra confiar neles? – perguntou Rex.

– Eles nunca deixaram a gente na mão, né? Os pastores vão levar o povo pras urnas nos ônibus da igreja.

– O Rudy parece forte no Point – comentou Rex. – Estive lá no fim de semana passado, e a recepção foi bem fria.

– Eu conheço o Point tão bem quanto o Rudy – interveio Lance. – É o maior eleitorado dele e pode até ser que ele ganhe lá, mas vai ser por pouco.

– Deixa ele ficar com o Point – disse Pança, soprando fumaça. – Existem outras catorze zonas eleitorais no condado de Harrison, e eu controlo todas elas.

— E os condados de Hancock e Stone? — perguntou Lance.

— Bom, em primeiro lugar, há quatro vezes mais eleitores em Harrison do que nos outros dois juntos. Não mora ninguém no condado de Stone. Os votos estão em Biloxi e Gulfport, pessoal, vocês sabem disso. Vocês precisam relaxar.

— Nós estamos indo bem no condado de Stone — informou Dubisson. — Minha esposa é de lá, e a família dela é influente.

Pança riu e disse:

— Continuem atacando com as correspondências e o rádio, e deixem o resto comigo.

TRÊS DIAS DEPOIS, o distrito foi inundado por outra enxurrada de panfletos. A foto colorida era de uma mulher branca debilitada em uma cadeira de rodas, com um tubo de oxigênio preso ao nariz. Ela aparentava ter cerca de 50 anos, com longos cabelos grisalhos e oleosos, e muitas rugas. Em letras pretas chamativas acima da imagem, a legenda, entre aspas, dizia: "Fui estuprada por Jarvis Decker."

Ela dizia que seu nome era Connie Burns e descrevia o que acontecera quando Decker invadiu sua casa na zona rural da Geórgia, amarrou-a e foi embora duas horas depois. Após a provação e o pesadelo do julgamento, seu mundo desabou por completo. O marido a abandonou; sua saúde piorou. Não havia ninguém para apoiá-la, e por aí vai. Naquele momento, ela vivia em uma casa de repouso e não tinha como pagar seus medicamentos.

A história dela terminava com: "Por que permitiram que Jarvis Decker andasse livremente por aí e estuprasse a mim e a outras mulheres? Ele deveria estar cumprindo pena no Mississippi, e estaria, se não fosse pelos movimentos ardilosos do advogado criminalista Jesse Rudy. Por favor, não elejam este homem. Ele é íntimo de criminosos violentos."

Jesse ficou tão desnorteado que se trancou no escritório, deitou-se no chão e tentou respirar fundo. Agnes estava no banheiro no final do corredor, vomitando. Os voluntários da campanha se amontoaram na sala de reuniões, onde olhavam, mudos e horrorizados, para a correspondência. A secretária ignorava o telefone, que tocava sem parar.

DEZ DIAS ANTES DA ELEIÇÃO, Jesse Rudy entrou com uma ação judicial no Tribunal de Justiça com o intuito de proibir Rex Dubisson de distribuir materiais de campanha contendo mentiras flagrantes. Ele exigiu uma audiência urgente sobre o assunto.

Mas o mal estava feito, e o tribunal não tinha poder para repará-lo. O juiz poderia impedir que Dubisson enviasse novas correspondências e propagandas falsas no futuro, mas, no calor de uma campanha, tais liminares eram raras. Jesse sabia que não poderia vencer a batalha judicial, mas vencer não era o motivo do processo. Ele queria publicidade. Queria a matéria na primeira página do *Gulf Coast Register* para que os eleitores pudessem ver a campanha desprezível que o promotor estava fazendo. Logo depois de dar entrada no processo no tribunal, ele foi até a redação do jornal e entregou ao editor em mãos uma cópia de sua reclamação. Na manhã seguinte, era notícia de primeira página.

Naquela tarde, o juiz convocou uma audiência para debater a questão, e um grupo de bom tamanho se reuniu na sala de audiências. Na primeira fila, havia vários repórteres. Enquanto autor da queixa, Jesse foi o primeiro a se manifestar e começou com uma descrição raivosa da "propaganda do estupro", como chamou o folheto. Ele andou pela sala, sacudindo o panfleto, chamando-o de "flagrantemente mentiroso" e uma "desprezível manobra de campanha projetada para inflamar os eleitores". Connie Burns era o pseudônimo de uma mulher que provavelmente fora paga pela campanha de Dubisson para usar sua história fictícia. As verdadeiras vítimas de Jarvis Decker tinham sido Denise Perkins e Sybil Welch, e ele tinha cópias das acusações e acordos de confissão para provar. Pediu que os documentos fossem anexados como evidência.

O problema com seu caso era que ele não tinha nenhuma prova concreta, além da papelada. Connie Burns, ou quem quer que fosse, não tinha sido encontrada, nem as duas vítimas de estupro. Com tempo e dinheiro, Jesse poderia tê-las localizado e tentado convencê-las a ir até Biloxi ou assinar depoimentos juramentados, mas isso não poderia ser feito com apenas uma semana pela frente.

Os advogados veteranos conheciam o velho ditado: "Quando o caso for fraco, pegue pesado no teatro." Jesse estava com raiva, indignado, ferido, tinha sido vítima de uma manobra suja de campanha. Quando finalmente se acalmou, cedeu a palavra, e Rex Dubisson teve a chance de responder.

Ele pareceu surpreso, como se tivesse sido pego em flagrante. Depois de algumas declarações desconexas, o juiz o interrompeu:

– E quem, exatamente, é Connie Burns?

– É um pseudônimo, Excelência. A pobre mulher foi vítima de um estupro violento e não quer se envolver.

– Se envolver? Ela permitiu que você usasse a fotografia e o depoimento dela, não foi?

– Sim, mas apenas com um pseudônimo. Ela mora longe, e qualquer alvoroço gerado aqui não chegará lá. Estamos protegendo a identidade dela.

– E está tentando culpar Jesse Rudy por ela ter sido estuprada, é isso?

– Bem, não diretamente, Excelên...

– Faça-me o favor, Dr. Dubisson. É exatamente isso que o senhor está fazendo. O único propósito desse panfleto é responsabilizar o Dr. Rudy e convencer os eleitores de que é tudo culpa dele.

– Estamos diante de fatos, Excelência. O Dr. Rudy representou o senhor Jarvis Decker e o livrou da cadeia. Se ele tivesse ido para a prisão aqui no Mississippi, não teria tido a chance de estuprar mulheres na Geórgia. Simples assim.

– Nada é simples assim, Dr. Dubisson. Esses panfletos são repugnantes.

Os advogados se revezaram nas alegações, e a audiência ficou ainda mais inflamada. Quando o juiz perguntou a Jesse que tipo de reparação queria, ele exigiu que Dubisson enviasse outra correspondência na qual desmentisse o conteúdo do folheto, admitisse a verdade e se desculpasse por deliberadamente enganar os eleitores.

Dubisson protestou veementemente e argumentou que o tribunal não tinha autoridade para exigir que ele gastasse dinheiro. Jesse retrucou que ele, Dubisson, evidentemente tinha muito para gastar.

Eles iam e vinham como dois pesos-pesados no centro do ringue, nenhum dos dois cedendo um milímetro. Foi uma atuação magnífica, e os repórteres não paravam de anotar um minuto. Quando ambos estavam prestes a trocar socos, o juiz ordenou que se sentassem e encerrou o assunto.

– Não tenho poder para desfazer o que foi causado por esses panfletos. No entanto, ordeno a ambas as campanhas que cessem imediatamente a veiculação de propagandas, impressas ou no rádio, que não sejam comprovadas por fatos. O não cumprimento desta ordem resultará em multas severas, talvez até prisão por desrespeito ao tribunal.

Para Rex Dubisson, a vitória foi imediata, mas um tanto sem sentido. Ele não tinha planos para enviar mais nenhuma correspondência nem propagandas agressivas.

Para Jesse, a vitória veio na manhã seguinte, quando a primeira página do *Register* publicou a impagável citação: "Esses panfletos são repugnantes."

OS ÚLTIMOS DIAS DA campanha foram um turbilhão de discursos, churrascos, comícios e angariação de votos. Jesse e seus voluntários bateram de porta em porta do meio da manhã até o anoitecer. Ele e Keith discordavam fortemente em relação às táticas. Keith queria pegar o anúncio de Connie Burns, colocar o slogan "Esses panfletos são repugnantes", imprimir milhares de cópias na gráfica e inundar o distrito com eles. Mas Jesse discordava, porque achava que os anúncios já haviam causado danos suficientes. Lembrar os eleitores de seus laços com um estuprador só solidificaria a crença das pessoas de que ele havia feito algo errado.

No último final de semana da campanha, o dinheiro deu as caras. Sacos de dinheiro foram entregues a pastores negros que haviam prometido levar os eleitores de ônibus para votar. Os líderes partidários aliados a Albert Bowman pegaram mais dinheiro e o distribuíram entre as próprias equipes de motoristas. Cédulas de eleitores ausentes às centenas foram preparadas usando os nomes de pessoas que já estavam mortas desde a última eleição.

Em 4 de agosto, o dia da eleição, Jesse, Agnes e Keith votaram cedo em sua seção, que ficava em uma escola primária. Para Keith, um eleitor recente, foi uma honra votar no pai. E foi um prazer votar contra Pança e vários outros políticos que faziam parte de sua folha de pagamento.

A participação foi grande em todos os distritos ao longo da Costa, e os Rudys passaram o dia visitando os mesários e demais funcionários envolvidos na eleição. Não houve nenhuma queixa de assédio nem intimidação.

Quando a votação foi encerrada às seis da tarde, iniciou-se a árdua tarefa de contagem manual dos votos. Já eram quase dez da noite quando os oficiais responsáveis por cada seção eleitoral chegaram ao tribunal com os registros da apuração e com as urnas, todas com cédulas contadas uma segunda vez pelos mesários. Jesse e sua equipe esperavam nervosos na sala de reuniões enquanto trabalhavam ao telefone. O condado de Stone, o menos populoso dos cinco, informou sua contagem final às 23h45. Jesse e Dubisson haviam empatado, um sinal encorajador. A empolgação diminuiu quando sessenta e dois por cento dos votos do condado de Hancock foram para Dubisson.

Pança era conhecido por atrasar a publicação da contagem de Harrison até que todos os outros votos fossem divulgados. Sempre se suspeitou de que houvesse algum jogo sujo, mas nada nunca foi provado. Finalmente, às três e meia da manhã, Jesse recebeu uma ligação de um oficial eleitoral do tribunal. Havia sido duramente derrotado nas zonas eleitorais de Biloxi, com exceção do Point, que conquistou por trezentos votos, embora não fosse o suficiente para provocar nenhum dano à aparelhagem política de Bowman. Dubisson recebeu quase 18 mil votos, uma vitória incontestável ao conquistar sessenta por cento do eleitorado.

No geral, em todo o distrito de três condados, Jesse convenceu 12.173 eleitores de que a reforma era necessária. Os outros, quase 18 mil, estavam satisfeitos com o status quo.

Não foi nenhuma surpresa quando Pança derrotou seu infeliz oponente e obteve quase oitenta por cento dos votos.

Parecia que pouca coisa iria mudar, pelo menos nos próximos quatro anos.

POR DOIS DIAS, JESSE refletiu sobre a derrota, pensando em contestar a eleição. Quase 1.800 cédulas de eleitores ausentes pareciam suspeitas, mas não eram suficientes para mudar o resultado.

Ele tinha sido derrotado em uma luta suja e aprendeu algumas lições difíceis. Da próxima vez, estaria pronto para a briga. Da próxima vez, teria mais dinheiro.

Ele prometeu a Keith e Agnes que jamais pararia de fazer campanha.

16

Com o fim da eleição e os irritantes reformistas mais uma vez colocados em seus devidos lugares, 1968 começou com um estouro. Pança tinha dado um jeito de apaziguar rixas de longa data enquanto trabalhava para controlar a votação, mas as coisas logo saíram de controle.

Um ambicioso bandido chamado Dusty Cromwell abriu uma joint venture na Highway 90, a 800 metros do Red Velvet. Seu bar se chamava Surf Club e a princípio vendia apenas bebidas legais. Com uma licença para bebidas alcoólicas em mãos, ele logo abriu um cassino ilegal e expandiu o negócio para uma boate de striptease que anunciava um show com as garotas. Cromwell falava demais e deixou claro que planejava se tornar o rei da Strip. Seus planos foram adiados numa manhã de domingo, quando o Surf Club pegou fogo e não havia ninguém por perto. Após uma investigação superficial realizada pela polícia, não foi possível determinar a causa do incêndio. Cromwell sabia que havia sido um incêndio criminoso e mandou avisar a Lance Malco e Ginger Redfield que se vingaria. Eles já tinham ouvido isso antes e estavam prontos para encarar o problema.

Mike Savage era conhecido no ramo como um confiável incendiário e era frequentemente convocado em casos envolvendo fraudes em seguros. Trabalhava como freelancer e não estava na folha de pagamento de ninguém, mas vivia no Red Velvet e era conhecido por se associar a Lance Malco e outros membros da Dixie Mafia. Ele deixou a boate uma noite e nunca chegou em casa. Depois de três dias, sua esposa finalmente ligou para o gabinete do xerife e relatou seu desaparecimento. Um fazendeiro no condado de Stone notou um carro misterioso estacionado na floresta em seu terreno e percebeu que havia algo errado. Quanto mais ele se aproximava, mais forte o odor ficava. Abutres rondavam a área acima do veículo. O homem chamou a polícia, e a placa do carro levou até o cidadão Mike Savage, de Biloxi. Quando o porta-malas foi aberto, o cheiro deixou os assistentes do xerife nauseados. O cadáver inchado de Mike estava coberto de sangue seco. Seus pulsos e tornozelos tinham sido amarrados com uma corda. Sua orelha esquerda estava faltando. A autópsia revelou que ele recebera inúmeras facadas e que sua garganta havia sido cortada sem piedade.

Uma semana após o corpo ser encontrado, um pacote endereçado a Lance Malco chegou ao Red Velvet. Dentro, embrulhado em um saco plástico, estava a orelha esquerda de alguém. Lance ligou para Pança, que enviou uma equipe para dar uma olhada.

O motivo foi facilmente determinado, pelo menos por Lance, embora não houvesse suspeitos, testemunhas e nada de útil na cena do crime. Dusty Cromwell havia mandado uma mensagem, mas Lance não era de se deixar intimidar. Ele se encontrou com Pança e exigiu que ele tomasse uma atitude. Pança, como sempre, disse que não se envolvia em disputas de território e conflitos entre mafiosos.

– Resolva você mesmo – disse ele.

O crime foi devidamente reportado pelo *Gulf Coast Register*, embora os detalhes fossem escassos. A maioria dos que tinham conhecimento do submundo de Biloxi sabia que o caso não passava de mais uma vingança entre gangues.

Um dos bandidos armados de Dusty era um segurança chamado Prensa, um garoto bastante agressivo que passara dez de seus 30 anos na cadeia por roubar carros e assaltar lojas de conveniência. Depois que o Surf Club virou cinzas, ele ficou sem trabalho em tempo integral e estava atrás de confusão. Ainda não havia matado ninguém, mas ele e seu chefe vinham falando sobre isso. Nunca teve a oportunidade. Quando Dusty o enviou a Nova Orleans para receber um carregamento de maconha, ele foi seguido por Nevin Noll. A remessa atrasou, e Prensa se hospedou em um hotel barato perto de Slidell. Às três da manhã, Nevin estacionou seu carro, então com placas da Flórida, e caminhou quase um quilômetro até o hotel. A recepção estava fechada, todas as luzes apagadas e a meia dúzia de hóspedes parecia estar dormindo. Escolheu um quarto vazio e, com uma chave de fenda, destrancou a maçaneta da única porta. O hotel barato não usava cadeados nem correntes de segurança. Ele saiu e caminhou pela escuridão até o quarto onde Prensa dormia profundamente. Com agilidade, destrancou a porta, acendeu a luz e, enquanto Prensa tentava acordar, focar e entender o que diabos estava acontecendo, Nevin atirou três vezes no rosto dele com um revólver calibre .22 abafado por um silenciador de seis polegadas. Finalizou com mais três tiros na nuca. Juntou a carteira, o dinheiro, as chaves do carro e a pistola que Prensa mantinha debaixo do travesseiro e colocou tudo, incluindo a arma e a chave de fenda do morto, na mala vagabunda que Prensa estava usando na viagem. Apagou a luz, esperou quinze minutos e foi embora no carro de Prensa. Estacionou atrás de uma parada de caminhões, rapidamente removeu as placas do Mississippi, substituiu-as por duas de Idaho e dirigiu até um posto de gasolina que estava fechado durante a noite. Deixou o carro lá, voltou até o próprio carro e retornou a Biloxi.

Nove dias se passaram antes que a polícia de Slidell conseguisse identificar a vítima. Seu último endereço conhecido era Brookhaven, no Mississippi. O homicídio não foi divulgado no *Gulf Coast Register*.

A princípio, Dusty Cromwell presumiu que Prensa havia pegado a maconha e fugido com ela. Três semanas após o crime, ele recebeu um pacote, uma caixa de papelão sem nome nem endereço de remetente. Dentro, havia uma carteira com um documento de habilitação emitido em nome de Willie Tucker, também conhecido como Prensa. Sob a carteira estavam as placas do carro dele.

A polícia em Slidell foi até Biloxi e se encontrou com o xerife Albert Bowman, o Pança, que nunca tinha ouvido falar de alguém chamado Willie Tucker. Pança suspeitava que o garoto fosse mais uma vítima das tensões crescentes ao longo da Strip, mas não disse nada. Quando se tratava de brigas de máfia e cadáveres, Pança nunca sabia de nada, principalmente quando policiais de fora da cidade estavam bisbilhotando. Depois que eles foram embora, Pança dirigiu até o Red Velvet e foi ao escritório de Lance.

Não foi nenhuma surpresa quando Lance também afirmou que nunca tinha ouvido falar de Willie Tucker. Havia muita gente ruim na Costa, e a violência estava se tornando contagiosa. Pança o advertiu sobre a escalada do conflito. Uma grande quantidade de assassinatos por vingança atrairia a atenção de pessoas de outras cidades. Dar cabo de um ou outro, aqui e ali, tudo bem, fazia parte dos negócios. Mas uma guerra entre gangues estava destinada a acabar na imprensa.

Dusty provou ser tão implacável quanto Lance. Ele se encontrou com um matador profissional da Dixie Mafia chamado Ron Wayne Hansom e negociou um pagamento de 15 mil dólares para matar Lance Malco. O adiantamento foi de 5 mil, o restante prometido após a conclusão do trabalho. Hansom, que trabalhava no Texas, passou um mês na Costa e concluiu que era um negócio muito arriscado. Malco raramente era visto e estava sempre acompanhado de seguranças. Hansom fugiu da cidade com o dinheiro, mas não antes de ficar bêbado em um bar e se gabar de matar homens em sete estados. Uma garçonete estava escutando e ouviu o nome de Malco ser mencionado mais de uma vez. A informação rapidamente se espalhou, e Lance ficou alarmado o suficiente para ligar para Pança, que entrou em contato com um velho amigo dos Texas Rangers. Eles conheciam Hansom e o pegaram em Amarillo. Dusty soube de seu paradeiro e mandou dois de seus rapazes para trocarem uma ideia com ele. Hansom negou qualquer envolvimento com o conluio para matar Malco, e como os Rangers não tinham provas, ele foi liberado. Depois, foi emboscado pelos dois bandidos de Biloxi e espancado até perder os sentidos.

Lance ficou furioso com a ideia de ser ameaçado de morte pelo dono de outra boate da Strip e mandou um recado para Dusty: se ele não saísse da cidade em trinta dias, Lance daria cabo dele. Dusty não recuou e disse que iria atrás de outro matador de aluguel. Lance conhecia mais matadores do que Dusty, e por dois meses as coisas ficaram calmas, embora tensas, enquanto o submundo aguardava até que a troca de tiros começasse. Durante um atentado, uma bala atravessou o para-brisa dianteiro do carro de Lance, que tinha Nevin ao volante, e ambos foram atingidos por estilhaços de vidro. Os dois foram levados ao hospital para serem suturados e, em seguida, liberados.

Hugh levou o pai para casa e só falava em vingança. Ficou horrorizado com o fato de uma bala ter chegado tão perto. Toda vez que olhava e via os curativos, sentia vontade de chorar. Em casa, Carmen estava arrasada e oscilava entre o desespero e a raiva que sentia do marido por se envolver tanto em atividades criminosas. Hugh tentou controlá-la, mediar a relação dos pais e ainda aplacar os medos dos irmãos mais novos. Dois dias depois, ele levou o pai ao seu escritório no segundo andar do Red Velvet e anunciou que a partir de então assumiria o papel de seu guarda-costas e motorista. Abriu a lateral do paletó e exibiu orgulhosamente uma Ruger automática calibre .45.

Em meio aos curativos e aos pontos, Lance sorriu e perguntou:
– Você sabe usar isso?
– É claro que sei. O Nevin me ensinou.
– Deixa essa arma por perto, tá? E não use, a menos que seja necessário.
– Chegou a hora de usá-la, pai.
– Sou eu que tomo essa decisão.

LANCE ESTAVA DE SACO cheio e sabia que era hora de destruir o inimigo. Enviou Nevin para uma missão fora da cidade, a fim de lidar com o Corretor, um intermediário bem relacionado conhecido por seu talento em selecionar o assassino perfeito para qualquer trabalho. Em um bar em Tupelo, eles acordaram o valor de 20 mil dólares para apagar Dusty Cromwell. Nevin não sabia a identidade do assassino, nem queria saber.

Antes de tudo acontecer, uma guerra de rua eclodira quando três dos capangas de Dusty entraram no Foxy's com tacos de beisebol e atingiram qualquer um que se mexesse, incluindo dois seguranças, dois bartenders, alguns clientes e uma garçonete que tentava fugir. Eles quebraram todas as mesas, cadeiras, luzes de neon e garrafas de bebida, e pareciam prestes a executar um barman ou dois quando um segurança apareceu da cozinha e abriu fogo com uma pistola. Um dos capangas sacou uma arma e o tiroteio começou com os intrusos correndo em direção à porta. O segurança os seguiu até o estacionamento e esvaziou a automática. As balas salpicaram a frente do prédio e alguns dos carros estacionados nas proximidades. Outro segurança, com a testa sangrando, cambaleou até o lado de fora com uma pistola para ajudar o colega. Eles entraram em um carro e perseguiram os capangas, que atiravam a esmo pelas janelas enquanto cantavam pneus e fugiam do local. O tiroteio continuou na Highway 90 enquanto os carros cruzavam o trânsito, e motoristas apavorados se abaixaram, tentando se proteger. Quando uma bala atravessou o para-brisa dianteiro do carro, o segurança concluiu que era hora de parar com aquela loucura e encostou o veículo em um estacionamento.

Embora nenhum dos dois fizesse ideia, um de seus tiros desgovernados teve sorte e acertou um dos capangas no pescoço. Ele morreu na mesa de cirurgia no hospital de Biloxi. Os dois colegas o deixaram lá e desapareceram em seguida. Como era típico na época, o falecido não tinha carteira nem documento de identidade. O carro utilizado na fuga, crivado de balas, nunca foi encontrado. Felizmente, ninguém dentro do Foxy's foi morto, mas sete pessoas foram hospitalizadas.

Duas semanas depois, Dusty estava caminhando pela praia em uma bela tarde de domingo, de mãos dadas com a namorada e os pés descalços espirrando água na areia. Ele bebia cerveja de uma lata, sua última. A pouco mais de 500 metros de distância, um ex-atirador de elite do Exército conhecido como "o Fuzileiro" assumiu sua posição no segundo andar de um hotel barato à beira da praia, do outro lado da Highway 90. Ele apontou seu confiável Logan, um fuzil militar calibre .45, e puxou o gatilho. Um milissegundo depois, a bala atingiu Dusty na bochecha direita e explodiu na nuca. A namorada gritou de horror, e outro casal correu para ajudar. Quando a polícia chegou, o Fuzileiro estava na ponte, cortando a baía de Biloxi a caminho de Mobile.

A morte de Cromwell foi um acontecimento, e o *Gulf Coast Register* finalmente acordou e começou a investigar a história. A "guerra das gangues" havia reivindicado pelo menos quatro homens, todos conhecidos por estarem envolvidos com prostituição, drogas e jogos de azar. Todos estavam ligados de alguma forma às casas noturnas ao longo da Strip. Havia boatos de outros homicídios, além de surras e incêndios. Albert Bowman tinha pouco a dizer, mas garantiu ao jornal que seu gabinete estava investigando ativamente os crimes.

COMO TODOS OS CIDADÃOS que respeitavam a lei, Jesse Rudy acompanhava a guerra e também não tinha muita esperança em relação às investigações. E, ao mesmo tempo que se sentia frustrado com a ineficácia de Rex Dubisson para denunciar os crimes, estava secretamente satisfeito com o fato de o promotor de justiça demonstrar tão pouco interesse. Em sua próxima campanha, enfatizaria os esforços inúteis de seu oponente para controlar as gangues. Mais violência só ajudaria a causa de Jesse. As pessoas estavam chateadas e queriam que algo fosse feito.

A natureza interveio de forma inimaginável e acabou com as mortes. Um furacão destruiu as boates da Strip, assim como a maior parte de Biloxi. Foi um golpe paralisante não apenas na vida noturna, mas em todos os demais setores ao longo da Costa.

Isso também levou diretamente à eleição de Jesse Rudy.

17

O verão de 1969 foi uma temporada movimentada no Caribe, mas não havia razão para acreditar que o furacão Camille se tornaria tão letal. Ao contornar o norte de Cuba em 15 de agosto, era um inexpressivo Categoria 2, com uma trajetória projetada para encontrar terra firme ao longo do Panhandle da Flórida. Acalmou um pouco depois de Cuba, conforme se dirigia para o norte, mas logo depois se intensificou nas águas quentes do Golfo. Não era grande, mas o fato de ser pequeno apenas aumentava sua velocidade. Em 17 de agosto, atingiu a Categoria 5, e rugiu rumo à Costa. Todas as projeções caíram por terra, e ele seguiu de maneira feroz em direção a Biloxi.

A Costa do Golfo estava acostumada a furacões, e todo mundo tinha histórias para contar, todos tinham um favorito. Os avisos eram parte da rotina e, na maioria das vezes, encarados com tranquilidade. Ninguém jamais havia visto um ciclone que formasse ondas de 6 metros, e as previsões pareciam absurdas. Os moradores da orla pregaram placas de compensado nas janelas, compraram pilhas, comida, água e sintonizaram seus rádios, as precauções de sempre. Haviam passado por tudo aquilo inúmeras vezes. Não foi exagero deles. Aqueles que sobreviveram diriam mais tarde que simplesmente nunca tinham visto nada como o Camille.

Na tarde de domingo, 17 de agosto, os meteorologistas concluíram que o ciclone não estava se desviando para o leste. Alarmes e alertas civis soaram em todas as cidades costeiras — Waveland, Bay St. Louis, Pass Christian,

Long Beach, Gulfport, Biloxi, Ocean Springs e Pascagoula. Os avisos eram urgentes e desesperados, e previam ressacas sem precedentes e ventos inéditos. A evacuação de última hora foi caótica, e a maioria dos moradores estava determinada a enfrentar o ciclone.

Às nove da noite, com os ventos aumentando, o prefeito de Gulfport ordenou que as portas da cadeia fossem abertas. Todos os prisioneiros foram orientados a ir para casa, depois veriam como ficaria a situação. Nenhum deles aceitou a oferta. As linhas telefônicas e a energia caíram por volta das dez.

Às onze e meia da noite, o Camille chegou à costa entre Bay St. Louis e Pass Christian. Tinha apenas 130 quilômetros de largura, mas seu olho era bem fechado, e seus ventos, históricos. Era um furacão de Categoria 5, o segundo mais forte a atingir os Estados Unidos. A pressão atmosférica caiu para 26,85 polegadas ou 900 milibares, a segunda mais baixa da história do país. Por um breve momento, sessenta segundos completos, os medidores de velocidade do vento atingiram 280 quilômetros por hora, e logo o Camille lançou todos eles no esquecimento. Especialistas estimavam que os ventos mais fortes tinham chegado a 320 quilômetros por hora. Formaram uma parede d'água de 7 metros de altura em direção à praia. Em alguns pontos, a ressaca chegou a medir quase 10 metros.

As maiores cidades a leste – Biloxi, Gulfport, Pascagoula – foram atingidas em cheio pelo peso de sua rotação no sentido anti-horário. Praticamente todos os prédios ao longo da Highway 90 e da praia foram destruídos. A própria rodovia afundou e suas pontes foram derrubadas. A fiação das linhas telefônicas e de eletricidade se rompeu e desapareceu sob as águas furiosas. A seis quarteirões da praia, bairros inteiros foram demolidos. Seis mil casas desapareceram. Outras 14 mil ficaram severamente danificadas. O ciclone matou 143 pessoas, a maioria das quais vivia perto da praia e tinha se recusado a evacuar a região. Escolas, hospitais, igrejas, lojas, edifícios comerciais, tribunais, quartéis de bombeiros – tudo foi destruído.

O Camille não havia terminado. Enfraqueceu depressa quando chegou ao vale de Ohio, depois virou para leste, rumo a mais destruição. Na região central da Virgínia, fundiu-se a um denso sistema de baixa pressão que parecia estar esperando por ele. Juntos, despejaram 760 milímetros de chuva em 24 horas no condado de Nelson, na Virgínia, causando inundações históricas que destruíram rodovias, casas e vidas – 153 foram ceifadas no estado.

O ciclone foi visto pela última vez sobre o Atlântico. Felizmente, nunca mais haveria outro Camille. Os danos foram tão inacreditáveis que o Serviço Nacional de Meteorologia aposentou o nome do furacão.

QUANDO O SOL NASCEU na segunda-feira, 18 de agosto, as nuvens tinham ido embora. O furacão foi tão rápido que desapareceu depressa, levando o vento e a chuva para outro lugar. Mas ainda era agosto no Mississippi e, no meio da manhã, a temperatura chegava perto dos 32 graus.

As pessoas emergiam dos escombros e se moviam como zumbis, em estado de choque com o terror daquela noite e a devastação à sua frente. Gritos eram ouvidos conforme os moradores encontravam amigos, vizinhos e entes queridos que não sobreviveram. Eles procuravam por corpos, automóveis e até casas.

A vida de repente foi reduzida ao básico – comida, água e abrigo. E a cuidados de saúde: mais de 21 mil pessoas ficaram feridas, e não havia hospitais nem clínicas.

O governador havia transferido 5 mil homens da Guarda Nacional para Camp Shelby, 110 quilômetros ao norte. Ao amanhecer, eles se apressavam rumo ao sul em caravanas, ouvindo os primeiros relatórios pelo rádio. Setenta e cinco mil pessoas estavam desabrigadas. Milhares estavam mortas ou desaparecidas. Eles logo se depararam com problemas ao encontrarem árvores inteiras espalhadas pela Highway 49. Usando motosserras e escavadeiras para liberar a estrada, demoraram quase seis horas para chegar a Biloxi.

A 101ª Divisão Aerotransportada veio logo atrás deles. À medida que as primeiras imagens da Costa chegavam ao noticiário da noite, o auxílio estadual, federal e privado começou a aparecer. Dezenas de organizações de prestação de socorro se mobilizaram e enviaram equipes de médicos, enfermeiras e voluntários. Igrejas e organizações religiosas enviaram milhares de trabalhadores do serviço humanitário, a maioria dos quais dormia em barracas. Além de comida e água, chegaram toneladas de suprimentos médicos, a maior parte de barco, para evitar as estradas intransitáveis.

Demorou um mês para que o fornecimento de energia elétrica fosse restabelecido nos hospitais e escolas, que então puderam reabrir. Mais tempo ainda para contabilizar ao certo quantas pessoas haviam desaparecido no total. Anos para a reconstrução, para aqueles que se dispuseram a isso.

Durante seis meses após o ciclone, a Costa parecia um campo para refugiados de guerra. Fileiras de tendas militares verdes servindo como hospitais; fileiras de barracas que serviam de acomodação para os soldados; milhares deles removendo escombros; voluntários trabalhando em centros de distribuição de alimentos e água; grandes tendas cheias de roupas e até móveis; e longas filas de pessoas esperando para entrar.

Para um povo resiliente, o desafio era quase avassalador, mas eles resistiram com tenacidade e se reconstruíram lentamente. O furacão foi um golpe violento, e eles ficaram sem chão. No entanto, não tinham escolha a não ser sobreviver. Pouco a pouco, as coisas melhoravam a cada dia. A abertura das escolas em meados de outubro foi um marco. Quando Biloxi recebeu seu arquirrival Gulfport para uma partida de futebol americano em uma noite de sexta-feira, havia um público recorde e a vida parecia praticamente normal.

PARA OS MAFIOSOS, o Camille trouxe oportunidades únicas. Todos estavam temporariamente fora do mercado, mas sabiam que os negócios logo voltariam à ativa. O lugar fervilhava de soldados, socorristas e uma quantidade incrível de pés-rapados atraídos por desastres e pela comida distribuída gratuitamente. Essas pessoas estavam longe de casa, cansadas, estressadas e precisavam de bebida e entretenimento.

Lance Malco não perdeu tempo lambendo suas feridas. A casa dele, pouco mais de um quilômetro e meio para o interior, não ficou muito danificada. No entanto, seus estabelecimentos na Strip, o Red Velvet e o Foxy's, tinham sido completamente destruídos, derrubados e arrastados pela água. A Parada do Jerry foi destroçada, mas ainda estava de pé. Havia perdido dois de seus bares; outros dois ainda estavam em boas condições. Três de seus hotéis ao longo da praia também estavam no chão. Infelizmente, duas de suas dançarinas morreram em um deles. Lance havia ordenado que evacuassem o local. Planejava enviar um cheque para as famílias.

Enquanto Lance, Hugh e Nevin inspecionavam os danos ao Red Velvet com o primeiro corretor de seguros, notaram oito grandes quadrados do que parecia ser um metal embutido na fundação de concreto. O corretor ficou curioso e perguntou o que era aquilo. Lance e Nevin disseram que não faziam a menor ideia. Os quadrados eram na verdade ímãs que haviam sido escondidos embaixo de um tapete grosso sobre o qual as mesas de dados estavam situadas. Os dados viciados tinham ímãs menores atrás de certos números. Ao manipular vários conjuntos de dados, os crupiês desonestos conseguiam aumentar as chances de determinados números saírem.

Depois de tantos anos sendo acusado de manipular suas mesas, Lance finalmente tinha sido pego, graças ao Camille. Mas o infeliz corretor de seguros não jogava e não fazia ideia do que estava vendo. Nevin piscou para Lance, e ambos tiveram o mesmo pensamento: ninguém jamais seria capaz de estimar a quantidade de dinheiro vivo que aqueles ímãs renderam para a boate.

As apólices de seguro elaboradas no Mississippi cobriam danos causados pelo vento, com exceções específicas e cuidadosamente redigidas em caso de danos causados pela água. As brigas da questão vento *versus* água ainda não estavam acontecendo, mas as seguradoras já estavam se preparando para elas. Quando a seguradora de Lance indeferiu o pedido com base nos danos causados pela água, o homem ameaçou abrir um processo. Havia quase nenhuma dúvida de que a ressaca havia inundado suas casas noturnas ao longo da Highway 90.

Por ter mais dinheiro do que os outros donos de boates, Lance estava determinado não apenas a reabrir primeiro, mas a abrir uma versão muito mais sofisticada do Red Velvet. Ele havia encontrado um empreiteiro em Baton Rouge com homens e suprimentos.

Antes de a maioria dos proprietários terminar de limpar os escombros de seus jardins e ruas, Lance já estava reconstruindo seu principal estabelecimento. Ele planejava adicionar um restaurante, expandir o bar, construir mais quartos no andar de cima. Tinha muitos planos. Ele, Hugh e Nevin acreditavam piamente que a maioria de seus concorrentes na Strip não sobreviveria ao Camille. Era o momento certo para investir muito e estabelecer um monopólio.

18

Vento *versus* água.

Na tarde de domingo antes de o Camille chegar, Jesse e Agnes haviam tomado a decisão de última hora de evacuar a região. Ela e as crianças iriam para o norte, para a casa dos pais dela, no Kansas. Jesse insistiu em ficar para cuidar da casa. Encheram às pressas a caminhonete da família com suprimentos e água e, com Keith ao volante, acenaram um adeus assustado para Jesse.

Doze horas depois, ele desejou ter se juntado a eles. Não conseguia se lembrar de ter sentido tanto medo, nem mesmo na guerra. Nunca mais enfrentaria um furacão.

A estrutura da casa deles sobreviveu, embora tenha sido fortemente danificada. A maior parte do telhado foi arrancada. A pequena varanda da frente nunca foi encontrada. Praticamente todas as janelas foram estilhaçadas. As ondas gigantes levaram as águas da enchente a uma distância de 3 metros da porta de entrada. Os vizinhos da rua, ao sul, não tiveram tanta sorte e foram atingidos pela água. Jesse passou dois dias limpando os escombros e esperou horas na fila para conseguir pegar duas grandes lonas em um centro de distribuição da Cruz Vermelha. Ele contratou um adolescente em busca de trabalho e, debaixo de sol, os dois se dedicaram a fechar os buracos no telhado. Grande parte da mobília estava encharcada com água da chuva e teve de ser jogada fora. Uma equipe da Guarda Nacional chegou e o ajudou a cobrir as janelas com compensado. Também lhe forneceram água mineral e uma caixa de sopa de tomate, que ele comia na própria lata, porque não havia como aquecer. Após cinco dias de trabalho árduo e exaustivo, ele passou um tempo na fila de um posto da Guarda Nacional e chegou ao telefone. Ligou para Agnes no Kansas e quase chorou quando ouviu a voz dela. Ela chorou também, assim como as crianças. Como não havia eletricidade e os dias eram longos e quentes, ele disse para ficarem no Kansas até que a situação melhorasse.

Havia voluntários e socorristas por toda parte, e ele reuniu uma equipe para limpar seu escritório no centro da cidade. O nível d'água nas paredes do andar de baixo tinha exatamente 2 metros, e estava tudo arruinado. Ele não conseguia mais se imaginar trabalhando naquele lugar, mas todos os escritórios ao seu redor estavam na mesma situação. Desistir não era uma opção, e a cada dia que passava eles atingiam uma pequena melhora.

Nos finais de tarde, quando o sol estava se pondo e o ar estava um pouco mais frio, ele ia até a casa de seus vizinhos para saber como estavam as coisas e ajudava a limpar os escombros e a fazer reparos. Praticamente todo mundo fazia isso. As casas danificadas eram muito quentes, então eles se reuniam sob a sombra das árvores que ainda estavam de pé. Joe Humphrey, três casas à frente, tinha conseguido, sabe-se lá como, contrabandear uma caixa de cerveja com um homem da Guarda Nacional, que também enviou um saco de gelo, e a cerveja gelada nunca foi tão gostosa. Os vizinhos compartilhavam tudo – cerveja, cigarros, comida, água, incentivo e histórias.

Eles haviam sobrevivido. Outros não tiveram tanta sorte, e grande parte das conversas nas ruas era sobre os que haviam morrido.

O ESCRITÓRIO DE RUDY reabriu no dia 2 de outubro, cerca de seis semanas depois do Camille. Jesse passou a maior parte do primeiro dia usando seu novo telefone para importunar o corretor de seguros. A empresa, Action Risk Seguros, tinha sede em Chicago e era uma das quatro maiores seguradoras da Costa. Nas semanas posteriores ao ciclone, ficou claro para Jesse que a companhia e as demais seguradoras estavam empurrando com a barriga todas as reivindicações e não tinham intenção de honrar as apólices de maneira direta. Os indeferimentos em massa tinham uma justificativa simples: os danos tinham sido causados pela água, não pelo vento.

Quando o tribunal retomou os trabalhos no dia 10 de outubro, Jesse foi até lá e deu entrada em catorze ações em seu nome e em nome de seus vizinhos. Processou as quatro maiores seguradoras, exigindo o pagamento integral, mais danos morais por má-fé. Havia semanas que ele vinha ameaçando processá-las, e as empresas quase nunca retornavam seus telefonemas. Com pelo menos 20 mil casas destruídas ou seriamente danificadas, a visibilidade era imensa. A estratégia deles estava tomando forma. Eles negariam todos os pedidos, sentariam no dinheiro, dariam um jeito de o processo se arrastar e torceriam para que a maioria dos segurados não tivesse meios para arcar com os processos.

Enquanto isso, as pessoas tentavam sobreviver com lonas sobre suas cabeças e compensados nas janelas. Muitas casas estavam inabitáveis, e os donos delas acampavam nos quintais. Outros viviam em barracas. Havia ainda os que tinham sido forçados a ir embora e se mudado para a casa de amigos e parentes por todo o sul do Mississippi. Na floresta ao norte da cidade, toda uma comunidade, apelidada de Camille Ville, surgiu da noite para o dia, e cerca de mil pessoas viviam em barracas e trailers. A maioria delas tinha em mãos apólices de seguro válidas, mas não conseguia encontrar um corretor para cuidar do caso.

Jesse sentia raiva e estava obstinado. Quando deu entrada na primeira leva de processos, avisou o *Gulf Coast Register* e, com prazer, concedeu uma entrevista. No dia seguinte, estava na primeira página do jornal, e o telefone do escritório começou a tocar. Não pararia por meses.

Os casos não eram tão valiosos em termos de dinheiro. Em 1969, uma casa padrão no condado de Harrison era avaliada em 22 mil dólares. Jesse e Agnes haviam pagado 23.500 dólares pela deles quatro anos antes, e um empreiteiro estimou os danos causados pelas ondas gigantes em 8.500 dólares, sem incluir a mobília. Os primeiros processos apresentados eram todos nessa faixa, e todos estavam relacionados a danos causados pelo vento. Ele havia inspecionado cada uma das casas e sabia muito bem que não tinham sido danificadas pela ressaca. Durante uma conversa acalorada, um corretor havia explicado que os danos causados pela água ocorreram durante uma chuva torrencial depois que o telhado fora arrancado. O Camille provocara uma precipitação de 250 milímetros em doze horas. Bastava remover o telhado, e tudo abaixo dele ficaria encharcado. De fato, com nada além de frágeis lonas plásticas como proteção, qualquer chuvarada trazia novas peripécias para a vida dos proprietários.

A seguradora negou o pedido mesmo assim.

Jesse deu entrada nos casos mais simples primeiro. Os mais complicados envolveriam danos causados pelo vento e pela água, e ele correria atrás disso mais tarde. Havia vários por onde começar. A notícia se espalhou depressa, e os clientes começaram a chegar. Estava ganhando muito mais do que esperava e se preocupava apenas em cobrir as despesas gerais. Mas essa já era uma preocupação constante muito antes do Camille. A segunda hipoteca da casa, realizada dois anos antes, durante a campanha, não havia sido quitada.

Jesse tinha pouco tempo para se preocupar e era impossível voltar atrás. Havia conseguido o monopólio dos casos envolvendo o Camille e entrava com uma dúzia de processos por semana. Trabalhava dezoito horas por dia, seis dias por semana, e tinha entrado em um ritmo no qual nada importava além da causa. Com Keith de volta à faculdade, para aquele que seria seu último ano, e Agnes dando conta de manter a família unida, ele precisava urgentemente de ajuda. Suas filhas adolescentes, Beverly e Laura, iam para o escritório depois da aula e muitas vezes passavam a madrugada tentando manter os processos organizados.

Para auxiliá-lo, vieram os irmãos Pettigrews, dois garotos de Bay St. Louis. O pai deles tinha sido encontrado morto em uma árvore um dia depois do Camille. A casa da família, com seguro total, ficava a 800 metros da praia e estava tão danificada que tinha se tornado inabitável. A mãe deles estava morando com uma irmã em McComb. A seguradora, a mesma contratada por Jesse, havia negado o pedido de indenização.

Os irmãos, Gene e Gage, embora parecessem gêmeos, tinham onze meses de diferença. Eles se pareciam fisicamente, tinham o mesmo jeito de falar, vestiam-se da mesma forma e tinham o estranho hábito de terminar as frases um do outro. Formaram-se juntos na faculdade de Direito da Universidade do Mississippi, em maio do ano anterior, e abriram um pequeno escritório em Bay St. Louis. O Camille destruiu tudo, tudinho. Eles nem sequer conseguiram encontrar seus diplomas.

A tragédia os havia deixado com raiva, e eles estavam doidos para brigar. Tinham lido sobre Jesse Rudy e um belo dia entraram em seu escritório pedindo emprego. Jesse gostou deles de imediato, prometeu pagá-los sempre que pudesse e ali, na hora, conseguiu dois novos associados. Ele largou o que estava fazendo, trancou os dois na sala de reuniões para uma sessão de treinamento e ensinou-lhes as manhas envolvidas na emocionante leitura de apólices de seguro. Saíram de lá à meia-noite. No dia seguinte, enviou Gage a Camille Ville para se reunirem com alguns novos clientes. Gene começou fazendo as entrevistas com os clientes que diariamente batiam na porta do escritório.

Outros advogados ao longo da Costa estavam pegando casos semelhantes, embora não chegassem nem perto do volume de Jesse Rudy. Eles o acompanhavam com atenção e curiosidade. O sentimento geral entre os advogados era ir um pouco mais devagar, deixar que Rudy fosse na frente e torcer para que ele vencesse as empresas na primeira leva de julgamentos. Talvez então as seguradoras aceitassem se reunir e resolver a questão dos sinistros de maneira justa.

Para Jesse, os processos não eram isentos de riscos. Estava claro que a água da ressaca destruíra muitas casas, principalmente as que ficavam próximas à praia. Vencer esses casos seria difícil. Se ele perdesse no tribunal, as seguradoras não se sentiriam tão ameaçadas e negariam os pedidos de maneira ainda mais agressiva. Sua reputação estava em jogo. Seus clientes estavam ofendidos, muitas vezes eram irracionais, e não apenas esperavam justiça, mas também alguma retribuição. Se ele não conseguisse lhes trazer isso, sua carreira como advogado estaria encerrada e o melhor a fazer seria se fechar em seu escritório e redigir testamentos.

Por outro lado, se ganhasse (e ganhasse com louvor), as recompensas seriam abundantes. Ele não ficaria rico, não ganhando indenizações de 8 mil dólares, mas pelo menos seu fluxo de caixa melhoraria. Forçar as seguradoras a pagar o que deviam traria publicidade que dinheiro nenhum seria capaz de comprar.

No final do ano, havia um sentimento de ódio generalizado pelas seguradoras. Jesse queria um julgamento em seu tribunal em Biloxi e fez muita pressão para consegui-lo. A oposição era dura na queda. As seguradoras haviam decidido sabiamente contratar os maiores escritórios de advocacia de Jackson para defendê-las, mantendo-se longe dos advogados da Costa. Jesse entrou com mais de trezentos processos no tribunal do condado de Harrison. Foi de fato um momento de bonança para os escritórios que defendiam as seguradoras, e eles usaram todas as ferramentas e truques disponíveis para atrasar o trabalho de Jesse e soterrá-lo em toneladas de papel.

Os irmãos Pettigrews mostraram-se à altura da tarefa e, em três meses, aprenderam mais sobre ações judiciais e reunião de evidências do que teriam aprendido em cinco anos trabalhando sozinhos. Eles encorajaram Jesse a continuar dando entrada em novos processos. Os dois vasculhariam as correspondências, manteriam os arquivos em ordem e contra-atacariam as empresas.

Durante a festinha de fim de ano do escritório, dois dias antes do Natal, Jesse surpreendeu a todos ao anunciar que estava promovendo Gene e Gage a sócios juniores. Seus nomes iriam para o papel timbrado. A placa na frente agora dizia: Rudy & Pettigrew Advogados. Foi mais uma atitude simbólica do que qualquer outra coisa. Nas verdadeiras sociedades, dividiam-se os honorários, o que, na época, não era muito dinheiro.

O JUIZ NELSON OLIPHANT, de 71 anos, sentou-se na tribuna, puxou o microfone para mais perto e olhou para a multidão. Ele sorriu e disse:
– Bom dia, senhoras e senhores. Que bela plateia. Acho que nunca vi tanta gente reunida para assistir a uma audiência preliminar.

Jesse havia enchido a sala de audiências com seus clientes e avisou que eles não poderiam sorrir em hipótese alguma. Eles estavam com raiva, frustrados e prontos para obter justiça. Estavam fartos das seguradoras e de seus advogados, e queriam que Oliphant, um companheiro do condado de Harrison, soubesse que estavam falando sério. Em breve, ele estaria concorrendo à reeleição.

Na mesa dos autores do processo, Jesse se sentou entre os irmãos Pettigrews. Do outro lado, amontoados ao redor da mesa da defesa, havia pelo menos uma dúzia de homens bem-vestidos de Jackson junto a associados e secretárias sentados atrás deles na primeira fila. Em meio ao bando, encontravam-se os executivos das seguradoras.

– Dr. Rudy, o senhor pode começar.

Jesse se levantou e se dirigiu ao tribunal.

– Obrigado, Excelência. Entrei com vários pedidos para uma audiência preliminar no dia de hoje, mas primeiro gostaria de abordar uma questão envolvendo algumas das datas de julgamento. Tenho pelo menos dez casos prontos para serem julgados, ou pelo menos *eu* estou pronto para isso. – Ele acenou com o braço para os advogados de defesa. – Aparentemente esses senhores nunca vão estar preparados. Hoje é dia 3 de fevereiro. Gostaria de sugerir que marcássemos as audiências de alguns dos casos para o próximo mês, é possível?

Oliphant olhou para o esquadrão de defesa com seriedade, e quatro deles se levantaram.

Antes que pudessem falar, o juiz se pronunciou:

– Um minuto. Não vou ouvir todos dizerem a mesma coisa. Qual é o primeiro caso, Dr. Rudy?

– Luna *versus* Action Risk Seguros.

– Muito bem. Imagino que o Dr. Webb seja o advogado principal da companhia. Dr. Webb, o senhor pode responder.

Simmons Webb ficou de pé e deu alguns passos à frente.

– Obrigado, Excelência – disse ele respeitosamente. – Agradeço a oportunidade de estar aqui em sua corte no dia de hoje. Meu cliente certamente entende o anseio dos autores do processo em apressar as coisas e ir a julgamento, mas temos o direito de concluir a investigação. Tenho certeza de que o Dr. Rudy entende isso.

Jesse, ainda de pé, disse:

– Excelência, a investigação já foi concluída, e estamos prontos para ir a julgamento.

– Bem, Excelência, nós ainda não terminamos. Ele só tomou dois depoimentos.

– Pode deixar que eu cuido do meu caso, Dr. Webb. O senhor cuida do seu. Não preciso de mais depoimentos.

O juiz pigarreou e disse:

– Devo afirmar, Dr. Webb, que os senhores têm sido bastante lentos nessa investigação. Me parece que o seu cliente não está com nenhuma pressa de ir a julgamento.

– Discordo, Excelência. São casos complexos.

– Mas o Dr. Rudy deu entrada neles, não foi? Se ele está pronto, por que os senhores não estão?

– Há muito a ser feito, Excelência.

– Bem, então façam, e agora. Este caso irá a julgamento na segunda--feira, 2 de março, bem aqui neste tribunal. Vamos definir o júri e deixar que ele decida sobre o caso.

Webb fingiu descrença e se sentou, amontoando-se a outro sujeito de terno escuro. Ele ergueu os olhos e disse:

– Respeitosamente protestamos contra a data definida tão em cima da hora, Excelência.

– E seu protesto está respeitosamente negado. Qual é o próximo caso, Dr. Rudy?

– Lansky *versus* Action Risk Seguros.

– Dr. Webb?

– Bem, mais uma vez, Excelência, simplesmente não estamos prontos para o julgamento.

– Então preparem-se. Os senhores tiveram muito tempo, e Deus sabe que têm bastante gente talentosa do seu lado.

– Nós protestamos, Excelência.

– Negado. Dr. Webb e demais advogados da defesa, a situação é a seguinte: estou reservando as duas primeiras semanas de março para julgar o maior número possível desses casos. Não me parece que serão audiências longas. Com base nas provas obtidas durante a investigação, não há muitas testemunhas. Essas pessoas têm o direito de serem ouvidas, e nós vamos ouvi-las.

Pelo menos cinco dos advogados da defesa se levantaram e começaram a falar ao mesmo tempo.

– Por favor, por favor, doutores – disse Sua Excelência. – Sentem-se. Vocês estão livres para apresentar objeções por escrito. Vão em frente e façam isso, vou negar todas elas mais tarde.

Os outros se sentaram, e Webb tentou controlar sua frustração.

– Excelência, essa é uma decisão muito autoritária e um exemplo claro de por que meu cliente está preocupado em conseguir um julgamento justo no condado de Harrison.

Com um timing perfeito, Jesse deixou escapar algo que havia preparado e guardado para aquele momento.

– Bem, Dr. Webb, se o seu cliente pagasse as indenizações, não teríamos que passar por isso, não é mesmo?

Webb se virou e apontou o dedo para Jesse.

– Meu cliente tem motivos legítimos para negar esses pedidos, Dr. Rudy.

– Palhaçada! O seu cliente está sentado nesse dinheiro e agindo de má-fé.

– Dr. Rudy – disse o juiz Oliphant –, o senhor está sendo advertido pelo uso de linguagem imprópria. Por favor, contenha-se.

Jesse assentiu e disse:

– Desculpe, Excelência. Não consegui me segurar.

Se não fosse por outro motivo, a audiência seria lembrada como a primeira vez que um advogado gritara a palavra "palhaçada" em uma audiência no condado de Harrison.

Webb respirou fundo e declarou:

– Excelência, solicitamos então uma mudança de foro.

– Não o censuro, Dr. Webb, mas o povo desse condado sofreu muito – respondeu o juiz, com tranquilidade. – As pessoas continuam sofrendo e têm o direito de decidir esses casos. Pedido negado. Atrasos não serão mais tolerados.

19

Conforme as audiências preliminares iam sendo realizadas, Jesse logo percebeu que o juiz Oliphant estava integralmente do lado dos titulares das apólices. Quase todos os requerimentos feitos em nome dos autores dos processos foram concedidos. Por outro lado, quase todos os pedidos das seguradoras foram negados.

Oliphant e Jesse estavam preocupados com a possibilidade de não conseguirem encontrar jurados suficientemente imparciais para julgar os casos. Todos os moradores do condado tinham sido afetados pelo ciclone, e o péssimo comportamento das seguradoras agora era assunto recorrente na igreja e nas cafeterias que reabriam. As pessoas queriam sangue, o que obviamente era uma vantagem para Jesse, mas comprometia seriamente a noção de um júri neutro. A seleção dos jurados era ainda mais complicada pelo fato de tantas pessoas terem sido deslocadas.

Os dois se encontraram em particular, o que em circunstâncias normais seria proibido, mas os advogados de Jackson estavam bem longe dali em seus arranha-céus e jamais ficariam sabendo. As seguradoras os haviam escolhido; mais um erro. Jesse tinha onze casos contra a Action Risk Seguros que estavam prontos para irem a julgamento. Eles eram praticamente idênticos: a mesma seguradora, casas danificadas pelo vento e não pelas ondas gigantes, e o mesmo respeitável empreiteiro disposto a testemunhar sobre os danos. O juiz Oliphant decidiu pegar os três primeiros – Luna, Lansky e Nikovich – e reuni-los no primeiro julgamento. Simmons Webb e sua turma reclamaram e se opuseram à decisão, chegando até a ameaçar recorrer à Suprema Corte do Mississippi. O juiz Oliphant tinha seus contatos e ficou sabendo que os ministros tinham tanta simpatia pelas seguradoras quanto Jesse Rudy.

Na segunda-feira, 2 de março, a sala de audiências estava lotada mais uma vez, com espectadores alinhados às paredes e oficiais de justiça organizando a circulação de pessoas. A multidão se espalhava até o corredor, onde homens e mulheres furiosos esperavam para conseguir um assento do lado de dentro. Em seu gabinete, o juiz Oliphant deixou claro como se daria a sessão; ele reforçou que cada fase do julgamento seria tratada com celeridade e que não toleraria nem mesmo a menor tentativa de atrasar a conclusão dos processos.

Com muito esforço, 47 possíveis jurados foram convocados a comparecer ao tribunal, e todos se apresentaram. Usando um questionário elaborado por Sua Excelência e pelo Dr. Rudy, treze foram dispensados porque tinham processos por danos materiais em andamento contra companhias de seguros; quatro por motivos de saúde; dois porque eram parentes de pessoas mortas no ciclone; por fim, outros três foram dispensados porque conheciam as famílias de outras vítimas.

Quando o grupo foi reduzido a 24, o juiz Oliphant concedeu meia hora a cada um dos advogados para perguntas. Jesse conseguiu controlar sua agressividade, mas não deixou dúvidas de que estava do lado dos mocinhos e de que juntos lutavam contra o mal. Por meio de sua rede de clientes cada vez maior, tinha mais conhecimento sobre os 24 candidatos do que a defesa jamais seria capaz de ter. Simmons Webb se apresentou como um velhinho humilde, com raízes profundas no sul do Mississippi, e que estava lá apenas em busca da verdade. Às vezes, porém, ficava nervoso e parecia saber que a multidão queria sua cabeça.

Foram necessárias duas horas para acomodar doze jurados na bancada; todos juraram ouvir os fatos, pesar as evidências e decidir o caso com imparcialidade. Sem que fosse realizada nenhuma pausa, o juiz Oliphant deu aos advogados quinze minutos para as alegações iniciais e acenou com a cabeça para Jesse, que já estava de pé indo em direção à bancada do júri para a introdução mais curta de sua carreira. Gage Pettigrew cronometrou: um minuto e quarenta segundos.

– Senhoras e senhores membros do júri, nós não deveríamos estar aqui.

Vocês não deveriam estar sentados onde estão e sem dúvida têm coisas melhores para fazer. Eu não deveria estar aqui falando com vocês. Meu cliente, o Sr. Thomas Luna, sentado ali de camisa azul, não deveria estar morando em uma casa sem telhado, apenas com uma lona plástica como proteção contra chuva, vento, tempestades, frio, calor e insetos. Ele não deveria morar em uma casa com mofo crescendo nas paredes. Não deveria viver em uma casa praticamente sem móveis. O mesmo se aplica ao Sr. Oscar Lansky, aquele cavalheiro de camisa branca. Ele mora duas casas depois do Sr. Luna, na Butler Street, 800 metros ao norte daqui. Quanto ao meu terceiro cliente, o Sr. Paul Nikovich, ele não deveria estar morando em um celeiro de propriedade de seu tio em Stone County. Todas essas três famílias deveriam estar morando em suas casas, cujas hipotecas ainda continuam pagando, devo acrescentar, com todos os confortos e comodidades de que desfrutavam antes do Camille, casas danificadas há mais de seis meses, casas devidamente seguradas com apólices redigidas pela Action Risk Seguros, casas ainda abandonadas sob lonas azuis e remendadas com tábuas de compensado.

Jesse respirou fundo e deu um passo para trás. Ele ergueu a voz e continuou:

– E eles estariam vivendo uma vida normal em suas casas, não fosse pelas atitudes desprezíveis da Action Risk Seguros.

Ele apontou para Fred McDaniel, um corretor sênior da empresa, sentado confortavelmente ao lado de Simmons Webb. McDaniel se encolheu na cadeira, mas não tirou os olhos de um arquivo que estava sobre a mesa à sua frente.

– Nós não deveríamos estar aqui, mas estamos. Então, já que somos forçados a nos reunir neste tribunal, vamos aproveitar ao máximo nosso tempo. Em algumas horas, vocês terão a oportunidade de dizer ao Sr. McDaniel e à sua grande empresa de Chicago que o povo do condado de Harrison acredita que um contrato é um contrato, uma apólice de seguro é uma apólice de seguro, e que chega um momento em que corporações gananciosas têm que pagar.

Simmons Webb foi pego de surpresa pela brevidade de Jesse e passou alguns segundos revirando uma papelada.

– Dr. Webb – disse o juiz Oliphant.

– Claro, Excelência, estava só procurando a apólice. – Ele se levantou e caminhou até a bancada do júri com um sorriso falso de orelha a orelha. – Senhoras e senhores do júri, esta é a apólice emitida pelo meu cliente para a família Luna. É praticamente idêntica às emitidas para os Lanskys e os Nikoviches. – Ele ergueu a apólice e virou as páginas de maneira teatral. – Bem aqui, na página cinco, a apólice afirma claramente, e agora cito: "Excluídos de todas as coberturas aqui indicadas danos à estrutura principal da residência, bem como a apêndices, incluindo varandas, garagens, pátios, deques e dependências externas, como lavanderias, galpões de ferramentas, etc., causados por inundações, enchentes, aumento do nível das marés ou ondas como resultado de furacões e/ou tempestades tropicais."

Ele jogou a apólice sobre a mesa e parou diante do júri.

– Este caso, então, não é tão simples quanto parece. Os danos causados por furacões costumam ser complicados porque em quase todos os grandes ciclones há casas que são atingidas pelo vento e inundadas pela água.

Webb começou a divagar sobre a dificuldade de definir o que exatamente havia causado danos a uma determinada estrutura e disse ao júri que apresentaria peritos, homens treinados na área, que em seu testemunho mostrariam aos jurados o que acontece em um grande furacão. Ele fingiu grande simpatia por todas as "pessoas de bem da cidade" que foram prejudicadas pelo Camille e alegou que ele e seu cliente estavam lá para ajudar. Isso atraiu alguns olhares céticos dos jurados. Ele se perdeu algumas vezes e ficou claro, pelo menos para Jesse, que Webb estava tentando a velha estratégia de "se os fatos não estão a seu favor, tente confundi-los".

– Um minuto – pediu o juiz Oliphant, por fim.

Quando Webb se sentou, Jesse estava quase zonzo. Seu oponente representava as maiores seguradoras em atividade no estado e era conhecido como um negociador durão. No entanto, estava óbvio que todos os casos dele eram resolvidos com acordos, nunca com julgamentos. As alegações iniciais não foram nada impressionantes.

A primeira testemunha foi Thomas Luna. Jesse conduziu-o pelas perguntas e pediu-lhe que descrevesse para o júri o horror de enfrentar um furacão com ventos estimados em 320 quilômetros por hora. Luna tinha sido bem preparado por seu advogado e era um talentoso contador de histórias. Ele e seu filho de 20 anos ficaram para trás e passaram a maior parte da noite dentro de um armário, agarrados um ao outro enquanto a casa tremia violentamente, certos de que seu lar estava prestes a ir pelos ares.

A casa do outro lado da rua foi arrancada desde a fundação e os destroços foram espalhados ao longo de quarteirões. A ressaca chegou a cerca de 50 metros de sua casa. O Sr. Luna descreveu a passagem do Camille, a luz do sol, os ventos calmos e os danos inacreditáveis em sua rua.

Os jurados conheciam bem a história, e Jesse não insistiu. Apresentou o valor estimado por um empreiteiro para a realização dos reparos, que totalizavam 8.900 dólares. Sua outra prova era uma lista de móveis, objetos de decoração e roupas que haviam sido destruídos. O valor total era de 11.300 dólares.

Após um intervalo de trinta minutos para o almoço, o Sr. Luna estava de volta ao banco das testemunhas e foi interrogado por Simmons Webb, que meticulosamente examinou as estimativas de reparo como se procurasse por alguma fraude. O Sr. Luna sabia muito mais sobre carpintaria do que o advogado, e eles trocaram farpas. Jesse protestou duas vezes:

– Excelência, ele está apenas fazendo todos nós perdermos tempo. O júri viu as estimativas do reparo.

– Vamos seguir em frente, Dr. Webb.

Mas Webb era metódico, entediante até. Quando terminou, Jesse trouxe Oscar Lansky e depois Paul Nikovich, ambos com histórias semelhantes. Às quatro e meia da tarde de segunda-feira, os jurados e espectadores já tinham ouvido o suficiente sobre os horrores do Camille e os danos que o furacão causara. O juiz Oliphant determinou um recesso de quinze minutos para permitir que todos pudessem esticar as pernas e se encher de café.

A testemunha seguinte foi o empreiteiro que examinou as três casas e estimou os danos. Ele defendeu seu trabalho e seus valores, e não permitiu que Webb o criticasse. Sabia, por anos de experiência, que o aumento do nível das águas quase sempre deixa uma linha ou marca, e geralmente é fácil determinar o quanto de água entrou em um edifício. Nessas três casas, não havia essa linha confirmando a inundação. O dano foi causado pelo vento, não pela água.

Eram quase sete e meia da noite quando o juiz Oliphant finalmente cedeu e suspendeu a sessão. Ele agradeceu ao júri e pediu que voltassem às oito da manhã, prontos para mais trabalho.

A primeira testemunha de Jesse na manhã de terça-feira foi um professor de engenharia civil do estado do Mississippi. Usando diagramas e mapas ampliados, ele rastreou a chegada do Camille à costa, com seu olho entre

Pass Christian e Bay St. Louis. Usando dados coletados durante o furacão, aliados a relatos documentados de testemunhas oculares, ele conduziu o júri pela trajetória das ondas gigantes. Estimava que elas tinham chegado a uma altura de 7 a 9 metros no farol de Biloxi, o ponto de referência mais famoso do local, e mostrou fotos ampliadas da devastação absoluta ocorrida entre a praia e a linha férrea quase um quilômetro adentro do continente. Depois da linha do trem, que ficava três metros acima do nível do mar, a onda foi perdendo intensidade à medida que as águas se dispersavam por uma região maior. Quase um quilômetro para o interior, ainda tinha 1,50 metro de altura e era impulsionada por ventos terríveis. Na região de Biloxi, onde moravam os autores dos processos, a ondulação não ultrapassou um metro, dependendo da irregularidade do terreno. Ele havia examinado milhares de fotos e vídeos feitos depois do ocorrido, e era da opinião de que as três casas em questão estavam bem além do último alcance da onda. Claro, houve grandes inundações em áreas mais baixas, mas não na Butler Street.

Simmons Webb discutiu com o engenheiro sobre suas conclusões e tentou argumentar que ninguém podia dizer ao certo onde a onda havia dissipado. O Camille chegou no meio da noite. Filmá-lo no auge de sua fúria era impossível. Não havia testemunhas porque ninguém em sã consciência estava do lado de fora.

Havia um vídeo famoso de um meteorologista da TV parado no meio da Highway 90 às sete e meia daquela noite. Os ventos estavam a "apenas 210 quilômetros por hora" e ganhando força. A chuva caía sobre ele com violência. Uma rajada de vento o atingiu e, por cerca de três segundos, o cinegrafista o filmou caindo no canteiro central da rodovia feito uma boneca de pano. De repente, a imagem ficou de cabeça para baixo. Não havia nenhuma outra filmagem conhecida de nenhum outro incompetente esperando para ver o Camille de perto àquela hora.

NO MEIO DA TARDE, Jesse havia encerrado sua argumentação. Ele e todos os outros sofreram com a monótona e incompreensível "conversinha" entre Simmons Webb e sua principal testemunha, um especialista em danos causados por furacões que trabalhava para a Liga Americana de Seguros em Washington. O Dr. Pennington havia passado a vida inteira vasculhando escombros, fotografando, medindo e pesquisando danos a casas e outros edifícios causados por fortes furacões. Depois de uma palestra caótica sobre a quase total impossibilidade de afirmar com certeza se algum material da construção fora danificado pelo vento ou pela água, ele passou a dar opiniões confusas sobre os casos em questão.

Se o objetivo de Webb com o Dr. Pennington era semear dúvidas e confundir o júri, ele tinha se saído muitíssimo bem.

Dois meses antes, Jesse havia passado duas horas interrogando o perito e achou que ele causaria uma péssima impressão em qualquer um no condado de Harrison. Ele era enfadonho, pedante, culto e tinha orgulho disso. Embora tivesse saído de Cleveland décadas antes, conseguiu manter o sotaque nasalado de Upper Midwest, que soava como pregos em um quadro-negro para qualquer pessoa ao sul de Memphis.

Parecia que outro furacão havia arrasado o tribunal quando Webb passou a testemunha para Jesse, que chegou atirando. Ele logo deixou claro que o Dr. Pennington havia trabalhado para a Liga Americana de Seguros por mais de vinte anos; que aquela era uma organização financiada pelo setor de seguros para investigar tudo, desde incêndios criminosos a segurança de automóveis e taxas de suicídio; que um braço dela também estava envolvido em fazer lobby no Congresso por mais proteção; que ela frequentemente entrava em conflito com grupos de proteção ao consumidor por conta da legislação; e assim por diante. Depois de passar meia hora enchendo o perito de perguntas, o empregador do Dr. Pennington parecia completamente perverso.

Jesse suspeitou que os jurados estavam ficando impacientes e decidiu partir para um ataque fulminante. Perguntou ao Dr. Pennington quantas vezes ele havia sido testemunha em casos de ciclones em que a questão era vento *versus* água. O homem deu de ombros, satisfeito consigo mesmo, como se não fizesse a menor ideia e houvesse casos demais para que pudesse se lembrar. Jesse perguntou quantas vezes ele havia declarado a um júri que o dano tinha sido causado pelo vento, e não pela água.

Quando o Dr. Pennington hesitou e olhou para Webb em busca de ajuda, Jesse caminhou até o canto de sua mesa e apalpou uma pilha de papéis de mais de 45 centímetros de altura.

– Vamos lá, Dr. Pennington – pressionou ele. – Tenho os seus registros bem aqui. Quando foi a última vez que o senhor depôs em nome de um segurado e não contra um? Quando foi a última vez que o senhor tentou ajudar a vítima de um furacão? Quando foi a última vez que o senhor deu um parecer contra uma seguradora?

O Dr. Pennington balbuciava, à procura das palavras. Antes que ele pudesse dizer qualquer coisa, Jesse o interrompeu:

– Foi o que imaginei. Sem mais perguntas, Excelência.

ÀS 17H10, OS CASOS foram passados para o júri. Um oficial de justiça os conduziu para fora da sala de audiências em direção à sala de deliberação, enquanto outro levava café e rosquinhas.

Vinte minutos depois, estavam de volta. Antes que a maioria conseguisse acabar de comer o doce, e antes que os advogados e espectadores pudessem concluir suas visitas ao banheiro, um oficial de justiça informou a Oliphant que os veredictos haviam saído.

Quando todos estavam em seus devidos lugares, o juiz leu as anotações do presidente do júri. Eles haviam decidido a favor dos três autores dos processos e determinado o pagamento de 11.300 dólares para Thomas Luna, 8.900 para Oscar Lansky e 13.800 para Paul Nikovich. Além disso, o júri concedeu o pagamento de 7 dólares por dia como despesas de subsistência, de acordo com a apólice, pelos 198 dias corridos desde o dano. E acrescentou ainda juros anuais de cinco por cento sobre o valor total da indenização, começando em 17 de agosto, o dia em que o Camille destruiu tudo.

Em suma, os jurados deram aos três cada centavo que Jesse pediu, e não havia dúvida de que teriam dado mais se assim lhes fosse permitido.

Em seu gabinete, o juiz Oliphant tirou a toga e convidou os advogados a se sentarem. O julgamento de dois dias tinha sido exaustivo. Todo caso com um júri era estressante, mas o tribunal lotado e os processos ainda por vir apenas aumentavam a tensão.

– Bom trabalho, pessoal – disse o juiz. – Estava mesmo confiante de que poderíamos terminar em dois dias. Alguma ideia de como agilizar a próxima rodada?

Jesse bufou e olhou para Simmons Webb.

– Claro, diga ao seu cliente para pagar as indenizações.

Webb sorriu e respondeu:

– Bom, Jesse, como você sabe, o advogado nem sempre pode dizer ao cliente o que fazer, em especial quando o cliente tem muito dinheiro e nenhum medo.

– Como faz então para deixar eles com medo?

– De acordo com a minha experiência, essas empresas fazem o que querem sem levar em conta o medo.

– Tenho certeza de que em algum lugar nas entranhas da Action Risk Seguros existe uma equipe de atuários que analisaram os números e disseram ao pessoal do alto escalão que vai ser mais barato negar as alegações e pagar os honorários advocatícios. Certo, Dr. Webb?

– Excelência, não posso debater com os senhores os motivos pelos quais meu cliente toma suas decisões, mesmo se eu soubesse quais são. E, acredite, não quero saber. Estou apenas fazendo meu trabalho e recebendo para isso.

– E está fazendo um bom trabalho – disse Jesse, mas apenas para ser educado. Continuava nada impressionado com as habilidades de Webb no tribunal.

– E você já tem os próximos três prontos? – perguntou o juiz a Jesse.

– Prontíssimos.

– Muito bem, vamos começar às oito da manhã.

20

Com um juiz amigável no controle, a linha de montagem de processos de Jesse atingiu seu auge. Nas duas primeiras semanas de março, onze casos foram julgados contra a Action Risk Seguros, e ele venceu todos. Aquilo se tornou uma provação exaustiva e, quando acabou, todos precisavam de uma pausa. Webb e sua turma voltaram correndo para Jackson na esperança de nunca mais ver Biloxi. O juiz Oliphant foi tratar de outros assuntos urgentes. Jesse voltou ao escritório para cuidar dos detalhes de alguns outros clientes não relacionados ao Camille, o que era praticamente impossível. Quanto mais julgamentos ganhava, mais aparecia no *Gulf Coast Register* e mais gente batia à sua porta.

Os veredito eram satisfatórios nos níveis profissional e moral, mas onerosos financeiramente. Jesse não tinha conseguido arrancar um centavo da Action Risk Seguros ou de qualquer outra grande seguradora. Algumas das empresas menores ficaram assustadas e começaram a fechar acordos, e pingou algum dinheiro na mão dele. Ele tinha quase mil processos contra nove companhias diferentes, e em todos os eles os honorários seriam pagos no final. Em vez do valor usual de um terço pago aos advogados, ele concordou em receber apenas vinte por cento. No entanto, quando os cheques chegavam, não tinha coragem de aceitar dinheiro de clientes que haviam perdido tanto. Ele geralmente negociava para menos e se conformava com dez por cento.

Mais para a frente naquele mês, Jesse, seu escritório e seus clientes receberam o desanimador aviso de Simmons Webb de que a Action Risk Seguros estava recorrendo à Suprema Corte do Mississippi, instância em que as apelações geralmente levavam dois anos para serem julgadas. Era uma notícia frustrante, e Jesse ligou para Webb em Jackson para reclamar. Mais uma vez, Webb, que mostrava cada vez mais simpatia pela situação, explicou que estava apenas fazendo o que seu cliente o instruíra a fazer.

Jesse então ligou para o juiz Oliphant, que acabara de ficar sabendo dos recursos. Extraoficialmente, eles falaram mal da Action Risk Seguros em particular e da indústria de seguros em geral.

No final de março, Sua Excelência viu uma abertura em sua pauta e comunicou às partes que marcaria mais três julgamentos, a partir de segunda-feira, dia 30. Webb reclamou, declarando que tudo aquilo era injusto. O juiz Oliphant sugeriu que ele explorasse alguns dos outros talentos do escritório ou parasse de reclamar. Ninguém tinha paciência para ouvir as lamentações do maior escritório de advocacia do estado. Webb e sua equipe apareceram, levaram surras semelhantes às dos primeiros onze julgamentos e rastejaram de volta para Jackson com o rabo entre as pernas.

Depois de uma pausa de duas semanas, era hora de mais uma rodada. O juiz Oliphant havia expressado a preocupação de que talvez estivessem chegando a um ponto em que não conseguiriam encontrar jurados qualificados no condado de Harrison. Simplesmente havia muitos conflitos, muitos sentimentos intensos. Ele decidiu enviar os julgamentos seguintes para 65 quilômetros estrada acima até a cidade de Wiggins, a sede do condado de Stone, um dos três em seu distrito. Quem sabe eles conseguissem encontrar mais jurados neutros por lá.

Era bem pouco provável. O Camille ainda era Categoria 3 quando cruzou a linha do condado e causou 20 milhões de dólares em danos em Wiggins e seus arredores.

Em 16 de abril, o juiz Oliphant trabalhou pacientemente no processo de seleção e, após oito longas horas, encontrou doze jurados em quem podia confiar. Não que isso importasse. Os cidadãos de bem do condado de Stone estavam evidentemente tão irritados quanto seus vizinhos do sul e não mostravam nenhuma piedade em relação às seguradoras. Sete casos foram a julgamento em dez dias, e os autores dos processos venceram todos eles.

Webb, completamente derrotado, informou a Jesse que também recorreria àquele último lote de veredito favoráveis.

Wiggins ficava a meio caminho de Hattiesburg, onde Keith Rudy atravessava seu último semestre na Southern Miss. Em vez de ir para a aula e se divertir com as meninas na piscina, ele estava numa sala de audiências em Wiggins fazendo anotações, observando os jurados e absorvendo todos os detalhes do julgamento. Tinha sido admitido na faculdade de Direito da Universidade do Mississippi e iniciado seus estudos lá, matriculando-se no curso de verão. Seu plano era começar a trabalhar no escritório do pai em menos de três anos.

DEPOIS DE 21 DISPUTAS no tribunal sobre o que poderia ser considerado apenas "pequenas causas", algumas verdades começavam a se tornar evidentes. Primeiro, Jesse Rudy não ia recuar e enfrentaria mil audiências, se necessário. Em segundo lugar, ele defenderia seus veredictos também na segunda instância, até a decisão final. Em terceiro, embora estivesse destruindo os advogados de defesa e ganhando alguma notoriedade, sua estratégia não estava funcionando. A Action Risk Seguros parecia imperturbável – seus rendimentos estavam muito bem protegidos em Chicago, enquanto seus clientes ainda viviam sob lonas furadas e rodeados de mofo preto. A frustração das pessoas só crescia. A de Jesse estava no limite.

Por meses, Jesse vinha perturbando o juiz Oliphant, tanto com petições quanto com discussões extraoficiais, para que Sua Excelência permitisse que ele prosseguisse com uma ação de indenização por danos morais. A estratégia das grandes seguradoras já tinha sido exposta em juízo: negar todas as reivindicações legítimas, ignorar os segurados e forçá-los a entrar com um processo, depois se esconderem atrás dos melhores advogados que o dinheiro podia pagar. A estratégia cheirava a má-fé e era motivo para danos morais. Se talvez Jesse tivesse uma chance de agir contra os executivos da companhia, as coisas poderiam mudar.

O juiz Oliphant era um magistrado tradicional com opiniões conservadoras quanto a indenizações. Ele nunca havia autorizado danos morais e sentia repulsa pela ideia de permitir que advogados vasculhassem os ativos de uma empresa para extrair mais do que seus clientes haviam perdido. Ele também não acreditava que danos morais fossem capazes de impedir más condutas futuras, mas já estava enojado com as atitudes das seguradoras e tinha grande simpatia por seus segurados, que estavam sendo tratados injustamente. Por fim, concordou e deu sinal verde para Jesse.

Simmons Webb ficou chocado e ameaçou entrar com um recurso na Suprema Corte do estado. Uma ação por danos morais era algo inédito no Mississippi.

O juiz Oliphant o convenceu de que isso seria um erro.

O caso em questão era mais um no qual Jesse havia dado entrada contra a Action Risk Seguros e envolvia danos mais sérios do que a maioria. A casa estava inabitável, e o empreiteiro estimou os reparos em 16.400 dólares. Jesse não perdeu tempo em tirar sangue.

O primeiro corretor de seguros foi para o banco das testemunhas, e Jesse o conduziu por uma série de fotos ampliadas dos danos sofridos pela casa. O jovem evidentemente tivera a sorte de conseguir evitar os tribunais até então, mas sua falta de experiência não o ajudou em nada.

De início, ele adotou a estratégia de bater de frente com seu examinador, e Jesse lhe deu corda suficiente para se enforcar. Foto após foto, o corretor identificou paredes, pisos e portas danificados como tendo sido inundados pela ressaca. Depois, Jesse pediu que explicasse os danos causados pela água, embora tivesse sido provado que a onda nunca havia chegado à casa. Ficou evidente que o corretor diria qualquer coisa que seu chefe quisesse ouvir.

O chefe dele, o gerente distrital, era o próximo e ficou visivelmente incomodado desde o momento em que jurou dizer a verdade. A Action Risk Seguros havia enviado três cartas ao cliente de Jesse negando seu requerimento, e ele pediu ao gerente distrital que lesse as três para o júri. Na terceira carta, o pedido estava sendo negado em razão de "danos óbvios causados pela água". Jesse pegou aquela frase e a repetiu sem parar, até o momento em que o juiz Oliphant afirmou que já era suficiente. Estava claro que o júri adorava aquele tipo de aniquilação.

Um vice-presidente da Action Risk Seguros, que aparentemente tinha tido o azar de ser escolhido para estar ali, subiu ao banco das testemunhas para defender a honra de sua empresa. Em um interrogatório contundente, que Simmons Webb tentou atrapalhar com inúmeras interrupções, Jesse finalmente se aprofundou o suficiente para descobrir a verdade. Quando o Camille atingiu a região, a companhia tinha 3.874 casas seguradas nos condados de Harrison, Hancock e Jackson. Quase oitenta por cento dos proprietários, ou 3.070 pessoas, para ser exato, haviam entrado com pedidos de indenização até aquele momento.

– E desse número, senhor, quantos pedidos foram autorizados pela sua empresa?
– Ah, não sei. Eu teria que verificar os registros.
– Foi solicitado que o senhor trouxesse os registros.
– Bom, não tenho certeza. Vou verificar com o advogado.

O juiz Oliphant, que havia muito abandonara seu papel de árbitro imparcial, vociferou:
– Senhor, estou aqui diante da sua intimação! O senhor foi instruído a trazer todos os registros relacionados aos pedidos de indenização desde o ocorrido.
– Sim, Excelência, mas é que...
– O senhor está preso por desacato.

Simmons Webb se levantou, mas parecia estar com a língua amarrada. Jesse rapidamente decidiu ajudar, praticamente gritando:
– Tudo bem, Excelência, eu tenho os registros.

Ele balançou uma fina pasta de papel pardo. Fez-se um silêncio sepulcral na sala de audiências, e Webb caiu em sua cadeira. Com um nível de dramaticidade perfeito e invejável, Jesse se aproximou da testemunha e retomou a palavra:
– Excelência, tenho aqui nesta pasta cópias de todas as reivindicações legítimas que foram pagas e liquidadas pela Action Risk Seguros.

Ele se virou, encarou o júri e abriu a pasta. Estava vazia.

Nada caiu dela.

Irritado, ele apontou para o vice-presidente e declarou:
– Nenhum. Nem um único pedido de indenização foi pago por essa sua empresa safada.

Webb conseguiu se levantar novamente.
– Protesto, Excelência! Essa linguagem é ofensiva!

O juiz Oliphant levantou as mãos, e Jesse esperou para ser repreendido. Todos observavam o juiz, que começou a coçar a cabeça como se tivesse dificuldade para decidir se a palavra "safada" deveria ser eliminada dos registros oficiais. Por fim, ele disse:
– Dr. Rudy, a palavra "safada" é inapropriada. Protesto aceito.

Webb balançou a cabeça, frustrado, e disse:
– Excelência, solicito que essa palavra seja desconsiderada.

Exatamente o que Jesse queria.

— Muito bem, senhoras e senhores do júri, adverti o Dr. Rudy e peço-lhes que prossigam como se a palavra "safada" não tivesse sido pronunciada.

Naquele momento, e nas próximas horas, a palavra dominante nos pensamentos e discussões dos jurados era, e seria, claro, "safada".

Eles concederam ao autor 16.400 dólares em danos materiais, mais as despesas diárias e juros que começavam a contar do dia seguinte ao furacão. E concederam 50.000 dólares em danos morais, um recorde nos tribunais estaduais do Mississippi.

O veredito chegou à primeira página do *Register* e repercutiu nos escritórios de advocacia e tribunais ao longo da Costa. Chamou a atenção de executivos de seguradoras bem distantes dali, em suas belas suítes. Fez com que a montanha de processos de sinistro rejeitados desmoronasse e suas estratégias tomassem rumos diferentes.

Na primeira semana de maio, Jesse repetiu sua atuação em uma sala de audiências lotada no tribunal do condado de Hancock, em Bay St. Louis. Com uma grande variedade de clientes, escolheu um com uma apólice emitida pela Coast States Seguros Contra Acidentes, a quarta maior seguradora de imóveis da Costa e a que ele mais desprezava. Os advogados da companhia, também de um grande escritório de Jackson, ficaram impressionados desde o começo da sessão. Os executivos, trazidos de Nova Orleans por intimação, estavam muito fora de sua zona de conforto e não eram páreo para as granadas de Jesse. Evitavam ao máximo os tribunais. Jesse estava prosperando neles.

Um júri furioso condenou a empresa a pagar 55.000 dólares em danos morais.

Na semana seguinte, novamente no condado de Hancock, Jesse apresentou seu caso da maneira rápida de sempre que havia aperfeiçoado, depois ficou à espreita para emboscar os porta-vozes corporativos enviados para proteger os bens preciosos da Old Potomac Seguros Contra Acidentes. Eles tentaram se defender escondendo-se atrás de relatórios de campo, que traziam provas claras de que os danos em questão tinham sido causados pela água, não pelo vento. Um executivo, assustado com a ferocidade do ataque do advogado do autor do processo, ficou tão perturbado que se referiu ao incidente como furacão Betsy, outro lendário ciclone do ano de 1965.

O júri concedeu cada centavo que Jesse pediu e ainda acrescentou 47 mil dólares em danos morais.

Exatamente como nos outros casos, os advogados recorreram de todas as decisões na Suprema Corte do Mississippi.

EM MAIO, KEITH SE formou na Universidade do Sul do Mississippi em Ciências Políticas. Ele tinha 22 anos, ainda solteiro, e não estava de fato em busca de trabalho, mas ansioso para começar a faculdade de Direito na Universidade do Mississippi em junho. Dispensou uma viagem para as Bahamas com amigos e foi direto para o escritório de advocacia do pai, que se tornou seu point habitual aos finais de semana. Logo ficou amigo de Gage e Gene Pettigrew, e as longas horas de trabalho exigidas pelo brutal calendário de audiências de Jesse eram sempre divertidas. Tarde da noite, depois que Jesse finalmente ia para casa, os garotos trancavam as portas e pegavam as cervejas.

Durante uma sessão, Keith teve a brilhante ideia de publicar um boletim informativo mensal para os clientes com atualizações sobre todos os aspectos dos casos envolvendo o Camille. Relatórios de julgamentos, os últimos vereditos, matérias de jornal, entrevistas com segurados, recomendações de bons empreiteiros e assim por diante. Claro, Jesse teria algo a dizer em cada edição. Ele era o advogado mais popular da Costa, e as seguradoras estavam sempre fugindo dele. As pessoas queriam ler a seu respeito. A lista da mala direta incluiria todos os clientes, que já eram mais de 1.200, mas também outros advogados, assistentes paralegais, oficiais de justiça e até juízes. E a tática mais brilhante seria a inclusão de *todos* os segurados com pedidos em andamento.

Gene argumentou que poderia haver questões com a publicidade, que ainda era estritamente proibida no estado. Gage não via problema. O boletim informativo não era uma tentativa explícita de atrair clientes. Na verdade, era simplesmente um meio de compartilhar informações com as pessoas que precisavam delas.

Keith viu isso como um momento raro e perfeito para (1) manter os clientes satisfeitos, (2) sutilmente conseguir mais clientes e (3) lembrar os eleitores do Segundo Circuito de que Jesse Rudy era um advogado durão em quem podiam confiar. Ao mesmo tempo que evitava a rigidez da política, o boletim informativo podia ser um belo cartão de visitas e o primeiro passo na corrida eleitoral do ano seguinte para o cargo de promotor. Ele escreveu o primeiro boletim informativo, batizou-o de *Relatório dos Casos Camille* e o mostrou ao pai, que ficou impressionado. Eles discutiram sobre a lista de destinatários, e Jesse foi inflexível: para ele, a mala direta seria considerada publicidade. Com relutância, concordou com uma remessa inicial para 2 mil clientes e outras pessoas que tivessem entrado em contato com seu escritório anteriormente.

O boletim foi um sucesso. Os clientes adoraram a atenção e se sentiram encorajados ao verem seu advogado defendendo seus casos de maneira tão ativa. Distribuíram cópias, compartilharam com os vizinhos. Desconhecidos apareciam no escritório, segurando o boletim informativo, solicitando uma hora com o Dr. Rudy. Sem o conhecimento de mais ninguém, Keith fez centenas de cópias extras do primeiro boletim, praticamente todo escrito por ele e, despretensiosamente, deixou o material em salas de audiências, correios, prefeituras e em uma tenda improvisada que estava sendo usada como ponto de encontro não oficial em Camille Ville.

E então chegou a hora de partir para a faculdade de Direito. Em sua última noite em Biloxi, Keith encontrou Joey e Denny em um bar novo em Back Bay, uma espelunca barata dentro de uma velha fábrica de enlatados e ostras. Com milhares de agentes humanitários ainda na cidade, alguém se deu conta de que eles tinham sede e abriu um bar. Curiosamente, não havia strippers nem quartos no andar de cima, muito menos máquinas de caça-níqueis.

Os esforços pela recuperação dos estragos feitos pelo Camille estavam a todo vapor, mas aquele era um processo que levaria anos, não meses. Muitas casas, lojas e escritórios jamais seriam reconstruídos. Montanhas de escombros aguardavam para serem removidas e queimadas. Denny trabalhava para um empreiteiro do governo de Dallas e dirigia um caminhão basculante dez horas por dia. Não era um bom trabalho, mas o salário era satisfatório. Joey falou sobre os negócios envolvendo a pesca, que estavam se recuperando bem. O furacão desestabilizou o estreito do Mississippi por mais ou menos um mês, mas os peixes voltaram, como sempre. A enorme quantidade de detritos levados pela onda estava agora no fundo do Golfo e atraía peixes para nidificação. As colheitas de ostras estavam especialmente abundantes.

Por fim, chegaram a Hugh. Keith não o via fazia pelo menos três anos, certamente não desde a última eleição. O que era bom, os outros dois concordavam. Eles o viam de vez em quando, e Hugh deixara claro que ele e o pai não precisavam do bando de Rudy. Muita coisa tinha sido dita no calor da campanha. Jesse havia prometido dar um jeito nas boates e fechá-las por conta das atividades ilegais. Chegou a usar uma foto do Red Velvet em uma de suas correspondências.

– Fica longe desse cara – avisou Denny. – Ele tá atrás de confusão.

– Ah, fala sério – disse Keith. – Se o Hugh aparecesse aqui agora, eu ia pagar uma cerveja pra ele e a gente falaria sobre futebol. O que ele vai fazer?

Denny e Joey se entreolharam. Sabiam mais do que queriam contar.

Joey deu de ombros e disse:

– Ele briga muito, Keith, gosta de ficar na porta e intimidar as pessoas. Como sempre, o cara gosta de cair na porrada.

– O pai faz ele trabalhar como segurança?

– Não, ele que quer. Diz que é onde está a ação. Além disso, é ele que sempre avalia as garotas primeiro.

– Ele diz que vai assumir o controle um dia e que quer aprender o negócio desde o início – contou Denny. – Trabalha de motorista pro pai, carrega uma arma, frequenta as boates, testa as mulheres. É um completo bandido, Keith. Você não vai querer ficar perto dele.

– Pensei que vocês estivessem metidos nessa – disse Keith.

– Talvez antes do Camille, sim, mas agora, não. Ele é grande demais pra mim, muito barra pesada e muito popular. Não é mais meu amigo.

Para mudar de assunto, Joey perguntou:

– Vocês leram sobre Todd Foster, o garoto de Ocean Springs?

Ambos balançaram a cabeça, negando.

– Imaginei que não. Todd Foster foi morto no Vietnã algumas semanas atrás, a vigésima terceira vítima da Costa. Ele não devia ser um cara muito brilhante, porque se ofereceu pra ir e depois se alistou pra mais duas missões.

– Que coisa horrível – comentou Keith, mas eles já estavam acostumados com histórias como aquela.

– Enfim, ele tinha um apelido. Adivinhem só.

– Como é que a gente vai saber? – perguntou Keith. – Toquinho. Toquinho Foster.

– Pelinho. Pelinho Foster. O cara que vimos no Golden Gloves na noite em que ele e o Hugh enfiaram a porrada um no outro. O árbitro disse que tinha sido empate.

Keith ficou surpreso e triste.

– Como a gente poderia esquecer? – comentou ele. – Estávamos todos lá, fazendo barulho e gritando: "Vamos, Hugh! Vamos, Hugh!"

– Eu nunca vou me esquecer daquela luta – disse Denny. – O Pelinho era duro na queda e aguentava bem o tranco. Eles lutaram outra vez, não?

Joey sorriu e disse:

– Lembra? O Hugh disse que eles lutaram mais duas vezes, cada um ganhou uma, depois tiveram uma briga numa boate uma noite, quando o Pelinho perdeu a linha. Segundo nosso querido amigo Hugh, ele venceu por nocaute.

– É claro. Por acaso o Hugh já perdeu alguma luta que ninguém viu?

Eles riram e bebericaram suas cervejas. Eram amigos desde a primeira série no Point e haviam compartilhado muitas aventuras. Keith queria que a amizade deles durasse para sempre, mas temia que estivessem se afastando. Denny ainda estava em busca de uma carreira e fazia poucos avanços. Joey parecia contente seguindo os passos do pai e pescando pelo resto da vida. E Hugh já era. Como não era de surpreender, ele havia entrado para o submundo, do qual era impossível sair. Gângsteres de carreira como Lance Malco eram presos, assassinados ou morriam na cadeia. Esse também seria o futuro de Hugh.

21

As disputas judiciais haviam exposto uma nova realidade. As companhias de seguros podiam se dar ao luxo de protelar as reinvindicações contra danos materiais, mas não seriam capazes de sobreviver a júris raivosos dispostos a fazer o que quer que Jesse Rudy pedisse.

Quando uma indenização de 15 mil dólares tinha seu valor quadruplicado com o acréscimo de danos morais, era a hora de agitar a bandeira branca. Como era de se esperar, no entanto, a rendição seria tediosa e frustrante.

A trégua ocorreu durante uma audiência em Wiggins, no momento que os advogados esperavam que o juiz Oliphant subisse à tribuna e iniciasse a seleção do júri. Simmons Webb caminhou até a mesa dos autores do processo, inclinou-se e sussurrou:

– Jesse, meu cliente disse que já chega.

As palavras eram mágicas, embora a expressão de Jesse não tivesse se alterado.

– Vamos até o gabinete – disse ele.

O juiz Oliphant tirou a toga e apontou para a pequena mesa de reuniões.

– Excelência – começou Webb –, finalmente convenci meu cliente a fazer acordos e a pagar as indenizações.

Sua Excelência não foi capaz de reprimir um sorriso. Ele estava cansado dos julgamentos ininterruptos e precisava de um descanso.

– Que ótima notícia – disse ele. – Quais são as suas condições?

– Bom, no presente caso, o titular da apólice reivindica uma indenização no valor de 13 mil dólares. Faremos um cheque com esse valor.

Jesse estava pronto para atacar.

– De jeito nenhum. Vocês estão sentados nesse dinheiro há quase um ano, e isso não vai sair assim de graça. Qualquer acordo deve incluir juros e despesas de subsistência.

– Não sei se a Action Risk Seguros vai aceitar.

– Então vamos começar o julgamento. Estou pronto, Excelência.

O juiz ergueu as mãos e pediu silêncio. Ele olhou para Webb.

– Se pretende encerrar esses casos com um acordo, então isso será feito da forma correta. Essas pessoas têm direito a danos, despesas e juros. Até agora, todos os jurados concordaram.

– Excelência, acredite em mim, tenho consciência de tudo isso, mas preciso debater com meu cliente. Me dê cinco minutos.

– E tem mais uma coisa – acrescentou Jesse. – Eu assumi esses casos, e meus honorários só seriam pagos no final do processo, calculados em vinte por cento do valor da ação, mas não é justo que eu desconte essa quantia de um montante que é absurdamente necessário para meus clientes. A má-fé da sua empresa obrigou todos eles a abrirem um processo. Sendo assim, a sua empresa vai pagar quinhentos dólares em honorários advocatícios por processo.

Webb se irritou e respondeu, presunçoso:

– Isso não está na apólice.

– Os danos morais também não – rebateu Jesse.

Webb gaguejou, mas não disse nada.

– E desde quando o seu cliente honra as apólices? – completou Jesse.

– Vamos lá, Jesse. Os jurados não estão aqui.

– Não, estão lá fora, e estou pronto pra levar todo mundo pra bancada e dar início a mais um julgamento. Se tudo der certo, vou pedir 100 mil de danos morais.

– Relaxa aí. Me dá cinco minutos, tá bem?

Webb deixou o gabinete, e Jesse e Oliphant suspiraram em uníssono.

– Será que acabou? – perguntou o juiz, quase para si mesmo.

– Talvez. Talvez seja apenas o começo do fim. Estive com os advogados da Coast States na semana passada, em Jackson, pra tentar chegar a um acordo. Pela primeira vez, estavam dispostos a conversar. Continuavam impassíveis até agora. Se a Action Risk Seguros e a Coast States se renderem, os outros vão vir logo atrás.

– Quantos casos você tem agora?

– Mil e quinhentos, contra oito empresas. Mas só dei entrada em duzentos, aqueles com danos claramente causados pelo vento. Os outros são mais complicados, como sabe. Vão ser mais difíceis de resolver por conta dos danos causados pela água.

– Não dê entrada em mais nenhum, Jesse, por favor. Estou farto desses julgamentos. E tem mais uma coisa que anda realmente me incomodando. Eu não sou mais imparcial, e pra um juiz isso não é bom.

– Eu entendo, Excelência, mas ninguém pode julgá-lo por isso. Essas malditas companhias de seguros são podres, e se não tivesse aceitado meu pedido de danos morais, não estaríamos aqui conversando sobre um possível acordo. O senhor fez isso acontecer, Excelência.

– Não, o mérito é todo seu. Nenhum outro advogado na Costa teve a ousadia de encarar um julgamento desses. Eles entraram com os processos e tudo, mas estão esperando que você force os acordos.

Jesse sorriu e reconheceu que ele tinha razão. Minutos se passaram antes que Webb retornasse, e ele voltou um homem diferente. O rosto estava relaxado, os olhos tinham certo brilho, o sorriso nunca fora tão largo. Ele estendeu a mão e disse:

– Combinado.

Jesse a apertou.

– Fechado. Bom, agora não vamos sair dessa sala até que tenhamos um acordo por escrito, testemunhado pelo juiz, que cubra todos os meus casos e clientes.

O juiz Oliphant vestiu sua toga, foi até a sala de audiências e liberou os possíveis jurados. Jesse informou a seu cliente que o caso havia sido resolvido e que um cheque estava a caminho.

SEMANAS SE PASSARAM, PORÉM, antes que alguém visse um cheque. A Action Risk Seguros havia protelado as reivindicações e simplesmente seguido para o capítulo seguinte. Ligações telefônicas para corretores muitas vezes não eram retornadas e, quando eram, o atendimento nunca acontecia de pronto. Uma quantidade incrível de documentos foi perdida no correio. Todas as correspondências da empresa eram enviadas no último momento possível. Um dos truques favoritos era fazer acordos com as pessoas que haviam contratado advogados e ignorar as que não contratavam.

A Coast States aceitou os acordos duas semanas após a Action Risk Seguros e se mostrou igualmente evasiva. No final de julho, quase todas as seguradoras estavam fazendo propostas de acordo. Os empreiteiros de repente ficaram ocupados e, ao longo dos bairros devastados, os sons bem-vindos de martelos e serras elétricas preenchiam o ar.

O Rudy & Pettigrew Advogados recebeu seu primeiro lote de cheques para os 81 clientes que processaram a Action Risk Seguros. De repente, havia pouco mais de 40 mil dólares em honorários no banco, e o dinheiro tinha diminuído consideravelmente o estresse. Jesse recompensou seus sócios com belos bônus, bem como sua secretária e o assistente paralegal de meio período. Ele levou algum dinheiro para casa, para Agnes e as crianças. Enviou um cheque para Keith na faculdade. E guardou 5 mil dólares na conta destinada à sua campanha, que ele nunca havia fechado.

As disputas estavam longe de chegar ao fim. Os clientes que moravam mais perto da praia tinham sofrido danos claramente causados pela maré. Jesse defendia que os ventos, de pelo menos 280 quilômetros por hora, sopraram telhados e varandas horas antes da enchente. Provar tudo isso, entretanto, exigiria peritos e dinheiro.

NO ANIVERSÁRIO DE UM ano do Camille, uma multidão se reuniu em uma bela manhã, perto das ruínas da Igreja do Redentor, a mais antiga igreja episcopal da Costa. A banda municipal tocou por meia hora enquanto a multidão se reunia. Um ministro presbiteriano fez uma oração rebuscada, seguida por um padre, que foi mais sucinto. O prefeito de Biloxi falou da força de vontade ferrenha e do espírito de luta do povo da Costa. Ele apontou para a direita e falou sobre a reconstrução do porto de Biloxi. À sua esquerda, do outro lado da Highway 90, um novo shopping center estava em construção. A maior parte dos escombros havia sido removida, e a cada dia os ruídos da recuperação ficavam mais fortes. Cambaleante e ferida como nunca, a Costa havia caído de joelhos, mas se levantaria novamente.

Um belo memorial para as vítimas foi inaugurado.

QUANDO O CAMILLE DESTRUIU as casas noturnas e varreu tudo menos as lajes de concreto, algumas pessoas acharam que talvez Deus tivesse enviado uma mensagem, pronunciando, por fim, o julgamento dos degenerados. Esse foi um tema popular entre alguns pastores após o ciclone. O infame vício de Biloxi havia desaparecido. Já ia tarde. Deus seja louvado.

Os pecadores, porém, ainda tinham sede, e quando o Red Velvet e o O'Malley reabriram três meses após o incidente, lotaram na mesma hora, com longas filas de clientes aguardando para entrar. A popularidade dos dois locais inspirou outros, e logo havia oportunistas por toda parte. O terreno que ficava de frente para a praia, e que antes era bastante caro, estava então vazio, e muitos proprietários não tinham planos de voltar. Por que construir uma casa cara e arriscar passar por outro Camille? Os preços despencaram, e isso chamou ainda mais a atenção.

No Natal de 1969, estava em andamento um boom no setor de construção ao longo da Strip. Os prédios eram de metal barato, mal sendo capazes de resistir aos ventos de uma forte tempestade de verão. Eram decorados com toda espécie de toldos, pórticos, portas coloridas, janelas falsas e letreiros de neon.

A Costa ainda estava ocupada com trabalhadores da construção civil, diaristas, voluntários, vagabundos e membros da Guarda Nacional, sem mencionar os novos recrutas em Keesler, e a vida noturna voltava a todo vapor. O vício talvez tivesse sido o primeiro setor a se recuperar completamente após o furacão.

22

Por ser uma construção antiga de concreto e tijolos, a Parada do Jerry aguentou os ventos e a água e continuou de pé depois do ciclone. Lance encarregou Hugh dos reparos e reformas e, quando o local reabriu em fevereiro, o jovem decidiu que aquele seria seu novo ponto de encontro. Ele precisava manter alguma distância do pai e de Nevin Noll. Tinha 22 anos e estava em busca de um desafio. Estava cansado de ficar para lá e para cá como motorista do pai e de ouvir suas opiniões não solicitadas. Estava cansado de separar brigas no Foxy's e no Red Velvet, cansado de preparar drinques quando algum barman não aparecia, cansado dos conselhos velados da mãe em relação a uma vida no crime. Não estava cansado das garotas, mas tinha curiosidade sobre como seria ter um relacionamento mais sério. Tinha seu próprio apartamento, morava sozinho e gostava disso, e começava a se sentir inquieto.

O emprego oficial de Hugh era gerenciar lojas de conveniência 24 horas que também vendiam gasolina barata. Lance tinha várias dessas ao longo da Costa e as utilizava para lavar o dinheiro das boates. Os produtos eram pagos à vista, com desconto, e uma vez que chegavam às prateleiras, tornavam-se estoques legítimos. As vendas eram devidamente registradas, os impostos, pagos, e assim por diante. A maior parte das vendas, ao menos. A verdade é que cerca de metade da receita bruta nunca chegava aos livros de contabilidade. O dinheiro sujo ficava ainda mais sujo.

Hugh desistira do boxe quando percebeu que seus pontos fortes – a cabeça dura, as mãos rápidas e a paixão por trocar socos com alguém – eram anulados por seus maus hábitos no quesito treinamento. Sempre gostou de frequentar a academia, mas Buster por fim o expulsou de lá quando o pegou fumando pela terceira vez. Hugh gostava demais de cerveja, cigarros e vida noturna para manter a forma de um lutador de boxe. Depois de se aposentar, passava as tardes na Parada do Jerry, jogando sinuca e matando tempo. Ele adorava pôquer e pensou em ir para Las Vegas e se dedicar a isso em tempo integral, mas nunca foi capaz de manter uma constância nas vitórias. Tornou-se craque na sinuca, ganhou alguns torneios, mas nunca havia dinheiro suficiente em jogo.

O trabalho honesto nunca o atraiu. Conheceu alguns traficantes de drogas e se interessou pelo assunto, mas ficou desmotivado pela brutalidade do negócio. O dinheiro era bastante atraente, mas os riscos eram muito maiores. Se não levasse um tiro, provavelmente acabaria preso. Havia sempre algum dedo-duro, e ele conhecia homens que tinham sido condenados a passar décadas na cadeia. Também tinha ouvido falar de um casal que tinha sido amarrado, amordaçado e atirado no Golfo.

Ele estava na mesa de sinuca uma noite quando Jimmie Crane entrou em sua vida. Jamais o vira antes e ninguém sabia de onde ele vinha. Enquanto tomavam cerveja, Jimmie disse que acabara de receber liberdade condicional depois de quatro anos preso em uma penitenciária federal por contrabando de armas do México. Jimmie falava muito, era carismático e engraçado, com muitas histórias sobre a vida na cadeia. Contou que o pai era membro da Dixie Mafia e comandava uma gangue de ladrões de banco na Carolina do Sul. Um serviço acabou dando errado e o pai levou um tiro, sobreviveu por pouco e desde então estava cumprindo prisão perpétua. Jimmie disse que estava trabalhando em um plano para ajudá-lo a escapar. Hugh e os outros duvidavam de muitas das histórias de Jimmie, mas ouviam e riam mesmo assim.

Jimmie se tornou um frequentador assíduo da Parada do Jerry, e Hugh gostava de sua companhia. O homem também evitava empregos fixos e alegava ganhar um bom dinheiro apostando, embora sempre evitasse as mesas ao longo da Strip. Dizia que todos no ramo sabiam que as mesas de Biloxi eram manipuladas. Dirigia um carro bacana e parecia não se preocupar com dinheiro. O que era estranho, pensou Hugh, para um cara que tinha acabado de passar quatro anos na prisão.

Hugh bateu um papo com Nevin, que por sua vez conversou com um investigador particular. As histórias de Jimmie foram confirmadas. Ele tinha sido preso no Texas por porte de armas e cumprido pena em uma penitenciária federal no Arkansas. O pai fora um ladrão de banco conhecido. Lance nunca tinha ouvido falar dele, mas um pessoal das antigas conhecia sua reputação.

Jimmie estava convencido de que uma fortuna poderia ser feita no comércio de armas. Pistolas, fuzis e espingardas eram fabricados em toda a América do Sul, onde a posse de armas não era tão popular quanto nos Estados Unidos. Apesar de ter acabado de cumprir pena por contrabando, estava pronto para outra incursão no negócio. Hugh ficou intrigado, e logo esse passou a ser o único assunto sobre o qual os dois falavam.

O primeiro obstáculo era dinheiro. Precisavam de 10 mil dólares para comprar um caminhão cheio de armas, cujo valor de mercado era pelo menos cinco vezes o investimento. Jimmie conhecia o mercado, os intermediários no Texas, as rotas marítimas e os traficantes nos Estados Unidos que comprariam tudo que cruzasse a fronteira. A princípio, Hugh ficou desconfiado e achou que seu novo amigo fosse um agente secreto ou um vigarista que tinha aparecido do nada e no fundo estava atrás do dinheiro de Malco.

Com o tempo, porém, começou a confiar nele.

– Eu não tenho 10 mil dólares – disse Hugh, tomando uma cerveja.

– Nem eu – respondeu Jimmie, arrogante como sempre. – Mas sei como conseguir.

– Prossiga.

– Toda cidadezinha tem uma joalheria, bem na rua principal, ao lado de uma cafeteria. Anéis de diamante na vitrine, relógios de ouro, pérolas, rubis, o que você imaginar. Os donos são sempre um casal de moradores, e sempre tem uma adolescente mascando chiclete trabalhando atrás do balcão. Sem nenhuma segurança. Na hora de fechar, eles trancam tudo num cofre e vão para casa. Os mais espertos levam os diamantes com eles, colocam debaixo do travesseiro. Mas a maioria não é tão inteligente, faz a mesma coisa há anos e acha que não tem nada com o que se preocupar.

– Você arromba cofres também?

– Não, sua besta, eu não arrombo cofres. Existe uma maneira mais fácil de fazer isso, e as chances de ser pego são de uma em mil.

– Nossa, nunca ouvi essa antes.
– Só me escuta.

ELES ESCOLHERAM A CIDADE de Zachary, Louisiana, ao norte de Baton Rouge e a três horas de Biloxi. Um local movimentado, com uma população de 5 mil habitantes e uma pequena joalheria na rua principal. Hugh, de paletó e gravata, entrou na loja certa manhã às dez horas com sua futura noiva, Sissy, uma de suas strippers favoritas. Para desempenhar o papel, a jovem estava totalmente coberta, usando um vestido branco liso um pouco decotado, que revelava bastante os seios fartos. O rosto estava sem nenhuma sombra e rímel, apenas um batom leve, cabelo volumoso, a aparência de uma garota bonitinha, saudável até. O Sr. Kresky, na casa dos 60 anos, cumprimentou-os calorosamente e se comoveu ao saber que os dois estavam procurando um anel de noivado. Que casal adorável. Ele puxou duas bandejas com seus melhores diamantes e perguntou de onde eram. Baton Rouge, e tinham ouvido falar da loja, de sua incrível seleção de joias e dos ótimos preços. Quando Sissy se inclinou para a frente e olhou boquiaberta para os anéis, o Sr. Kresky não pôde deixar de reparar no decote e corar.

Ela olhou em volta, apontou para mais alguns anéis, e ele, cheio de habilidade, puxou mais dois painéis de exibição.

Outro cliente entrou, um jovem simpático que deu um animado olá. Disse que queria olhar alguns relógios, para os quais o Sr. Kresky apontou em uma vitrine antes de se voltar rapidamente para Sissy.

Hugh se aproximou e disse ao Sr. Kresky:

– Tá vendo a bolsa dela? Tem uma pistola ali dentro.

O outro cliente, Jimmie, também se aproximou.

– E eu tenho uma bem aqui – acrescentou.

Ele abriu o paletó e mostrou a Ruger presa ao cinto. Jimmie então foi até a porta, girou a trava e virou a placa de aberto para fechado.

– Coloca tudo isso num saco, agora mesmo, bem rápido, e ninguém vai se machucar.

– O que é isso? – perguntou o Sr. Kresky de olhos arregalados.

– O nome disso é roubo – resmungou Hugh. – Anda longo, antes que a gente comece a atirar.

Hugh deu a volta no balcão, pegou duas sacolas grandes de compras e começou a recolher todas as joias e relógios à vista.

– Não posso acreditar nisso – disse o Sr. Kresky.

– Cala a boca – disparou Hugh.

Em segundos, as duas sacolas foram enchidas e as vitrines, saqueadas. Hugh agarrou o Sr. Kresky e o colocou no chão enquanto Sissy puxava um rolo de fita adesiva da bolsa.

– Por favor, não me machuque – implorou o Sr. Kresky.

– Cala a boca e ninguém vai se machucar.

Hugh e Jimmie prenderam os tornozelos e os pulsos do homem, e colocaram a fita em sua boca e em volta da cabeça, deixando apenas um pequeno espaço para que ele pudesse respirar. Sem dizer uma palavra, Jimmie pegou uma sacola, destrancou a porta e saiu. Ele dobrou a esquina e entrou no Pontiac Firebird 1969 de Hugh, com placas novinhas da Louisiana. Se alguém o notou, ele não percebeu. Parou em frente à joalheria, e Hugh e Sissy entraram com a outra bolsa. A fuga foi tranquila e rápida. Cinco minutos depois, estavam fora da cidade, indo para o norte, gargalhando com sua astúcia. Tinha sido mais fácil do que tirar doce de criança. Sissy, no banco de trás, já experimentava anéis de diamante.

Dirigiam a uma velocidade razoável, pois não havia motivo para se arriscarem, e uma hora depois cruzaram a fronteira com o Mississippi. Na cidade ribeirinha de Vicksburg, pararam em uma barraca de cachorro-quente para almoçar, depois continuaram rumo ao norte pela Highway 61, passando pelo coração do delta do Mississippi. Em um posto de gasolina, colocaram seus objetos de valor – duas dúzias de anéis de diamante, vários pingentes de ouro, brincos e colares com rubis e safiras, e 21 relógios – em uma caixa de metal e esconderam no porta-malas. Jogaram fora as sacolas de compras e os expositores da loja do Sr. Kresky. Substituíram as placas da Louisiana por outras do Arkansas. Às três da tarde, cruzaram o rio Mississippi e logo chegaram ao centro de Helena, população de 10 mil habitantes, com uma rua principal movimentada, mas não lotada. Estacionaram de modo que pudessem ver a porta da joalheria e observaram o entra e sai de clientes.

Hugh e Jimmie haviam debatido a estratégia. Hugh queria examinar cuidadosamente todos os alvos e planejar cada movimento que fariam. Jimmie achou que aquilo era uma má ideia – quanto mais tempo passassem no local, mais provável que alguém os notasse. Ele queria agir rápido e sair da cidade antes que algo desse errado. Sissy não tinha opinião e estava apenas entusiasmada por estar com os dois naquela aventura. Era muito mais divertido do que convencer soldados a beber e transar.

Às três e meia, quando tiveram certeza de que não havia clientes dentro da Mason's Keepsakes, Hugh e Sissy, de mãos dadas, entraram na loja e cumprimentaram a Sra. Mason, a mulher atrás do balcão. Em pouco tempo, a bancada estava coberta de placas de veludo exibindo dezenas de diamantes baratos. Hugh disse que queria gastar um bom dinheiro, e ela gritou para alguém nos fundos. O Sr. Mason apareceu com uma caixa trancada, que abriu e mostrou com orgulho ao belo casal.

Jimmie entrou na loja com um sorriso e perguntou sobre relógios. Ele puxou sua Ruger e, em segundos, os Mason estavam no chão, implorando por suas vidas. Quando seus tornozelos e pulsos foram amarrados, e as bocas cobertas com fita, Jimmie saiu na frente com uma sacola de compras da loja cheia de joias. Hugh e Sissy saíram minutos depois com outra sacola. A fuga foi fácil, sem que ninguém desconfiasse deles. Duas horas depois, chegaram ao centro de Memphis, conseguiram um bom quarto no Peabody Hotel, no centro da cidade, e foram até o bar. Depois de um longo jantar, os três dormiram juntos na mesma cama e se divertiram um bocado.

Jimmie, o criminoso mais experiente, parecia ter ótimos instintos e era destemido. Ele tinha a firme opinião de que não deveriam fazer dois roubos no mesmo estado, e Hugh concordou prontamente. Sissy não participou do planejamento e se contentava em tirar uma soneca no banco de trás. Os rapazes permitiram que ela usasse alguns dos itens da Mason's, e ela se divertiu desfilando com colares e pulseiras.

Às dez da manhã seguinte, invadiram uma loja em Ripley, no Tennessee, e quatro horas depois invadiram a joalheria Toole's, em Cullman, no Alabama. O único problema foi quando o Sr. Toole desmaiou ao ver a Ruger de Jimmie e parecia morto quando foi amarrado com a fita adesiva.

Depois de quatro assaltos perfeitos, decidiram não abusar da sorte e voltaram para casa. Estavam entusiasmados com a facilidade com que haviam realizado seus crimes e impressionados com a própria astúcia e frieza sob pressão. Sissy, em particular, tinha talento para interpretar a futura noiva de olhos brilhantes, e emanava puro afeto por Hugh enquanto experimentava anel após anel. O jovem não conseguia tirar as mãos dela, e os homens do outro lado do balcão eram incapazes de ignorar os atributos suntuosos da stripper. Eles começaram a pensar em si mesmos como uma versão moderna de Bonnie e Clyde, cruzando pequenas cidades do sul do país, sem deixar pistas e ficando ricos.

Quando estavam a uma hora de distância de Biloxi, passaram a discutir sobre como guardariam as joias. Quem ficaria com elas e onde? Como fariam a divisão? Hugh e Jimmie não tinham planos de dividir os ganhos igualmente com Sissy; ela não passava de uma stripper, embora eles gostassem de sua companhia, rissem de suas piadas e ficassem tontos quando ela se despia. No entanto, os dois eram criminosos espertos e sabiam muito bem que ela era o elo mais fraco. Se um policial aparecesse fazendo perguntas, seria a primeira a abrir o bico. Por fim, concordaram em permitir que Hugh escondesse as mercadorias em seu apartamento por alguns dias. Jimmie afirmou ter um contato em Nova Orleans que venderia as joias por um preço justo.

Duas semanas se passaram sem uma palavra, nenhum sinal de problema. Hugh foi à biblioteca principal de Biloxi e folheou jornais da Louisiana, do Arkansas, do Tennessee e do Alabama, mas não encontrou nada. Os roubos não haviam sido noticiados pelos jornais maiores. A biblioteca não assinava os semanários de cidades pequenas. Ele e Jimmie presumiram, com razão, que as polícias das quatro cidades não estavam em contato entre si, porque não estavam cientes de que crimes semelhantes haviam acontecido em outros lugares.

HUGH PAROU SEU FIREBIRD em um estacionamento público a um quarteirão ao sul da Canal Street, em Nova Orleans. Ele e Jimmie vagaram pelo French Quarter e foram ao Chart Room na Decatur Street, onde tomaram uma cerveja. Cada um carregava uma sacola de ginástica volumosa, cheias dos objetos reunidos nos saques. O próximo passo era perigoso, pois havia algumas incógnitas. O receptor era um sujeito chamado Percival, em tese um homem de confiança. Mas quem diabos poderia ser confiável em um negócio tão cruel? Até onde sabiam, Percival poderia perfeitamente ser um policial disfarçado e enredá-los em uma armação capaz de mandá-los para a cadeia. Jimmie havia falado com seus contatos e estava certo de que eles estavam indo para o lugar correto. Hugh havia procurado Nevin Noll e lhe dito por alto que um amigo precisava vender uns diamantes. Nevin mergulhou no submundo e voltou com a informação de que Percival era confiável.

A loja dele ficava na Royal Street, entre dois estabelecimentos sofisticados que vendiam antiguidades francesas de qualidade. Hugh e Jimmie estavam nervosos ao entrar, mas tentaram parecer calmos, como se soubessem exatamente o que estavam fazendo. Ficaram impressionados com as vitrines repletas de moedas raras, grossas pulseiras de ouro e lindos diamantes. Um homenzinho gorducho com um charuto preto preso no canto da boca apareceu por entre as cortinas grossas e, sem sorrir, perguntou:

– Posso ajudar?

Hugh engoliu em seco e respondeu:

– Claro, viemos falar com o Percival.

– O que estão procurando?

– Não viemos comprar. Viemos vender.

Ele franziu a testa como se fosse abrir fogo ou chamar a polícia.

– Seu nome?

– Jimmie Crane.

Ele balançou a cabeça, como se o nome não significasse nada.

– Tá vendendo o quê?

– Uns diamantes e tal – respondeu Jimmie.

– Você nunca esteve aqui antes.

– Não.

O homem analisou os dois e não gostou do que viu. Resmungou, soprou outra espessa nuvem de fumaça em direção ao teto e, por fim, declarou:

– Vou ver se ele tá ocupado. Esperem aqui.

Como se houvesse algum outro lugar onde esperar. Ele desapareceu entre as cortinas. Vozes baixas podiam ser ouvidas, vindo dos fundos. Hugh se distraiu com um expositor de notas de dólar confederado, enquanto Jimmie admirava uma prateleira de moedas gregas. Minutos se passaram, e eles pensaram em ir embora, mas não havia para onde ir.

As cortinas se abriram, e o homem resmungou:

– Venham aqui.

Eles o acompanharam por um corredor apertado cheio de pin-ups da Segunda Guerra Mundial emolduradas e pôsteres da *Playboy*. O homem abriu uma porta e acenou com a cabeça, apontando para dentro. Em seguida, fechou-a e disse:

– Preciso revistar vocês. Abram os braços.

Hugh levantou os braços, e o homem o apalpou.

– Não estão armados, né?

– Não.

– O último policial que entrou aqui levou um tiro.

– Interessante, mas não somos policiais – brincou Jimmie.

– Não banque o espertinho, garoto. Abre os braços.

Ele revistou Jimmie e falou:

– Vocês dois estão carregando a carteira no bolso de trás do lado esquerdo. Puxem elas bem devagar e coloquem em cima da mesa.

Eles fizeram o que lhes foi pedido. O homem olhou para as carteiras e ordenou:

– Agora, peguem as carteiras de motorista e deem pra mim.

Ele analisou o documento de Hugh.

– Mississippi, é? Quem diria – resmungou.

Hugh não conseguiu pensar em nenhuma resposta, não a que era de fato esperada.

O homem olhou para a de Jimmie com a mesma cara de reprovação e falou:

– Muito bem, funciona assim. Vou ficar com isso aqui até Percival terminar. Se der tudo certo, vocês pegam de volta. Entendido?

Eles assentiram, porque não estavam em posição de fazer objeções. Os objetos saqueados valiam muito pouco se não pudessem vendê-los, e, naquele momento, Percival era a única opção. Se as coisas realmente corressem bem, planejavam voltar em breve com outra carga.

– Esperem aqui. Sentem-se.

Ele apontou com a cabeça na direção de duas cadeiras completamente destruídas, ambas cobertas de revistas velhas. Os minutos se arrastaram, e as paredes da sala úmida começaram a se fechar ao redor deles.

Finalmente, a porta se abriu.

– Por aqui – disse o sujeito.

Eles o seguiram para dentro do prédio e pararam em outra porta. O homem deu uma batidinha conforme a abria, e eles entraram. Em seguida, ele fechou a porta e ficou de guarda, a 1,5 metro de distância dos dois.

Percival estava sentado atrás de uma escrivaninha imaculada em uma imensa cadeira estofada com estampa de oncinha. Ele poderia ter 40 ou 70 anos. Tinha cabelos espetados tingidos de um ruivo intenso só no topo da cabeça, que, de resto, era raspada. Brincos de pares diferentes pendiam das orelhas. O homem adorava joias. Correntes grossas de ouro envolviam seu pescoço e caíam sobre o peito peludo. Cada dedo era adornado com um anel espalhafatoso. Bugigangas chacoalhavam em seus pulsos.

– Sentem-se, rapazes – disse ele, com uma voz estridente e ligeiramente afeminada.

Eles obedeceram, e foi impossível não olhar, boquiabertos, para a criatura diante deles. O homem os encarou de volta por trás de um par de óculos redondos de armação vermelha. Seu cigarro pendia da borda de uma longa piteira de ouro, cuja ponta mantinha presa entre os dentes amarelos.

– Biloxi, né? Tive um amigo lá um tempo atrás. Ele foi pego e acabou sendo preso. É um negócio perigoso, garotos.

Hugh sentiu a necessidade de responder e quase disse "sim, senhor", mas "senhor" simplesmente não parecia apropriado. Como nenhum dos dois disse nada, Percival apontou para a mesa e disse:

– Muito bem, deixa eu dar uma olhada no que vocês têm aí.

Eles esvaziaram as duas bolsas cheias de anéis, pingentes, broches, colares, pulseiras e relógios. O homem não fez nenhum esforço para tocar nas joias; manteve distância, olhando por cima do nariz comprido, além do cigarro. Deu um trago e falou:

– Ora, ora, alguém andou fazendo compras. Parece coisa de lojinhas locais. Não me digam onde vocês arrumaram isso, porque não quero saber.

Ele finalmente esticou o braço e pegou um anel de noivado, meio quilate, e foi quando os dois notaram as unhas vermelhas brilhantes do homem. Ele colocou a ponta da piteira entre os dentes e balançou a cabeça como se aquilo fosse uma perda de tempo. Sem pressa, pegou uma folha de papel em uma gaveta e tirou a tampa de uma pesada caneta dourada. Atrás deles, o segurança soprou uma nuvem de fumaça azul de charuto.

Metódico, Percival pegava cada item, aproximava-o de seus óculos horrendos, estalava a língua e anotava um número. Ele pareceu gostar de um par de brincos de rubi e, enquanto os analisava, relaxou um pouco mais na cadeira, esticando os pés descalços na direção dos dois por baixo da mesa. O esmalte nas unhas dos pés combinava com o das mãos.

Hugh e Jimmie mantinham uma expressão séria, mas sabiam que dariam risada durante todo o caminho de volta para Biloxi. Se, de fato, conseguissem sair dali vivos.

Percival não usava relógio e era óbvio que não ligava para eles, mas examinou cuidadosamente cada item e atribuiu um valor. Era como se estivessem parados no tempo. Mas eles eram pacientes, porque Percival tinha dinheiro.

Ele trabalhava em silêncio enquanto fumava Camels sem filtro, um atrás do outro. O homem do charuto atrás deles não ajudava em nada com suas baforadas. Depois de uma eternidade, Percival recostou na cadeira mais uma vez e anunciou:

– Pago 4 mil dólares pelo lote.

Eles haviam estimado o valor de venda em algo próximo a 10 mil, mas já esperavam um desconto substancioso.

– Estávamos achando que 5 mil seria um valor justo.

– Estavam, é? Bem, rapazes, eu sou o especialista aqui, não vocês.

Ele olhou para o homem ao lado da porta.

– Max?

Sem hesitar, Max respondeu:

– Quatro mil e duzentos, no máximo.

– Muito bem, quatro mil e duzentos, dinheiro na mão.

– Fechado – disse Hugh.

Jimmie concordou com a cabeça. Percival olhou para Max, que se retirou da sala.

– O fornecedor de vocês é estável? – perguntou Percival.

Jimmie deu de ombros, e Hugh olhou para os sapatos. Ao fazer isso, teve outro vislumbre das unhas vermelhas do sujeito.

– Tem mais – respondeu Jimmie. – Tem interesse?

Percival riu e disse:

– Sempre. Mas cuidado por aí. Tem um monte de bandidos nesse negócio.

Rolando de tanto rir na volta para casa, eles repetiriam esse aviso centenas de vezes.

Max voltou com uma grande caixa de charutos e entregou para o chefe. Percival retirou um maço de notas de 100 dólares, contou lentamente 42 delas e as dispôs em uma fileira organizada. Max lhes devolveu as carteiras de motorista. Na saída, agradeceram a Percival e prometeram voltar, felizes por ele não ter se levantado nem estendido a mão.

Quando deixaram a loja, no meio da Royal Street, inspiraram o ar abafado e praticamente saíram correndo até o bar mais próximo.

O DINHEIRO FÁCIL ERA VICIANTE, mas eles lutaram contra o desejo de iniciar outra onda de crimes. Pagaram a Sissy 500 dólares e acrescentaram algumas joias para compensar. Passaram um mês planejando e, quando pareceu o momento certo, deixaram Biloxi na manhã de uma terça-feira e dirigiram três horas na direção leste até a cidade de Marianna, na Flórida, que tinha uma população de 7.200 habitantes. A Faber's era uma pequena joalheria no final da Central Street, longe de um café movimentado. Eles estacionaram em uma rua transversal e se prepararam. Hugh e Sissy entraram na loja, e a própria Sra. Faber os recebeu. Ela ficou felicíssima em poder mostrar ao jovem casal seus melhores anéis de noivado. Não havia outros clientes na loja, e ela ficou ainda mais feliz quando Jimmie entrou e perguntou sobre os relógios. Cinco minutos depois, a Sra. Faber estava no chão, enrolada em fita adesiva, e todos os diamantes tinham sido levados.

Passaram a noite em Macon, na Geórgia, e jantaram em um café no centro, mas a cidade era muito grande e havia gente demais nas lojas. Dirigiram duas horas para o leste até Waynesboro, sede do condado de Burke, e viram um alvo fácil. A Tony Joalheria e Penhores ficava na Liberty Street, a rua principal, em frente ao fórum.

Jimmie vinha reclamando de seu papel limitado nos assaltos e queria trocar de função com Hugh, que se considerava melhor ator que ele. Sissy não se importava de fato. Ela era a estrela, no fim das contas, e poderia lidar com qualquer noivo em potencial. Hugh finalmente concordou em ficar para trás e esperou enquanto eles entravam e seguiam o passo a passo.

A balconista era uma adolescente chamada Mandy, que trabalhava meio período na Tony Joalheria e Penhores. Ela adorava mostrar anéis para as noivas e escolheu os melhores para Sissy e Jimmie. Após cinco minutos, Hugh saiu do carro com uma pequena pistola no bolso. Não percebera que Jimmie tinha a Ruger no cinto sob o paletó.

Enquanto Sissy experimentava anéis, Mandy viu a pistola de relance. Aquilo a deixou alarmada, mas ela fingiu que estava tudo bem. Quando Jimmie perguntou se havia diamantes maiores no cofre, ela disse que sim e saiu para buscá-los. No escritório, a jovem informou a Tony que o cliente estava armado. Tony estava no ramo havia anos e sabia que seu estoque atraía todo tipo de gente. Ele pegou uma Smith & Wesson calibre .38 automática e foi para o salão. Quando Jimmie o viu chegando com a pistola, entrou em pânico e sacou a Ruger.

Hugh estava a 3 metros da porta da loja quando soaram tiros do lado de dentro. Uma mulher gritou. Os homens berravam, desesperados e irritados. Uma bala estilhaçou a grande vitrine da frente enquanto os sons das outras estalavam no ar e eram ouvidos em todas as direções da Liberty Street. Hugh virou as costas e dobrou uma esquina. Seu primeiro impulso foi entrar em seu Firebird e sair de lá às pressas. Ouviu sirenes, mais pessoas gritando, correndo para lá e para cá, uma confusão danada. Decidiu esperar, se misturar à multidão e avaliar os danos. Atravessou a rua e parou em frente ao fórum com outros transeuntes chocados. Dois policiais se agacharam e entraram na loja; outros os seguiram. A primeira ambulância chegou, e uma segunda apareceu alguns instantes depois. Os assistentes do xerife bloquearam o tráfego e ordenaram que a multidão recuasse.

A notícia finalmente se espalhou, e os primeiros relatos chegaram aos ouvidos dele. Ladrões armados haviam tentado assaltar a loja, e Tony reagiu. Ele ficou ferido, mas nada grave. Os dois ladrões, um homem e uma mulher, estavam mortos.

Como criminosos experientes, Jimmie e Hugh sabiam que não deviam deixar para trás nada que tivesse seus nomes. Naquele momento, a carteira e as roupas de Jimmie estavam no porta-malas do Firebird, junto da bolsa e dos objetos pessoais de Sissy. A bolsa que ela tinha levado para a loja continha apenas uma pistola e fita adesiva. Hugh estava atordoado demais para conseguir pensar com clareza, mas seus instintos lhe diziam para ir embora da cidade. Com os olhos grudados no espelho retrovisor, deixou Waynesboro, Geórgia, pela primeira e última vez.

Augusta era a cidade mais próxima. Quando teve certeza de que não estava sendo seguido, parou em um hotel na periferia da cidade e passou uma longa tarde esperando o noticiário das seis. O roubo fracassado em Waynesboro era a grande notícia. O chefe de polícia confirmou a morte de duas pessoas ainda não identificadas, um homem e uma mulher, ambos com cerca de 30 anos. Depois que escureceu, Hugh, ansioso para deixar o estado, dirigiu até a Carolina do Sul, depois rumo ao oeste até a Carolina do Norte e de lá em direção ao Tennessee.

Não fazia ideia de qual era a cidade natal de Jimmie Crane, mas ele havia mencionado algumas vezes que sua mãe tinha se mudado para a Flórida depois que o pai fora para a prisão. Não sabia de onde Sissy era e até duvidava que esse fosse seu nome verdadeiro. Não que isso importasse, porque ele não avisaria ninguém. Com o tempo, daria um jeito de ter acesso aos registros do Red Velvet e talvez conseguisse saber um pouco mais a respeito de Sissy. Hugh dormia com ela havia dois meses e tinha criado um carinho pela moça.

Dois dias depois, finalmente voltou para casa. Assustado e convencido de que não passava de uma besta completa, aos poucos retomou os velhos hábitos. Assalto à mão armada não era sua vocação. Contrabando de armas não era para ele.

UM MÊS DEPOIS, DOIS agentes do FBI fizeram uma visita a Albert Bowman no gabinete do xerife. Eles finalmente haviam reunido informações sobre os roubos, e as primeiras cinco vítimas ajudaram um desenhista a fazer retratos falados dos três membros da gangue. A mulher, Karol Horton, conhecida como Sissy, tinha sido rastreada até seu último local de trabalho, o Red Velvet. Estava morta. Seu ajudante, Jimmie Crane, era um criminoso condenado a quem recentemente havia sido concedida liberdade condicional e tinha carteira de motorista do Mississippi. Endereço em Biloxi. Morto também. Eles estavam atrás do terceiro suspeito.

Pela primeira vez, Pança era completamente inocente e não sabia nada sobre os roubos. Por que deveria? Tinham acontecido em outros estados, bem longe da Costa.

O terceiro desenho trazia grandes semelhanças com o filho de Lance Malco, porém Pança não disse nada. Os agentes do FBI poderiam mostrar a imagem por toda Biloxi, mas as pessoas que conheciam Hugh não diriam uma palavra. Depois que eles foram embora, Pança mandou Kilgore, um de seus assistentes, ir falar com Lance.

Hugh conseguiu um emprego em um cargueiro transportando camarão congelado para a Europa e não foi visto em Biloxi nos seis meses seguintes.

23

O ano de 1971 foi de eleições, e Jesse Rudy não perdeu tempo em anunciar sua candidatura à promotoria. No início de fevereiro, ele alugou o salão dos veteranos de guerra e deu uma recepção para amigos e apoiadores. Uma grande multidão compareceu, e ele ficou encantado com o apoio inicial. Em um breve discurso, voltou a prometer usar o cargo para fazer o que era devido: combater o crime e levar os criminosos à justiça. Em linhas gerais, falou sobre a corrupção que assolava a Costa havia décadas e a postura indiferente das autoridades em relação aos vícios desenfreados. Não citou nomes porque não era necessário. Todos ali conheciam os alvos de Jesse. As menções viriam mais tarde; os discursos ficariam mais longos.

O *Register* cobriu o evento, e Jesse apareceu na primeira página pela enésima vez nos últimos quatro anos. Desde o Camille, nenhum advogado na Costa havia ganhado tanto destaque quanto Jesse Rudy.

Agnes tinha reservas quanto ao marido tentar o cargo mais uma vez. A desonestidade durante a primeira corrida contra Rex Dubisson ainda era latente. Os truques sujos seriam lembrados por muito tempo. Havia uma sensação de perigo pairando o tempo todo, embora isso raramente fosse debatido. Com Keith na faculdade de Direito, Beverly e Laura na Southern Miss e Tim indo para a universidade no outono, o orçamento familiar estava apertado como sempre. O salário de promotor mal dava para bancar quatro filhos na faculdade. O escritório os mantinha em dia com as contas, então, argumentava ela, por que não se concentrar na advocacia e deixar Dubisson ou outra pessoa ignorar os criminosos?

Jesse, no entanto, jamais aceitaria nada disso. Ouviu várias vezes as preocupações da esposa, mas estava focado demais em sua missão. Desde a derrota em 1967, estava mais determinado do que nunca a se tornar o procurador-geral da Costa. Keith, ainda no primeiro ano da faculdade de Direito, tinha a mesma opinião e encorajava o pai a concorrer.

Após o anúncio da candidatura, Jesse se encontrou com os editores do *Register*. A reunião não correu bem, devido à sua abordagem agressiva. Na opinião dele, o jornal havia passado muito tempo sentado de braços cruzados, ignorando a corrupção. Eles adoravam o crime. Os assassinatos, espancamentos e torturas eram sempre notícias de primeira página. Quando os mafiosos entravam em guerra, o *Register* vendia ainda mais, mas pouquíssimas vezes o veículo investigava o que havia por trás de toda aquela violência e quais eram suas causas. O jornal também não era muito explícito quanto a quem apoiava. Albert Bowman quase nunca era criticado. Quatro anos antes, o jornal não havia apoiado nem Dubisson nem Jesse.

O advogado mostrou aos editores a infame propaganda "Fui estuprada por Jarvis Decker" que Dubisson havia usado em 1967. E lembrou-lhes do comentário do juiz: "Esses panfletos são repugnantes."

– Essa foi uma propaganda enganosa – alegou Jesse, repreendendo os editores. – Por fim, encontramos essa mulher, essa tal Connie Burns, que obviamente não se chamava Connie Burns. Levei dois anos pra rastreá-la. O nome dela é Doris Murray, e ela admitiu que alguém da campanha de Dubisson lhe pagou 300 dólares para posar para a foto e contar mentiras. Essa propaganda foi devastadora. Vocês estavam no tribunal. Cobriram a audiência, mas não fizeram nada pra investigar a história. Vocês deixaram o Dubisson se safar.

– Como você encontrou a mulher? – perguntou um editor, um tanto envergonhado.

– Trabalhando pesado. Gastando sola de sapato. Batendo de porta em porta. É o que a gente chama de jornalismo investigativo. E se o Dubisson tentar fazer isso de novo dessa vez, vou processá-lo ainda mais rápido. Seria bom se vocês fossem um pouco mais atrás dessas histórias.

Depois de mais um tempo naquela conversa constrangedora, o editor-chefe perguntou:

– Então, você quer o nosso apoio?

– Eu não me importo. Não faz grande diferença. Vocês são sempre rápidos ao apoiar um governador, um procurador-geral, ou algum cargo que não tenha valor nenhum pro povo, mas se dizem imparciais nas disputas locais. Desviar os olhos só encoraja a corrupção.

Ele saiu da reunião e a considerou bem-sucedida. Havia feito os editores se revirarem nas cadeiras e gaguejarem.

Sua próxima parada era uma reunião com Rex Dubisson, uma visita de cortesia, mas que tinha um propósito. Com algumas exceções, os dois tinham conseguido se evitar por quatro anos.

Dubisson raramente ia ao tribunal, o que era parte do problema que ele representava, na opinião de Jesse. Ele mencionou a propaganda envolvendo Jarvis Decker e prometeu processá-lo se truques sujos como aquele recomeçassem. Dubisson respondeu que as informações contidas no panfleto eram verdadeiras. Jesse praticamente fez um discurso e contou a história sobre como rastreou Doris Murray. Ele tinha uma declaração juramentada assinada pela mulher, na qual ela admitia ter recebido dinheiro da campanha de Dubisson em troca de sua foto e do depoimento falso.

A reunião degringolou, e Jesse saiu de lá furioso. Sua mensagem havia sido entregue.

Durante a primeira disputa eleitoral entre os dois, Dubisson tivera algumas vantagens: o mandato em vigor, o fato de ser conhecido e muito dinheiro. Naquele momento, entretanto, em razão do Camille e dos conflitos subsequentes, o cenário havia mudado em mais de um aspecto. Jesse Rudy era agora um nome familiar e um sujeito visto por muitos como um advogado corajoso e talentoso que havia confrontado empresas de seguros e vencido. No meio jurídico, circulava a fofoca de que seu escritório estava indo bem e de que ele estaria ganhando muito dinheiro. Estava em campanha há quatro anos e fizera muitos amigos. Seus sócios, os irmãos Pettigrews, eram do condado de Hancock, e a família deles era bem relacionada. A trágica morte do pai deles durante o Camille havia mexido com toda a comunidade. A popularidade dos rapazes conquistaria uns mil votos a mais.

Depois que ele saiu, Dubisson trancou a porta de seu gabinete e ligou para Albert Bowman. Talvez eles tivessem um problema.

DURANTE OS PRIMEIROS ATAQUES ao setor de seguros, Jesse conheceu uma jovem advogada chamada Egan Clement. Ela tinha 30 anos e trabalhava em Wiggins, no condado de Stone, onde sua família vivia há um século. O pai dela era o superintendente de educação do condado e muito respeitado.

Egan nunca havia processado uma seguradora antes, mas ela tinha clientes com pedidos de indenização por danos materiais que estavam sendo ignorados. Jesse reservou um tempo para orientá-la sobre os meandros desse tipo de ação, e eles se tornaram amigos. Ele a ajudou com seus processos e explicou à jovem quando fazer um acordo e quando ir a julgamento.

O condado de Stone tinha a menor população do Segundo Distrito, e Dubisson havia vencido lá por 31 votos. Jesse não pretendia perder de novo. Ele surpreendeu Egan com a sugestão de que ela entrasse na corrida para a promotoria. Uma corrida a três diluiria ainda mais a força de Dubisson e desviaria parte de sua atenção e dinheiro de Jesse. Concorrendo, ela ganharia reconhecimento, algo de que todo advogado de cidade pequena precisava. O acordo era simples: se Egan concorresse e perdesse, Jesse a contrataria como promotora adjunta.

O acordo era politicagem pura, mas em nenhum aspecto antiético. Jesse tinha visto Egan em ação e sabia que ela tinha potencial. Também gostava da ideia de ter uma promotora durona em sua equipe.

Em abril, Egan Clement entrou oficialmente na corrida para o cargo de promotora. O acordo foi mantido em sigilo, obviamente, e havia sido formalizado apenas com um aperto de mão.

DEPOIS DE SUA ÚLTIMA prova na faculdade, no início de maio, Keith voltou para casa no meio da campanha. Ainda motivado pela primeira derrota, havia passado todo aquele tempo incentivando o pai a concorrer de novo. Fora cativado pela política, adorava o assunto e estava tão determinado quanto Jesse a vencer, e a fazê-lo com louvor. Flertava com a ideia de se matricular mais uma vez em um curso de verão, mas precisava de uma pausa. O primeiro ano dele tinha corrido bem, suas notas eram impressionantes, mas Keith preferia passar os próximos três meses no turbulento mundo da política na Costa.

Escreveu os primeiros anúncios da campanha e os deixou prontos para quando, e se, Dubisson começasse com sua maliciosa mala direta. Não tiveram que esperar muito. Na primeira semana de junho, o distrito foi inundado com propagandas que traziam novamente a ideia de que o atual promotor "pegava pesado com os bandidos". Elas continham estatísticas que ostentavam uma taxa de condenação de noventa por cento, e assim por diante. Havia uma foto, uma imagem de Dubisson em ação no tribunal, apontando irritado para uma testemunha fora de quadro. Também existiam depoimentos de vítimas de crimes, expressando uma admiração despudorada pelo promotor que prendera os criminosos. Não havia nada de original nos anúncios, apenas as ofertas habituais de um promotor em exercício. Eram justos e equilibrados, e não mencionavam Jesse Rudy nem Egan Clement.

A campanha de Rudy reagiu depressa com uma mala direta que acertou o adversário em cheio. O panfleto listava sete homicídios não resolvidos ao longo dos últimos seis anos. Sete homicídios que ainda estavam classificados como "aguardando denúncia". A implicação era clara: o promotor não estava fazendo um bom trabalho em relação a crimes graves. A bem da verdade, Dubisson não poderia denunciar homicídios que a polícia mal investigava. Pelo menos cinco deles eram relacionados a gangues, e Albert Bowman nunca demonstrava muito interesse por acertos de contas entre mafiosos. Mas isso não era mencionado no anúncio, que listava ainda os crimes que haviam levado a medidas de apreensão e punição, com grande ênfase em pequenos furtos, transações simples envolvendo drogas, violência doméstica e direção sob efeito de álcool. Em destaque, na parte inferior, havia um slogan que seria lembrado e repetido: "Rex Dubisson: pega pesado com ladrões de galinhas."

Na semana seguinte, outdoors ao longo da Highway 90 e da Highway 49 foram convertidos em imensos anúncios que estampavam a frase icônica.

Qualquer força que Dubisson pudesse ter por ser o promotor em exercício se esvaiu da noite para o dia. Ele deixou de lado o slogan "Pega pesado com os bandidos" e se esforçou para encontrar expressividade em outro lugar. Haveria um gigantesco churrasco de 4 de Julho acompanhado de um comício, mas Rex afirmou estar doente e acabou perdendo as festividades. Uma meia dúzia dos voluntários dele distribuiu alguns panfletos no local, mas estavam em expressiva desvantagem numérica em relação à equipe de Rudy. Jesse fez um discurso inflamado no qual criticou seu oponente por não ter comparecido. Atacando bem na jugular, introduziu a única questão que ainda assustava todos os cidadãos obedientes à lei. As drogas estavam chegando à Costa, maconha e, àquela altura, cocaína também, e a polícia e os promotores estavam ou ignorando as transações ou lucrando com elas, ou ainda não se esforçando o suficiente para lidar com a questão.

Publicamente, Jesse nunca mencionou Albert Bowman, o Pança, nem o pessoal das casas noturnas. Uma guerra se aproximava, mas ele esperaria ser eleito para dar início a ela. Entre os mais próximos, porém, ele os chamava pelo nome e prometia tirá-los do mercado.

DUAS SEMANAS ANTES DAS primárias em agosto, a campanha de Dubisson ganhou vida com anúncios de rádio exaltando seus doze anos de experiência. Ele era um promotor veterano que havia mandado centenas de criminosos para Parchman, a penitenciária estadual do Mississippi. Sete anos antes, em seu melhor momento, ele havia sido bem-sucedido ao julgar e condenar Rubio, um homem que havia matado a esposa e os dois filhos. Fora um caso fácil, com muitas evidências contundentes, que até um estudante de Direito do terceiro ano poderia ter vencido. Mas o júri voltou com a condenação e uma sentença de pena de morte, e Rubio estava agora em Parchman, aguardando a execução. Para qualquer promotor de justiça do cinturão da morte dos Estados Unidos, não havia prêmio maior do que mandar um homem para o corredor da morte. Nos anúncios, Dubisson se gabava da condenação e jurava estar presente quando Rubio fosse conduzido para a câmara de gás. Em um estado onde setenta por cento das pessoas defendiam a pena de morte, os anúncios foram bem recebidos.

Albert Bowman então abriu a mão, e Dubisson inundou as transmissões com anúncios de TV. A estação de Biloxi era a única na Costa, e poucos políticos locais podiam pagar por ela. No final de julho, a campanha de Rudy estava praticamente sem dinheiro e não conseguiria responder ao ataque. Os anúncios rivais eram vídeos de trinta segundos, gravados profissionalmente, sagazes e convincentes. Retratavam Rex Dubisson como um promotor de justiça em guerra com os ameaçadores traficantes de drogas da América do Sul.

Pelo menos, Dubisson evitou anúncios que atacassem a concorrência. Estava convencido de que qualquer outro truque desonesto o levaria ao tribunal. Jesse Rudy estava ansioso para que chegasse a esse ponto, e a publicidade negativa só o favoreceria. Ele e sua equipe só podiam assistir e estremecer toda vez que os anúncios de Dubisson eram veiculados, o que aparentemente aconteceria sem parar.

Keith escreveu uma série de propagandas impressas que acusavam Dubisson de "comprar" a eleição. Elas eram publicadas quase diariamente no *Register* e, por fim, acabaram quebrando o limitado orçamento da campanha. Houve boatos de que haveria outra visita ao banco para um empréstimo de última hora, mas Jesse vetou a ideia. Estava convencido de que havia vencido a batalha, embora aparentemente estivessem perdendo o embalo. Em discursos e conversas privadas com os eleitores, ele lamentava o uso de uma grande quantidade de dinheiro para comprar uma eleição.

QUANDO OS ÚLTIMOS VOTOS foram finalmente contabilizados em 5 de agosto, constatou-se que Egan Clement havia recebido uma quantidade de votos que poderia ter dado a vitória tanto para Rudy quanto para Dubisson. Ela levou o condado de Stone por 150 votos e recebeu apenas onze por cento dos votos no geral, mas absorveu uma parte crucial do apoio a Dubisson. O tempo todo, Agnes sentiu que muitas mulheres secretamente votariam nela, e tinha razão. Os irmãos Pettigrews conquistaram o condado de Hancock por uma margem de 820 votos. E, no condado de Harrison, reduto de longa data da aparelhagem de Albert Bowman, Jesse obteve quase 900 votos a mais que Rex Dubisson.

Com 51 por cento dos votos totais, ele evitou o segundo turno e se tornou o novo promotor de justiça do distrito.

Colocar Egan Clement na corrida fora uma jogada arriscada. Ela poderia facilmente ter forçado um segundo turno, um que Jesse não poderia se dar ao luxo de enfrentar. Com dinheiro ilimitado e acesso à TV, Dubisson teria sido reeleito. Ele graciosamente admitiu a derrota e desejou boa sorte a Jesse.

Uma semana após a contagem dos votos, Keith colocou suas coisas no carro e voltou para a faculdade de Direito.

24

O xerife chegou ao Baricev meia hora antes e viu alguns rostos familiares. Deu alguns apertos de mão e agradeceu pelos votos, prometeu manter as pessoas seguras e assim por diante. Como sempre, quando não estava de serviço, usava terno azul e gravata e aparentava ser um empresário de sucesso. Parecia gostar do papel que desempenhava como o chefe da aparelhagem política que sempre trazia resultados. Todos conheciam Pança e gostavam dele. O homem era, no fim das contas, bastante afável, e seu humor andava ainda mais alegre depois de sua mais recente vitória esmagadora. Sua reputação como talvez o xerife mais corrupto do estado estava bem estabelecida, mas, tirando isso, ele mantinha o pulso firme e era duro com criminosos comuns. Seu lado mais sombrio raramente era visto pelos cidadãos de Biloxi. Ele mantinha o vício sob controle e os mafiosos na linha, pelo menos durante a maior parte do tempo.

Ele e Rudd Kilgore, seu assistente-chefe, finalmente abriram caminho até a habitual mesa de canto, onde pediram cervejas geladas e um prato de ostras cruas. Lance Malco e Nevin Noll chegaram pontualmente, e os quatro se amontoaram ao redor da mesa. Mais bebidas e ostras chegaram. Os outros clientes, os locais, sabiam que não deviam tentar bisbilhotar.

– Não tenho visto seu filho ultimamente – comentou Pança.

Havia meses que ninguém via Hugh.

– Ele ainda não voltou do mar – respondeu Lance. – Tá dando um tempo. Algum sinal do FBI?

– Não. Faz um tempo já. Mas duvido que tenham desistido.

Pança equilibrou uma ostra imensa em uma bolacha salgada e depois engoliu. Virou a cerveja para ajudar a descer e limpou a boca com as costas da mão.

– Roubando joalherias. De onde ele tirou essa ideia? Foi você que ensinou isso pra ele?

Lance o encarou.

– Olha, Pança, já tivemos essa conversa umas três vezes, no mínimo. Não faz sentido nenhum voltar nesse assunto.

– É muita burrice.

– Sim, muita. Mas vou cuidar dele.

– Faça isso. Nada disso é da minha conta, pelo menos não até o momento em que os federais derem as caras por aqui. Quer dizer, o garoto vai responder a cinco acusações de assalto à mão armada, se e quando os federais somarem dois mais dois. Eles não são burros, Lance.

Uma garçonete chegou, e eles pediram patas de caranguejo grelhadas e linguado recheado, os pratos favoritos de Pança.

O encontro não foi marcado para discutir sobre Hugh e sua estupidez. A eleição de Jesse Rudy os deixara inquietos. Eles não sabiam ao certo o que o novo promotor estava planejando, mas, para aqueles homens, nada de bom viria de sua eleição.

– Não acredito que o Rex perdeu essa corrida – disse Nevin.

Pança estava engolindo outra ostra.

– Ele não fez o que eu falei. Ganhou com folga na última porque sujou as mãos. Não fez isso dessa vez. Acho que o Rudy assustou ele. Ameaçou processar e tal, e o Rex recuou.

– Qual é o primeiro passo do Rudy? – perguntou Lance.

– Você vai ter que perguntar pra ele. Acho que vai vir com tudo pra cima da jogatina. É mais fácil de provar. Se eu fosse você, ficaria esperto.

– Já te falei, Pança, a gente não tá mexendo com isso. Tenho quatro boates e três bares, e nenhum deles tem jogos de azar. Os caras que fiscalizam a venda de bebidas no estado aparecem de vez em quando pra dar uma olhada. Se eles virem uma mesa de dados, tomam a minha licença pra vender bebidas. Não posso arriscar. Estamos indo bem só com as bebidas e as garotas.

– Tô sabendo, tô sabendo. Mas é melhor você ficar em cima, saber bem quem são seus clientes.

– Sei muito bem como administrar as boates, Pança. Você e eu estamos há muito tempo nesse negócio. Você faz a sua parte, eu faço a minha. E, a propósito, não posso esquecer de te dar os parabéns pela vitória esmagadora.

Pança deu um tapinha no ar e disse:

– Que nada. Os eleitores sabem identificar um talento quando o veem na frente deles.

– De onde você tirou aquele otário? – perguntou Nevin.

À medida que sua carreira florescia, Pança provara ser hábil em convencer uma série de pessoas esquisitas a entrar nas corridas contra ele. De acordo com as próprias regras, concorrer sem oposição era uma má ideia. Um ou dois oponentes, quanto mais fracos melhor, permitiam que ele mantivesse sua aparelhagem bem lubrificada e sua arrecadação de fundos em alta velocidade. Seu último oponente, Buddy Higginbotham, já havia sido condenado por roubar galinhas, muito antes de tentar ser honesto e se tornar policial no condado de Stone. Onze por cento dos eleitores acharam que ele era uma boa opção.

Eles deram algumas risadas contando histórias de Buddy e fumaram, Pança, um charuto grosso, os outros três, cigarros. As travessas de patas de caranguejo e linguado chegaram e cobriram a mesa. Quando a garçonete se foi, Nevin falou:

– A gente tem uma ideia.

Pança assentiu, com a boca cheia.

Nevin se inclinou um pouco mais.

– Aquele lugar novo chamado Siesta, na Gwinnett, de um bandido chamado Andy, está aberto há dois meses.

– A gente deu uma passada lá, vendemos uma licença pra ele – contou Kilgore.

– Bom, ele acabou de abrir um pequeno cassino nos fundos. Duas mesas de dados, roleta, caça-níqueis, um pouco de blackjack. Eles mantêm a porta fechada, monitoram quem entra.

– Deixa eu adivinhar – disse Pança. – Você quer que eu feche o lugar.

– Não, não você. Vamos dar um jeito de a polícia da cidade fazer isso. A gente só passa a informação. Eles fazem a prisão, aparecem no jornal, ficam bem na fita. Os fiscais tomam a licença. O Rudy ganha um caso fácil pra iniciar sua nova carreira. Assim a gente pode ficar de olho nele e ver como ele lida com as coisas.

Pança deu uma risada e retrucou:

– Vai sacrificar um dos seus, é?

– Claro. O Andy é um sonso, já roubou duas das nossas garotas. Vamos tirá-lo do negócio e deixar o novo promotor mostrar a que veio.

Pança revirou o linguado e sorriu para alguma coisa, fosse o peixe ou a ideia.

– Quem mais anda envolvido com jogo?

Nevin olhou para Lance, que respondeu:

– A Ginger tem uma sala privada no Carrossel Lounge. Cartas e dados. Só pra membros, e é difícil entrar.

– Não vamos mexer com a Ginger – retrucou Pança.

– Eu não estava sugerindo isso. Você que perguntou.

– O Shine Tanner tá com o salão de bingo a todo vapor. Corre na boca pequena que ele anda oferecendo caça-níqueis e roleta pro público apropriado.

– Ele não é muito inteligente – ponderou Pança. – Ganhar uma grana com bingo e bebida e colocar tudo em risco...

– Sempre tem demanda, Pança – disse Lance.

– E você não tá feliz com isso? – rebateu Pança com uma risada. – Vamos voltar ao tal do Andy. O problema de dar ao Rudy um caso fácil é que é provável que isso lhe suba à cabeça. Pra gente, ele nada mais é do que problema, e não queremos alavancar a carreira dele como reformista.

– Faz sentido – comentou Lance.

Pança bebeu um pouco de cerveja e sorriu para Lance e Nevin.

– Vocês parecem preocupados, meus jovens. Preciso lembrar vocês de que o cemitério tá cheio de políticos que prometeram limpar a Costa?

COM BASE EM UMA "denúncia anônima", a polícia de Biloxi invadiu o Siesta no final da noite de sexta-feira e prendeu dezessete homens em flagrante jogando dados e blackjack. Eles também prenderam Andy Rizzo, o proprietário. Os policiais dispersaram a multidão, trancaram as portas e voltaram no dia seguinte para confiscar os caça-níqueis e as mesas de roleta e dados. Todos os suspeitos foram soltos em questão de dias, embora Andy, em razão de sua longa ficha criminal, tenha passado um mês na prisão enquanto seus advogados lutavam para tirá-lo de lá.

Jesse convocou seu primeiro grande júri e indiciou todos os dezoito homens. Ao falar com um repórter do *Gulf Coast Register,* elogiou o trabalho da polícia da cidade e prometeu uma atitude mais agressiva contra as casas noturnas. O jogo e a prostituição eram práticas desenfreadas, e ele havia sido eleito para prender os criminosos ou expulsá-los da cidade.

Com os dezessete, quatro dos quais eram pilotos de Keesler, ele pegou leve, permitindo que se declarassem culpados, pagassem as devidas multas e cumprissem um ano de prisão, podendo se beneficiar da suspensão da pena. Com Andy, ele se recusou a negociar e deu entrada no pedido de julgamento. Estava ansioso por uma briga no tribunal, em especial contra um réu que era obviamente culpado, mas acabou fazendo um acordo que definia uma sentença de sete anos de reclusão. A cadeia não era novidade para Andy, mas a dura sentença abalou os donos das casas noturnas, e eles fecharam seus cassinos. Temporariamente.

O caso foi fácil demais, e Jesse suspeitou que houvesse algo de errado. Ele tentou criar uma relação de proximidade com o chefe de polícia da cidade, mas não conseguiu. O sujeito estava no cargo havia anos e sabia o que estava em jogo.

A IDEIA DE USAR a lei estadual de perturbação da paz pública veio de Keith. Durante seu curso de prática jurídica no Tribunal de Justiça na Universidade do Mississippi, o professor mencionou por alto uma lei raramente usada e que permitia a qualquer cidadão entrar com uma ação para proibir outro de realizar atividades ilegais e prejudiciais ao bem público. O caso que eles estudaram envolvia um proprietário de terras que estava deixando que o esgoto não tratado fosse drenado para um lago público.

Keith enviou um memorando para Jesse, que de início não levou muita fé. Provar a prática de jogos de azar já era bastante difícil, uma vez que os cassinos protegiam seus clientes. Provar a prostituição seria um desafio ainda maior. Mas, com o passar dos meses de seu primeiro ano, Jesse foi ficando cada vez mais inquieto.

Ele dirigiu até Pascagoula e se encontrou com Pat Graebel, o promotor do Décimo Nono Circuito, composto pelos condados de Jackson, George e Greene. Jackson ficava na Costa, mas, ao contrário de Harrison e Hancock, nunca havia tolerado a ilegalidade que trouxera a má reputação a Biloxi.

Nove anos antes, quando ainda era novato, Graebel havia sido totalmente derrotado por Joshua Burch, que defendia Nevin Noll pelo assassinato à queima-roupa de Earl Fortier. Essa perda ainda lhe doía, principalmente porque Noll era um homem livre e fazia o trabalho sujo para Lance Malco.

Graebel não sentia nada além de desprezo por Albert Bowman, os políticos que ele controlava e os mafiosos que faziam dele um homem rico. As autoridades do condado de Jackson passaram muito tempo dando conta dos problemas vindos da cidade ao lado. Um ano antes do Camille, um bandido local abriu uma boate em uma estrada rural entre Pascagoula e Moss Point. Ele falava demais e se gabava de seu plano para criar a própria "Strip" no condado de Jackson. Tinha garotas e dados, e as coisas estavam indo bem até que o xerife Heywood Hester invadiu a casa em uma noite de sábado e saiu de lá com trinta clientes presos. Pat Graebel jogou duro com o proprietário, conseguiu a condenação por jogos de azar e o mandou para Parchman para cumprir dez anos.

A sentença reverberou pelos bares e salões de bilhar do condado de Jackson, e a mensagem ficou clara: qualquer bandido local com alguma ambição deveria encontrar um trabalho honesto ou se mudar para o condado de Harrison.

Jesse traçou seus planos para ir atrás das boates de striptease de Biloxi. Ele precisava de meia dúzia de policiais honestos dispostos a se infiltrarem e conseguirem ser abordados pelas prostitutas. Usariam escutas, as conversas seriam gravadas e eles abandonariam o "encontro" antes que alguém tirasse a roupa. Talvez não fosse tão fácil. As garotas não eram burras. Na verdade, a maioria delas era experiente e já tinha visto de tudo, e imediatamente suspeitariam quando seus clientes fossem embora no último segundo.

Pat Graebel gostou do plano, mas queria pensar um pouco. O chefe de polícia de Pascagoula era um amigo próximo, um policial durão e irrepreensível. Ele gostava de trabalhar infiltrado e monitorava traficantes de drogas. O xerife Hester provavelmente também ficaria feliz de ter um pouco da ação. Graebel tinha contatos próximos com a polícia na cidade de Moss Point. Era crucial que usassem homens que não fossem identificados em nenhuma parte de Biloxi.

Um mês depois, dois homens usando escutas e os pseudônimos Jason e Bruce entraram no Carrossel em uma noite de quinta-feira, encontraram uma mesa, pediram bebidas, começaram a admirar as strippers dançando no palco e, em um minuto, chamaram a atenção de duas prostitutas que estavam só esperando para atacar.

"Não quer pagar uma bebida pra uma garota?" era a abordagem padrão e sempre funcionava. A garçonete trouxe dois copos altos cheios de uma mistura de ponche vermelho açucarado sem álcool. Os homens bebiam cerveja. As prostitutas retiraram os palitinhos dos drinques e os guardaram para receber o pagamento mais tarde. No palco, as dançarinas giravam ao som de uma música dos Doobie Brothers tocando nos alto-falantes. De volta à mesa, Jason e Bruce pediram outra rodada, e as mulheres se aproximaram, praticamente sentadas nos colos deles. Por fim, uma delas puxou a provocação seguinte:

– Quer namorar?

Depois que ela foi direto ao ponto, os quatro se divertiram discutindo o que, exatamente, significava "namorar". Várias coisas. Eles poderiam formar casais e ir até uma salinha nos fundos para ter um momento de privacidade e dar uns amassos. Ou, se os garotos quisessem algo mais, poderiam alugar um quarto no andar de cima por 50 dólares a meia hora e "fazer de tudo".

Jason e Bruce estavam fora do horário do expediente, dois policiais à paisana de Pascagoula, ambos casados e felizes. Nenhum deles jamais havia se sentido tentado a entrar numa boate de Biloxi. Enquanto policiais, observavam tudo, e estava claro que havia um tráfego de pessoas para os quartos dos fundos e para o andar de cima. Em meio à música alta, dançando, bebendo e se despindo, as prostitutas estavam fazendo negócio rápido.

Assim que os homens sentiram que haviam recebido propostas suficientes, atrasaram um pouco a ação, alegando estar com fome. Queriam hambúrguer e batata frita, e prometeram às meninas que as encontrariam mais tarde. Eles foram até o bar, pediram comida e observaram as garotas se afastarem por um momento e depois atacarem mais dois clientes em potencial.

A operação secreta continuou por seis semanas conforme vários agentes, todos policiais e assistentes do xerife do Décimo Nono Distrito de Graebel, aventuraram-se no Carrossel e conversaram com as garotas. Não havia nenhum indício de que as meninas ou seus gerentes suspeitassem de qualquer coisa. Jesse ouviu as conversas gravadas e se convenceu de que poderia provar um padrão de atividade criminosa.

Quando teve provas suficientes, entrou com uma ação no Tribunal de Justiça do condado de Harrison, buscando proibir o Carrossel de todas as operações. Notificou o conselho estadual que cuidava da distribuição de bebidas e exigiu que retirassem a licença da boate para vender álcool. Também entregou em mãos uma cópia do processo ao *Gulf Coast Register*. O jornal retribuiu com uma matéria de primeira página. A guerra havia começado.

Como era de se esperar, Ginger Redfield contratou Joshua Burch para defender sua boate, e, em uma contestação tempestuosa, ele negou qualquer irregularidade criminal e requereu ao tribunal que indeferisse as acusações. Jesse fez muita pressão na tentativa de agilizar o caso, mas Burch provou gostar de adiar as coisas. Dois meses se arrastaram enquanto os advogados entravam com uma petição atrás da outra e debatiam o agendamento de uma audiência.

Evidente que a alarmante ação do novo promotor abalou o submundo. Com os jogos seriamente reduzidos na Costa, as casas noturnas dependiam da prostituição para arrecadar uma grana extra. A maioria estava indo bem com bebidas e strippers, ambas atividades ainda legais, mas a maior parte do dinheiro era ganho nos quartos dos andares superiores.

Lance Malco ficou furioso e percebeu a gravidade do ataque aos seus negócios. Se Jesse Rudy tinha conseguido fechar o Carrossel, qualquer estabelecimento poderia ser o próximo. Lance instruiu suas garotas a ficar longe de qualquer um que não tivessem visto antes. Ele se juntou a Joshua Burch e traçou um plano de defesa agressivo.

O TRIBUNAL DE JUSTIÇA era conhecido como uma corte de equidade e tinha jurisdição sobre assuntos não criminais, como relações domésticas, inventários, zoneamento, eleições e uma série de outras questões que não exigiam julgamentos por júri. Era geralmente conhecido como "tribunal do divórcio", uma vez que oitenta por cento dos processos envolviam casamentos ruins e guarda de filhos. Um caso de perturbação da paz pública era uma raridade.

O magistrado era o excelentíssimo juiz de Direito Leon Baker, um jurista mais velho e esgotado de tanto lidar com cônjuges em guerra e decidir quem deveria ficar com os filhos. Como muitos cidadãos da Costa, crescera sentindo profundo desdém pelas boates e nunca pisara em uma. Quando se cansou dos advogados e de suas manobras jurídicas, ordenou que parassem e encaminhassem o caso para uma audiência.

Era uma ocasião histórica, a primeira vez que um dos infames bares da Strip estava sendo levado a julgamento em uma tentativa de fechá-lo. Uma multidão se reuniu na sala de audiências e, embora a maioria dos gângsteres não estivesse presente, estavam todos muito bem representados. Nevin Noll encontrava-se sentado na última fileira e, obviamente, relataria tudo a Lance Malco. Como proprietária do Carrossel, Ginger Redfield não teve escolha a não ser se sentar à mesa dos advogados ao lado de Joshua Burch, que, como sempre, estava entusiasmado com a plateia.

Jesse Rudy foi o primeiro a falar e prometeu estabelecer um padrão claro do conceito de atividade criminosa. Ele chamaria seis homens para depor, todos policiais que haviam concordado em pagar por sexo no Carrossel. Nenhum pagamento foi realizado, não houve sexo, mas a lei era clara: uma vez que um preço fosse acordado, o crime havia ocorrido. Jesse apontou para uma pilha de papéis e os descreveu como intimações válidas que ele havia emitido em nome das funcionárias do Carrossel. As intimações não foram entregues às meninas porque Albert Bowman, o Pança, ordenou que seus assistentes as ignorassem.

– O senhor quer essas moças aqui no tribunal? – perguntou o juiz Baker.

– Sim, Excelência. Tenho o direito de intimá-las.

O juiz Baker olhou para um oficial de justiça e ordenou:

– Vá até o xerife e diga pra ele vir aqui imediatamente, Sr. Burch.

Joshua se levantou, dirigiu-se adequadamente ao tribunal e deu uma explicação sucinta de como os negócios eram conduzidos no Carrossel. Segundo ele, as meninas eram apenas garçonetes que serviam bebidas aos rapazes, uma diversão inofensiva. Claro, algumas delas eram dançarinas profissionais que gostavam de se apresentar vestindo pouca roupa, mas isso não era ilegal.

Ninguém acreditou nele, nem mesmo o juiz.

A primeira testemunha chamada ao banco foi Chuck Armstrong, um policial de Moss Point. Ele contou a história de quando foi à boate com um amigo, Dennis Greenleaf, também policial, e pagaram bebidas para uma jovem chamada Marlene. Nunca soube o sobrenome dela. Eles beberam, dançaram, e, por fim, ela lhe fez a oferta, sugerindo meia hora no andar de cima em um quarto. Por 50 dólares em dinheiro, ele teria todo o sexo que quisesse. Ele concordou com o preço e o combinado. Não houve dúvida de que eles haviam feito um acordo, então ele disse que queria esperar uma pouco e ir comer alguma coisa. Ela saiu para investir em outra mesa e perdeu o interesse no homem. Quando ela desapareceu, os dois policiais foram embora.

Durante o interrogatório, Joshua Burch perguntou à testemunha se ela entendia o termo "cafetinagem".

– Claro que entendo o que isso significa. Sou policial.

– Bom, então certamente deve entender que contratar os serviços de uma prostituta também é crime, punível com multa e prisão.

– Sim, senhor.

– Então, como um oficial da lei, o senhor admite aqui, sob juramento, que cometeu um crime?

– Não, senhor. Era uma operação secreta e, se o senhor entendesse como funciona o trabalho da polícia, saberia que muitas vezes somos forçados a fingir sermos pessoas que não somos.

– Então não era sua intenção cometer um crime?

– Não era.

– Mas não foi até a boate com a intenção de armar uma cilada para que Marlene fosse pega em um ato de prostituição?

– Não, senhor. Mais uma vez, tratava-se de uma operação secreta. Tínhamos bons motivos pra acreditar que eram realizadas atividades criminosas lá dentro, e fui até o local pra ver com meus próprios olhos.

Burch tentou várias vezes fazer com que a testemunha admitisse sua própria atividade criminosa, mas Jesse o havia preparado. Dennis Greenleaf veio a seguir, e seu testemunho foi praticamente idêntico ao de Armstrong. Burch criticou o policial e tentou pintá-lo como o perpetrador, uma autoridade atacando jovens que estavam apenas servindo bebidas e fazendo seu trabalho.

As quatro testemunhas seguintes também eram policiais e assistentes do xerife, e ao meio-dia estavam todos entediados com as perguntas e também com as respostas. Não havia dúvida de que o Carrossel Lounge era um local de prostituição. Antes do recesso para o almoço, o assistente-chefe Kilgore chegou ao tribunal e explicou ao juiz Baker que o xerife Bowman havia sido chamado para tratar de assuntos urgentes e não estava na cidade. Kilgore foi questionado sobre o não cumprimento das intimações, uma questão de rotina, na opinião de Baker. Ele entregou as cinco intimações a Kilgore e ordenou que ele intimasse as "garçonetes" imediatamente. O policial prometeu fazê-lo, e a audiência foi adiada para a manhã seguinte.

Não estava claro se os assistentes do xerife de fato foram à boate em busca das testemunhas, mas, às nove da manhã do dia seguinte, Kilgore informou que nenhuma das cinco ainda estava trabalhando no Carrossel. Para aumentar a confusão, os nomes presentes nas intimações eram pseudônimos. As meninas tinham ido embora.

Aquilo irritou o juiz Baker, mas ninguém ficou surpreso. Joshua Burch chamou Ginger Redfield para depor, e ela calmamente negou qualquer irregularidade em seu estabelecimento. Ela mentia com muita facilidade e explicou que não tolerava prostituição e jamais tinha visto qualquer evidência disso em seu estabelecimento.

Jesse estava ansioso para interrogá-la, sua primeira real oportunidade de bater de frente com um chefe do crime. Ele pediu que a mulher repetisse seu depoimento sobre a prostituição no Carrossel, o que ela fez. Ele a lembrou de que ela estava sob juramento e perguntou se entendia que perjúrio era crime. Joshua Burch protestou em voz alta, e o juiz Baker aceitou o protesto. Jesse perguntou a ela sobre as cinco garçonetes e tentou descobrir seus nomes verdadeiros. Ginger alegou que não sabia por que as jovens costumavam usar nomes falsos. Ele perguntou sobre a manutenção de registros, e Ginger não teve escolha a não ser admitir que as meninas eram pagas em dinheiro, sem que nada fosse anotado nos livros de contabilidade. Explicou que as garçonetes iam e vinham, que sua força de trabalho era, na melhor das hipóteses, instável, e que não fazia ideia de para onde as cinco haviam ido.

Jesse então a questionou sobre a realização de jogos de azar no Carrossel, e ela novamente afirmou não saber de nada. Nada de caça-níqueis, pôquer, blackjack, dados, nem de roleta. Burch protestou diante dessa linha de interrogatório e lembrou ao tribunal que a suposta perturbação era a respeito de prostituição. O promotor não havia apresentado nenhuma prova relacionada a jogos de azar. O juiz Baker concordou e disse a Jesse para seguir em frente. O interrogatório durou duas horas e foi um tanto agressivo em alguns momentos, pois os dois advogados discutiam enquanto a testemunha se mantinha fria e, às vezes, parecia inclusive estar se divertindo. O juiz

Baker tentou mediar o conflito, mas perdeu a paciência. Diante de tudo aquilo, ficou evidente que ele não tinha acreditado em uma única palavra do que a testemunha dissera e que não tolerava as atividades ilícitas na boate dela.

A audiência terminou antes do almoço. Ambas as partes esperavam que o juiz Baker passasse alguns dias refletindo sobre o assunto. Ele os surpreendeu, no entanto, proferindo a decisão ali mesmo, da tribuna. Declarou que o Carrossel era uma perturbação da ordem pública e determinou que o lugar fosse fechado imediata e permanentemente.

As portas foram fechadas por uma semana antes de Joshua Burch entrar com um recurso e pagar uma fiança de 10 mil dólares. A lei permitia a reabertura enquanto o recurso estivesse pendente de apelação, um processo demorado.

Jesse venceu a batalha, mas a guerra estava longe de terminar. Estava provado o quão difícil seria lutar contra os donos das casas noturnas. Sem a ajuda da polícia local ou de Albert Bowman, a aplicação da lei era de pouca utilidade. Usar policiais honestos de outras cidades seria demorado e arriscado. Além disso, as prostitutas eram difíceis de se pegar – ninguém sabia seus nomes verdadeiros, e elas podiam desaparecer a qualquer momento.

25

Na cabeça de Lance, se seu negócio tinha sido capaz de sobreviver à perda da receita proveniente dos jogos de azar provocada pelo fiscal intrometido do conselho estadual de bebidas e depois pelo pior furacão da história, certamente seria capaz de sobreviver ao novo e famoso promotor de justiça. O caso do Carrossel foi um susto não só para ele, como também para outros proprietários, mas as meninas voltaram depois de algumas semanas, assim como seus clientes. Lance teve a ideia inteligente de exigir dos frequentadores uma "adesão ao estabelecimento". As portas estavam abertas para quem quisesse beber, dançar e assistir às strippers, mas, se um cavalheiro desejasse algo mais, tinha que mostrar sua carteirinha de sócio. E, para conseguir uma, o sujeito precisava ser conhecido dos seguranças, bartenders e gerentes. A regra desacelerou um pouco o movimento, mas também praticamente impossibilitou as incursões secretas da polícia. Lance ampliou as fotos dos seis policiais enviados por Jesse Rudy para se infiltrar no Carrossel e depois depor em juízo. As imagens foram pregadas nas paredes das cozinhas das boates, e os funcionários estavam atentos. Um estranho bem-apessoado com menos de 50 anos tinha pelo menos três pares de olhos sobre ele antes de chegar ao bar e pedir uma bebida.

A triagem funcionou tão bem que todos os outros seguiram o exemplo. Em pouco tempo, alguns dos proprietários de estabelecimentos se sentiram tão seguros que reabriram seus cassinos, mas apenas para membros.

QUALQUER SENSAÇÃO DE SEGURANÇA, entretanto, foi abalada novamente quando o promotor deu seu próximo passo. Jesse convocou um grande júri em segredo e apresentou quatro dos seis policiais que haviam deposto no julgamento do Carrossel. Por unanimidade, o grande júri indiciou Ginger Redfield por quatro acusações de cafetinagem por "conscientemente incitar, convencer, persuadir ou encorajar outra pessoa a se prostituir" e "administrar um local e intencionalmente permitir que outra pessoa use o referido local para se prostituir". A pena máxima para cada acusação era uma multa de 5 mil dólares e dez anos de prisão, ou ambas.

Jesse levou a documentação do indiciamento ao gabinete do juiz Oliphant e pediu que ele lesse. Precisava de um favor. A lei exigia que o réu recebesse pessoalmente uma cópia da denúncia, mas não era possível contar com Albert Bowman. O juiz Oliphant ligou para o xerife, que era notoriamente difícil de ser encontrado, e foi informado de que Bowman não estava na cidade. O assistente-chefe Kilgore estava responsável pelo gabinete naquela manhã, e o juiz pediu que ele fosse ao seu encontro imediatamente. Quando Kilgore chegou, meia hora depois, Jesse lhe entregou a denúncia. O juiz Oliphant ordenou que ele citasse Ginger Redfield, prendesse a mulher e a levasse para a prisão. A fiança foi fixada em 15 mil dólares.

JOSHUA BURCH ESTAVA EM sua mesa quando recebeu a ligação de Ginger. Com uma voz notavelmente calma, ela informou ter sido presa em seu escritório no O'Malley, tendo sido inclusive algemada, conduzida por Kilgore até a viatura, colocada no banco traseiro e levada para a prisão, onde a ficharam, tiraram uma foto sua e a colocaram na única cela destinada a mulheres. Fora bastante humilhante, mas ela parecia impassível.

Burch foi direto para a prisão, sorrindo o tempo todo com a perspectiva de outro caso de destaque. Ele quase já via as manchetes dos jornais.

Ginger o aguardava em uma salinha onde os advogados se reuniam com os clientes. Ela havia se recusado a vestir o macacão laranja padrão e ainda estava de vestido e salto alto. Burch leu a acusação com uma expressão séria e disse:

– Isso não é nada bom.

– É o melhor que você consegue dizer? É claro que não é bom. Caso contrário, eu não estaria aqui, na cadeia. Quando pode me tirar daqui?

– Em breve. Já consegui uma pessoa pra resolver a sua fiança. Você consegue arranjar mil dólares em espécie?

– Meu irmão já está a caminho.

– Ótimo. Em algumas horas, eu tiro você daqui.

Ela acendeu um cigarro e deu um longo trago. Burch a conhecia bem o suficiente para acreditar que ela tinha água gelada correndo nas veias. Durante a audiência do Carrossel, em momento nenhum Ginger pareceu nervosa e, às vezes, até deu a impressão de estar se divertindo com aquilo tudo.

– Pode ser que o Rudy tenha um caso sólido, certo? – comentou ela, soprando fumaça bem devagar.

Um caso muito sólido. Os seis policiais disfarçados iriam depor e fariam um trabalho convincente. Burch os vira sob pressão e sabia que teriam credibilidade com qualquer júri. Somando-se a isso o fato de o Carrossel ter sido declarado uma perturbação da ordem pública por conta da prostituição, de fato Jesse Rudy definitivamente estava em vantagem.

Mas Burch declarou:

– Nós vamos pra cima dele. Vamos reunir as meninas e prepará-las. Eu não costumo perder meus casos, Ginger.

– Bom, esse você não pode perder, porque eu não vou pra cadeia.

– Vamos falar sobre isso mais tarde. Nesse momento, precisamos te tirar daqui.

– Acabei de passar duas horas em uma cela lá nos fundos, e isso aqui não é pra mim. O meu marido tá preso há seis anos e não vai nada bem. Me promete, Joshua, que eu não vou pra cadeia.

– Não posso te prometer isso. Nunca faço esse tipo de promessa. Mas você contratou o melhor advogado que existe, e nós vamos preparar uma defesa consistente.

– Quando vai ser o julgamento?

– Daqui a alguns meses, talvez um ano. Teremos muito tempo.

– Só me tira daqui.

Burch deixou a prisão e dirigiu até o Red Velvet, onde se encontrou com Lance Malco e descreveu o conteúdo da denúncia. Lance ficou atordoado no início, então seu choque logo se transformou em raiva. Quando se acalmou um pouco, perguntou:

– Imagino que ele possa indiciar todos nós, certo?

– Em tese, sim. O grande júri é geralmente um endosso para o promotor. Mas eu não esperaria por isso.

– E por que não?

– Ele provavelmente vai usar a Ginger pra fazer um teste. Se ele conseguir condená-la, aí sim vai começar a fuçar. Como você sabe, não faltam réus em potencial.

– Esse desgraçado tá fora de controle.

– Não, Lance, eu diria que ele está totalmente no controle. Tem um poder enorme e pode denunciar praticamente qualquer um. Condenar, porém, é outra questão. É uma grande aposta da parte dele, porque, se Rudy perder, vai ter que voltar a ir atrás de ladrões de carros.

– Você não pode deixar ele vencer, Burch.

– Confia em mim.

– Eu confio, sempre confiei.

– Obrigado. Enquanto isso, fecha tudo. Nada de jogos, nem prostitutas.

– Não tá rolando jogo por aqui, você sabe disso.

– Sim, mas tá tendo muito jogo por aí.

– Não tenho como controlar os outros lugares.

– Você não vai precisar fazer isso. Quando eles ficarem sabendo que a Ginger foi presa, vão entrar nos eixos logo, logo. Espalha por aí que não pode ter jogatina nem prostituição pelos próximos seis meses.

– Isso é exatamente o que Rudy quer, certo?

– Dá um tempo. Anda na linha. Você tá no ramo há tempo suficiente pra saber que a demanda sempre volta.

– Não sei, não, Burch. Tá um clima de mudança no ar. Agora a gente tem um promotor convencido que gosta de ver seu nome impresso no jornal.

– O melhor conselho que posso dar é não fazer nada estúpido.

Lance finalmente sorriu ao dispensar o advogado com um aceno.

NO FINAL DA TARDE, Lance e Hugh deixaram a Strip e dirigiram na direção norte, para o condado de Stone. Hugh estava ao volante, retornando à sua antiga função depois de uma temporada em um cargueiro e outra em uma plataforma de petróleo em alto-mar, ambas arranjadas por seu pai. Os empregos o haviam convencido de que ele não servia para o trabalho honesto. Lance foi impiedoso ao repreendê-lo pelos assaltos às joalherias e jurou que mais uma confusão daquelas faria com que ele ou fosse expulso dos negócios da família ou acabasse indo para a cadeia, ou ambos. Hugh desistiu na mesma hora de seus sonhos de virar traficante de armas e facilmente voltou à velha rotina de jogar sinuca, tomar cerveja e cuidar de suas lojas de conveniência.

Eles serpentearam pela floresta de pinheiros e estacionaram em frente à cabana de caça de Pança. Kilgore estava fazendo churrasco no deque, e Pança já estava no uísque.

Era hora de discutir o que fazer em relação a Jesse Rudy.

26

A promotora adjunta Egan Clement foi designada por seu chefe para investigar sete homicídios não resolvidos ocorridos entre 1966 e 1971. Cinco deles foram considerados relacionados a gangues, já que as vítimas estavam, em alguma medida, envolvidas com o crime organizado. De tempos em tempos, as brigas por território irrompiam e mortes levavam a inevitáveis retaliações. Albert Bowman tinha um assistente que considerava seu investigador-chefe, mas o sujeito, além de não ter treinamento para a função, era inexperiente, principalmente porque o xerife não tinha interesse em desperdiçar mão de obra tentando resolver assassinatos relacionados a gangues. O fato era que os casos tinham sido arquivados e que não havia ninguém investigando.

Depois que Jesse foi empossado, cinco meses se passaram até conseguirem acesso aos arquivos do departamento do xerife. Os documentos dos casos de homicídio eram bastante mirrados e traziam pouquíssima informação. Ele também pediu ajuda à polícia estadual, mas confirmou o que esperava: o condado de Harrison era domínio de Albert Bowman e o estado preferia evitá-lo. O FBI também nunca se meteu. Os assassinatos, assim como a infinidade de outras atividades criminosas, envolviam leis estaduais, não federais.

Egan ficou particularmente incomodada com o homicídio de Dusty Cromwell. Sua morte não foi uma grande perda para a sociedade, mas a maneira como aconteceu era escandalosa. O homem havia sido morto a tiros em uma praia pública, durante uma tarde quente e ensolarada, a menos de um quilômetro do farol de Biloxi. Pelo menos uma dezena de testemunhas ouviu o estalo do tiro de fuzil, embora ninguém tivesse visto o atirador. Uma família – mãe, pai e dois filhos – estava a menos de 12 metros de Dusty quando metade de sua cabeça explodiu, e eles assistiram à carnificina enquanto a namorada dele gritava por socorro.

Os autos encontrados no departamento do xerife tinham muitas fotos sangrentas, junto a um relatório de autópsia que trazia as conclusões óbvias. Testemunhas prestaram depoimentos nos quais relataram o que viram, nada mais do que um homem morto instantaneamente com um único tiro na cabeça. Uma breve biografia de Cromwell detalhava a vida de um bandido com um passado sombrio e três condenações. O clube dele, o Surf Club, tinha sido incendiado, e ele havia jurado vingança contra Lance Malco, Ginger Redfield e outros, embora os outros não tenham sido identificados nos autos. Em suma, Dusty conseguira fazer alguns inimigos temíveis em sua curta carreira como mafioso.

Jesse estava convencido de que Lance Malco estava por trás do crime. Egan concordava, e sua teoria, ou melhor, seu palpite, era que Lance havia usado Mike Savage, um conhecido incendiário, para atear fogo no Surf Club. Cromwell respondeu matando Savage e cortando sua orelha. Cromwell então contratou alguém para eliminar Lance, e o plano quase dera certo. A bala com seu nome errou por pouco, estilhaçou o para-brisa do carro, e ele e Nevin Noll acabaram feridos pelos cacos de vidro. Convencido de que sua vida estava em risco, Lance contratou um assassino profissional para cuidar de Dusty.

Era uma história interessante e bastante plausível, mas dificílima de provar.

A lei estadual previa que contratar uma pessoa para matar outra era um crime punível com pena de morte na câmara de gás, cumprida em Parchman, a penitenciária do estado do Mississippi. Lance e sua gangue haviam matado vários homens e não havia razão para pararem. Eles provaram ser imunes à justiça. Apenas Nevin Noll foi acusado e preso. O assassinato de Earl Fortier dez anos antes em Pascagoula o levou a julgamento, mas o júri o considerou inocente.

Enquanto promotor de justiça do distrito, era dever de Jesse denunciar todos os crimes, independentemente de quem os cometesse ou do quão desprezíveis fossem as vítimas. Ele não tinha medo de Lance Malco e seus capangas, e iria indiciá-los quando e se tivesse provas para isso. Só que encontrá-las parecia impossível.

Sem absolutamente nenhuma ajuda da polícia, Jesse decidiu sujar as mãos. Os criminosos que ele perseguia eram protagonistas de um jogo perigoso, sem regras e sem limites. Para pegar um ladrão, era preciso contratar um.

O nome do mensageiro era Haley Stofer. Ele dirigia cautelosamente pela Highway 90, obedecendo a todas as regras de trânsito, quando um bloqueio surgiu do nada à frente dele, a oeste de Bay St. Louis. O xerife do condado de Hancock havia recebido uma denúncia anônima e queria bater um papo com Stofer. Em seu porta-malas, encontraram 80 quilos de maconha. De acordo com o informante, Stofer trabalhava para um traficante em Nova Orleans e estava fugindo para Mobile. Durante seu segundo dia na prisão do condado, o advogado de Stofer deu a ele a notícia de que poderia pegar trinta anos de cadeia.

Jesse informou ao advogado que faria de tudo para conseguir a pena máxima e que não haveria acordo judicial. As drogas vinham da América do Sul, todos estavam alarmados. Leis rigorosas vinham sendo aprovadas. Eram necessárias ações mais duras para proteger a sociedade.

Stofer tinha 27 anos, era solteiro e não conseguia sequer imaginar como seria passar as próximas três décadas preso. Ele já havia cumprido uma pena de três anos na Louisiana por roubo de carros e preferia a vida do lado de fora. Por um mês, ele se sentou e esperou dentro de uma cela quente por algum andamento em seu caso. Os traficantes de Nova Orleans pagaram por um advogado que pouco fez, exceto alertá-lo para ficar de boca calada, ou então se veria com eles. Mais um mês se passou, e ele permaneceu em silêncio.

Um dia, ficou surpreso ao ser algemado e levado de volta para a pequena e apertada sala onde os advogados vinham visitá-lo. Seu advogado não estava lá, mas o promotor de justiça, sim. Haviam se encarado brevemente no tribunal durante a audiência preliminar.

– Tem alguns minutos pra conversar? – perguntou Jesse.

– Acho que sim. Cadê meu advogado?

– Não sei. Cigarro?

– Não, obrigado.

Jesse acendeu um e não parecia ter pressa.

– O grande júri vai ser reunir amanhã, e você será indiciado por todas as acusações que discutimos no tribunal.

– Sim, senhor.

– Você pode se declarar culpado ou ir a julgamento. No fundo, não importa, porque vai pegar trinta anos de qualquer maneira.

– Sim, senhor.

– Já conheceu alguém que cumpriu pena em Parchman?

– Sim, senhor. Conheci um cara da cidade de Angola que cumpriu pena lá.

– Tenho certeza de que ele estava feliz por ter saído.

– Sim, senhor. Disse que é o pior presídio do país.

– Não consigo nem imaginar o que é passar trinta anos lá dentro, você consegue?

– Olha, Dr. Rudy, se o senhor tá pensando em me oferecer algum tipo de acordo no qual eu ganho alguns anos se delatar meus colegas, então a resposta é não. Não me importo pra onde o senhor vai me mandar, eles vão cortar o meu pescoço em menos de dois anos. Eu conheço esses caras. O senhor, não.

– De jeito nenhum. Estou pensando em uma gangue diferente. E em um acordo diferente que não envolve nenhum dia atrás das grades. Zero. Você sai livre, como se nunca tivesse acontecido nada.

Stofer olhou para os próprios pés, então franziu a testa para Jesse.

– Tá, eu tô bem confuso agora.

– Você passa de carro por Biloxi com muita frequência?

– Sim, senhor. Essa tem sido a minha rota.

– Alguma vez parou nas boates?

– Claro. Cerveja gelada, muitas garotas.

– Bom, elas são administradas por uma gangue de criminosos. Já ouviu falar da Dixie Mafia?

– Claro. Circulavam várias histórias sobre eles na prisão, mas não sei muita coisa.

– É tipo um grupo de malandros mais ou menos organizados que começaram a se estabelecer por aqui vinte anos atrás. Com o tempo, eles tomaram conta das boates e começaram a oferecer bebida, jogos de azar, garotas e até drogas. E os negócios ainda estão bastante ativos. O Camille surpreendeu todo mundo, mas logo eles voltaram à ativa. Gângsters, ladrões, cafetões, bandidos, incendiários, eles têm até os próprios matadores. Deixaram muitos cadáveres pra trás.

– Aonde o senhor quer chegar?

– Quero que você vá trabalhar pra eles.

– Parece um pessoal excelente.

– Os traficantes de drogas não são?

– É difícil encontrar trabalho, doutor, tendo ficha criminal. Já tentei.

– Isso não é desculpa pra traficar drogas.

– Não tô dando desculpas. Por que eu iria querer trabalhar pra esses caras?

– Pra evitar trinta anos de prisão. Na verdade, você não tem escolha.

Stofer passou os dedos pelos cabelos grossos na altura dos ombros.

– Ainda tem aquele cigarro aí?

Jesse entregou-lhe um e acendeu.

– Acho que meu advogado deveria estar participando disso, não?

– Demite seu advogado. Eu não posso confiar nele. Ninguém sabe disso, Stofer. Só nós dois. Se livra dele, caso contrário, o cara vai estragar tudo.

Uma fumaça azul saiu de ambas as narinas de Stofer enquanto ele esvaziava os pulmões. Ele soprou o restante e disse:

– Também não gosto dele.

– Ele é um vigarista.

– Preciso pensar sobre isso, Dr. Rudy. É muita coisa.

– Você tem 24 horas. Amanhã eu volto, e nós lemos a denúncia juntos, embora você provavelmente já saiba o que está por vir.

– Sim, senhor.

No dia seguinte, na mesma mesa, Jesse entregou a denúncia a Stofer. Ele leu devagar, o sofrimento aparente em seu rosto. Trinta anos era algo inconcebível. Ninguém era capaz de sobreviver três décadas em Parchman.

Quando terminou, colocou o papel sobre a mesa e perguntou:

– Tem um cigarro aí?

Ambos acenderam um. Jesse olhou para o relógio como se tivesse coisas melhores para fazer.

– Sim ou não?

– Eu não tenho escolha, né?

– Na verdade, não. Demite seu advogado e vamos começar logo o trabalho.

– Já demiti.

Jesse sorriu.

– Muito bem. Vou pegar essa denúncia e esconder em uma gaveta. Talvez nunca mais a gente olhe pra ela. Basta você fazer alguma merda ou me trair, e pronto. Se der uma de espertinho e fugir, existe uma chance de oitenta por cento de ser pego. Vou acrescentar dez anos à sua pena, e garanto que vai cumprir cada minuto dela, quarenta anos, com trabalhos forçados.

– Eu não vou fugir.

– Garoto esperto. – Jesse se abaixou, pegou uma pequena sacola de compras e a colocou sobre a mesa. – Suas coisas. Chave do carro, carteira, relógio, quase 200 dólares em dinheiro. Vá pra Biloxi, se acomode, circule pelo Red Velvet e pelo Foxy's, arrume um emprego.

– Fazendo o quê?

– Lavando louça, varrendo o chão, arrumando as camas, não me interessa. Trabalhe duro, ouça ainda mais e preste atenção ao que você diz. Tente conseguir uma promoção pra bartender. Eles sempre veem e ouvem tudo.

– Que história eu conto?

– Não precisa de nenhuma história. Você é Haley Stofer, 27 anos, de Gretna, Louisiana. Garoto de Nova Orleans. Procurando por trabalho. Tem ficha criminal, algo que eles vão valorizar. Não se importa de fazer trabalho sujo.

– E eu vim atrás de quê?

– Nada além de um trabalho. Uma vez lá dentro, você mantém a cabeça baixa e os ouvidos abertos. Você é um criminoso, Stofer, dá seu jeito.

– Como eu entro em contato com o senhor?

– Meu gabinete fica no tribunal do condado de Harrison, em Biloxi, segundo andar. Esteja lá às oito da manhã em ponto toda primeira e terceira segunda-feira do mês. Não ligue antes. Não conte a ninguém pra onde você tá indo. Não se apresente a ninguém no gabinete. Eu vou estar esperando, e vamos tomar um café.

– E o xerife daqui?

– Pega o carro, vai embora e não olha pra trás. Bati um papo com ele. Tudo certo por enquanto.

– Acho que eu deveria te agradecer, Dr. Rudy.

– Ainda não. Não esquece, Stofer, esses caras te matam num estalar de dedos. Fique sempre atento.

27

Em maio de 1973, Jesse e Agnes, junto das duas filhas, Laura e Beverly, fizeram a viagem de seis horas de carro de Biloxi a Oxford para um fim de semana de comemorações. Keith estava se formando na faculdade de Direito na Universidade de Mississippi, com honrarias, e a família estava orgulhosa. Como na maioria das turmas, os melhores alunos iam para as cidades maiores – Jackson, Memphis, Nova Orleans, talvez até Atlanta – para trabalhar por hora em grandes escritórios que representavam empresas importantes. Logo depois, estavam os que geralmente permaneciam no estado e trabalhavam para escritórios menores, especializados em casos envolvendo seguros. A maioria dos formandos voltavam para casa, onde ingressavam no escritório da família, ou conheciam alguém de um escritório localizado na praça onde ficava o fórum, ou tranquilamente abriam as próprias firmas e se declaravam prontos para atuar.

Desde o primeiro dia de aula, Keith sabia para onde iria e jamais se preocupou em fazer uma única entrevista. Ele amava Biloxi, venerava o pai e estava entusiasmado em ajudar a transformar o Rudy & Pettigrew em um importante escritório na Costa. Havia estudado muito, ao menos nos primeiros dois anos do curso, porque achava o Direito algo fascinante. Durante seu terceiro ano, no entanto, apaixonou-se por uma garota chamada Ainsley, também estudante, e passou a achá-la muito mais interessante. Era uma jovem de apenas 20 anos, de cabelos escuros, mais nova que Laura e Beverly, e como ela ainda tinha mais dois anos de faculdade pela frente, o casal não estava nem um pouco feliz com a ideia de manter um relacionamento à distância.

A formatura durante a primavera era uma época em que aconteciam muitas reuniões de classe da faculdade de Direito, encontros de ex-alunos, conferências jurídicas, reuniões de comitês de advogados, festas e jantares. O campus e a cidade pareciam lotados de advogados. Como Jesse não havia frequentado a Universidade do Mississippi, e sim seguido um percurso mais desafiador no curso noturno em Loyola, sentiu-se um pouco deslocado. Ficou agradavelmente surpreso, entretanto, com a quantidade de juízes e advogados que reconheceram seu nome e quiseram cumprimentá-lo. Com apenas um ano e meio no cargo de promotor público, recebeu mais atenção do que imaginava.

Enquanto tomavam drinques, vários advogados brincaram com ele a respeito da limpeza que pretendia fazer na Costa. Não se empolgue demais, implicavam. Haviam passado anos dando escapadinhas até lá para uma ou duas noites de diversão. Jesse deu risada das bobagens deles, mais determinado do que nunca a retomar sua guerra.

Após a cerimônia no domingo, as câmeras deram as caras. Em todas as fotos de Keith, com a família e os amigos, Ainsley estava ao seu lado.

No caminho para casa, Jesse e Agnes estavam convencidos de que haviam acabado de passar o fim de semana com a futura nora. Laura adorara a moça. Beverly tinha achado mais graça em ver como o irmão mais velho estava encantado pela garota. Aquele era seu primeiro relacionamento, e ele estava completamente de quatro.

QUANDO JOSHUA BURCH FINALMENTE esgotou sua impressionante coleção de táticas de adiamento e o juiz Nelson Oliphant finalmente se cansou delas, foi marcada a audiência do caso *Estado do Mississippi* versus *Ginger Eileen Redfield*. A paciência de Jesse havia se esgotado meses antes, e ele mal falava com o Dr. Burch, embora não considerasse muito profissional bater boca e fazer birra com advogados adversários. Ele era o promotor de justiça, o representante do Estado, e cabia a ele ao menos se esforçar para se comportar melhor do que os outros.

Em uma tarde de quarta-feira, o juiz Oliphant convocou o Dr. Rudy e o Dr. Burch a comparecer em seu gabinete e entregou-lhes a lista de possíveis jurados que ele e o escrivão do circuito haviam acabado de compilar. Havia sessenta nomes, todos eleitores registrados no condado de Harrison. Plenamente ciente do passado da ré no submundo do crime e do pessoal com quem ela andava, o juiz Oliphant estava preocupado em proteger seus jurados de "influências externas". Fez um discurso sobre as questões envolvidas na manipulação de um júri e os ameaçou com sanções severas caso ficasse sabendo de algum contato impróprio. Jesse ouviu o sermão com tranquilidade, pois sabia que não era o alvo. Burch também ouviu tudo sem objeções. Ele sabia que a cliente e sua laia eram capazes de qualquer coisa. E prometeu alertá-la.

Duas horas depois, Kilgore, o assistente do xerife, estacionou atrás do Red Velvet, entrou por uma infame portinha amarela que ficava parcialmente escondida por algumas velhas caixas de madeira e correu até o escritório de Malco.

Na pressa de reconstruir o estabelecimento depois do Camille, o empreiteiro interpretou mal as plantas baixas e instalou uma porta que não era necessária. No entanto, a porta provou ter valor inestimável, pois se tornou a passagem secreta de cidadãos respeitáveis que não queriam ser vistos entrando e saindo pela porta da frente do lugar. Para visitar suas garotas favoritas, eles estacionavam nos fundos e usavam a porta amarela.

Kilgore atirou a cópia da lista de jurados na mesa de Lance e falou:

– Sessenta nomes. Pança diz que conhece pelo menos metade deles.

Lance pegou a lista e analisou cada nome sem dizer uma palavra. Sendo um empresário discreto, evitava o público e raramente fazia qualquer esforço para se reunir com um desconhecido. Havia muito tempo, aceitara o fato de que a maioria das pessoas o considerava obscuro e desonesto, e não se importava, desde que o dinheiro entrasse. Ele era mais rico do que todo mundo, exceto uma meia dúzia de pessoas na Costa. A única reunião que Lance frequentava era a missa todos os domingos.

Ele marcou seis nomes que lhe pareceram familiares.

Kilgore reconheceu quinze.

– Sabe – disse Kilgore –, moro aqui há mais de quarenta anos e acho que conheço muita gente, mas toda vez que recebo uma dessas listas de jurados, me sinto um estranho.

Conforme Joshua Burch trabalhava em suas manobras e atrasos, o advogado, Lance e Ginger haviam se convencido de que o julgamento dela era um confronto crucial com Jesse Rudy. Ele já havia ganhado o caso de perturbação da ordem pública, embora o processo estivesse em fase de recurso, e o Carrossel, mais agitado do que nunca. Mas, ainda assim, tinha sido uma grande vitória para o promotor, em especial se a Suprema Corte do Mississippi confirmasse a decisão do juiz e forçasse o estabelecimento a fechar. Uma condenação por administrar um prostíbulo colocaria Ginger na cadeia, fecharia suas boates e encorajaria Rudy a usar os mesmos argumentos para indiciar e processar outras pessoas.

Embora os proprietários fossem uma gangue de bandidos desorganizada e caótica e se desprezassem, competissem e, muitas vezes, brigassem entre si, havia momentos em que Lance conseguia impor algum respeito e fazer com que os outros o ouvissem, para seu próprio bem. O julgamento de Ginger Redfield era um desses momentos.

Cópias da lista foram espalhadas. Às nove horas daquela noite, o dono de cada boate, bar, salão de bilhar e casa de striptease tinha a lista em mãos e andava à procura de informações sobre cada nome.

AS DUAS PRIMEIRAS TESTEMUNHAS convocadas pelo Ministério Público foram Chuck Armstrong e Dennis Greenleaf, os mesmos dois policiais que depuseram no caso de perturbação da ordem pública, dez meses antes. Eles haviam ido ao Carrossel, pagado drinques para Marlene e outra garota, bebido mais e depois negociado o preço de uma visita ao andar de cima. Observaram outras garçonetes se oferecendo aos clientes e muita gente entrando e saindo do bar. Viram vários homens fazerem a mesma coisa que eles haviam feito, mas os outros rapazes tinham ido embora com as garotas.

Ambas as testemunhas haviam sido interrogadas por Joshua Burch antes e foram cuidadosamente preparadas por Jesse Rudy. Eles se mantiveram firmes e permaneceram calmos e profissionais quando Burch os acusou de contratar prostitutas e tentar enganar as jovens.

Jesse manteve os olhos atentos ao júri conforme Burch voltava para sua mesa. Oito homens, quatro mulheres, todos brancos. Três batistas, três católicos, dois metodistas, dois pentecostais e dois pecadores declarados que afirmavam não pertencer a nenhuma igreja. A maioria deles pareceu achar graça da insinuação excessivamente dramática de Burch de que os policiais estavam corrompendo as ingênuas garçonetes. Todos em um raio de centenas de quilômetros ao redor daquele tribunal conheciam a reputação das casas noturnas. Foram anos ouvindo as histórias.

O trabalho de Keith era fazer anotações, observar os jurados e tentar ficar de olho na multidão atrás dele. O tribunal estava com quase metade da lotação, e ele não viu o dono de nenhuma outra boate. Em algum momento, contudo, durante o depoimento de Greenleaf, olhou ao redor e ficou surpreso ao ver Hugh Malco sentado na última fila. Eles fizeram contato visual, então ambos desviaram o olhar com indiferença, como se nenhum deles se importasse com o que o outro estava fazendo. O cabelo de Hugh estava mais comprido, e ele deixava o bigode crescer. Seu peito parecia mais largo, e Keith concluiu que era por causa da quantidade de cerveja que ele tomava nos salões de bilhar. Tinham uma longa história que se estendia desde 1960 e os anos de glória como atletas em ascensão no beisebol, mas a rachadura entre eles era profunda e permanente.

No entanto, apesar de seus caminhos radicalmente diferentes, Keith, mesmo que apenas por um segundo, amoleceu diante do velho amigo.

Após o recesso matinal, Jesse chamou mais dois policiais para depor, e seus depoimentos foram semelhantes aos dois primeiros. Mais das mesmas rotinas de sedução, mas com garotas diferentes. Mais promessas de sexo por 50 dólares a meia hora, o dobro por sessenta minutos.

Enquanto Burch atravessava mais um interrogatório, Jesse fazia anotações e observava os jurados. O número oito era um homem chamado Nunzio, 43 anos, supostamente metodista, e parecia distante do julgamento, com o estranho hábito de olhar para o teto ou para os sapatos.

Keith, que não perderia toda aquela ação, sentou-se em uma cadeira ao longo da cerca divisória, atrás do pai. Ele lhe passou um pedaço de papel que dizia: *Número 8, Nunzio, não está prestando atenção, está agindo de um jeito estranho. Será que já se decidiu?*

O almoço foi um sanduíche rápido na sala de reuniões do escritório de advocacia. Egan Clement estava preocupada com o jurado número três, o Sr. Dewey, um homem mais velho e propenso a pegar no sono. Pelo menos metade do júri, em especial os batistas e pentecostais, estava ansiosa para levantar a bandeira dos bons costumes. A outra metade era mais difícil de interpretar.

À tarde, Jesse concluiu o interrogatório dos demais policiais infiltrados. O depoimento deles variou pouco em relação aos dos quatro primeiros, e, quando Burch terminou com suas perguntas, as palavras "prostituta" e "prostituição" haviam sido tão repetidas que havia poucas dúvidas de que a boate da ré não passava de um mero bordel.

Às três da tarde, o Ministério Público concluiu sua argumentação. Joshua Burch não perdeu tempo em chamar sua principal testemunha. Quando Marlene assumiu o banco das testemunhas e jurou dizer a verdade, nunca pareceu tão sem graça. Seu nome verdadeiro era Marlene Hitchcock, 24 anos, naquele momento morando em Prattville, no Alabama. Seu vestido de algodão era largo, cobria cada centímetro de seu peito e caía bem abaixo dos joelhos. Calçava sandálias simples, algo que sua avó poderia estar usando. Não tinha um pingo de maquiagem no rosto, apenas uma leve camada de gloss rosa nos lábios. Ela nunca havia usado óculos, mas Burch escolheu um para ela e, por trás das armações redondas, poderia se passar por uma bibliotecária escolar.

Sentados na terceira fila e, naquele momento, assistindo ao julgamento depois de terem encerrado sua participação, Chuck Armstrong e Dennis Greenleaf mal a reconheceram.

Numa conversa cuidadosamente ensaiada, Burch a conduziu por depoimentos que revelaram uma vida difícil: forçada a abandonar o ensino médio, Marlene passara por um primeiro casamento fracassado, enfrentara trabalhos mal pagos até chegar a Biloxi quatro anos antes e conseguir um emprego servindo bebidas no Carrossel. Ela estabeleceu que nunca: (1) se oferecera para fazer sexo com ninguém, (2) sugerira a um cliente que fizessem sexo, (3) vira nenhuma outra garota se vendendo por sexo, (4) ouvira falar de qualquer quarto no andar superior onde pudesse haver pessoas fazendo sexo, e assim por diante. Apresentou uma absoluta, completa e tranquila recusa ao se pronunciar sobre as atividades sexuais desempenhadas no Carrossel. Ela admirava muito a "dona Ginger" e gostava de trabalhar para ela.

Seu testemunho era tão flagrantemente falso que, de um jeito bem estranho, chegava a ser crível. Nenhum ser humano decente faria um juramento, muito menos sobre uma Bíblia, e depois mentiria de maneira tão descarada.

Jesse deu início às suas perguntas de maneira simpática, com um debate sobre seus inusitados rendimentos. Ela admitiu que trabalhava apenas por gorjetas em dinheiro e que não declarava nada. Não havia deduções para coisas desagradáveis como impostos, nem retenção para a Segurança Social ou seguro-desemprego. De repente, começou a chorar ao descrever como era difícil ganhar e economizar alguns dólares para mandar para a mãe, que por acaso estava criando a filha de Marlene, uma garotinha de 3 anos. Se Jesse queria marcar pontos retratando-a como uma sonegadora de impostos, acabou fracassando. Os jurados, principalmente os homens, pareciam compreensivos. Mesmo totalmente vestida e sem maquiagem, era uma mulher bonita, com um brilho nos olhos quando não estava chorando. Os homens na bancada do júri estavam prestando atenção.

Jesse passou para o assunto sexo, mas não chegou a lugar nenhum. A jovem negou categoricamente qualquer sugestão de que estivesse nesse ramo. Quando pressionou um pouco mais, ela surpreendeu a todos ao exclamar:

– Eu não sou prostituta, Dr. Rudy!

Ele não sabia ao certo como lidar com aquela testemunha. A questão era, afinal, bastante delicada. Como alguém questiona a vida sexual de outra pessoa, em uma audiência aberta ao público?

Burch sentiu que estava em vantagem e atacou. Chamou cinco testemunhas consecutivas, as mesmas cinco garçonetes que haviam sido acusadas pelos policiais infiltrados e as mesmas que haviam desaparecido da Costa durante o julgamento por perturbação da ordem pública. Ele levou todas ao banco de testemunhas. Nada de roupas apertadas, saias curtas, cabelos despenteados, rímel, tinturas loiras, joias ou saltos altos chamativos. Juntas, as seis poderiam ter se passado por um coral de moças durante a reunião da igreja nas noites de quarta-feira.

As jovens elogiaram a Srta. Ginger e a patroa maravilhosa que era. Ela conduzia o negócio a pulso firme, não tolerava bêbados e encrenqueiros, e protegia suas meninas. Claro, algumas das outras, as strippers, ficavam lá no palco fazendo suas coisas. Elas eram a atração, as garotas que os rapazes iam ver. Mas elas eram intocáveis, e isso fazia parte do show.

Duas das garçonetes admitiram sair com clientes, mas apenas quando estavam de folga, outra das muitas regras da Srta. Ginger. Um dos romances durou alguns meses.

As quatro mulheres do júri perceberam a farsa e perderam o interesse. Os homens eram mais difíceis de interpretar. Joe Nunzio gostou de Marlene, mas logo voltou a se interessar por seus sapatos. O Sr. Dewey cochilou durante a maior parte do depoimento anterior, mas as moças haviam prendido sua atenção, e ele acompanhou cada palavra.

Às doze horas do segundo dia, Burch já havia retratado o Carrossel como praticamente um lugar para crianças, com diversão para toda a família.

Após o almoço, ele continuou sua defesa com mais do mesmo. Mais quatro moças se apresentaram e deram depoimentos semelhantes. Eram apenas garotas trabalhadoras servindo bebidas, tentando ganhar a vida. Pouco do que afirmavam podia ser verificado. Como não havia registros, elas podiam declarar qualquer coisa, e não havia nada que Jesse pudesse fazer a respeito. Ele tentou descobrir seus nomes, endereços atuais, idades e datas de contratação, mas até isso foi difícil.

Durante um longo recesso durante a tarde, o juiz Oliphant sugeriu a Burch que talvez já tivessem ouvido o suficiente. Burch disse que tinha mais testemunhas, mais garçonetes, mas concordou que os jurados estavam ficando cansados.

– A ré irá depor? – perguntou Oliphant.

– Não, Excelência.

Embora Jesse estivesse ansioso para fazer Ginger passar por um longo interrogatório, não ficou surpreso com a resposta de Burch. Durante a audiência do caso de perturbação da ordem pública, ela tinha sido fria e calma no banco das testemunhas, mas Jesse não havia insistido em seu passado. Com um júri assistindo, ele estava confiante de que poderia abalá-la e induzi-la a uma resposta ruim. Burch estava preocupado o suficiente para mantê-la fora do banco. Além disso, geralmente era uma má ideia permitir que o réu testemunhasse.

O juiz Oliphant sofria de dores lombares e tomava remédios que muitas vezes atrapalhavam seu estado de alerta, e ele precisava de uma pausa. O magistrado suspendeu o julgamento até a manhã seguinte.

Enquanto caminhavam até o carro de Jesse no estacionamento ao lado do fórum, ele viu algo preso atrás de um dos limpadores de para-brisa. Era um pequeno envelope branco, sem identificação. Pegou o envelope e entrou no carro, assim como Egan. Keith, sempre o novato, sentou-se no banco de trás. Jesse abriu o envelope e removeu um pequeno cartão branco. Alguém havia escrito: *Joe Nunzio recebeu 2 mil dólares em dinheiro para votar inocente.*

O promotor entregou o papel para Egan, que leu e o passou para Keith. Eles dirigiram em silêncio até o escritório, esvaziaram a sala de reuniões e fecharam as portas.

A primeira questão era se contariam ao juiz Oliphant. O bilhete poderia ser uma piada, uma pista falsa, uma brincadeira. Claro, também poderia ser verdade, porém, não havia outras provas, Oliphant provavelmente não faria muita coisa. Poderia entrevistar os jurados individualmente e tentar avaliar a linguagem corporal de Nunzio, mas, se ele tivesse mesmo aceitado o dinheiro, o mais provável era que não confessasse.

Como sempre, havia dois jurados suplentes. Se Nunzio fosse dispensado, o julgamento continuaria.

Jesse poderia exigir a anulação do julgamento, um pedido raro, vindo do Estado. Se concedido, todos iriam para casa e o caso seria julgado novamente outro dia. Ele duvidava, porém, que o juiz Oliphant aceitasse. Pedidos de anulação eram para réus, não promotores.

Depois de pensar por duas horas, Jesse decidiu não fazer nada. O júri receberia o caso na manhã seguinte, e logo eles saberiam o que Nunzio estava tramando, se é que havia alguma coisa.

JESSE COMEÇOU AS ALEGAÇÕES finais com uma condenação entusiástica da ré, Srta. Ginger, e de sua casa de péssima reputação. Ele opôs o testemunho de seis policiais dedicados, infiltrados e à paisana, contra o de um verdadeiro desfile de mulheres que também se apresentaram ao júri à paisana. E propôs aos jurados imaginarem que aparência elas tinham quando tentavam seduzir os clientes e lhes ofereciam sexo.

Burch estava à altura da tarefa e criticou os policiais por entrarem sorrateiramente no Carrossel com a única intenção de "armar uma cilada", induzindo as garçonetes a um mau comportamento. Claro que as moças tinham origens complicadas e vinham de lares desfeitos, mas não era culpa delas. Elas haviam conseguido um emprego graças à bondade de sua cliente, a Srta. Ginger, e eram bem pagas para servir bebidas.

Enquanto Burch andava de um lado para o outro como um ator de teatro, Jesse observava os jurados. Foi o único momento no julgamento em que pôde estudá-los plenamente, sem se preocupar em ser pego dando uma espiada. Joe Nunzio se recusou a fazer contato visual com Jesse durante as alegações finais, mas estava observando Burch de perto.

A maioria dos jurados votaria pela condenação, mas a lei exigia um veredito unânime, fosse pela culpa ou pela inocência. Qualquer coisa no meio do caminho seria declarada um impasse, um julgamento nulo, e possivelmente levaria a outra audiência alguns meses depois.

O júri se retirou para suas deliberações pouco antes das onze da manhã, e o juiz Oliphant suspendeu a sessão até segunda ordem. Às três da tarde, seu escrivão desceu o corredor até o gabinete de Jesse e o informou de que não havia veredito. Às cinco e meia, os jurados foram dispensados pelo resto da noite. Não havia nenhuma indicação de para qual lado eles poderiam estar propensos.

Às nove da manhã, o juiz Oliphant retomou a sessão e perguntou ao presidente do júri, Sr. Threadgill, como iam as coisas. Pela expressão em seu rosto e por sua linguagem corporal, era óbvio que eles não estavam se divertindo. Sua Excelência os mandou de volta ao trabalho e praticamente os repreendeu dizendo que esperava um veredito. A manhã se arrastou sem notícias da sala do júri. Quando o juiz fez a pausa para o almoço, pediu aos advogados que se reunissem em seu gabinete. Quando eles se sentaram, Oliphant acenou para o oficial de justiça, que abriu a porta e escoltou o Sr. Threadgill para dentro da sala. O juiz educadamente lhe pediu que se sentasse.

– Imagino que não tenha havido um grande avanço.

O Sr. Threadgill balançou a cabeça e pareceu frustrado.

– Não, Excelência. Receio que tenhamos chegado a um beco sem saída.

– Como estão os votos?

– Nove a três. Está assim desde ontem à tarde e estão todos decididos. Acho que estamos perdendo nosso tempo e fazendo todos vocês perderem tempo também. Sinto muito por isso, Excelência, mas não adianta.

Oliphant respirou profundamente e exalou ruidosamente. Como todo juiz, odiava julgamentos anulados por serem nada além de fracassos que desperdiçavam centenas de horas e precisavam ser repetidos. Ele olhou para o Sr. Threadgill e disse:

– Obrigado. Por que vocês não almoçam e voltamos a nos reunir à uma e meia?

– Sim, Excelência.

À uma e meia, o júri foi conduzido de volta ao tribunal. O juiz Oliphant se dirigiu aos jurados:

– Fui informado de que estão em um impasse e não estão progredindo. Vou fazer a mesma pergunta a cada um de vocês, e tudo o que quero é uma resposta, sim ou não. Nada mais. Jurada número um, Sra. Barnes, acredita que este júri possa chegar a uma decisão unânime sobre o assunto?

– Não, senhor – respondeu ela sem hesitar.

Ninguém hesitou, o que, de fato, foi uma unanimidade. Insistir seria uma perda de tempo.

O juiz Oliphant aceitou o óbvio e declarou:

– Obrigado. Não tenho escolha a não ser declarar a anulação do julgamento. Dr. Rudy e Dr. Burch, os senhores têm quinze dias para os pedidos referentes ao pós-julgamento. A sessão está adiada.

28

Dois dias após a anulação do julgamento, Jesse marcou uma reunião com o juiz Oliphant.

Os gabinetes deles ficavam no mesmo andar, a pouco mais de 50 metros de distância, com a sala de audiências no meio, e eles se viam com bastante frequência, embora evitassem dar a impressão de serem próximos demais. A maioria das reuniões eram marcadas pelas secretárias e anotadas em suas agendas. O encontro favorito dos dois acontecia no final da tarde das sextas-feiras, quando tomavam algumas doses de bourbon depois que todo mundo ia para casa.

Após o juiz servir duas xícaras de café preto, Jesse entregou o bilhete que havia encontrado no para-brisa. Longas e grossas rugas se formaram na testa do juiz, e ele repetiu pelo menos três vezes:

– Por que não me falou nada?

– Pensei nisso, mas não soube o que fazer. Pode ter sido alguém querendo pregar uma peça, sei lá.

– Eu acho que não.

Oliphant devolveu o bilhete a Jesse e franziu a testa.

– O que você está sabendo? – perguntou Jesse.

– Eu conversei com o oficial de justiça, como sempre faço. Eles ouvem muita coisa. Joe Nunzio se opôs ferozmente à condenação e disse isso durante o julgamento e os recessos. Ele foi avisado para ficar quieto até o momento das deliberações, mas deixou claro que achava injusta a acusação contra Ginger. Ele nunca iria votar pela condenação e conseguiu persuadir outros dois a acompanhá-lo.

– Então ele recebeu mesmo algum dinheiro?

– É mais do que provável. – Oliphant passou mão no cabelo ralo; parecia um pouco pálido. – Eu não tô acreditando nisso, Jesse. Quase trinta anos de magistratura, e nunca vi isso antes.

– A manipulação do júri é algo raro, Excelência, mas acontece. A gente não deveria se surpreender, considerando a quantidade de bandidos que tem por aqui. A questão é como provar isso.

– Você tem algum plano?

– Tenho. Não vou pressionar um novo julgamento até que a Suprema Corte decida sobre o caso de perturbação. Se a gente ganhar, vou ficar em cima da Ginger até conseguir trazê-la de volta ao tribunal do júri. Enquanto isso, vou dar um susto no Joe Nunzio.

– Paul Dewey e Chick Hutchinson são os outros dois. Mas você não soube disso por mim, hein.

– Como sempre, Excelência, não ouvi nada do senhor.

A ANULAÇÃO DO JULGAMENTO acalmou a Strip tal qual um dry martíni. O Carrossel seguia aberto. Ginger tinha arrasado no tribunal e saído livre, leve e solta, e depois disso já estava de volta ao trabalho. O famoso promotor cheio de promessas grandiosas não estava se saindo nada bem, apenas mais um reformador decadente.

Em poucos dias, as trabalhadoras estavam de volta às boates oferecendo seus serviços, mas apenas para membros.

Stofer relatou a Jesse que, assim que o julgamento terminou, foi como se alguém tivesse apertado um botão e os bons tempos, recomeçado. Ele tinha ouvido falar que outros estabelecimentos haviam instalado caça-níqueis e mesas de jogo e discretamente reaberto seus cassinos.

Depois de três meses no Red Velvet, Stofer aos poucos começou a se adaptar. Seu primeiro trabalho foi como faxineiro; ele tinha a desagradável tarefa de chegar lá todas as manhãs antes de o sol nascer para limpar pistas de dança, mesas e cadeiras, e recolher garrafas quebradas e latas vazias. Trabalhava dez horas por dia, seis dias por semana, e saía de lá todas as tardes antes do happy hour. Não faltava nunca, jamais se atrasava para o trabalho e falava pouco, mas ouvia o máximo que conseguia. Após um mês, foi transferido para a cozinha, depois que dois cozinheiros pediram demissão. Recebia em dinheiro e, até onde sabia, não constava nos livros de contabilidade. O gerente havia perguntado se ele tinha antecedentes criminais, e ele respondeu que sim. Roubo de carros. Isso não incomodou nem um pouco o homem, mas Stofer foi avisado para ficar longe das caixas registradoras. Ele mantinha a cabeça baixa, o nariz limpo e fazia horas extras sempre que solicitado. Encontrou um livro na biblioteca sobre mixologia e decorou todos os tipos de destilados e drinques, embora esse conhecimento raramente fosse necessário no Foxy's. Não fazia amigos no trabalho e mantinha sua vida pessoal para si mesmo.

Até o momento, não tinha nenhuma fofoca ou informação privilegiada para fornecer. Jesse ficou satisfeito com seu progresso e disse a ele para seguir com o trabalho e, assim que possível, passasse algumas horas atrás do bar, onde poderia ver e ouvir muito mais.

PARA SEU NOVO PAPEL, Gene Pettigrew vestiu calça cáqui engomada, um blazer azul-marinho amarrotado e botas de cowboy de bico fino, uma combinação que jamais usaria no escritório. Em seus quatro anos como sócio de Jesse, ele e o irmão Gage estiveram em mais tribunais do que a maioria dos advogados com menos de 30 anos. Ainda estavam lutando contra as seguradoras e geralmente venciam. Haviam aprimorado suas habilidades em ações judiciais e, com Jesse botando para quebrar em seu outro escritório, estavam ganhando a reputação de advogados agressivos.

Naquela ocasião, no entanto, Jesse precisava de um favor, uma missão secreta.

Gene encontrou Joe Nunzio no local onde o homem trabalhava vendendo peças de automóveis, uma loja em Gulfport. Ele estava atrás do balcão, verificando uma planilha de estoque, quando Gene se aproximou com um sorriso e disse em voz baixa:

– Estou aqui em nome do gabinete do promotor de justiça. Tem um minuto?

Ele entregou um cartão de visita ao homem – um cartão novo, com um novo nome, especialmente escolhido para sua nova função. Gene não tinha treinamento como investigador, mas o trabalho não podia ser tão complicado. Jesse podia contratar quem quisesse, pagar pelos cartões de visita e dar-lhe qualquer título e nome que escolhesse.

Nunzio olhou ao redor, sorriu e perguntou:

– Algum problema?

– Dez minutos, é tudo de que preciso.

– Bom, eu tô ocupado agora.

– Eu também. Olha, a gente pode ir lá fora e bater um papo, ou então eu passo na sua casa hoje à noite. Devon Street, número 816, certo? No Point?

Eles saíram da loja e pararam entre dois carros estacionados.

– O que diabos tá pegando? – resmungou Nunzio.

– Relaxa, beleza?

– Você é da polícia ou alguma coisa do tipo?

– Alguma coisa do tipo. Não, não sou da polícia. Sou um investigador do promotor de justiça, Dr. Jesse Rudy.

– Eu sei quem é o promotor.

– Ótimo, já é um bom começo. Ele e o juiz, você se lembra do juiz Oliphant, certo?

– Sim.

– Bom, o promotor e o juiz estão curiosos sobre o veredito de duas semanas atrás do caso Ginger Redfield. Eles suspeitam que o júri foi manipulado. Você sabe o que significa isso, não sabe?

– Você tá me acusando de alguma coisa?

– Calma, não seja tão sensível. Eu só perguntei se você sabe do que se trata.

– Acho que sim.

– É quando alguém de fora tenta influenciar uma decisão do júri. Pode ser por ameaça, coerção, extorsão ou suborno. Isso acontece, sabe? Alguém pode oferecer a um jurado algo do tipo, vamos dizer, 2 mil dólares em dinheiro pra votar pela inocência do réu. Sei que é difícil de acreditar, mas acontece. E a parte ruim é que ambas as partes são culpadas. O cara que pagou o suborno e o jurado que aceitou. Dez anos de cadeia, multa de 5 mil dólares.

– Acho que você tá me acusando de alguma coisa.

Gene olhou bem fundo nos olhos nervosos e preocupados do outro homem.

– Bom, acho que você parece culpado. De qualquer maneira, o Dr. Rudy gostaria de falar com você, no gabinete dele, uma reunião privada. Amanhã depois do trabalho. Ele vai estar no fórum, no final do corredor onde fica o tribunal.

Nunzio respirou fundo, apreensivo. Os olhos iam de um lado para outro enquanto ele tentava pensar.

– E se eu não quiser falar com ele?

– Sem problemas. Você que sabe. Pode ir até lá amanhã ou aguardar até que ele convoque o grande júri. Ele vai intimar você, a sua esposa, vai pedir quebra de sigilo bancário, de coisas relacionadas ao seu emprego, tudo, na verdade. Vai colocar você sob juramento e fazer algumas perguntas difíceis. Sabe o que significa perjúrio, não sabe?

– Outra acusação? Parece que vou precisar de um advogado.

Gene deu de ombros, debochado.

– É com você. Mas advogados custam muito dinheiro e geralmente fazem merda. Vai lá falar com o Dr. Rudy e depois você decide em relação ao advogado. Obrigado pelo seu tempo.

Ele se virou e foi embora, deixando Nunzio confuso, assustado e com muitas perguntas.

O blefe continuou na tarde seguinte, quando Nunzio compareceu à promotoria, sem advogado. Jesse o levou até seu gabinete, agradeceu a visita e falou amenidades. Mas isso logo acabou quando ele disse:

– O juiz Oliphant vem recebendo alguns relatos de manipulação do júri no caso Redfield e por isso planeja falar com os jurados. Tenho certeza de que você vai receber uma ligação em breve.

Nunzio deu de ombros como se não tivesse nada com o que se preocupar.

– Ele acha que meus argumentos provaram que a ré era sem sombra de dúvidas culpada, porém, três jurados não viram dessa forma. Para os outros nove, não houve nenhuma dúvida.

– Eu achava que as deliberações eram confidenciais.

– Ah, e são, sempre. É preciso manter essa privacidade. Mas as coisas geralmente vazam. Sabemos que você, Paul Dewey e Chick Hutchinson votaram pela absolvição, o que é perturbador à luz das evidências esmagadoras que foram apresentadas. Vocês três fizeram um bom trabalho ao criar um impasse no júri. A questão é: Paul e Chick também receberam dinheiro?

– Do que você tá falando?

– Estou falando dos 2 mil dólares em dinheiro que você ganhou pra votar pela inocência da ré. Você está dizendo que isso não aconteceu?

– Mas é claro que isso não aconteceu. Você entendeu errado, Dr. Rudy. Eu não ganhei dinheiro nenhum.

– Muito bem. Vou colocar você diante de um grande júri e fazer um milhão de perguntas sobre isso. Você vai jurar dizer a verdade. A pena para o crime de perjúrio é de dez anos, Joe. A mesma para manipulação do júri. São vinte anos em Parchman, e o juiz e eu podemos garantir que você irá cumprir cada dia da sentença.

– Você é maluco.

– Eu também sou perigoso. Olha, Joe, você cometeu um crime grave, e eu sei disso. Como a sua família vai se sentir quando eu indiciar você por manipulação do júri?

– Eu preciso de um advogado.

– Vá em frente, contrate um. Você tem dinheiro pra isso. O que resta dele. Mas você está deixando um rastro, Joe. Na semana passada, comprou uma caminhonete novinha da Shelton Ford, pagou 500 à vista e financiou o resto. Você está sendo descuidado, Joe.

– Não tem nada de errado em comprar uma caminhonete.

– Tem razão. Então não vou te indiciar por isso. Já estou satisfeito com as outras acusações.

– Eu não sei do que você tá falando.

– É claro que sabe, Joe. Estou sendo bastante claro, não tem nada de complicado. Vou indiciar você por manipulação do júri, talvez por perjúrio também, e vou até o inferno se for preciso pra você dizer de onde veio o dinheiro. Você é um peixe pequeno em um grande lago, Joe, e eu quero troféus maiores. Quero saber quem foi que te pagou esse dinheiro.

– Que dinheiro?

– Você tem trinta dias, Joe. Se não chegarmos a um acordo em trinta dias, você vai ouvir uma batida na porta às três da manhã. Vão te entregar uma intimação. E eu vou estar te esperando na sala do grande júri.

29

Depois que as atividades do Tribunal de Segunda Instância se encerraram em dezembro de 1973 para as festas, o juiz Oliphant adiou os casos pendentes para o ano seguinte e partiu para a Flórida rumo a um Natal ensolarado. O mundo jurídico desacelerava consideravelmente durante as festas de fim de ano. Os funcionários do tribunal decoravam seus escritórios e distribuíam pãezinhos, bolos e biscoitos para quem passava por lá. As secretárias precisavam de mais tempo livre para fazer compras. Os advogados sabiam que não deviam solicitar o agendamento de audiências; não havia um juiz sequer em parte alguma. Então, eles festejavam, um gabinete após o outro, e convidavam policiais, equipes de resgate, motoristas de ambulâncias e até alguns clientes. As comemorações costumavam ser barulhentas e tumultuadas, e nunca faltava bebida.

No Rudy & Pettigrew, as coisas andavam mais calmas quando os membros do escritório se reuniram para almoçar e trocar presentes. Para Jesse e Agnes, foi um momento de orgulho e felicidade, porque os quatro filhos estavam em casa para o recesso de fim de ano. Keith já advogava havia sete meses. Beverly tinha terminado a faculdade e estava pensando no futuro. Laura se formaria na Southern Miss na primavera seguinte. Tim, o mais novo, não parava de falar sobre uma possível transferência para uma faculdade no oeste. Estava cansado da praia e queria ver as montanhas. Seus irmãos mais velhos eram mais parecidos com Jesse – disciplinados, motivados, organizados, focados. Tim era alguém com um espírito livre, um rebelde, e seus pais não sabiam o que fazer com ele.

Desde que ele tinha saído de casa, dois anos antes, Agnes havia assumido um papel mais importante no escritório. Ela era praticamente a sócia-gerente, embora sem a vantagem de uma licença para advogar. Gerenciava as secretárias e as empregadas de meio período. Tomava conta dos arquivos e se certificava de que os documentos fossem catalogados prontamente. Cuidava da maior parte da contabilidade e monitorava honorários e despesas. De vez em quando, intervinha para mediar algum conflito entre os advogados, mas era raro. Ela e Jesse insistiam em um bom comportamento e em relações respeitosas, e a verdade é que os quatro jovens advogados se gostavam. Não havia ciúme nem inveja. Estavam construindo um escritório e trabalhando juntos.

O cargo de promotor de justiça exigia que Jesse trabalhasse em tempo integral, mas uma brecha na lei permitia que um promotor mantivesse seu antigo emprego desde que não lucrasse com isso. A regra era que o escritório não podia aceitar clientes criminais, nem mesmo bêbados ou ladrões de galinhas. Livres dessa especialidade tão pouco lucrativa do Direito, os quatro jovens advogados trabalhavam na área cível e captavam clientes.

Jesse aparecia pelo menos duas vezes por semana, ainda que fosse apenas para roubar brownies e biscoitos da cozinha. E ele gostava de lembrar à sua equipe ocupada de que aquele ainda era seu escritório de advocacia, embora não houvesse nenhuma dúvida em relação a isso. Ele passava alguns minutos com Egan e cada um dos Pettigrews, e perguntava sobre seus casos. Como falava com Keith todos os dias, sempre sabia no que o jovem estava trabalhando. O escritório era como uma família, e Jesse estava determinado a fazer com que crescesse e prosperasse.

Aproveitaram o almoço de Natal, sem bebidas alcoólicas, e deram risada dos presentes engraçados que circularam. A festa terminou por volta das três da tarde, com abraços e desejos de boas festas. Jesse pediu licença e disse que precisava voltar ao gabinete da promotoria. Sério? Numa sexta-feira à tarde em dezembro?

Ele dirigiu até o porto de Biloxi e estacionou na areia coberta de conchas de ostras. Vestiu seu sobretudo e esperou a balsa para Ship Island. A viagem de ida e volta sempre clareava sua mente, e ele a fazia três ou quatro vezes por ano. O ar estava fresco, e um vento forte o tornava ainda mais frio; por um momento, pensou que talvez a linha estivesse suspensa. O promotor gostava quando o estreito do Mississippi estava mais agressivo, com jatos de água salgada batendo de vez em quando em seu rosto.

Jesse embarcou no Pan American Clipper, cumprimentou o capitão Pete, como sempre fazia, passou por uma fileira de máquinas caça-níqueis e encontrou um assento no convés superior, longe dos outros passageiros. Estava virado para o sul, em direção a Ship Island, que não estava visível. Era quase Natal, e os turistas já tinham ido embora. A balsa estava praticamente vazia. A buzina soou em um toque longo e triste, e eles partiram, afastando-se do píer. O porto logo ficou para trás.

O primeiro mandato de Jesse estava quase no fim, e ele o considerava um fracasso. Em seu projeto de limpeza da Costa, não chegara nem a arranhar a superfície. A prostituição e o jogo ainda eram abundantes nas boates. O tráfico de drogas aumentava. Os casos de homicídio não resolvidos continuavam insolúveis. Havia ganhado o caso de perturbação da ordem pública contra o Carrossel, mas o local ainda estava aberto e indo de vento em popa. Achou que tivesse conseguido encurralar Ginger Redfield, mas ela conseguiu escapar. O júri dela havia sido manipulado, e ele se sentia responsável por ter deixado isso acontecer. O blefe com Joe Nunzio não dera em nada. Ele não abriria o bico, e Jesse não tinha provas suficientes. Conforme estava começando a entender, era impossível rastrear o dinheiro, e havia muito correndo solto nas sombras. Não tinha conseguido chegar nem perto de Lance Malco, o Chefe da Strip, nem de Shine Tanner, o "vice" na época. Sua única vitória foi fechar o Siesta, mas isso só acontecera graças ao envolvimento de uma pessoa de dentro, e ele acreditava que havia sido uma armação. A denúncia anônima para a polícia de Biloxi provavelmente tinha vindo de alguém que trabalhava para Malco. Dedurar o Siesta fez com que o empresário tivesse um competidor a menos.

Em quinze meses, Jesse anunciaria sua candidatura à reeleição. Ele quase já ouvira os anúncios de rádio de seu oponente, quem quer que fosse. Rudy não havia limpado a Costa, ela estava mais suja do que nunca, e por aí vai. A perspectiva de outra corrida eleitoral difícil nunca fora atraente, mas dessa vez ele tinha pouco sucesso para embasar uma campanha. Seu nome era bastante conhecido, e ele era capaz de fazer política tão bem quanto qualquer um, mas faltava algo. Uma condenação, e das grandes.

Jesse desceu da balsa no cais de Ship Island e foi dar uma caminhada.

Comprou um café grande e encontrou um banco de parque perto do forte. O vento tinha parado, e o mar estava calmo. Para um menino que havia crescido na água e amava o estreito, ele agora passava bem pouco tempo em um barco. No ano seguinte, faria melhor que isso. No ano seguinte, levaria as crianças para pescar, como fazia quando eram mais jovens.

Condenar Lance Malco e mandá-lo para a prisão seria agora sua prioridade número um. Assassinatos, espancamentos, atentados e torturas à parte, Malco vinha operando empresas criminosas em Biloxi havia vinte anos, e o fazia impunemente. Se Jesse não conseguisse tirá-lo do mercado, então não merecia o cargo de promotor de justiça.

Mas ele precisava da ajuda de outro promotor.

DOIS DIAS DEPOIS DO NATAL, Jesse e Keith dirigiram três horas no sentido norte, rumo a Jackson, e chegaram à capital do estado com meia hora de antecedência para uma reunião com o governador, Bill Waller, um ex-promotor. Waller tinha sido promotor do condado de Hinds por dois mandatos e fez seu nome perseguindo o notório assassino de um proeminente defensor dos direitos civis. Em suas campanhas, ele se absteve de usar a linguagem incendiária de seus predecessores. Era considerado um moderado que desejava mudanças reais na educação, nas eleições e nas relações raciais do estado. Enquanto ex-promotor, não tinha paciência para o crime e a corrupção na Costa. Além disso, havia conhecido Jesse Rudy e estava grato por seu apoio.

Uma secretária disse que a reunião duraria apenas trinta minutos. O governador estava bastante ocupado e sua família estava na cidade para as festas de fim de ano. Outra secretária acompanhou Keith e Jesse até a sala de recepção oficial do governador no segundo andar do capitólio. Ele morava na mansão oficial a três quarteirões de distância.

O governador estava ao telefone, mas acenou para que eles entrassem. A secretária serviu um café e por fim se retirou. Ele desligou, e todos apertaram as mãos. Conversaram como se fossem velhos amigos da Costa, e os minutos se passaram.

Keith se beliscou para ter certeza de que aquilo estava realmente acontecendo. Ele era um advogado novato de 25 anos sentado no gabinete do governador como se realmente merecesse um lugar à mesa. Não pôde deixar de olhar ao redor e observar os grandes retratos de ex-governadores. Assimilou todo o cenário, a mesa poderosa, as pesadas cadeiras de couro, a lareira, a aura de poder, a equipe ocupada cuidando de cada detalhe.

O jovem ficou impressionado. Talvez, um dia, ele também teria tudo aquilo a seu dispor.

Voltou à realidade quando o governador disse:

– Gosto do seu caso de perturbação da ordem pública. Li os autos ontem à noite. A Suprema Corte fará a coisa certa.

Jesse ficou surpreso ao saber que o governador estava em dia com os casos em fase de apelação. Ficou ainda mais surpreso ao saber que a Suprema Corte Estadual estava do lado deles.

– É muito bom mesmo ouvir isso, governador.

– Uma decisão está a caminho, logo após o recesso. Você vai gostar.

Jesse olhou para Keith, e nenhum dos dois conseguiu conter um sorriso.

– Foi uma ótima ideia usar a lei estadual de perturbação da ordem pública – elogiou o governador. – Acha que consegue ir atrás das outras boates e limpar toda aquela sujeira?

– Vamos tentar, governador, mas precisamos de ajuda. Como o senhor sabe, não temos muito apoio da polícia local.

– Albert Bowman deveria estar preso.

– Concordo, e vou tentar fazer isso, mas não agora. Minha prioridade é fechar os estabelecimentos e acabar com os chefes do crime.

– Do que você precisa?

– Da polícia estadual.

– Eu sei que é por isso que você está aqui, Jesse. Soube no dia em que ligou. A minha situação é a seguinte: não estou nada feliz com meu diretor de segurança pública. A polícia rodoviária não é bem gerida hoje em dia, há muito nepotismo, troca de favores. Por isso, estou limpando a casa. Vários ultraconservadores estão se aposentando. Quero um pouco de sangue novo. Me dá um mês, até lá já vou ter um novo chefe da polícia estadual. Ele vai te procurar.

Jesse raramente ficava sem ter o que dizer, mas, naquele momento, lutava para encontrar as palavras certas. Keith interveio:

– Eu li que o senhor vai até a Costa em fevereiro para um discurso.

– Bem, o discurso é o motivo oficial. O que quero fazer mesmo é me esgueirar em alguma boate e jogar dados, talvez dar uma conferida nas garotas.

O governador caiu na gargalhada e deu um tapa nos joelhos. Jesse e Keith foram pegos completamente desprevenidos e deram risada junto ao novo amigo. Waller riu até os olhos ficarem úmidos, então conseguiu se recompor.

– Que nada, tem uma fábrica nova abrindo em Gulfport, e o dono é um amigo meu. Vou posar para algumas fotos, beijar alguns bebês, esse tipo de coisa. Não posso concorrer à reeleição, vocês sabem, mas, uma vez que a política entra no sangue, não tem como a gente sair dela.

– E qual é o próximo passo? – perguntou Keith, de uma maneira um tanto ousada.

– Por enquanto, não sei. Estou cheio de questões pendentes ainda. Qual o próximo passo pra você? Reparei em você dando uma olhada no escritório. Vai tentar um dia?

Keith assentiu.

– Acho que sim.

30

Em 11 de janeiro de 1974, a Suprema Corte do Mississippi retomou as atividades e publicou uma decisão unânime confirmando a sentença do juiz Baker. As evidências mostravam com clareza um padrão de atividade criminosa – prostituição –, e o tribunal de primeira instância não errou ao declarar o Carrossel uma perturbação da ordem pública. A decisão decretava o imediato fechamento da boate.

Embora o processo tenha levado quase dois anos, Jesse havia conquistado a primeira vitória concreta em sua guerra contra o crime organizado. Conseguiu fechar um dos bares mais populares da Strip e agora poderia ir atrás de Ginger Redfield de novo. Lance Malco seria o próximo, embora, como sempre, fosse mais complicado.

Jesse planejava apresentar as mesmas provas contra Ginger em outro tribunal do júri, mas nunca teve essa chance. Mais ou menos uma semana após a decisão da Suprema Corte, Ginger vendeu o Carrossel e o O'Malley para Lance Malco e deixou a cidade, não comparecendo ao tribunal na data agendada. Com uma bela quantia de dinheiro, a mulher sumiu da Costa, sem destino conhecido. Meses se passariam antes que chegasse a notícia de que ela estava aproveitando o bom da vida em Barbados, fora do alcance de qualquer lei ou denúncia oriunda do Mississippi.

Em afronta ao promotor, Lance Malco rapidamente reformou o Carrossel, rebatizou-o de Desperado e fez uma ostensiva inauguração que durou uma semana inteira. Cerveja grátis, música ao vivo, as garotas mais bonitas de toda a Costa. A boate tinha de tudo, menos sexo e jogos de azar.

Por curiosidade, uma noite, durante a semana festiva, Jesse passou de carro na frente do local e parou no estacionamento, que estava lotado. Ele estava completamente deprimido e outra vez se sentia um fracassado. Todo o seu tempo e esforço para fechar o local tinham sido desperdiçados. O estabelecimento não só estava aberto, embora com outro nome, como os negócios estavam indo de vento em popa.

NA SEGUNDA-FEIRA, HALEY STOFER chegou pontualmente às oito horas da manhã e entrou no gabinete de Jesse sem dizer uma palavra à secretária, que ainda não gostava do fato de ele entrar e sair quando bem entendia. Estava infiltrado havia quase um ano e se adaptara bem à rotina de trabalhar como faz-tudo no Red Velvet ao mesmo tempo que se reportava a Jesse. Havia sido faxineiro, lavador de pratos, cozinheiro, garoto de recados e qualquer outra coisa de que precisassem. Era reservado, falava pouco, ouvia muito, nunca faltava ao trabalho, jamais reclamava por não receber aumento e, com o tempo, meio que se misturou ao ambiente como um dos membros da gangue que mantinha o lugar funcionando.

Stofer relatou que, na Strip, as estratégias de combate mudavam com os ventos. Se houvesse uma prisão, ou mesmo o boato de uma, os gerentes endureciam as regras e o truque de "somente membros" era estritamente respeitado. Nenhuma garota poderia se oferecer a um homem que não tivesse credenciais. As únicas exceções eram os soldados uniformizados. Eles não eram policiais, não delatavam ninguém e mal podiam esperar para levar as meninas para os andares superiores. Mas, uma vez que a ameaça passava, as coisas invariavelmente relaxavam e todos podiam se divertir, membros ou não. Stofer contou que, durante o ano em que trabalhou no Red Velvet, a prostituição tinha aumentado, e havia boatos sobre a existência de jogos de azar em outros estabelecimentos.

Sob a orientação de Jesse, Stofer mantinha registros meticulosos. Fazia anotações diárias de quem trabalhava e por quanto tempo: cozinheiros, bartenders, garçonetes, strippers, prostitutas, gerentes, porteiros, seguranças, todo mundo. Contava as caixas de bebida, os barris de cerveja, os engradados de comida e os utensílios de cozinha. Era amigo da governanta, uma ex-prostituta velha demais para o serviço, que contava histórias malucas de seus dias de glória. Algumas noites, ela trabalhava loucamente para manter os lençóis limpos e, em sua opinião, o movimento no andar de cima estava mais agitado do que nunca. Stofer tinha uma relação amigável com Nevin Noll, o braço direito do Sr. Malco, embora ninguém fosse de fato próximo a Noll. Ele conhecia Hugh Malco e o via com frequência na boate.

A grande notícia daquela manhã era que estava sendo transferido para o Foxy's porque um barman havia fugido com uma garçonete. Havia meses que Jesse vinha insistindo nisso e ficou muito satisfeito com a novidade. De trás do bar, Stofer poderia observar muito mais.

Jesse queria saber o nome de cada prostituta, de alguns dos clientes e um ou outro cartão de sócio, se possível.

Com o governador discretamente mexendo os pauzinhos, era hora de enviar a polícia estadual até lá. De março a julho, quatro policiais infiltrados visitaram o Foxy's e pagaram bebidas para as meninas. Eles se disfarçavam de motociclistas, hippies, caminhoneiros, caixeiros-viajantes, até advogados de fora da cidade, e passavam por lá nas noites em que um determinado gerente estava de plantão, um cara conhecido por não seguir as regras. Tinham cartões de sócio falsos, mas nunca os usaram. Fizeram um total de onze visitas e usaram escutas em todas elas. Riam com as garotas enquanto conversavam sobre preços e coisas assim, e então davam para trás no último segundo com uma série de desculpas. Stofer observava os clientes de perto e não conseguia identificar os policiais. Se alguém suspeitava, não parecia.

EM 15 DE JULHO, em uma sessão clandestina do grande júri, reunindo-se pela primeira e única vez em um salão de baile fechado de um dos Hotéis Ramada, os quatro agentes deram seus testemunhos e reproduziram as gravações de áudio de seus encontros aparentemente animados com as garotas no Foxy's.

Em seguida, as três prostitutas foram interrogadas por Jesse Rudy. Logo de início, ele explicou aos jurados que as três eram ex-funcionárias do Foxy's, mas haviam saído de lá dois meses antes por questões envolvendo pagamento. Elas enfrentavam acusações de prostituição e, aconselhadas por um advogado, estavam ali depondo em troca de perdão judicial. Nenhum dos jurados jamais tinha ouvido uma prostituta falar abertamente sobre seu trabalho, e ficaram fascinados. A primeira tinha 23 anos, parecia ter 15, e começara no Foxy's quatro anos antes como garçonete. Por ter um corpo bonito, ofereceram-lhe uma vaga de stripper, e ela aceitou a promoção. Mas era nos quartos do andar de cima que se fazia dinheiro e, em pouco tempo, ela estava seduzindo clientes e ganhando 500 dólares por semana. Em espécie. Não gostava do trabalho e tentou pedir demissão, mas o dinheiro era muito tentador. A segunda trabalhara no Foxy's por cinco anos. A terceira, uma veterana de 41 anos, confessou ter trabalhado na maioria das boates da cidade e afirmou não ter vergonha disso. A prostituição era a profissão mais antiga do mundo. Qualquer acordo mutuamente benéfico entre dois adultos, desde que houvesse consentimento, não deveria ser ilegal.

Os depoimentos eram fascinantes, às vezes lascivos e nunca enfadonhos. Algumas das mulheres do grande júri julgaram moralmente as moças. Todos os homens ficaram enfeitiçados.

A última testemunha foi Haley Stofer, que depôs usando um pseudônimo. Durante três horas, ele descreveu sua trajetória profissional, primeiro no Red Velvet, depois, e no tempo presente, no Foxy's, onde trabalhava no bar cinquenta horas por semana e observava a clientela. Até uma pessoa de olhos fechados seria capaz de monitorar as meninas e seus "encontros". Ele apresentou uma lista de treze mulheres atualmente ativas no serviço. Para contratar uma delas, um cavalheiro precisava apresentar sua carteirinha de sócio, que, em teoria, significava que ele era confiável. A segunda lista de Stofer tinha o nome de 86 desses cavalheiros.

Jesse sorriu para si mesmo ao tentar imaginar o alvoroço que seria se aquela lista viesse a conhecimento público.

Stofer garantiu aos jurados que nem todos os homens se envolviam com prostitutas. Alguns eram veteranos aceitos no estabelecimento só para disfarçar. Ao se associarem, podiam fazer negócios em suas casas de apostas favoritas e participar de torneios de pôquer ocasionais.

Depois de um dia exaustivo, mergulhados na podridão que era o mundo do vício em Biloxi, os jurados foram dispensados por Jesse e mandados para casa. Eles voltaram às nove da manhã do dia seguinte e passaram mais de duas horas revisando as provas contra os suspeitos. Era perto de meio-dia quando Jesse finalmente convocou a votação. Por unanimidade, o grande júri decidiu que Lance Malco deveria ser julgado por operar um "local" usado para prostituição e imputou-lhe ainda treze acusações por permitir e encorajar mulheres a se envolverem com prostituição. O grande júri também indiciou o gerente geral da Foxy e dois gerentes de setor pelas mesmas acusações, cada uma delas punível com multa máxima de 5 mil dólares e até dez anos de prisão. As treze mulheres foram indiciadas por envolvimento em mais de um ato de prostituição.

A batida começou ao meio-dia do dia seguinte, quando a patrulha rodoviária estadual chegou a Biloxi. Lance Malco foi preso em seu escritório no Red Velvet. Dois dos três gerentes do Foxy's também foram detidos. O terceiro seria encontrado mais tarde. A maioria das meninas foi presa em casa.

Com Lance na cadeia, Keith dirigiu até a sede do *Gulf Coast Register* e entregou em mãos uma cópia da denúncia a um editor. O Foxy's foi isolado com barricadas e fita amarela, como a cena de um crime. Os repórteres logo chegaram ao local com as câmeras rodando, mas não havia ninguém com quem conversar.

Albert Bowman de repente precisou visitar um tio na Flórida e desapareceu. A maioria de seus assistentes sumiu. Os telefones de seu gabinete tocavam sem parar, mas ninguém atendia.

Três dias depois, o juiz Oliphant convocou uma audiência para negociação da fiança de todos os réus e se preparou para um circo. Não se decepcionou. O tribunal estava lotado e transbordava para o corredor. Quando Jesse entrou por uma porta lateral, deu uma bela olhada em Lance Malco, sentado na primeira fila, com um advogado de cada lado. Os dois se encararam, sem piscar. As duas fileiras atrás de Lance estavam preenchidas com suas garotas, a maioria das quais não tinha advogados. Policiais estaduais uniformizados caminhavam pelo corredor e pediam silêncio. O oficial de justiça solicitou ordem no tribunal, e o juiz Oliphant surgiu dos fundos, assumiu seu posto e pediu a todos que se sentassem.

O juiz começou com Lance e pediu que ele se apresentasse. Com Joshua Burch de um lado e um associado do outro, Lance se mudou para a mesa de defesa. Jesse falou primeiro e pediu uma fiança alta porque o réu era um homem de posses, tinha muitas propriedades e funcionários e corria o risco de fugir. Ele sugeriu a soma de 100 mil dólares, o que, é claro, Joshua Burch considerou revoltante. Seu cliente não tinha antecedentes criminais, nunca havia fugido de nada e não tinha sido acusado, "numa denúncia tão frágil como aquela", de qualquer crime que envolvesse violência. Era um homem pacífico, que cumpria a lei e por aí vai.

Enquanto os dois advogados discutiam, os repórteres escreviam o mais rápido que conseguiam. A história era notícia de primeira página e só ficaria melhor. Era difícil acreditar que um mafioso com uma reputação tão ruim, o suposto chefe da Dixie Mafia, tivesse sido de fato indiciado e preso.

O juiz Oliphant ouviu com paciência, chegou a uma média e fixou a fiança em 50 mil dólares. Lance voltou ao seu lugar na primeira fila, indignado por ser tratado como um criminoso comum.

Burch argumentou a favor dos três gerentes enquanto Jesse vinha com tudo. Era seu show, seu tribunal, suas acusações, e ele não deixou dúvidas de que não se intimidava com os bandidos e de que não tinha medo deles.

O juiz Oliphant liberou os gerentes sob fiança de 10 mil dólares. Deu uma colher de chá às garotas e estabeleceu suas fianças em 500 dólares para cada. Depois de exaustivas quatro horas, finalmente encerrou a audiência.

OS TELEFONEMAS COMEÇARAM NO dia seguinte às prisões. Agnes atendeu a um deles em casa, e uma voz rouca informou que Jesse Rudy era um homem morto. Gene Pettigrew atendeu a outro no escritório e ouviu a mesma mensagem. A secretária do gabinete da promotoria desligou na cara de um babaca gritando obscenidades sobre seu chefe.

Jesse denunciou as ocorrências à polícia estadual. E sabia que haveria mais. Sua esposa não estava ciente, mas ele passara a andar armado. Os policiais estaduais, em suas viaturas elegantes, permaneceram em Biloxi e protagonizaram uma impressionante demonstração de força.

Afinal, o governador Waller era um ex-promotor de justiça. Já havia sido ameaçado várias vezes e sabia o quanto isso era assustador para uma família. Ligava para Jesse todos os dias para obter atualizações. Receber apoio do alto escalão era algo reconfortante.

Ambos sabiam que havia muita gente doida por aí.

31

O Foxy's ficou fechado por uma semana enquanto Joshua Burch fazia uma estonteante variedade de manobras legais para reabri-lo. Quando as barricadas e a fita da polícia foram finalmente removidas, Lance tentou animar o local com cerveja grátis, música country ao vivo e ainda mais mulheres bonitas. Tudo foi por água abaixo quando os policiais estaduais chegaram uniformizados e se aglomeraram, bloqueando a porta de entrada. Eles estacionaram suas viaturas bem à vista dos transeuntes, na Highway 90. Os poucos clientes sedentos que apareceram só puderam beber e assistir às strippers; as prostitutas estavam escondidas. A intimidação funcionou tão bem que Jesse pediu reforços, e em pouco tempo o Red Velvet, o Desperado e a Parada do Jerry estavam praticamente desertos. A Strip parecia uma cidade fantasma.

Lance Malco estava furioso. Seu fluxo de caixa tinha sido interrompido e havia apenas uma pessoa para culpar. Sua vida privada estava um caos. Carmen morava em um quarto de hóspedes em cima da garagem e praticamente não falava com ele. Ela havia mencionado a palavra "divórcio" várias vezes. Dois de seus filhos adultos tinham deixado a Costa e nunca mais ligaram. Apenas Hugh permaneceu leal, lutando para ganhar mais autoridade no negócio. Para piorar a situação, a polícia rodoviária frequentemente estacionava perto da casa de Malco para chamar a atenção dos vizinhos. Para se divertir, eles seguiam Lance na ida e na volta do trabalho. Não passava de assédio, tudo orquestrado por Jesse Rudy, ele tinha certeza.

Lance estava a ponto de surtar. Seu império estava à beira do colapso. Enfrentava acusações criminais que poderiam fazer com que passasse décadas na cadeia. Ele falava com Joshua Burch pelo menos três vezes ao dia, o que não era sua maneira preferida de passar o tempo.

Burch foi irredutível quanto a representar os três gerentes além de Lance. Embora pudesse haver conflitos de interesse entre os quatro, Burch os queria sob seu controle. O medo do advogado era que Jesse Rudy escolhesse um dos gerentes e começasse a fazer ameaças e ofertas de perdão judicial. Se convencesse um, poderia convencer outro, e aí iria tudo por água abaixo. Burch poderia proteger os quatro se desse as ordens, mas a interferência de outro advogado poderia ser desastrosa. Lance era obviamente o maior alvo, e sua defesa não resistiria a depoimentos avassaladores vindos de pessoas próximas a ele.

Burch não estava a par dos depoimentos perante o grande júri, mas daria um jeito de obter os registros. Normalmente, não eram públicos, e Rudy faria de tudo para mantê-los em sigilo. Não era incomum em um processo criminal se ter acesso apenas a pouco mais do que os nomes das testemunhas da outra parte antes do início do julgamento. A tarefa de minar os testemunhos foi deixada para o advogado de defesa, e Burch se considerava um mestre em interrogatório.

Nas audiências preliminares, ele mostrou uma confiança inabalável na inocência de seus clientes e zombava das acusações. Falou pouco à imprensa, mas deixou claro que, pelo menos em sua opinião, o caso do Estado se baseava no depoimento vacilante de um bando de garotas de programa decadentes que rondavam as boates causando confusão. Em particular, porém, confidenciou a seus associados que Jesse Rudy o tinha nas mãos. Havia alguma dúvida real de que o Sr. Malco havia construído seu império nas costas de prostitutas? Não era de conhecimento geral que ele era um homem rico por conta da venda de bebida ilegal, jogos de azar e prostitutas? Como poderia a defesa escolher um júri justo e imparcial?

Como sempre, o júri seria a chave, e a defesa só precisava de um voto.

À MEDIDA QUE O choque das prisões começou a diminuir e menos policiais estaduais vagavam pela Costa, a vida noturna voltou a funcionar aos poucos. Stofer relatou a Jesse que algumas das meninas apareceram, mas flertaram apenas com homens que já conheciam. Eram bem menos agressivas e ignoravam desconhecidos. Quando se esgueiravam para os quartos, era com alguém que já haviam atendido antes. O próprio Sr. Malco era visto nas boates à noite, certificando-se de que todas as regras estavam sendo cumpridas. Ele trabalhava no salão, dando apertos de mão e tapinhas nas costas dos clientes, contando piadas, como se não tivesse quaisquer preocupações.

Hugh ficava perto do pai e estava sempre armado, embora eles não se sentissem ameaçados naquele momento. Os mafiosos tinham um problema novo e mais sério – o Dr. Rudy – e não pensavam muito em iniciar outra batalha sem sentido entre eles. Os rivais de Lance se enfiaram em suas tocas e esconderijos, com medo de que mais acusações pudessem vir. As casas noturnas tinham passado a valorizar a lei e a seguiam à risca.

Hugh tinha 26 anos e finalmente estava superando seus anos de rebeldia. Tinha parado de brigar e deixado de lado os destilados pesados e carros com suspensão elevada; além disso, namorava uma jovem divorciada que já havia trabalhado como garçonete no Foxy's. Ele a tirou das boates antes que ela acabasse avançando para as especialidades mais lucrativas. A moça trabalhava em um banco no centro da cidade, onde eram regra vestimentas adequadas e horários rígidos. Quanto mais tempo de namoro tinham, mais ela reclamava com Hugh para que ele deixasse a Strip e encontrasse um trabalho honesto. A vida de um fora da lei pode ser emocionante e próspera por um tempo, mas também é instável, até mesmo perigosa. O pai dele corria o risco de ser preso. Os pais estavam se separando. Uma vida no crime valia mesmo a pena?

Mas Hugh via pouco futuro do lado certo da lei. Ele frequentava as boates desde os 15 anos, conhecia bem o negócio e tinha uma noção de quanto dinheiro seu pai havia ganhado até então. Era muito, muito mais do que qualquer outra pessoa já tinha visto, e muito mais do que qualquer médico ou advogado poderia ganhar.

Quanto mais os dois discutiam, menos Hugh gostava dela.

Estava preocupado com o pai e com raiva porque Jesse Rudy realmente o havia indiciado. Não conseguia imaginar Lance indo para a prisão, embora estivesse aos poucos aceitando essa possibilidade. Se isso acontecesse, como os negócios seriam afetados? Havia abordado o assunto algumas vezes, mas Lance estava amargo demais para conversar sobre aquilo. Estava sendo consumido pela ideia de ir a julgamento e encarar um júri. O pesadelo que enfrentavam era impulsionado pela assombrosa ideia de que as acusações eram baseadas na verdade, e todos sabiam disso.

JESSE NÃO ESTAVA PRESSIONANDO para que o julgamento fosse marcado logo. Joshua Burch já estava entupindo a pauta do juiz Oliphant com petições e pedidos que levariam tempo para serem atendidos. Ele exigia a transcrição do grande júri; queria que a denúncia fosse anulada por uma série de razões técnicas; reivindicava julgamentos separados para cada um de seus clientes; pleiteava que o juiz Oliphant se retirasse do caso e pedisse à Suprema Corte do Mississippi que nomeasse um juiz especial. Era mais uma impressionante lição sobre as infinitas maneiras de criar um caos e atrasar o tribunal.

O promotor devolveu com petições longas, mas, com o passar dos meses, ficou óbvio que um julgamento estava longe de acontecer. E isso era bom para ele. Jesse precisava de tempo para trabalhar nas sombras e explorar a possibilidade de acordos com os três gerentes e as garotas.

E havia outro motivo para não se apressar. Pretendia se candidatar à reeleição no ano seguinte. O julgamento de Lance Malco seria notícia de primeira página por semanas, e Jesse estaria no meio. A publicidade seria inestimável e poderia afugentar um possível concorrente. Jesse não sabia de ninguém que quisesse seu emprego, mas um grande e espalhafatoso veredito pela condenação praticamente garantiria uma corrida incontestável.

E ele sabia muito bem como uma derrota seria devastadora.

A DERROTA SE APROXIMOU um pouco mais no início de setembro com o desaparecimento de Haley Stofer. Na primeira segunda-feira do mês, ele não apareceu pela primeira vez desde que se infiltrou nas boates. Jesse ligou para o apartamento dele e ninguém atendeu. Não havia maneira segura de contatá-lo no trabalho, então ele esperou duas semanas até a terceira segunda-feira do mês. Mais uma vez, Stofer não apareceu. Naquela noite, depois que Jesse apagou as luzes e deu um beijo de boa-noite em Agnes, o telefone tocou.

– Dr. Rudy – disse Stofer –, eles estão atrás de mim. Tô escondido, mas não estou seguro.

– Do que você tá falando, Stofer?

– Um cara do trabalho me deu um toque, disse que ouviu Nevin Noll me xingando, me chamando de dedo-duro. O cara me perguntou se eu era dedo-duro. Falei que claro que não. Mas, mesmo assim, fui embora. O senhor tem que me tirar daqui, Dr. Rudy.

Um vazamento vindo do grande júri era algo improvável, mas não impossível. Albert Bowman tinha mais informantes do que o FBI.

– Onde você tá? – perguntou Jesse.

– Não posso dizer agora. Três dias atrás, uns caras foram ao meu apartamento, arrombaram a porta, destruíram tudo. Um vizinho me contou. Não posso voltar lá. Eu preciso sair desse lugar, e tem que ser logo.

– Você não pode deixar o estado, Stofer. Tá lembrado da acusação?

– De que serve a acusação se cortarem meu pescoço?

Jesse não teve resposta. Stofer o tinha encurralado. Se ele estava dizendo a verdade, o que era bem possível, então precisava sair da Costa. Malco e seus capangas o encontrariam e sua morte seria feia. Se estivesse mentindo, outro cenário plausível, o timing era perfeito, porque ele poderia fugir com a bênção de Jesse. De qualquer maneira, Jesse tinha que ajudá-lo. Seu testemunho seria crucial no julgamento de Malco.

– Tá, pra onde você quer ir? – perguntou Jesse.

– Não sei. Não posso voltar pra Nova Orleans. A gangue pra qual eu trabalhava tá lá, e aqueles caras não estão nem um pouco felizes comigo. Talvez eu vá pro norte.

– Não me importa pra onde você vai, você só tem que manter contato. O julgamento não vai acontecer tão cedo, mas você vai ter que voltar pra isso. Parte do acordo, lembra?

– Sim, sim, vou estar aqui pra isso, se eu ainda estiver vivo.

– Tenho certeza de que você tá duro.

– Eu preciso de dinheiro. O senhor tem que me ajudar.

Três horas depois, Jesse encostou no estacionamento de cascalho de uma parada de caminhões a leste de Mobile. A lanchonete 24 horas estava lotada com caminhoneiros tomando café, fumando, comendo, conversando e rindo alto. Stofer estava em uma mesa dos fundos, escondendo-se atrás de um cardápio. Ele parecia genuinamente arisco e mantinha um olho na porta.

– Você não pode ser parado nem se meter em confusão em lugar nenhum – disse Jesse. – Entendeu? No momento em que for preso, a polícia vai ver as acusações de tráfico no condado de Harrison e te jogar na cadeia.

– Eu sei, eu sei, mas nesse momento eu não tô preocupado com a polícia.

– Você é um criminoso condenado com acusações graves em aberto. Não pode estragar tudo de novo, Stofer.

– Pode deixar, doutor.

Jesse lhe entregou um maço de notas variadas.

– Trezentos e vinte dólares, tudo o que consegui. Vai ter que dar.

– Obrigado, Dr. Rudy. Pra onde eu vou?

– Dirija até Chicago, é um lugar grande o suficiente pra você conseguir se esconder. Encontre um bar, arrume um emprego por dinheiro e gorjetas, você sabe o que fazer. Ligue pro meu gabinete, a cobrar, toda segunda-feira de manhã às oito horas em ponto. Vou estar esperando.

– Pode deixar, doutor.

32

O grande plano de se manterem unidos e apresentarem uma defesa unificada começou a desmoronar algumas semanas após as prisões. Joshua Burch logo compreendeu que era uma loucura tentar controlar o conflito de interesses entre Malco, seus três gerentes e as treze moças.

A primeira a ceder foi uma stripper conhecida como Blaze. Desconfiada de Lance e de qualquer pessoa ligada a ele, a mulher contratou Duff McIntosh, um advogado criminal durão e amigo de Jesse. Certo dia, tomando cerveja no final da tarde, Jesse fez sua primeira proposta. Se Blaze se declarasse culpada de prostituição, ele reduziria a acusação a uma mera contravenção, a livraria das demais e a deixaria sair livre, apenas com uma multa de 100 dólares e uma pena de trinta dias de reclusão, para a qual seria concedido o benefício da suspensão. Ela teria que concordar em depor em juízo contra Lance Malco e seus gerentes e descrever em detalhes o comércio sexual no Foxy's. Além disso, prometeria deixar a Costa, uma espécie de despedida do tipo "vá e não volte nunca mais". Sair da cidade não seria uma má ideia depois do depoimento. Como ela estava desempregada e praticamente banida da Strip, iria embora de qualquer maneira. Após um mês de negociação, Blaze aceitou o acordo e desapareceu.

A notícia se espalhou rapidamente, e Duff se tornou o advogado de referência das garotas. Quando perceberam que poderiam sair livres da prisão e sem uma condenação criminal, fizeram fila no escritório de Duff.

Durante o outono de 1974, ele e Jesse se encontraram com frequência para tomar cerveja e falar de trabalho. Jesse ofereceu o mesmo acordo. Oito das treze aceitaram. Duas disseram que não, por medo de Malco. Outras duas tinham advogados diferentes e ainda estavam negociando. Uma não tinha sido mais vista desde o pagamento da fiança.

TRÊS MESES APÓS O encontro em Mobile, Jesse não tinha recebido notícias de Haley Stofer. Não fazia ideia de onde ele estava escondido e não teve tempo para procurá-lo. Sua única esperança era que o babaca acabasse fazendo alguma besteira, fosse preso e depois enviado de volta para o condado de Harrison, onde Jesse iria denunciá-lo, ameaçá-lo com quarenta anos de cadeia e forçá-lo a testemunhar contra Lance Malco.

Era um tiro no escuro.

A outra possibilidade era que Malco o achasse primeiro. Nesse caso, era improvável que ele fosse encontrado novamente.

EM MEADOS DE NOVEMBRO, o juiz Oliphant agendou outra audiência preliminar para lidar com a avalanche de petições que jorravam das máquinas de escrever do escritório de Joshua Burch. Naquele dia, estava em questão um pedido agressivo e bem fundamentado para que Lance Malco fosse julgado separadamente de seus três gerentes. Burch queria que seu principal cliente fosse o último, para que pudesse entender as estratégias e os pontos fortes e fracos da promotoria. Jesse era contra a ideia e argumentava que ter quatro julgamentos com base no mesmo conjunto de fatos era um desperdício de recursos judiciais. Já haviam se passado mais de três meses desde as denúncias, e levaria mais um ano caso fossem todas julgadas aos poucos. O que Burch estava omitindo era que acreditava que o Ministério Público teria dificuldade em encontrar 48 jurados que não pudessem ser influenciados pelos bandidos que ele representava. Um júri em impasse, um julgamento anulado, e o promotor perderia força.

Apenas alguns espectadores assistiam enquanto os advogados barganhavam. Um dos réus, Fritz Haberstroh, estava sentado na última fila, sem dúvida enviado por Malco para observar e posteriormente relatar o que tinha ouvido. Haberstroh era gerente de piso do Foxy's e funcionário de longa data das empresas Malco. Tinha sido condenado duas vezes por receptação de eletrodomésticos roubados e cumprido pena no Missouri antes de ir para o sul em busca de um trabalho no qual ninguém se importasse com seu passado. Jesse estava ansioso para colocá-lo diante de um júri.

Após duas horas de uma discussão muitas vezes tensa, Jesse mudou sua estratégia de repente e anunciou:

– Excelência, estou vendo que um dos réus, o Sr. Haberstroh, está conosco hoje.

– Ele é meu cliente – interrompeu Burch.

– Sei disso – rebateu Jesse. – Vou concordar em trazer o Sr. Haberstroh a juízo primeiro. Vamos marcar a sessão para daqui a um mês. O Ministério Público está pronto.

Oliphant, Burch e todos os demais ficaram surpresos.

– Dr. Burch? – chamou o juiz.

– Bem, Excelência, não tenho certeza de que a defesa vai conseguir estar pronta.

– Você quer julgamentos separados, Dr. Burch. Passou as últimas duas horas implorando por isso, então vamos ter julgamentos separados. Certamente, vai conseguir estar pronto daqui a um mês.

Jesse olhou para Haberstroh, que parecia pálido, atordoado e pronto para sair correndo.

Burch revirou alguns papéis e depois trocou algumas palavras com um associado. Para Jesse, foi um raro momento de deleite poder ver um grande advogado como aquele tremer nas bases.

– Muito bem, Excelência – disse Burch por fim. – Estaremos prontos.

DOIS DIAS DEPOIS, KEITH estava saindo do fórum quando um desconhecido abriu a porta para ele e disse:

– Ei, você tem um minuto? – O homem estendeu a mão e completou: – Meu nome é George Haberstroh, sou irmão do Fritz.

– Prazer, Keith Rudy.

Eles se afastaram da entrada principal e pararam sob uma árvore.

– Essa conversa nunca aconteceu, hein? – disse George.

– Vamos ver.

– Não, eu preciso da sua palavra. Isso precisa ficar entre nós dois, entendeu?

– Desembucha.

– Bom, obviamente o meu irmão tá metido em alguma merda muito séria. Nós não somos daqui, sabe. Ele veio pra cá anos atrás, depois que saiu da cadeia. O Fritz sempre levou jeito para se meter em confusão. Acho que ele não fez nada de errado na boate, sabe? Era só um empregado, fazia o que o Malco queria. Agora ele tá enfrentando uma acusação bem pesada. Junto de um bando de criminosos, sabe como é.

Keith, ainda novato, não sabia o que dizer, mas não estava gostando nada da situação. Ele só assentiu, como se dissesse: "Vá em frente."

– Meu irmão sabe que o Malco vai trair ele pra salvar a própria pele – prosseguiu Haberstroh. – O Fritz prefere se salvar primeiro. Ele não pode cumprir mais uma pena, muito menos num desses presídios aqui do sul.

– Ele tem um advogado, um dos melhores – lembrou Keith.

– Ele não confia no Joshua Burch e com certeza não confia nos outros réus.

– A gente não deveria estar tendo essa conversa.

– Por que não? Eu não sou o réu. Você não é o promotor. Meu irmão quer sair livre dessa, entende? Ele pode ser burro, mas não é um criminoso e não fez nada de errado naquela boate. Claro que as garotas estavam se prostituindo, mas ele não fazia as regras. Ele não recebia dinheiro nenhum. O Malco pagava um salário pra ele fazer o que mandavam.

Keith quase foi embora, mas percebeu a oportunidade. Ele conhecia a denúncia de trás para a frente porque ele e o pai haviam passado meses falando sobre isso. Foram horas dissecando a atividade criminosa, os bandidos e as possíveis estratégias de ambas as partes. Jesse indiciou Haberstroh e os outros dois gerentes com o único propósito de pressioná-los até eles se virarem contra Malco.

E o jogo estava começando a virar.

– O que você quer que eu faça? – perguntou Keith.

– Por favor, fala com o seu pai e tira o Fritz dessa confusão.

– Ele tá disposto a depor contra o Malco?

– Ele tá disposto a fazer qualquer coisa pra salvar a própria pele.

– Ele entende o risco?

– Claro que sim, mas o Fritz sobreviveu a quatro anos em um presídio barra-pesada no Missouri. Ele não é nenhum frouxo. Se ele se safar, nunca mais vai ser visto por essas bandas.

Keith respirou fundo e olhou em volta.

– Tá bem, vou falar com o promotor.

– Obrigado. Como posso entrar em contato com você?

Keith entregou a ele um cartão de visita e disse:

– Ligue pro número do meu escritório daqui a mais ou menos uma semana. Vou ter uma resposta até lá.

– Obrigado.

– E os outros dois gerentes?

– Não conheço eles.

– Bom, o Fritz certamente conhece.

– Vou perguntar.

O SEGUNDO ENCONTRO ACONTECEU em um café perto das docas de Pascagoula. Keith deixou de lado o paletó e a gravata e tentou não parecer um advogado. Para George Haberstroh era fácil – calça velha, sapatos surrados, uma camisa de gabardine. Ele disse que trabalhava para uma transportadora em Mobile e confessou ter visitado o Foxy's uma vez ou outra. Quando Fritz estava de folga, eles desfrutavam de cervejas e hambúrgueres enquanto assistiam às meninas dançando. Estava ciente das atividades no andar de cima, mas não se importava. Nunca se sentiu tentado, afirmava ser casado e feliz. Fritz trabalhava na Costa havia anos e falava abertamente, pelo menos com o irmão, sobre jogos de azar e garotas.

– Obviamente, o Fritz não é o alvo aqui – começou Fritz. – Lance Malco é o maior chefão do crime da Costa, e o promotor tem ele na mira há muito tempo. O Fritz certamente pode facilitar bastante as coisas. Ele está disposto a depor, encarar o Malco no tribunal e contar ao júri tudo sobre a prostituição no Foxy's?

– Sim, mas só se ele sair livre.

– O promotor não pode prometer o perdão judicial, certo? Você precisa entender o quanto isso é importante. A maioria das prostitutas vai assinar um acordo judicial no qual concorda em testemunhar e responder por uma acusação de contravenção. Não é grande coisa porque, bem, elas são prostitutas. Vão ter questões de credibilidade com o júri. Com os três gerentes, já é diferente. O Fritz, por exemplo. Quando ele sentar lá e testemunhar contra o Malco, o Burch vai vir com tudo pra cima dele. A primeira pergunta vai ser: "O promotor de justiça prometeu lhe conceder o perdão judicial para testemunhar nesse caso?" É imperativo que o Fritz diga que não, que não existe nenhum acordo, porque não existe.

– Não sei se tô conseguindo acompanhar.

– A audiência do Fritz tá programada pra daqui a duas semanas, mas antes disso ele vai se declarar culpado de uma acusação, concordar em colaborar com o Estado e ser condenado só depois do julgamento do Malco. Se ele colaborar de forma integral, o promotor vai recomendar o perdão judicial.

– Parece muito arriscado pro meu irmão. Ele vai se declarar culpado, se esconder, depois ir a julgamento, desviar das balas, torcer pra que o júri condene o Malco, e então esperar e rezar pra que o juiz esteja de bom humor.

– Nesse ponto, tudo é um risco pro seu irmão. Você por acaso já esteve em Parchman?

– Não. E o Burch?

– Ele precisa ser dispensado. Se o Fritz quiser cooperar e quem sabe se safar dessa, o Burch só vai atrapalhar. O que vai acontecer é o seguinte: na semana que vem, o Fritz dispensa o Burch através de uma carta de demissão. Manda uma cópia pro promotor, outra pro tribunal. Depois o Fritz contrata um sujeito chamado Duff McIntosh, um cara que a gente conhece bem, bom advogado. Ele vai cobrar 500 dólares pra cuidar do caso. A essa altura, o Fritz já vai ser um homem marcado e vai ter que se esconder. No dia 13 de dezembro, ele comparece ao tribunal, se declara culpado de todas as acusações, promete colaborar e se esconde em Montana ou em algum outro lugar até que tenha que voltar e depor.

– E quando vai ser isso?

– O juiz Oliphant marcou a audiência do Malco pra 17 de março.

33

Para evitar uma multidão e proteger o réu, uma audiência foi marcada às pressas para a uma da tarde de sexta-feira, 13 de dezembro, no tribunal do juiz Oliphant. Fritz Haberstroh estava diante de Sua Excelência com Duff McIntosh de um lado e Jesse Rudy do outro. Enquanto o promotor lia a denúncia, Fritz silenciosamente respondia "culpado" a todas as acusações. Duff pediu ao tribunal que libertasse seu cliente sob a mesma fiança anterior. Sua Excelência deferiu o pedido e informou ao réu que a sentença sairia em uma data ainda a ser definida. Ele estava livre para ir embora.

Acompanhando Jesse e Duff, os irmãos Haberstroh deixaram a sala de audiências por uma porta lateral e subiram as escadas de serviço até o primeiro andar. Próximo à entrada dos fundos, todos se cumprimentaram com apertos de mão e se despediram. Os irmãos pularam no banco traseiro de um carro que os aguardava e saíram depressa.

Joshua Burch estava no tribunal e assistiu à confissão de culpa sem acreditar. Não era apenas uma má notícia para a defesa de Malco, era devastador. Burch estava perdendo clientes sem parar enquanto Jesse Rudy facilmente fazia com que virassem a casaca. Não restavam dúvidas de que ele iria atrás dos outros dois gerentes e provavelmente encurralaria as prostitutas que ainda não haviam cedido. A defesa estava diante de um pelotão de fuzilamento, e Rudy estava dando as ordens.

Burch deixou o fórum e caminhou três quarteirões de volta a seu escritério, uma bela casa vitoriana de três andares que herdara do avô, também um proeminente advogado. Joshua a transformou em um escritório, encheu-a de associados e secretárias, e assim desfrutava das regalias de uma grande equipe. Na recepção, rosnou para a recepcionista enquanto verificava suas mensagens telefônicas. Ela lhe entregou um pacote e disse que tinha acabado de ser entregue. Ele sorriu ao abri-la. Seu contrabandista favorito, um ex-cliente, estava de volta. Levou o pacote para cima, até sua magnífica sala com vista para o centro da cidade, e desempacotou uma caixa de charutos pretos, Partagas, cem por cento cubanos e fortemente proibidos. Quase podia sentir o gosto de um quando o tirou da embalagem. Acendeu-o e soprou a fumaça pela janela. Ligou para Lance e o convidou para ir até lá.

Três horas depois, após a equipe já ter sido mandada para casa mais cedo, Lance, Hugh e Nevin Noll chegaram. Burch os encontrou na porta de entrada e os recebeu em sua sala de reuniões no primeiro andar. Era a sala favorita de Lance em toda Biloxi: paredes forradas com prateleiras de nogueira que continham milhares de livros importantes, grandes retratos de antigos advogados da família Burch, cadeiras de couro volumosas e desgastadas ao redor de uma mesa de mogno brilhante. Burch apresentou sua nova caixa de cubanos, e todos pegaram um charuto e acenderam. Ele serviu bourbon com gelo para Lance e Nevin; Hugh preferiu água.

Conversaram sobre a confissão de culpa de Haberstroh e os problemas que isso causara. Burch ainda representava Bobby Lopez e Coot Reed, ambos ainda contratados pelo Foxy's como gerentes. Eles estavam sendo observados de perto por todos ao seu redor. Nenhum dos dois havia sequer mencionado a possibilidade de um acordo judicial, e Burch certamente também não. Ele não fazia ideia de como Jesse Rudy havia conseguido chegar a Haberstroh e fechar o acordo. Quando Fritz o demitiu, Burch ligou para Jesse com algumas perguntas, mas não chegou a lugar nenhum.

Eles beberam, fumaram e falaram mal de Jesse, mas não havia nada de novo.

– Você encontrou um oponente pra ele? – perguntou Lance.

Burch soltou a fumaça e suspirou de desgosto. Balançando a cabeça, respondeu:

– Não, e nós repassamos todos os nomes da Ordem de Advogados. No momento, há dezessete advogados no condado de Hancock, 51 em Harrison, onze em Stone. Pelo menos metade são inelegíveis por conta de questões envolvendo idade, saúde, raça ou gênero. Nunca houve uma promotora feminina neste estado, tampouco um promotor negro. Agora não é hora de abrir novos caminhos. A maioria dos demais não seria capaz de conseguir sequer dez votos, seja por incompetência, alcoolismo ou teimosia. Confia em mim, existem algumas maçãs bem podres por aí na advocacia. Cerca de uma dúzia são sócios de escritórios grandes e ganham muito dinheiro. Reduzimos nossa lista a três jovens advogados, caras que podem se dar bem na política e precisam de um contracheque estável. No mês passado, mencionei isso casualmente para os três. Não houve interesse algum.

– E o Rex Dubisson? – perguntou Lance.

– Disse que não. Ele conseguiu se dar bem na advocacia privada, tá ganhando um dinheirinho e não sente falta da política. Além de ter levado uma surra da última vez. Ele acha que Jesse Rudy é o advogado mais popular da Costa e imbatível. Esse é o sentimento atual nas ruas.

– Você mencionou o dinheiro?

– Eu falei pro Rex que haveria 50 mil pra campanha dele, mais 25 por ano em dinheiro durante quatro anos. Ele disse não, sem hesitar.

Com um sorriso malicioso, Hugh pediu a palavra.

– Posso fazer uma pergunta?

Burch deu de ombros e deu um trago no charuto.

– Tá, a gente tá aqui falando sobre eleger um novo promotor de justiça, certo? – prosseguiu ele. – Supondo que possamos pagar alguém pra entrar na corrida e que essa pessoa seja capaz de vencer, a eleição será em agosto. O julgamento é em março, daqui a três meses. De que adianta um novo promotor depois que o julgamento já tiver terminado?

Burch sorriu e respondeu:

– Não vamos a julgamento em março. Ainda vou atrasar mais. Tenho uns outros truques na manga.

Depois de uma pausa comprida e pesada, Lance perguntou:

– Se importa em compartilhá-los com a gente?

– Quantos anos você tem, Lance?

– Que importância tem isso?

– Por favor.

– Cinquenta e dois. Quantos anos você tem?

– Não importa. Você tem idade suficiente pra ter problemas cardíacos.

Marca uma consulta com Cyrus Knapp, o cardiologista. Ele é um charlatão, mas vai fazer exatamente o que eu pedir. Fala pra ele que, desde que você foi preso, tem sentido dores no peito, tonturas, cansaço. Ele vai te receitar uns remédios. Você compra todos, mas não toma.

– Eu não vou fingir que tô doente, Joshua – retrucou Lance.

– Claro que não. Você vai deixar um rastro, provas escritas, outro truque pra te manter longe do júri o máximo possível. Marque a consulta com o Knapp, e logo. Espere alguns dias e depois sinta dores no peito no escritório, onde Nevin e Hugh possam ver tudo. Um de vocês chama uma ambulância. O Knapp vai ver você no hospital, te deixa alguns dias em observação, faz uma bateria de exames que possam deixar registros. Ele manda você pra casa pra descansar. Você vai até o consultório dele uma vez por mês, toma mais alguns comprimidos, diz pra ele que o estresse tá te afetando e que você tá com medo de ter um infarto. Quando estivermos chegando perto da data da audiência, vou pedir outro adiamento, por motivos de saúde. O Knapp vai apresentar uma declaração juramentada, talvez até deponha em juízo. Ele vai dizer qualquer coisa. O Rudy vai se opor mais uma vez, mas você não tem como ir a julgamento se estiver internado no hospital.

– Não gosto disso – disse Lance.

– Não me importa. Eu sou seu advogado e estou encarregado da sua defesa. Depois do que aconteceu hoje de manhã e aquela palhaçada com o Haberstroh, você tá muito mais perto de Parchman. A situação não parece muito boa, Lance, então faz o que eu tô te falando. Nós estamos desesperados aqui. Comece a agir como doente. Já foi a um psiquiatra alguma vez?

– Não, não, fala sério, Burch. Eu não posso fazer isso.

– Conheço um cara em Nova Orleans, um lunático completo que se especializou em tratar lunáticos. Assim como o Knapp, ele vai dizer qualquer coisa se o dinheiro for bom. O cara vai fazer um exame psiquiátrico em você e escrever um relatório capaz de assustar qualquer juiz.

– Com base no quê? – vociferou Lance.

– Com base no fato de você ter ficado desequilibrado desde que foi indiciado e preso, diante do risco de ir parar na cadeia. O estresse, o medo, o puro terror de ser preso, tudo isso tá deixando você maluco. Talvez você esteja ouvindo vozes, alucinando, todas essas coisas. Esse cara vai saber o que é melhor, ele faz isso o tempo todo.

Lance deu um tapa na mesa e rosnou:

– Nem pensar, Burch! Não vou fingir que fiquei maluco. Vou falar com o Knapp, mas com o psiquiatra, não.

– Você quer ir pra cadeia?

Lance respirou fundo, e as rugas em seu rosto relaxaram. Com um sorriso estreito, ele disse:

– Não, mas não é tão ruim assim. Tenho amigos que estão presos agora, e eles estão sobrevivendo. Aceito qualquer coisa que o Estado vier a oferecer, Burch.

Os homens pegaram seus copos e tomaram longos goles. Hugh sorriu para o pai e admirou sua força. Ele estava fingindo. Ninguém em sã consciência diria que Parchman "não era tão ruim assim", mas Lance conseguiu. Em particular, os dois tinham começado a discutir a possibilidade de Lance se ausentar por alguns anos. Hugh estava confiante de que poderia administrar os negócios na ausência do pai.

Já seu pai não tinha tanta certeza.

Burch suspirou, pensativo, soprou outra nuvem de fumaça e falou:

– É meu trabalho manter você fora da prisão, Lance. Consegui por cerca de vinte anos. Mas você tem que fazer o que eu digo.

– Vamos ver.

– Então é possível protelar até depois da eleição, certo? – perguntou Hugh.

Burch sorriu e olhou para Lance.

– Isso, senhor, depende do paciente.

Noll afirmou o óbvio:

– Mas a eleição é irrelevante se não tivermos um candidato na corrida.

– Vamos encontrar um – garantiu Lance. – Há muitos advogados ambiciosos por aí.

DURANTE DÉCADAS, O FBI demonstrou pouco interesse na notória atividade criminosa desempenhada no condado de Harrison. Havia duas razões para isso: primeiro, os crimes violavam leis estaduais, não federais; e, segundo, Albert Bowman e seus predecessores não queriam agentes do FBI bisbilhotando seus territórios e possivelmente descobrindo que eles também eram corruptos. O FBI já tinha trabalho demais e pouco desejo de criar mais problemas em uma jurisdição pouco acolhedora.

Jackson Lewis era o único agente especial da sede de Jackson que havia se aventurado rumo ao sul até a Costa e raramente era visto em Biloxi. Jesse estivera com ele várias vezes, inclusive tinham almoçado juntos logo após a posse. Seu objetivo durante o próximo mandato, se fosse reeleito, era estabelecer um relacionamento melhor com Lewis e o FBI e contar com o apoio deles.

Na primeira semana de janeiro, Lewis ligou e disse que estava de passagem e queria dar um oi. No dia seguinte, chegou ao gabinete de Jesse com Spence Whitehead, um agente novato em sua primeira missão. Por quase uma hora, eles tomaram café e conversaram sobre amenidades. Whitehead estava intrigado com a história do submundo de Biloxi e parecia pronto para mergulhar nele. Havia indícios de que o FBI estava sendo pressionado a estabelecer uma presença maior na Costa. Jesse suspeitava que o governador Waller e a polícia estadual estavam tendo conversas secretas com os agentes federais.

– Quando é o julgamento do Malco? – perguntou Lewis.

– Dezessete de março.

– Do seu ponto de vista, como está a situação?

– Estou confiante de que vamos conseguir a condenação. Pelo menos oito das garotas vão depor contra o Malco e descrever como funcionava a prostituição na boate dele. Um dos três gerentes mudou de lado e está colaborando. Estamos pressionando os outros dois, mas até agora eles estão se fazendo de durões. O esquema de prostituição é de conhecimento geral há muito tempo, e a comunidade está cansada disso. Nós vamos condená-lo.

Os agentes se entreolharam.

– A gente tem uma ideia – disse Lewis. – E se formos até Malco bater um papo? Nos apresentarmos.

– Eu gosto – respondeu Jesse. – Até onde sei, ele nunca foi confrontado pelo FBI. Já era hora de vocês aparecerem.

– Talvez, mas, pra falar a verdade, as pessoas que controlam a Costa nunca quiseram a gente por perto – explicou Lewis. – Você é a primeira pessoa com autoridade de fato que teve a coragem de enfrentar esses caras.

– Sim, e olha só onde vim parar. Hoje em dia eu ando armado, e minha esposa nem sabe disso.

– Olha, Dr. Rudy – disse Lewis –, agora nós estamos por aqui. Vamos nos apresentar a Lance Malco, Shine Tanner e alguns outros.

– Eu tenho a lista com todos aqui.

– Excelente. Vamos bater em algumas portas, criar um pouco de confusão, fazer alguns boatos circularem.

– Eu conheço esses bandidos. Alguns se assustam facilmente, outros, nem tanto. O Malco é o mais durão deles e não diz uma palavra a menos que o advogado esteja presente.

– Bom, podemos ir ver o advogado dele também – assegurou Lewis. – Só uma visitinha amigável.

– Por favor, façam isso. E sejam bem-vindos a Biloxi.

34

O quadro de saúde delicado de Lance Malco sofreu mais um baque quando Jesse Rudy converteu outro de seus principais funcionários. Dez dias antes do próprio julgamento, Coot Reed, gerente-geral de longa data do Foxy's, finalmente sentiu a pressão, e sua lealdade foi por água abaixo.

No início da manhã de sexta-feira, Coot dirigiu até Gulf Shores, no Alabama, e encontrou a casa de praia onde Fritz Haberstroh estava escondido.

Fritz havia sido intimado a voltar a Biloxi e testemunhar contra Coot, um cenário que nenhum dos dois desejava encarar. Durante uma longa caminhada em uma praia deserta, Fritz descreveu o acordo que Keith Rudy havia feito com seu irmão George. Fritz era da opinião de que o mesmo acordo estava disponível para Coot e Bobby Lopez, o outro gerente, cujo julgamento seria dali a três semanas.

Sob o risco de passar anos atrás das grades e temendo por sua vida, Coot estava à beira de um colapso nervoso. Aqueles que ficassem ao lado de Malco cairiam junto dele. A maré tinha mudado, agora estava contra eles e não havia mais o que fazer. Jesse Rudy acabaria com eles diante de um júri e os mandaria para a cadeia. Era cada um por si. Fritz o convenceu a salvar a própria pele fazendo o que ele próprio havia feito: declarar-se culpado, colaborar com Rudy, depor contra Malco e depois dar o fora de Biloxi e nunca mais olhar para trás.

A ESTRATÉGIA DE DEFESA de Joshua Burch não estava dando certo. Quando ele atendeu ao telefonema de Duff McIntosh e foi informado de que fora dispensado por Coot Reed e de que Duff agora era o advogado do gerente, Burch bateu o telefone e saiu furioso de seu escritório. Dirigiu até o Red Velvet para uma reunião tensa com Lance, que parecia surpreendentemente bem, apesar de seus crescentes problemas cardíacos. Aparência era uma coisa; atitude era outra. Ele ficou furioso e acusou Burch de estragar o plano da defesa. Exigir audiências separadas para ele e seus três gerentes fora uma estratégia burra, bastava olhar para os resultados. Isso havia permitido que Rudy colocasse uma enorme pressão sobre Fritz Haberstroh e Coot Reed, fazendo os dois virarem a casaca. Só restava Bobby Lopez, e seu julgamento seria em apenas algumas semanas. Não havia dúvidas de que Rudy também estava atrás dele. Lance seria abandonado, enfrentaria sozinho o júri, com seus outrora fiéis funcionários fazendo coro e embelezando seus depoimentos para impressionar Rudy e o juiz Oliphant com sua colaboração.

Quando se acalmou, Lance demitiu Burch e pediu que ele se retirasse. Nevin Noll o acompanhou para fora da boate. Enquanto Burch caminhava em direção ao carro, Nevin disse:

– Ele vai ficar bem assim que se acalmar. Vou falar com ele.

Burch não tinha tanta certeza de que queria ser recontratado.

Uma hora depois, Bobby Lopez foi chamado ao escritório de Lance, onde foi posto contra a parede pelo chefe, Nevin e Hugh. Ele jurou não ter tido contato com o gabinete do promotor e não ter nenhuma intenção de ceder. Ficaria ao lado de Lance independentemente da pressão. Permaneceria leal até o fim, qualquer que fosse o resultado. Levaria um tiro se necessário.

Não havia dúvida de que eles estavam levando em consideração disparar alguns tiros por aí. Como todos os funcionários de Malco, Bobby tinha pavor de Nevin Noll e o considerava um assassino a sangue-frio. Nevin apreciava a reputação e sempre tinha bons resultados ao intimidar as pessoas. Durante a reunião, ele encarou Bobby com olhos ardentes e brilhantes, o mesmo olhar psicopata que todos já tinham visto antes.

Bobby saiu muito agitado e completamente apavorado. Voltou para casa e começou a beber. O uísque acalmou seus nervos, tranquilizou-o e permitiu-lhe refletir com mais clareza. Pensou nos velhos amigos, Fritz e Coot, e na corajosa decisão que haviam tomado de entregar Malco e se safar. Quanto mais bebia, mais sentido aquilo fazia. Ir para a prisão com Lance certamente era melhor do que levar um tiro de Noll, mas Fritz e Coot planejavam evitar os dois resultados. Sobreviveriam àquele pesadelo e começariam uma vida nova em outro lugar, como homens livres.

Então Bobby teve um pensamento terrível, que quase o fez vomitar. E se Malco decidisse eliminá-lo primeiro para evitar o risco de ele mudar de time e colaborar com Jesse Rudy? No submundo onde viviam e trabalhavam, uma atitude tão drástica seria perfeitamente aceitável. Malco vinha eliminando impunemente seus inimigos havia anos, e acabar com um funcionário potencialmente desleal como Bobby parecia óbvio.

Ao meio-dia, Bobby estava bêbado. Ele dormiu por duas horas, tomou um galão de café para tentar ficar sóbrio e se forçou a ir trabalhar no turno da noite no Foxy's.

BURCH FOI RECONTRATADO NO dia seguinte e imediatamente deu entrada em uma petição requerendo que as audiências de Bobby Lopez e Lance Malco fossem consolidadas. Jesse se divertia com o caos que estava criando do outro lado e sabia que, graças a ele, os bandidos estavam fazendo de tudo para se safar. Ele não se opôs ao pedido. Lance Malco ainda era o alvo, não seus subordinados, e ficou aliviado com a perspectiva de apenas um grande julgamento, não dois.

Em 3 de março, duas semanas antes da sessão, Burch apresentou um pedido de adiamento, alegando que o Sr. Malco estava muito doente para se defender. A petição incluía declarações juramentadas de dois médicos e uma pilha de relatórios. Jesse achou aquilo muito suspeito e passou horas com Egan Clement e Keith discutindo como responder. Durante o café, ele e o juiz Oliphant debateram suas opções. A coisa mais cavalheiresca a fazer seria concordar com um atraso de um mês ou dois, com uma data marcada na pauta. Quanto mais esperassem, mais Jesse poderia pressionar Bobby Lopez.

Jesse não contestou o pedido, e o julgamento foi remarcado para o dia 12 de maio. O juiz Oliphant informou a Joshua Burch, por escrito, que não haveria mais nenhum pedido de adiamento, independentemente dos problemas de saúde do Sr. Malco.

Às cinco da tarde do dia 4 de abril, prazo final para a apresentação da candidatura, Jesse foi até o gabinete do escrivão do circuito e perguntou se havia algum oponente. A resposta foi não: ninguém competiria com ele. Não haveria uma campanha penosa e desgastante. Ele dirigiu até o escritório de Rudy & Pettigrew, onde o champanhe gelado o aguardava.

DESDE A VISITA SURPRESA do FBI ao seu gabinete, cinco meses antes, Jesse tinha visto o agente Jackson Lewis apenas uma vez. Ele havia aparecido no início de março para uma rápida xícara de café, quando contou algumas histórias interessantes sobre ir até as boates sem avisar nem exibir seu distintivo.

No final de abril, Lewis estava de volta, acompanhado do agente Spence Whitehead.

Eles falaram sobre o iminente julgamento de Malco e o espetáculo que seria. Planejavam estar no tribunal, assistindo a tudo.

– Você por acaso ouviu falar dos roubos às joalherias? Não, né? – perguntou Lewis.

Jesse ficou confuso.

– Não, até agora não passou nenhum caso desse por mim. Por que a pergunta?

– É uma longa história, vou te contar uma versão curta. Uns cinco anos atrás, três bandidos armados, dois homens e uma mulher, atacaram cinco joalherias, uma dinâmica do tipo "bater e correr". Eles escolhiam lojas familiares, em cidades pequenas, nenhuma no Mississippi, limpavam as vitrines e pegavam a estrada. Nada muito sofisticado, mas muito bem-sucedido, até que chegaram à sexta loja. Em Waynesboro, na Geórgia, acabaram escolhendo o lugar errado. O dono tinha uma arma, sabia usá-la, e um tiroteio teve início. Um bandido chamado Jimmie Crane foi morto, assim como sua namorada, uma prostituta chamada Karol Horton, cujo último local de trabalho conhecido era o Red Velvet. Crane estava em liberdade condicional há pouco tempo e morava por aqui. O terceiro cara estava dirigindo o carro da fuga e foi embora da cidade, mas seis pessoas nas primeiras cinco lojas deram uma boa olhada nele.

– Perdi essa história. Mais uma vez, já tenho crimes suficientes com que me preocupar por aqui.

Lewis deslizou para Jesse o retrato falado do terceiro suspeito. O promotor olhou para o papel e não esboçou qualquer reação.

– O FBI finalmente conseguiu rastrear Crane e Horton até Biloxi – prosseguiu Lewis. – Dois agentes passaram alguns dias aqui, mas não chegaram a lugar nenhum. Ninguém parecia reconhecer esse cara, ou, se reconheciam, ficavam quietos. Com o tempo, a investigação esfriou, e nessa já se passaram cinco anos. Dois meses atrás, houve uma operação contra um grupo envolvido em receptação em Nova Orleans e pegamos algumas pistas. Mas ainda não consegui encontrar esse cara. Alguma ideia?

Jesse franziu a testa e balançou a cabeça, saindo-se minimamente bem ao tentar mostrar pouco interesse.

– Olha, pessoal, já tenho coisa suficiente pra resolver – insistiu ele. – Não posso me preocupar com uns assaltos à mão armada em outros estados que aconteceram anos atrás.

Deu um sorriso para eles, depois voltou para o retrato falado e encarou os olhos gélidos de Hugh Malco.

Ele perguntou se podia ficar com o desenho, disse que poderia mostrá-lo para outras pessoas. Eles saíram depois de meia hora. Jesse fez várias cópias e as escondeu em seu escritório. Não contou a ninguém, nem mesmo a Keith ou Egan.

EM 5 DE MAIO DE 1975, uma semana antes do aguardado julgamento de Lance Malco e Bobby Lopez, o juiz Oliphant convocou os advogados para uma reunião em seu gabinete. Havia prometido entregar a lista de possíveis jurados, e os dois estavam ansiosos para colocarem as mãos nela. Jesse e Egan se sentaram de um lado da mesa, enquanto Joshua Burch e dois de seus associados observavam do outro lado. Todas as petições pré-julgamento tinham sido discutidas e decididas. Havia chegado a hora da batalha, e a tensão era grande.

O juiz Oliphant começou com a pergunta de praxe sobre um possível acordo.

– Houve alguma discussão sobre um acordo judicial?

Burch balançou a cabeça negativamente.

– Excelência, o Ministério Público oferecerá ao Sr. Lopez a mesma proposta feita a Fritz Haberstroh e Coot Reed – disse Jesse. – Em troca de uma confissão de culpa e total colaboração contra o Sr. Malco, recomendaremos uma redução de pena.

Sem hesitar, Burch respondeu:

– E nós rejeitamos a oferta, Dr. Rudy.

– Você não acha que deveria consultar seu cliente? – rebateu Jesse.

– Sou o advogado dele e rejeito a oferta.

– Compreendo, mas você tem o dever ético de informar seu cliente.

– Não venha me dar aulas de ética, Dr. Rudy. Passei horas com o Sr. Lopez e conheço muito bem as intenções dele. Ele aguarda o julgamento e a oportunidade de defender a si mesmo e ao Sr. Malco contra essas acusações.

Jesse sorriu e deu de ombros.

– Me parece que o Dr. Rudy tem razão – interveio o juiz Oliphant. – O Sr. Lopez deveria pelo menos ser informado a respeito dessa oportunidade.

– Com todo o respeito, Excelência, tenho muita experiência nesses assuntos e sei representar meus clientes – respondeu Burch, um tanto presunçoso.

Em um tom quase alegre, Jesse disse:

– Não se preocupe, Excelência, eu retiro a oferta.

O juiz Oliphant coçou o queixo, olhando para Burch. Ele embaralhou alguns papéis e falou:

– Muito bem, e o Sr. Malco? Alguma chance de um acordo judicial?

– Excelência, o Ministério Público tem uma proposta para o Sr. Malco – disse Jesse. – Em troca da confissão do crime de manter estabelecimento utilizado para a prostituição, a promotoria recomendará uma pena de dez anos de prisão e multa de 5 mil dólares. Todas as outras acusações serão retiradas.

Burch bufou e pareceu achar graça.

– Não, obrigado. O Sr. Malco não está disposto a se declarar culpado de nada.

– Tudo bem, mas ele está enfrentando outras treze acusações de promover a prostituição e dez de suas garotas vão testemunhar contra ele. Para cada acusação, são no máximo dez anos de reclusão e 5 mil dólares de multa. A mesma coisa para o Sr. Lopez. Existe uma chance de eles passarem o resto da vida na cadeia.

Burch respondeu friamente:

– Conheço muito bem a lei, Dr. Rudy. Não precioso de um tutorial. A resposta é não.

– E você não acha que deveria informar o Sr. Malco sobre esta oferta? – perguntou o juiz Oliphant.

– Por favor, Excelência. Sei o que estou fazendo.

– Muito bem. – O juiz Oliphant embaralhou mais alguns papéis e continuou: – Aqui estão as listas de possíveis jurados. O escrivão de Bay St. Louis está confiante de que esse grupo de jurados é qualificado e exemplar.

Burch ficou surpreso e deixou escapar:

– Bay St. Louis?

– Sim, Dr. Burch. Haverá mudança de foro. Este caso será julgado no condado de Hancock, não aqui em Harrison. Estou convencido de que o júri no julgamento de Ginger Redfield foi manipulado, e não vamos correr esse risco dessa vez.

– Mas ninguém pediu o desaforamento.

– Você deve conhecer a lei, Dr. Burch. Leia a legislação; eu tenho o poder de alterar o foro para qualquer distrito do estado do Mississippi.

Burch ficou atordoado e não conseguiu responder. Jesse ficou surpreso e feliz, mas reprimiu um sorriso. O juiz Oliphant entregou a cada um uma lista com os nomes e declarou:

– Não haverá contato com ninguém do grupo de possíveis jurados. Absolutamente nenhum. – Ele olhou para Burch e continuou: – Quando nos reunirmos no dia 12 de maio, vou questionar a bancada sobre a possível ocorrência de algum contato impróprio. Qualquer indício de que isso tenha acontecido, e a parte envolvida será devidamente punida. Assim que selecionarmos os doze titulares e os dois suplentes, darei uma verdadeira aula sobre como o contato impróprio constitui crime. Todas as manhãs e todas as tardes repetirei minha palestra. Fui claro?

– Claro como água, Excelência – disse Jesse, sorrindo para Burch.

Parte Três

OS PRISIONEIROS

35

A sala de audiências estava vazia; as luzes, apagadas. Pimentão, faxineiro do fórum, mexia em uns fios na tribuna. Jesse entrou, meneou a cabeça para ele de longe, cruzou o corredor entre os bancos, passou pela divisória, colocou a pasta sobre a mesa e o cumprimentou. Pimentão murmurou algo em resposta, um homem de poucas palavras. Quando Joshua Burch entrou pela porta principal, Jesse pediu ao faxineiro um momento de privacidade. Pimentão franziu a testa, como se estivesse irritado por ter seu importante trabalho interrompido, mas saiu mesmo assim.

Eles se sentaram à mesa, um de frente para o outro, e pularam a troca de gentilezas. Jesse começou:

– Você não vai ganhar esse julgamento, Joshua. Eu tenho muitas testemunhas, e, além disso, todo mundo sabe a verdade. O Malco explora essas garotas há décadas, e a festa dele acabou. Quando ele for condenado, o Oliphant vai vir com tudo na sentença, e ele vai morrer de velhice na cadeia.

Burch ouviu tudo e optou por não discutir. A arrogância havia desaparecido. Os fatos não estavam a seu favor, e ele havia perdido a chance de criar um impasse no júri no momento em que o julgamento foi transferido para o condado de Hancock, longe de Albert Bowman e dos tentáculos de sua influência.

– Você pediu pra me encontrar – disse Burch. – O que tem em mente?

– Um acordo judicial. O Lance é um cara inteligente e sabe que a sorte dele acabou. Um julgamento vai acabar expondo muitos de seus segredos desagradáveis. Vai ser constrangedor.

– A saúde dele não anda boa.

– Corta essa, Joshua. Ninguém acredita nisso, e mesmo que fosse verdade, qual é o problema? Tá cheio de gente doente em Parchman. Eles têm médicos lá dentro. Um suposto coração ruim não é argumento de defesa.

– Eu conversei com ele sobre a possibilidade de um acordo, mais de uma vez. Ele tentou me demitir de novo, mas se acalmou. Acho que chegou a conversar com o Hugh, não tenho certeza se falou com o resto da família.

– Eu tenho um incentivo, algo que você e ele deveriam estar a par.

Burch deu de ombros e disse:

– Sou todo ouvidos.

Jesse contou a história da breve carreira do jovem Hugh como ladrão armado. Os assaltos à joalheria, o tiroteio, as mortes de Jimmie Crane e Karol Horton. A fuga bem-sucedida de Hugh e sua sorte ainda maior de ter conseguido evitar ser identificado. Fazia cinco anos, muito tempo havia se passado, mas o FBI estava de volta.

Burch afirmou que não sabia nada sobre os roubos, e Jesse acreditou. Ele nunca tinha ouvido falar da história.

Jesse descreveu seu recente encontro com o FBI. Ele entregou a Burch uma cópia do retrato falado da polícia e disse:

– Pra mim, parece o Hugh. Se o FBI ficar sabendo que é ele, vai levar uma foto pras vítimas fazerem o reconhecimento. Ele pegaria pelo menos vinte anos de prisão, talvez mais.

Burch analisou o retrato falado, balançou a cabeça e murmurou a palavra "tapado".

Jesse deu o golpe fatal.

– Eu ainda não disse uma palavra pro FBI. Posso ficar de boca fechada se fecharmos o acordo.

Burch colocou o papel em cima da mesa e continuou balançando a cabeça.

– Isso é cruel.

– Cruel? Faz trinta anos que o Malco tá metido até o pescoço com o crime organizado. Bebida ilegal, jogos de azar, prostituição, drogas, sem falar em surras, queimaduras e sabe-se lá quantos cadáveres. E você diz que eu sou cruel. Nem vem, Joshua, isso é brincadeira de criança em comparação com as atividades do Malco.

Burch afundou alguns centímetros na cadeira, depois pegou o esboço novamente. Ele o estudou por um bom tempo e o largou.

– Isso é chantagem.

– Cruel, chantagem, chame do que você quiser. Não ligo. Eu quero Lance Malco na cadeia.

– Então, vamos ser bem claros, Jesse. Você está oferecendo dez anos e, se ele recusar, você vai até o FBI com o nome de Hugh Malco.

– Não exatamente. Se ele recusar, vou levá-lo a julgamento no condado de Hancock daqui a seis dias, e o júri vai considerar Malco culpado de todas as acusações, porque ele é cem por cento culpado. Depois disso, vou ao FBI com o nome do filho dele. E os dois vão passar um bom tempo na prisão.

– Entendi. E se ele aceitar o acordo, você não diz nada ao FBI.

– Você tem minha palavra. Não posso garantir que eles não vão encontrar o Hugh de outra maneira, mas não vai ser através de mim. Prometo.

Burch se levantou, caminhou até uma janela, olhou para fora, não viu nada, voltou e se apoiou na divisória.

– E Bobby Lopez?

– Quem se importa? A gente fecha o mesmo acordo que eu fiz com o Haberstroh e o Coot Reed. Ele se declara culpado, consegue liberdade condicional, uma coisinha de nada. E depois vai embora daqui.

– Sem pena de prisão?

– Nem mais um dia atrás das grades.

Burch caminhou até a mesa e pegou o retrato falado.

– Se importa se eu ficar com isso?

– É pra você. Mostre ao seu cliente.

– Isso é chantagem.

– Cruel soa melhor, mas não estou nem aí. Você tem 24 horas.

LANCE MALCO ESTAVA DE PÉ, atrás de sua mesa, e olhava para uma parede. Nevin Noll se encontrava sentado em uma cadeira ao lado dele, fumando um cigarro. Hugh ficou parado na porta e parecia estar com vontade de chorar. Burch estava sentado no meio da sala sob uma nuvem de fumaça. O retrato falado se encontrava no centro da mesa.

– Quanto tempo eu ficaria preso? – perguntou Lance.

– Mais ou menos dois terços da pena. Com bom comportamento.

– Desgraçado – resmungou Hugh pela décima vez.

– Alguma chance de ser transferido pra cadeia do condado?

– Talvez, depois de alguns anos. O Pança provavelmente poderia mexer uns pauzinhos.

– Desgraçado.

Lance caminhou lentamente até sua cadeira giratória e se sentou. Ele sorriu para Burch e disse:

– Eu aguento qualquer coisa que fizerem contra mim, Burch. Não tenho medo da prisão.

BURCH LIGOU PARA JESSE e tentou puxar conversa como se fossem velhos amigos. O favor que ele queria era uma audiência discreta e rápida para acabar logo com aquilo, mas Jesse não aceitaria nada disso. Vivendo seu melhor momento, ele queria um espetáculo.

Em 12 de maio, uma multidão se reuniu no tribunal para testemunhar um dia histórico. A primeira fila estava cheia de repórteres, e atrás deles várias dezenas de espectadores aguardavam ansiosamente para ver se os boatos eram verdadeiros. Todo fórum tinha uma série de advogados entediados ou semiaposentados que não perdiam nada e eram especialistas em espalhar fofocas, e todos estavam presentes. Enquanto advogados, tinham permissão para cruzar a divisória, circular com os escrivães, até mesmo se sentar na bancada do júri quando não estava sendo usada. Keith não era um deles, mas encontrou uma cadeira perto da mesa da promotoria. Ao olhar casualmente para a multidão, fez contato visual com Hugh. Não foi uma troca agradável. Se olhares pudessem matar...

Carmen Malco não estava presente, nem seus outros dois filhos adultos. Lance não os queria perto do fórum. As manchetes seriam suficientemente brutais.

Um oficial de justiça chamou o tribunal à ordem, e todos se levantaram. O juiz Oliphant apareceu e se sentou na tribuna. Ele fez sinal para que a multidão se sentasse e chamou o Dr. Rudy ao pódio. Jesse anunciou que um acordo judicial havia sido feito entre o Estado e o réu Bobby Lopez.

Joshua Burch se levantou e andou até a tribuna, fazendo sinal para que seu cliente se juntasse a ele. Jesse estava do outro lado. O tribunal ouviu enquanto o juiz lia as acusações. Lopez se declarou culpado de todas elas e ficou definido que voltaria lá dali a um mês para a sentença. Quando o réu retornou ao seu assento, Sua Excelência anunciou:

– Estado do Mississippi *versus* Lance Malco.

O réu se levantou de seu assento na mesa da defesa e avançou como se não tivesse nada a temer. Vestido com um terno escuro, camisa branca engomada e gravata estampada, poderia se passar por um dos advogados. Ele roçou em Jesse sem fazer contato. Ficou parado entre Burch e o promotor e olhou com arrogância para o juiz.

Depois de se declarar culpado da acusação de "ter controle sobre o uso de um local e conscientemente permitir que outra pessoa usasse o referido estabelecimento para prostituição", ele foi questionado se estava pronto para receber sua sentença. Burch respondeu que sim. O juiz Oliphant condenou-o a dez anos na penitenciária estadual de Parchman e multou-o em 5 mil dólares. Malco ouviu sem vacilar e nem sequer piscou.

– Sendo assim, encaminho o senhor à custódia do xerife do condado para ser transportado até Parchman.

Malco assentiu, não disse nada e voltou orgulhoso para seu lugar. Quando a audiência foi encerrada, ele foi conduzido por dois oficiais de justiça por uma porta lateral e levado para a prisão.

A MANCHETE EM DESTAQUE no *Gulf Coast Register* na manhã seguinte dizia tudo: **MALCO SE DECLARA CULPADO: CONDENADO À PRISÃO**. Uma imensa foto mostrava Malco algemado enquanto era conduzido a uma viatura, com Hugh um passo atrás dele.

Jesse comprou exemplares extras e planejou emoldurar um para o Mural de Vitórias em seu escritório.

DOIS DIAS DEPOIS, UM FORD comprido e marrom deixou a prisão ao amanhecer com o assistente-chefe do xerife, Rudd Kilgore, ao volante, Pança no carona e o prisioneiro no banco de trás, sem algemas. Hugh insistiu em fazer a viagem de cinco horas e foi sentado ao lado do pai. Durante a primeira hora, enquanto tomavam café velho em copos altos de papel, pouco foi dito. O assunto Jesse Rudy surgiu logo, e falaram mal do promotor sem parar.

Pança havia governado o condado de Harrison como um ditador por dezesseis anos e se recusava a se inquietar com muita coisa, embora houvesse alguma preocupação agora que Rudy estava próximo do FBI. Lance avisou Pança de que Rudy estava fora de controle e só ficaria mais ousado. Se ele conseguisse acabar com a prostituição e o jogo, a maioria das boates fecharia e o fluxo de caixa de Pança seria seriamente reduzido. Bares e boates de striptease ainda eram legais, e não haveria necessidade de proteção do xerife. Pança garantiu que estava ciente disso.

Eles pararam em Hattiesburg para um café da manhã reforçado, depois partiram para Jackson e além. Ao se aproximarem da cidade de Yazoo, as colinas se aplainaram e o Delta apareceu, quilômetro após quilômetro de alguns dos solos mais ricos da Terra, todos aparentemente cobertos com fileiras perfeitas de hastes verdes de algodão, na altura dos joelhos.

Hugh nunca tinha visto o Delta antes e logo o achou deprimente. Quanto mais avançavam, mais ele odiava Jesse Rudy.

Lance já sentia saudades da Costa.

36

Em um fim de semana quente no final de setembro, toda a família Rudy, junto aos membros do escritório e pelo menos uma centena de outros amigos e familiares, chegaram à cidade de Meridian, duas horas e meia ao norte da Costa. A ocasião era o casamento de Keith Rudy e Ainsley Hart. O casal se conheceu na Universidade do Mississippi quando ele cursava o último ano da faculdade de Direito e ela, o terceiro da faculdade de Música. Ainsley tinha se formado havia pouco tempo e estava trabalhando em Jackson. Os dois se cansaram do desgaste que era manter um relacionamento à distância e finalmente marcaram uma data para o casamento. Keith confidenciou ao pai que não estava pronto para se casar porque não tinha certeza de que era capaz de ter uma esposa. Jesse explicou que ninguém era. Se esperasse até se sentir pronto, jamais se casaria. Era hora de crescer e mergulhar de cabeça.

Os amigos de faculdade de Keith fizeram uma forte pressão para que o casamento fosse em Biloxi, para que pudessem ir às boates e curtir as strippers. A princípio, ele pensou que fosse uma brincadeira de mau gosto, mas, quando percebeu que era sério, vetou a ideia. Ainsley também. Ela preferia um casamento certinho, na Igreja Presbiteriana, onde havia sido batizada. Os Harts eram protestantes ferrenhos. Já os Rudys eram católicos apostólicos romanos convictos. Durante o namoro, o casal havia falado algumas vezes sobre religião, mas, como se tratava de um assunto delicado, não haviam feito nenhum progresso e esperavam que as coisas se resolvessem no futuro. Eles concordaram em seguir caminhos separados aos domingos e não tinham ideia do que aconteceria quando tivessem filhos.

Jesse e Agnes ofereceram um esplêndido jantar de ensaio no country club na noite de sexta-feira. Oitenta convidados, em trajes de festa, comeram ostras, camarão grelhado e linguado recheado, presente de um atacadista de Point Cadet, um dos amigos mais próximos de Jesse. Seu armazém ficava ao lado da fábrica de conservas onde o pai de Jesse trabalhara dez horas por dia descascando ostras quando criança.

Muitos dos presbiterianos eram abstêmios, embora beber não fosse um pecado mortal como os batistas acreditavam, e a maioria deles apreciava tomar vinho no jantar. Ficaram surpresos, porém, com a quantidade de álcool consumida pelas pessoas na Costa. Tinham ouvido falar sobre a população de Biloxi e seu estilo de vida descontraído, e, naquela ocasião, testemunharam isso em primeira mão.

Os brindes começaram, e mais vinho foi servido. Tim Rudy, com seus cabelos até os ombros e uma barba volumosa, havia pegado um avião em Montana e chegou bem na hora. Contou histórias engraçadas sobre o irmão mais velho, o garoto perfeito que nunca se metia em confusão. Tim vivia em apuros e muitas vezes recorria a Keith em busca de apoio quando Jesse estava a ponto de matá-lo. Um de seus colegas de quarto da faculdade contou uma história que fez todo mundo ir à loucura, principalmente tendo em vista a crescente fama de Jesse. Aparentemente, houve um fim de semana, quando Jesse e Agnes estavam fora, em que um carro cheio de arruaceiros chegou da Southern Miss e baixou na casa deles. Os jovens buscaram Keith e foram para a Strip. Em um bar chamado Foxy's, encheram a cara, mas nada aconteceu. Keith explicou que a cerveja estava aguada e as bebidas eram basicamente suco em pó. Eles pediram uma garrafa de uísque, mas o barman se negou a servir. Eles ameaçaram ir para outro lugar, mas Keith disse que a maioria dos bares servia a mesma porcaria. Quando começaram a fazer barulho demais, um segurança pediu que fossem embora. Imagine só, Keith Rudy sendo expulso de uma boate de striptease em Biloxi! O colega de quarto insinuou que alguns dos meninos talvez tenham subido as escadas, mas Keith definitivamente não. Joey Grasich relembrou seus dias no Point durante a infância e as aventuras pescando e navegando pelo estreito do Mississippi. Ele era grato pelos amigos de uma vida inteira, como Keith e Denny Smith. Hugh, é claro, não foi mencionado.

Jesse encerrou o jantar com uma homenagem ao filho. Embora houvesse feito milhares de discursos na vida, mal conseguiu chegar ao final daquele. Quando terminou, havia apenas alguns olhos secos.

Uma banda de soul animou a festa, que passou para a pista de dança. À meia-noite, Jesse e Agnes deixaram os jovens e foram para o hotel.

Na manhã seguinte, bem cedo, os pais de Ainsley acordaram em pânico. Infelizmente haviam subestimado a quantidade de cerveja, licor e vinho que seria necessária naquela noite para o jantar de casamento. Mais de trezentos convidados compareceriam à festa, quase metade deles de Biloxi, e os católicos eram mesmo bons de copo. O Sr. Hart passou a manhã entrando e saindo de lojas de bebidas e comprando barris de cerveja.

Às cinco da tarde, a cerimônia ocorreu conforme o planejado, com alguns dos oito padrinhos deixando bem claro que a noite anterior tinha sido longa. Jesse, cheio de orgulho, ficou o tempo todo ao lado do filho. Ainsley nunca esteve tão bonita.

HALEY STOFER FOI PRESO em St. Louis por dirigir embriagado. Pagou a fiança em dinheiro e estava quase saindo da delegacia quando seu nome apareceu na lista de procurados. Aparentemente, o réu tivera alguns problemas no Mississippi. Havia um mandado de prisão pendente baseado em uma antiga denúncia por tráfico de drogas. Levou um mês para que ele fosse encaminhado para o condado de Harrison e, quando Jesse viu seu nome no registro semanal da prisão, largou tudo e foi visitá-lo.

Um oficial de justiça empurrou Stofer para dentro da sala onde o promotor esperava. Jesse o encarou, observou sua barba por fazer, o rosto magro, o macacão laranja desbotado, as algemas. Havia até mesmo correntes ao redor dos tornozelos, porque, afinal, ele era um traficante de drogas.

– Por onde você andou, Stofer? – perguntou Jesse.

– Que bom rever o senhor, Dr. Rudy.

– Não tenho tanta certeza disso. Olha, não estou aqui pra ficar falando sobre o passado. Eu trouxe uma cópia da acusação, achei que podia ser bom pra refrescar sua memória. O que eu te disse naquela época?

– Disse pra sair da cidade. Os bandidos estavam atrás de mim. Eles iam me matar.

– Sim, mas eu também disse pra você me ligar uma vez por semana. O acordo era que você estaria disponível pra depor contra Lance Malco. Em vez disso, você desapareceu e me deixou aqui sem notícias.

– Você falou pra eu ir embora daqui.

– Não vou discutir com você. Vou te aliviar os dez anos da evasão.

– Eu testemunhei no grande júri e consegui as denúncias.

– Tá, vou tirar mais quinze. Sobram quinze pelo crime de tráfico.

– Eu não posso passar quinze anos preso, Dr. Rudy. Por favor.

– Não vai ser necessário. Com bom comportamento, você pode sair em dez – declarou Jesse, levantando-se abruptamente.

Ele deixou a denúncia sobre a mesa e caminhou até a porta.

– Eles vão me pegar, sabe disso, né? – implorou Stofer. – Eu não posso voltar pra cá.

– Não foi esse o acordo, Stofer.

– É tudo culpa sua. O senhor me forçou a trabalhar infiltrado.

– Não, Stofer, você escolheu traficar drogas. Agora, tem que pagar o preço.

Em seguida, Jesse saiu da sala.

SEGUINDO AS ORDENS QUE Lance deixara antes de ser preso, Hugh se mudou para o maior escritório e assumiu o comando dos negócios da família, que incluíam as boates de striptease – Red Velvet, Foxy's, O'Malley, Parada do Jerry e Desperado, ex-Carrossel –, bem como dois bares onde os apostadores se reuniam, uma série de lojas de conveniência usadas para lavar dinheiro, três hotéis outrora usados para abrigar as prostitutas, mas que agora estavam praticamente vazios, dois restaurantes que, curiosamente, nunca tinham sido usados para atividades ilegais, prédios inteiros de apartamentos, terrenos baldios perto da praia e alguns condomínios na Flórida.

Lance manteve a propriedade exclusiva de tudo, com exceção da casa da família, que transferiu para Carmen. Ela não tinha dado entrada no divórcio e ficou aliviada com a prisão do marido. Eles haviam concordado que Hugh a ajudaria com mil dólares por mês. O irmão e a irmã de Hugh haviam deixado a Costa e tinham pouco contato com a família.

Lance considerava sua breve estadia em Parchman nada mais do que um revés temporário, um preço que poderia ser pago por suas riquezas.

Planejava administrar seu império detrás das grades e retornar logo, muito antes dos dez anos que o Dr. Rudy tinha em mente. Com Hugh no controle administrando os negócios e com Nevin Noll como seu braço direito, Lance estava confiante de que seus bens estavam seguros. Seus problemas logo acabariam.

Depois de seis meses, contudo, os números eram baixos. Com o jogo e a prostituição severamente reduzidos, o submundo de Biloxi estava sofrendo outra recessão. Havia muitas boates e bares, e poucos clientes. A condenação e a prisão de Lance Malco causavam arrepios por toda a Strip. Jesse Rudy estava atrás dos chefões do crime, e ninguém sabia quem seria o próximo. Para piorar as coisas, ele tinha a polícia estadual a bordo e o FBI à espreita.

LIMITADO PELA LEI ESTADUAL a apenas quatro anos no cargo, o governador Bill Waller estava fazendo as malas no final de 1975. Seu mandato tinha sido bem-sucedido. Embora o estado ainda estivesse atrasado em educação, saúde e, principalmente, direitos civis, ele foi o primeiro governador a promover uma agenda progressista. Seus dias na política não haviam acabado, e ele sonhava em servir no Senado dos Estados Unidos, mas naquela época ambas as cadeiras eram firmemente controladas por John Stennis e James Eastland. Ele planejava abrir um escritório de advocacia em Jackson e voltar aos tribunais.

No início de dezembro, ele convidou Jesse e Keith para ir até a mansão do governador almoçar. Waller havia acompanhado o caso Malco de perto e queria se atualizar com as fofocas da Costa. Ele adorava frutos do mar e, como presente de despedida, Jesse trouxe um isopor cheio de ostras frescas, camarões e caranguejos. O chef preparou tudo para o almoço, e o governador, um homem grande e com um apetite impressionante, aproveitou o banquete.

Conversaram sobre Malco, e ele informou aos Rudys que seu "pessoal da penitenciária" havia informado que o preso passava bem e que estava trabalhando na biblioteca do presídio. Dera um jeito de conseguir o próprio celular, embora, como todos os outros, não tivesse ar-condicionado. Jesse brincou que esperava que Malco fosse enviado aos campos para colher algodão, como os criminosos comuns.

– Diga ao seu pessoal para ficar de olho nele – disse o promotor. – Ele tem muito dinheiro, e suborno é uma coisa que sempre funciona na prisão.

Eles deram várias risadas às custas de Malco. Keith sabia qual era seu lugar à mesa e falou pouco. Estava maravilhado por estar almoçando naquela mansão com o próprio governador.

Waller ficou sério e perguntou a Jesse:

– Então, você tem algum plano pra quando deixar a promotoria?

Jesse foi pego de surpresa.

– Na verdade, não – respondeu ele. – Ainda tenho muito trabalho a fazer por lá.

– Consegue pegar aquele xerife? O Bowman tá há anos na ativa.

– Eu penso nele todos os dias, governador, mas o homem é ardiloso.

– Você vai conseguir. Vou fazer o possível pra te ajudar.

– Você já fez o suficiente. Sem a polícia estadual, não teríamos chegado até aqui. O povo da Costa tem uma dívida enorme com você.

– Eles votaram em mim, é o mínimo que eu poderia fazer. – Ele atacou uma ostra. Depois que a engoliu, disse: – Sabe, Jesse, o Partido Democrata neste estado é uma bagunça, não existem muitos talentos progressistas; a bancada é muito pequena, pra falar a verdade. Venho conversando com muitas pessoas sobre nosso futuro, e seu nome continua aparecendo. Acho que você deveria considerar concorrer pra algum cargo estadual. Procurador-geral, depois, quem sabe, governador.

Jesse tentou fugir do assunto com uma risada forçada.

– Olha, governador, eu sou católico. Nós somos uma minoria aqui no Mississippi.

– Bobagem. Este estado apoiou o JFK em 1960, nunca se esqueça disso.

– Ah... e depois disso se tornou republicano, exceto pelo George Wallace.

– Não, nós ainda temos os votos pelo estado. Não consigo imaginar o Mississippi elegendo um governador republicano. A sua religião não fará diferença. Só precisamos de alguns novos talentos.

– Eu me sinto lisonjeado, governador, mas tenho 51 anos. Quando o próximo mandato como promotor de justiça acabar, vou estar com 56, não serei exatamente jovem.

– Eu tenho 50 anos agora, Jesse, e não estou pronto pra ir pra uma casa de repouso. Pretendo concorrer ao Senado se houver uma vaga, o que parece difícil. Meio que entra no sangue, sabe?

– Mais uma vez, fico lisonjeado, mas simplesmente não vejo isso pro futuro.

– E você, Keith?

Keith quase se engasgou com um pedaço de camarão grelhado. Engoliu em seco e conseguiu dizer:

– Acho que estou no outro extremo. Tenho só 27 anos.

– Hora de começar. Gosto do seu jeito, Keith, e você tem a personalidade do seu pai, sem falar no sobrenome, que pode ser uma grande vantagem.

Aquele papo não era novo. Jesse e Keith haviam discutido a possibilidade de correr atrás de uma vaga no legislativo estadual, o ponto de partida tradicional para jovens e ambiciosos políticos do estado. Keith ainda não conseguia admitir para ninguém, nem mesmo para o pai, que sonhava em morar naquela mesma mansão onde almoçava naquele momento.

Jesse sorriu e respondeu:

– Ele está pensando nisso, governador.

– Vou te dar uma ideia – disse Waller. – A. F. Sumner acabou de ser reeleito para seu terceiro mandato como procurador-geral. Não sei por que o governador só pode ocupar o cargo por quatro anos enquanto todos os outros podem se reeleger pelo resto da vida, mas é a lei. Como você sabe, o legislativo não quer um governador forte. Enfim, eu sou próximo do A. F., e ele me deve alguns favores. O que você acha de vir pra Jackson e trabalhar no escritório do procurador-geral por alguns anos? Vou estar por perto e posso te apresentar pra muitas pessoas. Vai ser uma ótima experiência.

Keith ficou lisonjeado, mas não estava pronto para deixar a Costa.

– É muito generoso da sua parte, governador, mas eu me casei há pouco tempo e acabamos de nos instalar em nosso apartamento. O escritório está crescendo, e estamos recebendo alguns bons casos.

– Mande alguns pra mim. Estou prestes a ficar desempregado.

– Mas obrigado, governador.

– Sem pressa. A oferta continua de pé. Quem sabe daqui a um ou dois anos.

– Com certeza vou pensar nisso.

Jesse tinha um último favor a pedir. Corria o boato de que o chefe da polícia estadual manteria seu cargo durante a mudança de governo. Jesse queria a cooperação contínua dele pelos próximos quatro anos. Os sete homicídios não resolvidos, todos relacionados a gangues, na opinião de Jesse, ainda o assombravam. Pança nunca demonstrara interesse, e os casos estavam cada vez mais distantes de uma solução. Era necessário um apoio extra do estado, e Jesse queria uma reunião com ele para pedir ajuda.

Faltando apenas um mês para o fim do mandato, o governador prometeria qualquer coisa.

37

Tudo mudou em fevereiro de 1976, cerca de sete anos após o assassinato, quando um contrabandista chamado Bayard Wolf se revirava de dor e decidiu que era hora de consultar um médico. Sua esposa o levou a Tupelo para exames, cujos resultados não foram muito bons. Ele foi diagnosticado com câncer de pâncreas grave e tinha pouco tempo de vida.

Wolf morava na zona rural do condado de Tippah, um dos mais secos do estado, e por anos levou uma vida decente vendendo cerveja ilegal para clientes sedentos, muitos deles adolescentes. Quando jovem, havia aprontado muito junto da State Line Mob e chegou a trabalhar em um estabelecimento cujos donos eram Ginger Redfield e o marido dela. Sua segunda esposa o convencera a deixar aquele mundo instável e perigoso e tentar andar na linha. Contrabandear cerveja era um crime fácil e inofensivo, sem risco de violência. O xerife não o importunava porque ele prestava um serviço muito necessário e mantinha os jovens fora das ruas em Tupelo e Memphis.

O que nem a esposa nem o xerife sabiam era que Wolf mantinha contato com a Dixie Mafia e prestava um serviço que poucos seriam capazes de fazer. No negócio, seu apelido era "o Corretor". Por um bom valor, ele poderia mediar o encontro entre um homem cheio de dinheiro e rancor e um matador profissional. Da obscuridade de sua pequena e tranquila fazenda perto de Walnut, no Mississippi, organizava vários assassinatos por encomenda. Ele era o homem a ser procurado quando matar era a única opção.

Confrontado com a morte iminente, Wolf descobriu um súbito interesse em Deus. Seus pecados eram numerosos, muito mais impressionantes do que os da maioria das pessoas, e se tornaram fardos pesados demais para carregar. Ele acreditava no céu e no inferno e estava assustado com o que o aguardava. Uma noite, durante um encontro religioso, Wolf caminhou pelo corredor até o altar, onde o pastor o acolheu. Aos prantos, confessou seu passado pecaminoso, embora não tivesse, naquele momento de muita emoção, entrado em maiores detalhes. A congregação se alegrou por testemunhar um notório contrabandista e pecador encontrar o Senhor, e todos celebraram junto dele.

Após sua dramática e, de fato, genuína conversão, Wolf sentiu um enorme alívio, mas seguia atormentado por seu passado. Ele se sentia responsável por muitos crimes horríveis que continuavam a assombrá-lo. Semanas se passaram, e sua condição física piorou. Sua cabeça e seu coração não estavam em paz. O pastor passava lá uma vez por dia para um momento de oração, e várias vezes Wolf sentiu o Espírito Santo induzi-lo a confessar tudo. Ele não conseguia, no entanto, reunir coragem, e a culpa ficava cada vez maior.

Dois meses após o diagnóstico, havia perdido 18 quilos e não conseguia sair da cama. O fim se aproximava, e ele não estava preparado. Ligou para o xerife e pediu que ele desse uma passada em sua casa quando o pastor estivesse por lá. Com a esposa sentada ao lado da cama, o xerife fazendo anotações e o pastor com as mãos apoiadas no cobertor, Wolf começou a falar.

Naquela tarde, o xerife dirigiu até Jackson e se encontrou com o chefe da polícia estadual. Na manhã seguinte, dois policiais e dois peritos chegaram à casa de Wolf. Uma câmera e um gravador foram rapidamente colocados ao pé de sua cama.

Com uma voz tensa, áspera e muitas vezes fraca, Wolf falou. Deu detalhes de assassinatos por encomenda que haviam se estendido por duas décadas. Apontou os mandantes dos crimes e os valores pagos. Citou os intermediários. As vítimas. Quanto mais falava, mais cochilava. Fortemente sedado e com muita dor, ia e voltava o tempo todo, além de ficar confuso de vez em quando. Relembrou em detalhes algumas das mortes, mas outras tinham acontecido havia muito tempo.

O xerife ficou parado na porta, balançando a cabeça em descrença. A Sra. Wolf estava em choque e não conseguiu ficar no quarto. Serviu café e ofereceu biscoitos, mas ninguém estava com fome.

Bayard Wolf morreu três dias depois, em paz consigo mesmo. O pastor lhe assegurou que Deus perdoava todos os pecados quando eram confessados diante dele. Wolf não tinha certeza de que Deus já havia ouvido uma confissão tão monumental, mas aceitou as promessas com fé e estava sorrindo quando deu seu último suspiro.

Deixou para trás um enorme tesouro, fatos que levariam anos para serem desvendados. Dezenove homicídios ao longo de 21 anos em oito estados. Maridos ciumentos, esposas e namoradas ciumentas, sócios rivais, irmãos em guerra, golpistas, investidores enganados, um político corrupto e até mesmo um policial desonesto.

E um dono de boate determinado a eliminar a concorrência.

DE ACORDO COM WOLF, um homem chamado Nevin Noll o encontrou num bar em Tupelo. Wolf estava bastante familiarizado com Biloxi e inclusive havia visitado os estabelecimentos ao longo dos últimos anos. Nunca tinha visto Malco, mas certamente já ouvira falar dele. Wolf sabia que Noll era um membro de longa data da gangue de Malco, embora nunca indagasse de onde vinha o dinheiro. Essa pergunta era sempre proibida. Noll deu a ele 20 mil dólares em espécie para matar Dusty Cromwell, outro bandido com um passado ainda mais sombrio. Wolf presumiu que havia outra guerra por território em andamento em Biloxi e que Malco estava por trás dela. Essas atividades eram comuns por lá, e Wolf conhecia alguns dos envolvidos.

Wolf ficou com dez por cento do dinheiro, os honorários habituais, e fechou o negócio. Seu matador de aluguel favorito era Johnny Clark, um ex-atirador de elite do Exército que havia sido expulso do serviço militar por conta de atrocidades no Vietnã. Seu apelido, sussurrado apenas em determinados círculos, era "o Fuzileiro". Wolf o encontrou no mesmo bar em Tupelo e lhe entregou o restante do dinheiro. Dois meses depois, Dusty Cromwell foi praticamente decapitado enquanto caminhava por uma praia de Biloxi com a namorada.

Em relação aos demais homicídios não solucionados na Costa, Wolf alegou não ter nenhum conhecimento sobre eles. Alguns tinham todos os indícios de terem sido protagonizados por profissionais; outros pareciam ser obra de bandidos locais em acertos de contas.

EM MAIO, JESSE RUDY dirigiu até Jackson para uma reunião na sede da polícia estadual. Recebeu algumas informações sobre Bayard Wolf e assistiu a uma gravação em vídeo na qual o homem contava sobre o assassinato de Cromwell. Aquela era uma reviravolta impressionante, algo que Jesse de forma alguma havia imaginado, e que representava um imenso desafio para qualquer promotor.

Em primeiro lugar, Wolf, a principal testemunha, estava morto. Em segundo, o depoimento gravado jamais seria admitido no tribunal. Nenhum juiz permitiria isso, por mais crucial que fosse, porque a defesa não tivera a oportunidade de interrogar a testemunha. Mesmo que Wolf tivesse jurado dizer a verdade, não havia como um júri vê-lo ou ouvi-lo. Admitir aquele testemunho claramente daria motivo para uma anulação. O terceiro problema, como a polícia já havia descoberto, era que não havia sinal de ninguém chamado Johnny Clark. Wolf acreditava que ele morava em algum lugar perto de Opelika, no Alabama. Os moradores encontraram três homens com esse nome na região, mas nenhum chegou nem perto de ser considerado suspeito. A polícia do estado do Alabama localizou mais 43 Johnny Clarks que moravam no estado e eliminou todos eles como possíveis suspeitos. De acordo com Wolf, o Fuzileiro fora responsável por outras duas mortes no Alabama, então a polícia de lá estava bastante ocupada. O número de telefone que Wolf deu a eles para chegar a Clark havia sido desativado três anos antes. O número foi rastreado até um estacionamento de trailers no vilarejo de Lanett, no Alabama, e até um trailer que não estava mais lá. Tinha sido registrado em nome de uma mulher chamada Irene Harris, que evidentemente desapareceu com seu trailer. Ela não tinha sido encontrada, mas a polícia continuava procurando.

A polícia estadual e Jesse concordaram que era seguro presumir que um assassino profissional com um passado duvidoso estaria sempre mudando de lugar e se esconderia atrás de vários pseudônimos.

De acordo com os registros militares dos Estados Unidos, 27 homens chamados Johnny Clark tinham servido no Vietnã; nenhum deles fora dispensado de maneira desonrosa. Dois foram mortos em combate.

A polícia estadual tentou investigar todos os aspectos da história de Wolf. Eles não duvidavam de sua essência, os dezenove assassinatos por encomenda. Com os nomes das vítimas em mãos, foi fácil rastrear os casos arquivados em oito estados. No entanto, era impossível verificar todos os detalhes que Wolf lhes fornecera.

JESSE NÃO SE LEMBRAVA da viagem de três horas de volta a Biloxi. Sua mente girava com cenários, estratégias, perguntas e poucas respostas. Assassinato por encomenda era um crime punível com pena de morte no estado, e a ideia de levar Lance Malco, Nevin Noll e outros a julgamento pelo homicídio de Dusty Cromwell empolgaria qualquer promotor. Eles mereciam o corredor da morte, mas colocá-los lá parecia impossível. Não havia testemunhas, e a cena do crime não tinha revelado nada. A bala de alto calibre que entrou pela bochecha direita de Dusty e explodiu na nuca nunca foi encontrada. Desse modo, não havia balística, nem arma, nem absolutamente nenhuma prova de qualquer natureza para apresentar a um júri.

No escritório, Jesse informou Egan Clement sobre a reunião em Jackson. Foi um alívio finalmente saber quem havia matado Cromwell, embora Lance fosse o principal suspeito desde o princípio. A confirmação, porém, era uma vitória sem sentido, porque aparentemente não seria possível chegar a uma acusação.

Eles arquivaram as informações, adicionaram dossiês a pastas finas demais e ficaram aguardando o próximo telefonema da polícia estadual. A ligação chegou um mês depois, e foi uma perda de tempo. Não havia nada a relatar. As outras dezoito investigações estavam avançando devagar, a maioria com tanto sucesso quanto o caso Cromwell. A denúncia de Wolf fez com que a polícia de oito estados começasse a tentar mostrar serviço. Eles estavam atrás de assassinos de aluguel que não deixavam pistas. Vagavam pelo submundo, do qual não faziam parte, e se esforçavam para trazer justiça às vítimas, que também haviam atuado no mundo do crime. Tentavam seguir rastros deixados pelo dinheiro, sem esperança de sucesso.

Mais um mês se passou, depois outro, e nada. Mas a investigação gerou fofoca, e a fofoca ganhou vida própria. Rumores se espalharam pelas sombras, e em incontáveis bares e botecos foi passada adiante a informação de que Wolf havia falado demais antes de morrer.

AO LONGO DOS ÚLTIMOS quinze anos, Nevin Noll havia aperfeiçoado as regras a serem seguidas quando um desconhecido ia até um bar procurando por ele. Descobrir o nome da pessoa, perguntar o que diabos ela queria e dizer que o Sr. Noll não se encontrava no local. Ele poderia estar de volta no dia seguinte, ou quem sabe estivesse fora da cidade. Em suma: nunca aceite falar com um homem que não conhece.

Mas o desconhecido era bastante familiarizado com os modos dos chefes do crime e, além disso, estava com pressa. Em um guardanapo, ele escreveu o nome "Bayard Wolf", deixou o bilhete com o barman e disse:

– Volto daqui a uma hora. Por favor, fala pro Sr. Noll que é urgente.

Ele saiu sem dizer seu nome.

Uma hora depois, Noll estava na praia, sentado em uma mesa de piquenique, olhando para o mar. O desconhecido se aproximou e ficou a um metro e meio de distância dele. Os dois nunca haviam se visto, mas conheciam Wolf. O homem com rancor se encontra com o homem com uma arma.

O desconhecido falou por dois minutos, depois saiu, voltou para o estacionamento e foi embora. Ele disse a Noll que Bayard Wolf havia contado tudo aos policiais antes de morrer. Eles sabiam que Malco era o mandante e que Noll havia entregado 20 mil dólares a Wolf. Sabiam que o Fuzileiro tinha puxado o gatilho.

O promotor de Biloxi estava investigando a morte de Cromwell.

38

Ele havia aprendido a fabricar bombas dez anos antes, quando ingressou na Klan. Na época, trabalhava para um empreiteiro que frequentemente demolia prédios antigos para dar lugar a novos. Em seu trabalho diário, aprendeu os fundamentos da demolição e tornou-se adepto do uso de TNT e dinamite. Como hobby, gostava de construir bombas que derrubavam igrejas frequentadas por pessoas negras e casas de brancos simpatizantes. Seu auge foi em 1969, quando a Klan declarou guerra aos judeus no Mississippi e iniciou uma campanha de terror que durou um ano e meio. Eles acusavam os judeus de financiar toda aquela palhaçada envolvendo direitos civis e juraram expulsá-los do estado, todos os 3 mil. Suas bombas destruíram casas, comércios, escolas e sinagogas. Por fim, o FBI entrou em ação e acabou com a farra. Ele foi indiciado, mas absolvido por um júri totalmente branco.

Agora era freelancer, pegava um trabalho ou outro quando um empresário desonesto precisava que algum prédio fosse pelos ares em um golpe contra o seguro. Havia anos que suas bombas não matavam ninguém, e ele ficou entusiasmado com o desafio.

O nome bordado acima do bolso esquerdo de sua camisa marrom era Lyle, e esse seria sua identidade até que o trabalho terminasse. Seu verdadeiro documento de identificação estava escondido junto da sua carteira, dinheiro e duas pistolas debaixo da cama de seu quarto de hotel a quase 2 quilômetros de distância.

Às 12h05 de sexta-feira, dia 20 de agosto de 1976, Lyle aguardava na cabine de sua caminhonete, um Dodge 1973 azul-escuro. Estava parado numa rua estreita perto do fórum, que tinha uma rota de fuga fácil. Escolheu uma sexta-feira de agosto porque as atividades no fórum diminuíam bastante nessa época. O tribunal ficava praticamente deserto. Os advogados, juízes e escrivães que não estavam de férias sempre davam uma saidinha para um almoço demorado que se estenderia para um longo fim de semana. Muitos nem sequer voltariam à tarde.

Lyle não queria danos colaterais, vítimas desnecessárias. Também não queria testemunhas, pessoas que mais tarde poderiam alegar ter visto um entregador no segundo andar do edifício pouco antes da explosão. Russ, o verdadeiro funcionário da empresa, fazia entregas às terças e quintas-feiras e era conhecido entre os frequentadores do tribunal. Uma entrega estranha em uma sexta-feira poderia chamar a atenção de uma ou duas pessoas.

Da carroceria da caminhonete, ele pegou três caixas, todas de papelão marrom. Duas estavam vazias e sem rótulos ou marcações de qualquer espécie. A terceira media 25 cm x 35 cm, com 15 cm de profundidade. Pesava quase 2,5 quilos e continha um bloco de Semtex, um explosivo militar moldável de plástico. A etiqueta de remessa endereçava o pacote ao *Ilustríssimo Dr. Jesse Rudy, Promotor de Justiça, Sala 214, Tribunal do Condado de Harrison, Biloxi, Mississippi.* O remetente era a *Appellate Reporter, Inc.*, com endereço em Wilmington, Delaware. Era uma empresa legítima que publicava livros jurídicos havia décadas. Três semanas antes, o Dr. Rudy havia recebido um pacote idêntico, entregue por Russ. Dentro, havia dois livros pesados, encadernados em couro, junto a uma carta da empresa pedindo que ele experimentasse uma assinatura gratuita por seis meses.

Duas noites antes, em 18 de agosto, Lyle havia invadido o fórum, arrombado a fechadura do gabinete do promotor e confirmado que os dois primeiros livros haviam sido recebidos. Estavam expostos numa estante com dezenas de tratados, muitos dos quais davam a impressão de nunca terem sido usados. Ele também verificou o calendário principal do promotor na mesa da secretária e viu que o Dr. Rudy tinha um compromisso às 12h30 do dia 20 de agosto. Muito provavelmente a secretária estaria fora para o almoço, assim como Egan Clement, a promotora adjunta. O alvo estaria por perto, aguardando sua reunião.

Segurando as três caixas com os dois braços e usando-as para esconder parcialmente o rosto, Lyle subiu correndo as escadas até o segundo andar e, ao fazê-lo, não viu ninguém. Ao passar em frente à porta da sala de audiências, esgueirou-se entre dois advogados que pareciam estar discordando educadamente. Ele se apressou e, do lado de fora do gabinete do promotor, deixou as duas caixas vazias no corredor e bateu na porta.

– Entre – falou uma voz masculina.

Lyle entrou com um sorriso e disse:

– Encomenda para o Dr. Jesse Rudy.

Ele colocou o pacote na mesa.

– Sou eu – respondeu Rudy, mal erguendo os olhos de um documento.

– De quem é?

– Não faço ideia, senhor – disse Lyle, já recuando.

Ele não se preocupava em ser reconhecido e posteriormente identificado. Mais tarde, o Dr. Rudy não estaria por perto para acusá-lo de nada.

– Obrigado.

– Sem problemas, senhor. Tenha um bom dia.

Lyle saiu do gabinete em segundos. Pegou as duas caixas vazias, usou a de cima para se esconder e caminhou casualmente pelo corredor. Os dois advogados não estavam mais lá. Não havia ninguém à vista, até que, de repente, Egan Clement apareceu no topo da escada. Carregava uma sacola de papel de uma delicatéssen e uma garrafa de refrigerante. Ela olhou para ele ao passar. Lyle pensou "Ah, merda!" e teve que tomar uma decisão rápida. Em poucos segundos, Egan estaria no gabinete e se tornaria um dano colateral.

Ele largou as caixas e tirou do bolso um detonador remoto. Agachou-se ao lado do corrimão para se proteger e apertou o botão pelo menos trinta segundos antes do planejado.

A emoção em fabricar bombas era estar perto o suficiente para senti-las e ouvi-las, e às vezes até vê-las, mas longe o suficiente para evitar os detritos. Ele estava perto demais e pagaria um preço.

A explosão abalou o edifício moderno, que pareceu quicar em sua fundação de concreto. O som foi ensurdecedor e estourou os tímpanos dos escrivães no primeiro andar. Quebrou todas as janelas em ambos os andares. Derrubou as pessoas. Sacudiu as paredes, derrubou retratos, fotografias emolduradas, quadros de avisos, placas e extintores de incêndio. Na sala de audiências principal, lustres desabaram nos bancos vazios. O juiz Oliphant estava sentado sozinho a uma mesa em seu gabinete, comendo um sanduíche. Seu copo grande de chá gelado se inclinou, virou e derramou. Ele correu para o tribunal, pisou em cacos de vidro, escancarou as portas principais e foi atingido por uma onda de fumaça e poeira. Através dela, viu alguém se mover pelo chão do corredor. Ele respirou fundo, prendeu a respiração e se arrastou até a pessoa, que estava gemendo. Era Egan Clement, com sangue escorrendo do couro cabeludo. O juiz Oliphant a arrastou de volta ao tribunal e fechou as portas.

Lyle foi atirado longe e rolou escada abaixo até o patamar entre o primeiro e o segundo andar. Tinha batido a cabeça e passou um tempo desacordado. Tentou se recompor e seguir adiante, mas sua perna direita queimava de dor. Havia fraturado alguma coisa. Vozes em pânico preenchiam o ar, e ele viu as pessoas correndo para as portas duplas de entrada. Poeira e fumaça engolfavam todo o edifício.

O detonador. Lyle conseguiu clarear seus pensamentos por um segundo e se lembrar dele. Se o pegassem com aquilo, não teria nenhuma chance. Agarrando-se ao corrimão da escada, desceu os degraus e chegou ao saguão, onde se arrastou até a porta da frente. Alguém o ajudou lá fora. Outra pessoa disse:

– Você tá com uma fratura exposta, amigo. Dá pra ver o osso.

Com osso de fora ou não, ele não podia ficar ali.

– Você pode me tirar daqui? – perguntou ele, mas todo mundo estava saindo do edifício às pressas.

Do gramado em frente ao fórum, era possível ver dezenas de pessoas atordoadas cambaleando para fora. Uma vez limpas e seguras, todas se viravam para olhar para o prédio. Algumas tinham poeira nos cabelos e nos ombros. Outras apontavam para o gabinete do promotor no segundo andar, de onde saía fumaça e poeira.

A explosão foi ouvida em todo o centro de Biloxi, e as pessoas começaram a se dirigir até o fórum. Em seguida, as sirenes passaram a soar, como fariam por horas, e isso atraiu ainda mais curiosos. Primeiro, os carros da polícia, depois os bombeiros, por fim, as ambulâncias. Vários policiais chegaram a pé, correndo e com a respiração ofegante. Eles trancaram as portas externas conforme os bombeiros desenrolavam freneticamente suas mangueiras. A multidão crescia, e os curiosos receberam ordens para recuar.

Gage Pettigrew ouviu o barulho e a comoção e correu para ver o que estava acontecendo. Quando chegou, era fato que o gabinete de Jesse Rudy havia sido bombardeado. Não, não havia relato de vítimas. Ele tentou se aproximar e falar com um policial, mas pediram para que se afastasse. Correu de volta para o escritório e estava prestes a ligar para Agnes em casa quando Keith entrou pela porta dos fundos e perguntou o que estava acontecendo. Ele estava voltando de uma audiência em Pascagoula. Seu primeiro impulso foi correr para o fórum e tentar obter notícias do pai, mas Gage disse que não era possível se aproximar do prédio.

– Por favor, Keith, vai pra casa e fica com a sua mãe. Eu vou voltar lá e perguntar se alguém sabe de alguma coisa. Te ligo assim que descobrir.

Keith estava atordoado demais para discutir. Gage o acompanhou até o carro e o observou se afastar, murmurando consigo mesmo:

– Isso não pode estar acontecendo.

Sirenes uivavam à distância.

Exceto pela pancada forte na cabeça, Egan parecia estar bem. Seu ferimento foi tratado, e ela foi presa com uma correia a uma maca e levada em uma ambulância. Uma secretária do gabinete dos escrivães ficou presa embaixo de um enorme arquivo que tombou e acabou ferida. Ela saiu na segunda ambulância. Lyle conseguiu contornar a lateral do fórum, onde tirou a camisa marrom e a enfiou junto ao detonador em uma grande lixeira de plástico. Estava determinado a pegar sua caminhonete, sair dali, ir para o hotel e se recompor. E, assim que fisicamente possível, dar o fora de Biloxi. Seus planos foram por água abaixo, entretanto, quando tropeçou e caiu na calçada. Um socorrista o notou, viu o sangue e o osso exposto e pediu uma maca. Lyle tentou resistir, disse que estava bem, mas foi perdendo as forças e acabou desmaiando. Outro médico se aproximou, e eles conseguiram colocá-lo na maca e depois em uma ambulância.

O fogo estava confinado na extremidade oeste do segundo andar e foi extinto rapidamente. O chefe dos bombeiros foi o primeiro a entrar no gabinete do promotor. As paredes da recepção estavam carbonizadas e rachadas; uma parede interna tinha se partido ao meio com a explosão. As mesas e cadeiras, estilhaçadas. Os arquivos de metal estavam amassados e rasgados. Detritos e pó de gesso cobriam o chão e se misturavam com a água, formando uma lama pegajosa. A porta que dava para a sala de Jesse havia sido partida ao meio e, de onde estava, o chefe dos bombeiros conseguiu ver a vítima.

Os restos de um cadáver tinham sido arremessados contra a parede que dava para fora do edifício. A parte de trás da cabeça estava faltando, assim como a perna esquerda e o braço direito. A camisa branca não passava de farrapos, toda coberta de sangue.

PARA A FAMÍLIA RUDY, o relógio nunca tinha andado tão devagar. A tarde se arrastou enquanto esperavam pelo inevitável. Keith e Ainsley estavam sentados com Agnes no jardim de inverno, o lugar favorito dela na casa. Beverly e Laura chegariam a qualquer momento. Tim estava tentando pegar um avião em Missoula.

Gage e Gene Pettigrew cuidavam da entrada da casa e mantinham a multidão afastada. Amigos se encaminharam até lá e foram convidados a ir embora. Quem sabe mais tarde. A família não estava recebendo ninguém e agradecia pela preocupação.

Um policial de Biloxi chegou com a notícia de que Egan Clement estava sendo atendida no hospital e passava bem. Havia sofrido uma concussão e um corte que exigiu alguns pontos. Era evidente que se encontrava em algum lugar perto da porta do gabinete do promotor quando houve a explosão. O FBI e a polícia estadual tinham estado no local.

– Vocês podem manter Albert Bowman longe disso? – perguntou Gage.

O policial sorriu e respondeu:

– Não se preocupe, o xerife Bowman não estará envolvido.

O cadáver não seria removido de lá tão cedo. Não havia pressa. A cena do crime seria examinada por dias. Pouco depois das três da tarde, um perito do FBI retirou com cuidado a carteira do bolso traseiro esquerdo do falecido e confirmou sua identidade.

A carteira foi entregue ao chefe de polícia de Biloxi, que saiu do fórum e dirigiu direto para a casa dos Rudys. Ele conhecia bem Keith e carregaria o fardo de lhe dar aquela notícia tão terrível. Os dois se reuniram na cozinha, longe de Agnes e das meninas.

Keith reconheceu a carteira e a abriu, estudando a carteira de motorista do pai. Ele cerrou os dentes e disse:

– Obrigado, Bob.

– Eu sinto muito, Keith.

– Eu também. O que você sabe?

– Pouca coisa, até agora. Os técnicos do FBI estão a caminho. Uma espécie de bomba que explodiu em algum lugar perto da mesa do seu pai. Ele não teve a menor chance.

Keith fechou os olhos e engoliu em seco.

– Quando a gente vai poder ver o meu pai?

O chefe de polícia gaguejou e tropeçou nas palavras.

– Não sei, Keith. Acho que vocês não vão querer vê-lo, não desse jeito.

– Ele está inteiro?

– Não.

Keith respirou fundo outra vez e lutou para manter a compostura.

– Acho que tenho que contar pra minha mãe.

– Sinto muito, Keith.

39

Felizmente, pelo menos para a investigação, o agente especial Jackson Lewis estava na Costa quando recebeu a notícia. Ele chegou ao fórum às 12h45 e rapidamente estabeleceu que o FBI estava no comando. Certificou-se de que o prédio fosse trancado e protegido. Apenas a porta da frente permaneceria aberta, para os investigadores. Pediu aos assistentes do xerife que controlassem a multidão e o tráfego, e à polícia de Biloxi que interrogasse os espectadores e obtivesse o nome de todas as pessoas que estavam no edifício ao meio-dia. Quando dois peritos do FBI chegaram, ordenou que fotografassem as placas de todos os veículos estacionados no centro da cidade.

Ele pediu à polícia estadual que fosse ao hospital e obtivesse os depoimentos dos feridos. No pronto-socorro, encontraram meia dúzia de pessoas com cortes graves o suficiente para exigir pontos. Quatro se queixavam de fortes dores nos ouvidos. Um homem não identificado teve uma perna quebrada e estava em cirurgia. Egan Clement estava fazendo uma radiografia. Uma secretária estava sendo tratada por conta de uma concussão.

Os policiais decidiram que a visita era prematura, então foram embora. Quando voltaram, duas horas depois, encontraram Egan Clement em um quarto particular, sedada, mas acordada. A mãe dela estava de um lado da cama, o pai do outro. Egan havia sido informada da morte de Jesse e estava inconsolável. Quando conseguiu falar, contou-lhes o que lembrava. Ela havia saído do gabinete por volta das onze e meia da manhã para resolver algumas coisas na rua e passar no Mercado Rosini para comprar sanduíches. Frango para ela, peru para Jesse. Retornou ao tribunal por volta do meio-dia e lembrou-se de como o local esvaziava na hora do almoço todas as sextas-feiras, especialmente em agosto. Subiu as escadas e passou por um entregador que não a cumprimentou, o que achou estranho, porque Russ sempre falava com ela. Nada de mais. Não era Russ. Ele carregava algumas caixas, o que também era estranho para uma sexta-feira. Ela olhou para o homem, e essa era a última coisa de que se lembrava. Não ouviu a explosão, não se lembrava de ter sido nocauteada por ela.

Os policiais não pressionaram e disseram que voltariam mais tarde. Agradeceram e foram embora. Ela estava chorando quando eles fecharam a porta.

À medida que as horas passavam, mais vans chegavam de Jackson, lotadas de peritos para analisar o local do crime, e eram estacionadas ao acaso na rua em frente ao fórum. Duas grandes tendas foram erguidas para proteger a equipe do sol e do calor de agosto e servir como quartel-general temporário. Os assistentes do xerife pediam à multidão que se retirasse do local. As ruas do centro da cidade foram isoladas e, à medida que os clientes e funcionários saíam, as vagas de estacionamento vazias eram protegidas com cones laranja. Jackson Lewis pediu à polícia de Biloxi que informasse comerciantes e escritórios de que poderiam permanecer abertos no fim de semana, mas não haveria estacionamento disponível. Ele queria a área isolada pelas próximas 48 horas.

Em uma breve declaração à imprensa, o chefe de polícia confirmou que o Dr. Jesse Rudy, o promotor de justiça do distrito, havia sido morto na explosão. Ele não quis confirmar que de fato havia sido um atentado a bomba e adiou mais perguntas até um momento posterior, não especificado.

O HOMEM COM FRATURA exposta e traumatismo craniano não tinha carteira nem documento de identidade e não conseguiu colaborar com a equipe de emergência quando foi levado. Ele perdia e retomava a consciência, e não respondia aos estímulos. Independentemente disso, foi necessário submetê-lo de imediato a uma cirurgia para que sua perna fosse reparada. Radiografias de sua cabeça revelaram poucos danos.

Na verdade, Lyle estava alerta o suficiente para falar, mas não tinha vontade de fazê-lo. Pensava somente em fugir, o que, naquele momento, parecia impossível. Quando o anestesista tentou interrogá-lo, ele ficou inconsciente novamente. A cirurgia durou apenas noventa minutos. Depois, ele foi transferido para um leito compartilhado para se recuperar. Uma funcionária do hospital apareceu e educadamente perguntou se ele poderia responder a algumas perguntas. Ele fechou os olhos e pareceu inconsciente. Depois que a mulher saiu, o criminoso olhou para a perna esquerda e tentou organizar os pensamentos. Um gesso branco pesado começava logo abaixo do joelho direito e cobria tudo, exceto os dedos dos pés. Todo o membro estava suspenso no ar por roldanas e correntes. Uma fuga era impossível, então ele perdia a consciência toda vez que alguém entrava no quarto.

EM UM SUSSURRO, AGNES disse a Laura que gostaria de se deitar. Laura a segurou por um cotovelo, Beverly pelo outro, e Ainsley as acompanhou para fora do solário e pelo corredor até a suíte principal. As persianas estavam bem fechadas; a única luz vinha de um pequeno abajur sobre a cômoda. Agnes queria uma filha de cada lado, e elas ficaram juntas em silêncio por um bom tempo no escuro, em meio à insuportável penumbra. Ainsley se sentou no canto da cama, enxugando as bochechas. Keith entrava e saía, mas achou o quarto pesado e triste demais. De vez em quando, ele ia até a sala e conversava com os irmãos Pettigrews, que ainda tomavam conta da porta da frente. Do outro lado, na rua, os vizinhos se aglomeravam, aguardando para ver alguém da família. Havia várias equipes de notícias com vans pintadas em cores vivas e câmeras presas a tripés.

Às cinco da tarde, Keith desceu a entrada da garagem e acenou com a cabeça para os vizinhos e amigos. Ele encarou as câmeras e fez uma breve declaração. Agradeceu às pessoas por terem ido até lá e demonstrado tanta preocupação. A família estava tentando aceitar a terrível notícia e esperando a chegada dos parentes. Em nome da família, pediu a todos que respeitassem sua privacidade. Agradeceu pelas orações e pelo cuidado. Ele se afastou sem responder a nenhuma pergunta.

Joey Grasich apareceu no meio da multidão, e Keith o convidou para entrar. Ver um amigo de infância trouxe à tona muitas emoções, e Keith chorou muito pela primeira vez no dia. Os dois estavam sozinhos na cozinha.

Até então, ele havia demonstrado pouca emoção na frente das mulheres da família.

Depois de meia hora, Joey saiu e deu uma volta de carro no quarteirão. Keith se certificou de que a mãe e as irmãs estavam bem e disse que estava indo ao hospital para ver Egan. Ele se esgueirou pelo quintal e encontrou Joey na rua seguinte. Os dois fugiram sem serem vistos e seguiram em direção ao escritório, onde estacionaram. Caminharam três quarteirões até as barricadas e conversaram com um policial de Biloxi que vigiava a calçada.

Atrás dele, o fórum fervilhava de policiais e investigadores. Todos os caminhões de bombeiro e viaturas da cidade e do condado estavam lá, além de meia dúzia de carros da polícia rodoviária estadual. Duas unidades móveis do FBI dedicadas à perícia do local do crime estavam estacionadas no gramado, próximas à porta da frente.

A janela do gabinete de Jesse havia estourado, e os tijolos ao redor estavam carbonizados. Keith tentou olhar, mas virou o rosto.

Enquanto voltavam para o escritório, viram uma mulher colocar um buquê de flores nos degraus da entrada do Rudy & Pettigrew. Eles falaram com ela, agradeceram e notaram vários outros arranjos de flores que as pessoas haviam deixado.

No hospital, Keith bateu na porta do quarto de Egan e entrou. Joey não a conhecia e ficou no corredor. Os pais de Egan ainda estavam lá, e a advogada mantivera a compostura por algum tempo, até que viu Keith. Ele a abraçou gentilmente, com cuidado para não tocar em seu curativo.

– Eu simplesmente não consigo acreditar – repetia ela.
– Pelo menos você tá bem, Egan.
– Diz que não é verdade.
– Tá, não é verdade. Amanhã você vai pro trabalho, e Jesse vai estar lá, reclamando de alguma coisa, como sempre. Isso é só pesadelo, mas você já, já vai acordar.

Ela quase conseguiu sorrir, mas agarrou a mão de Keith e fechou os olhos. A mãe de Egan meneou a cabeça para Keith, e ele entendeu que deveria ir embora.

– Volto amanhã – disse ele, e com cuidado beijou a amiga na bochecha.

Quando Keith e Joey deixaram o quarto dela e se dirigiram aos elevadores, passaram pelo quarto 310, um leito compartilhado. Deitado na primeira cama, com a perna para cima, estava o homem que havia matado Jesse Rudy.

40

O jantar foi um sanduíche gelado sob uma tenda quente, que comeram de pé enquanto aguardavam. O lanche da meia-noite foi uma fatia de pizza ainda mais gelada, também embaixo da barraca. As equipes do FBI não descansaram durante a noite. Jackson Lewis os manteve lá e não tinha planos de liberá-los até que o trabalho fosse concluído. Durante horas, vasculharam meticulosamente cada centímetro da cena do crime e coletaram milhares de amostras de detritos. O primeiro especialista em explosivos chegou de Quantico, no estado da Virgínia, às nove e meia da manhã. Ele viu o local da explosão, cheirou o ar e disse baixinho a Jackson Lewis:

– Provavelmente Semtex, material militar, muito mais do que o necessário para matar um homem. Eu diria que o sujeito se empolgou um pouco.

O agente Lewis sabia por treinamento e experiência que a cena do crime produzia as melhores evidências, embora às vezes fosse subestimada por ser tão óbvia. Aquele era o seu caso mais importante até o momento, um que poderia fazer seu nome, e ele jurou que não deixaria passar nada. Havia ordenado que nada nem ninguém saísse do fórum sem autorização. Cada uma das 37 pessoas identificadas como presentes no local foi liberada para ir para casa, mas somente depois que suas malas, bolsas e pastas foram revistadas. Todas seriam entrevistadas mais tarde. Ele tinha os nomes e endereços dos feridos, que chegavam a treze, com apenas dois hospitalizados. Todos os cestos e latas de lixo foram recolhidos e levados para uma das tendas.

Com muita dificuldade, Lewis havia passado três semanas sem fumar, mas acabou cedendo diante da pressão. Às nove da noite, depois que havia escurecido, acendeu um Marlboro e caminhou pelo lado de fora do fórum, fumando e saboreando o tabaco. Sua esposa não poderia saber, jamais. As ruas estavam bloqueadas; não havia trânsito. Enquanto fumava outro cigarro, às onze da noite, notou uma caminhonete Dodge azul-escura estacionada numa rua lateral, voltada para o norte. Era uma bela picape, e certamente não estava abandonada. A loja mais próxima estava fechada fazia seis horas. Não havia nenhum apartamento acima das lojas e escritórios; nenhuma luz estava acesa. Descendo a rua, havia algumas casinhas, todas com estacionamento próprio. A caminhonete estava perdida ali.

O homem com a perna quebrada não fora identificado, e as suspeitas de Lewis aumentavam a cada hora. A polícia estadual tinha tentado interrogá-lo em duas ocasiões, mas ele estava inconsciente na maior parte do tempo.

A NOTÍCIA DA MORTE de Jesse foi muito bem recebida na Strip. Os proprietários de boates e seus funcionários relaxaram pela primeira vez em meses, talvez anos. Quem sabe, após a partida dele, os bons tempos pudessem voltar. Nas boates de striptease, bares, salões de bilhar e bingos, muitos drinques foram servidos e copos erguidos. Bebidas de verdade, não as aguadas que vendiam aos clientes, mas as de primeira, que raramente eram tocadas.

Hugh Malco, Nevin Noll e seu barman favorito jantaram no Mary Mahoney's para comemorar. Bifes grossos, vinhos caros, não economizaram em nada. Como o restaurante estava lotado e havia pessoas observando, controlaram a euforia e tentaram dar a impressão de que se tratava apenas de um jantar entre velhos amigos. De vez em quando, porém, cochichavam e trocavam sorrisos sombrios.

Para Hugh, a ocasião era agridoce. Ele estava feliz com o fato de Jesse Rudy não estar mais lá, mas seu pai também não estava. Lance deveria estar jantando com eles e saboreando aquele momento.

LANCE SOUBE PELO NOTICIÁRIO de Jackson das dez horas. Ele olhou para uma televisão em preto e branco de quinze polegadas com antenas pontudas e encarou o rosto de Jesse Rudy enquanto o âncora, um tanto esbaforido, relatava a morte do promotor de justiça.

Do outro lado do corredor, Monk perguntou:

– Não foi esse o cara que te mandou pra cá?

– Ele mesmo – respondeu Lance, com um sorriso.

– Parabéns.

– Obrigado.

– Alguma ideia de quem fez isso?

– Nenhuma.

Monk riu e retrucou:

– Aham.

A imagem mudou para uma tomada do fórum de Biloxi. Uma narração disse:

– Embora as autoridades ainda não tenham se manifestado, uma fonte nos informou que Jesse Rudy foi morto instantaneamente por volta do meio-dia de hoje, depois de uma explosão em seu gabinete. Cerca de doze outras pessoas ficaram feridas. Os investigadores farão uma declaração amanhã.

À MEIA-NOITE, A CAMINHONETE ainda estava lá.

Houve uma agitação na tenda à 0h45, quando o conteúdo de uma lata de lixo foi espalhado sobre uma mesa para que dessem uma olhada. Além do lixo e da porcaria de sempre, um pequeno dispositivo não identificado foi encontrado, junto a uma camisa de manga curta da empresa de entregas, usada por alguém chamado Lyle. O especialista em explosivos do FBI deu uma olhada e declarou:

– Esse é o detonador.

O cigarro das duas horas da madrugada foi esquecido enquanto Lewis supervisionava a repugnante tarefa de remover o cadáver. Os restos mortais de Jesse foram reunidos em uma maca. Uma ambulância o levou ao porão do hospital, onde a prefeitura alugava uma sala que servia de necrotério. Lá, o corpo aguardaria uma autópsia, embora a causa da morte fosse óbvia.

Às três da manhã, Lewis fez uma pausa para fumar outro cigarro enquanto fazia a mesma caminhada ao redor do tribunal. Aquilo clareou sua mente, fez o sangue fluir. A caminhonete ainda não havia sido movida.

As placas eram do condado de Hancock. Lewis aguardou, impaciente, durante toda a noite e ligou para o xerife em Bay St. Louis às sete da manhã. O xerife se dirigiu ao fórum e depois ao departamento de registro de veículos. Quatro dias antes, havia sido registrado um boletim reportando o furto das placas.

Às nove, as lojas abriram, embora as ruas ainda estivessem bloqueadas. O fórum, claro, permanecia fechado. Trabalhando da mesa de jantar de sua casa, o juiz Oliphant emitiu um mandado de busca e apreensão para a caminhonete Dodge. Sob o banco, agentes do FBI encontraram um conjunto de placas emitidas pelo condado de Obion, no Tennessee. Escondida sob o tapete estava a chave do quarto 19 do Beach Bay Motel, em Biloxi.

O juiz Oliphant emitiu um mandado semelhante para o quarto 19. Como o agente Lewis tinha a chave, ele não se preocupou em notificar o gerente do hotel. Ele e o agente Spence Whitehead, acompanhados por um policial da cidade de Biloxi, entraram no pequeno quarto e encontraram uma pilha de roupa suja e uma cama desarrumada. Alguém havia passado dias lá. Entre o colchão e o estrado da cama, encontraram uma carteira, algum dinheiro, duas pistolas, chaves presas em uma argola e um canivete. A carteira de motorista emitida no Tennessee identificava o homem como Henry Taylor, domiciliado na cidade de Union City, data de nascimento 20 de maio de 1941, 35 anos. A carteira também continha dois cartões de crédito, dois preservativos, uma licença de pesca e 80 dólares em dinheiro.

O agente Lewis colocou as duas pistolas em um saco plástico. Eles deixaram os outros itens exatamente como os encontraram e voltaram ao tribunal. Os técnicos coletaram impressões digitais das armas, e o agente Whitehead as devolveu ao quarto 19.

Depois de uma enxurrada de telefonemas, mais peças do quebra-cabeça se encaixaram. Henry Taylor tinha sido acusado de explodir uma igreja frequentada por pessoas negras próxima a Dumas, no Mississippi, em 1966, mas um júri totalmente branco o absolveu. Em 1969, foi preso por bombardear uma sinagoga em Jackson, mas novamente foi absolvido por um júri totalmente branco. De acordo com o escritório do FBI em Memphis, acreditava-se que Taylor ainda estivesse ativo na KKK. De acordo com o xerife do condado de Obion, ele administrava uma empresa de limpeza de carpetes e nunca causara nenhum problema. Depois de mais algumas pesquisas, o xerife relatou que Taylor era divorciado, sem filhos e morava ao sul da cidade.

Lewis instruiu outro agente a iniciar o processo de obtenção de um mandado de busca e apreensão para a casa de Taylor.

Sem dormir há trinta horas, Lewis e Whitehead deixaram o local e pararam em uma cafeteria perto da praia. Embora conseguissem controlar a empolgação, não podiam deixar de se deleitar com o sucesso e se maravilhar com a sorte. Em cerca de 24 horas, não apenas haviam identificado o assassino, como o mantiveram sob vigilância em um quarto de hospital.

Tomaram café. Lewis estava agitado demais para descansar. Ele pegou Whitehead completamente desprevenido ao perguntar:

– Agora que a gente sabe quem ele é, vamos liberar o elemento.

Whitehead, de queixo caído, exclamou:

– Como é que é?

– Olha só, Spence, ele não faz ideia de que sabemos de tudo. A gente libera ele do hospital sem fazer nenhuma pergunta, afinal, aqui somos só um bando de caipiras, certo? Ele vai pra casa, presumindo que consiga dirigir com uma perna quebrada, e se considera um homem de sorte. A polícia estava com ele nas mãos e o deixou escapar. A gente grampeia os telefones, vigia ele feito um falcão e, com o tempo, ele nos leva ao mandante.

– Isso é loucura.

– Não, é brilhante.

– E se ele fugir?

– Bom, ele não vai. Por que deveria? A gente prende o pilantra a hora que quiser.

41

Gulf Coast Register:
JESSE RUDY É MORTO EM EXPLOSÃO NO FÓRUM

Clarion-Ledger, Jackson:
**TRIBUNAL DE BILOXI SOFRE ATAQUE A BOMBA:
PROMOTOR DE JUSTIÇA É ASSASSINADO**

Times-Picayune, Nova Orleans:
MÁFIA CONTRA-ATACA – PROMOTOR ASSASSINADO

Times, Mobile:
**PROMOTOR DE JUSTIÇA DE BILOXI
É ALVO DE ATENTADO**

Commercial Appeal, Memphis:
**PROMOTOR DE JUSTIÇA EM CAMPANHA
É MORTO EM BILOXI**

Atlanta Constitution:
**FAMOSO PROMOTOR JESSE RUDY
É MORTO AOS 52 ANOS**

Gage Pettigrew comprou os jornais matutinos em vários locais diferentes ao longo da Costa e os levou para a residência dos Rudys na manhã de sábado, bem cedo. A casa estava escura, silenciosa e triste. Os vizinhos, repórteres e curiosos ainda não haviam chegado. Gene Pettigrew guardava a varanda da frente, cochilando em uma cadeira de balanço de vime, à espera do irmão. Os dois entraram, trancaram a porta e passaram um café na cozinha.

Keith ouviu a movimentação. Na pior noite de sua vida, havia ficado no quarto dos pais, dormindo e acordando, sentado numa cadeira, tomando conta da mãe e orando por ela. Laura estava de um lado, Beverly do outro; Ainsley dormia no andar de cima.

Ele saiu do quarto escuro e foi até a cozinha. Eram quase sete da manhã de sábado, 21 de agosto, o início do segundo pior dia de sua vida. Sentou-se à mesa com Gage e Gene, tomou café e olhou para as manchetes, mas não tinha vontade de ler os jornais. Já sabia o que ia encontrar. Ao lado da xícara de café de Gene, havia um bloco de anotações de folhas amarelas, e por fim eles o abriram.

– Você tem alguns assuntos urgentes pra resolver – disse Gene.

– Manda – murmurou Keith.

– Desculpa.

Gage compartilhou o que era mais urgente: um encontro com o padre Norris, o pároco da igreja que frequentavam, a de St. Michael; uma temida conversa com a funerária sobre os preparativos do velório; pelo menos duas dúzias de telefonemas para pessoas importantes, incluindo alguns juízes, políticos e o ex-governador Bill Waller; uma reunião com o FBI e a polícia estadual para uma atualização sobre o que eles sabiam sobre o atentado; a elaboração de um comunicado para a imprensa; buscar Tim no aeroporto de Nova Orleans.

– Já chega – disse Keith, tomando um gole de café cujo sabor sequer conseguia sentir e olhando por uma janela.

Laura entrou na cozinha e sentou-se à mesa sem dizer uma palavra, como se estivesse em outro planeta. Seus olhos estavam inchados e vermelhos, e ela parecia não dormir havia dias.

– Como a mamãe tá? – perguntou Keith.

– Foi tomar um banho – respondeu ela.

Depois de um intervalo longo, pesado e silencioso, Gene disse:

– Vocês devem estar com fome. E se eu for buscar alguma coisa pro café da manhã?

– Eu não tô com fome – respondeu Keith.

– Onde o papai tá agora? – perguntou Laura.

– No hospital – respondeu Gage. – No necrotério.

– Eu quero ver ele.

Gage e Gene se entreolharam.

– Não dá – afirmou Keith. – A polícia disse que não é uma boa ideia. Depois da autópsia, o caixão vai ser lacrado.

Ela mordeu o lábio e enxugou os olhos.

– O café da manhã pode ser uma boa – disse Keith a Gene. – Precisamos tomar banho, trocar de roupa e decidir se vamos ou não receber convidados.

– Eu não quero ver ninguém – disparou Laura.

– Nem eu, mas não temos escolha. Vou falar com a mamãe. A gente não pode passar o dia todo sentado chorando.

– É isso que eu pretendo fazer, Keith, e você também precisa chorar. Tá tudo bem sentir as coisas.

– Não se preocupa.

HENRY TAYLOR, O HOMEM sem nome, passou pela humilhação de se aliviar em uma comadre e ter a bunda limpa por um enfermeiro. Sua tíbia esquerda quebrada latejava de dor, mas ele continuava determinado a sair da cama na primeira oportunidade que tivesse e de alguma forma escapar dali. Quando reclamou de desconforto, uma enfermeira injetou uma dose pesada de algo em seu soro, e ele relaxou. Acordou com o rosto sorridente de uma enfermeira muito bonita que queria lhe fazer algumas perguntas. Ele fingiu estar semiconsciente e pediu uma lista telefônica. Quando ela voltou, uma hora depois, trouxe um pouco de sorvete de chocolate e o deixou lisonjeado ao flertar levemente com ele. A mulher explicou que o administrador do hospital estava insistindo para que reunisse algumas informações básicas a fim de que pudessem enviar a cobrança para ele.

– Meu nome é Alan Taylor. Moro na Rota 5, Necaise, condado de Hancock, no Mississippi. Conhece?

– Acho que não – respondeu a enfermeira, anotando as informações.

Na lista telefônica, Taylor encontrou vários Taylors perto de Necaise e achou que passaria despercebido. Ainda se sentia grogue por conta da concussão, e os remédios não ajudavam, mas começava a pensar com alguma clareza. Estava prestes a ser preso por matar um promotor de justiça e precisava deixar a cidade o mais rápido possível.

Ficou apavorado quando dois policiais de Biloxi apareceram por lá uma hora depois. Um ficou junto à porta, como se a vigiasse. O outro caminhou até a beira da cama e perguntou, com um grande sorriso:

– Então, como vai, Sr. Taylor?

– Bem, eu acho, mas preciso mesmo ir embora daqui.

– Claro, sem problemas, assim que os médicos liberarem, o senhor já pode ir. De onde o senhor é?

– Necaise, no condado de Hancock.

– Faz sentido. Encontramos uma caminhonete Dodge abandonada perto do fórum, as placas são do condado de Hancock. Por acaso é sua?

Henry estava em uma péssima situação naquele momento. Se admitisse que a caminhonete era dele, os policiais saberiam que tinha roubado as placas. No entanto, era sábado, o fórum estava fechado e talvez não fossem conseguir rastrear as placas roubadas até segunda-feira. Quem sabe. Mas, se negasse ser dono do veículo, eles o rebocariam, apreenderiam, qualquer coisa do gênero. A caminhonete era seu único caminho para a liberdade. Por ser do Tennessee, achava os policiais do Mississippi bem burros, e não tinha mesmo escolha.

– Sim, senhor, é minha, sim – respondeu ele, fazendo uma careta como se pudesse perder a consciência parcialmente a qualquer momento.

– Muito bem, gostaria que nós a trouxéssemos aqui pro hospital? – perguntou o policial com um sorriso simpático.

Qualquer coisa para ajudar o visitante de fora da cidade. O quarto semiprivado havia sido esvaziado, e o Sr. Taylor estava sozinho. O telefone do hospital fora grampeado, e outra equipe de técnicos do FBI se preparava para entrar na casa dele, mais de 750 quilômetros ao norte, nos arredores de Union City.

– Seria ótimo, sim, obrigado.

– O senhor tem as chaves?

As chaves estavam no bolso do agente especial Jackson Lewis, que naquele momento se encontrava no corredor, tentando ouvir a conversa.

– Deixei as chaves debaixo do tapete.

Claro, não muito longe das placas do Tennessee escondidas sob o assento.

– Perfeito, vamos trazê-la pra você. Mais alguma coisa que a gente possa fazer?

Taylor estava aliviado e mal podia acreditar em sua sorte. Os locais não estavam nem um pouco desconfiados.

– Não, só isso mesmo. Obrigado. Só me tira daqui.

O FBI estava aguardando que os médicos refizessem o gesso e reduzissem seu tamanho para que Taylor pudesse ir embora. Estavam ansiosos para começar a segui-lo.

AGNES NÃO SAÍA DO quarto escuro e se recusava a ver qualquer pessoa, com exceção dos filhos. Sabia que os amigos queriam estar perto dela para um abraço forte e demorado, uma boa dose de lágrimas e assim por diante, mas simplesmente não tinha vontade. Quem sabe outra hora. Talvez no dia seguinte, quando parte do choque tivesse passado.

No entanto, não podia dizer não ao pároco de sua igreja, o padre Norris, e ele não demorou a chegar. Os dois deram as mãos, oraram, e ela ouviu suas palavras de conforto. O homem sugeriu uma missa no sábado seguinte, dali a uma semana, e Agnes concordou. Em trinta minutos, o padre já tinha ido embora.

No meio da manhã, havia um fluxo constante de amigos e vizinhos passando por lá, com comida, flores e bilhetes para Agnes e a família. Eles eram recepcionados na porta principal por um dos Pettigrews, que recebia quaisquer que fossem os presentes e lhes agradecia adequadamente, e em seguida os visitantes iam embora. Primos, tias e tios foram autorizados a entrar. Sentaram-se no escritório e na sala de estar, tomando café com bolos e tortas enquanto cochichavam e esperavam que Agnes aparecesse. Ela não veio, mas Keith e as irmãs emergiam da escuridão de vez em quando para dar um oi, agradecer e transmitir uma ou duas palavras da mãe.

Ao meio-dia, Gene Pettigrew partiu para a viagem de duas horas até o aeroporto de Nova Orleans. Buscou Tim Rudy, que havia viajado a noite toda, vindo de Montana, e os dois foram para casa. Ele tinha mil perguntas, e Gene, poucas respostas, mas os dois falaram sem parar. Dos quatro irmãos, Tim parecia o mais furioso. Ele queria vingança. Ao entrarem em Biloxi e passarem pela Strip, proferiu ameaças vis contra o Red Velvet e o

Foxy's, e estava convencido, sem sombra de dúvida, de que os Malcos haviam matado seu pai.

Em casa, Agnes desmoronou novamente ao ver o filho mais novo. A família chorou mais uma vez, embora Keith estivesse ficando cansado das lágrimas.

A família começou a sentir um pouco sufocada, então pediu privacidade, e os visitantes aos poucos deixaram a casa. Às seis da tarde, acompanhados dos irmãos Pettigrews, eles se reuniram na sala para assistir ao noticiário local, que falava sobre o atentado. O âncora mostrou uma foto colorida de Jesse em um terno escuro, com um sorriso confiante, e foi difícil de encará-la. A reportagem mudou para uma tomada ao vivo do fórum, onde a investigação ainda se desenrolava em alta velocidade. Um close mostrou a janela do gabinete do promotor no segundo andar do edifício, toda queimada. O chefe de polícia e o FBI haviam falado com a imprensa horas antes e não revelaram praticamente nada. O noticiário exibiu um pequeno segmento, no qual Jackson Lewis declarou:

– O FBI ainda está investigando o local do crime e continuará a averiguar por mais alguns dias. Não temos nada a comentar neste momento, mas podemos dizer que não há suspeitos nesta fase inicial.

O caso de Rudy consumiu quase todo o noticiário de meia hora, seguido pelo noticiário de fim de semana da CBS de Nova York. Gage Pettigrew tinha sido abordado por um correspondente da emissora, que pediu para falar com a família e foi devidamente despachado. Gage também tinha visto uma equipe da ABC no centro da cidade tentando chegar perto do fórum. Eles sabiam que as emissoras estavam na cidade.

Perto do final do segmento da CBS, o âncora relatou o assassinato de um promotor de justiça em Biloxi, no Mississippi. A imagem mudou para um repórter em algum lugar perto do fórum, que balbuciou qualquer coisa, mas não disse nada de novo. De volta a Nova York, o âncora informou aos espectadores que, segundo o FBI, Jesse Rudy era o primeiro promotor de justiça eleito a ser assassinado enquanto ocupava o cargo em toda a história dos Estados Unidos.

NÃO HAVIA PLANOS DE comparecer à missa no domingo de manhã. Agnes não estava preparada para ser vista em público, e seus filhos também não queriam toda aquela atenção. No final da manhã, desfrutaram de um brunch em família no solário, com os irmãos Pettigrews servindo como garçons e preparando Bloody Marys.

Quando criança, Jesse assistia à missa na igreja de St. Michael, no Point. Era conhecida como a "Igreja dos Pescadores" e foi construída no início de 1900 por imigrantes franceses e croatas da Louisiana. Ele praticamente havia crescido na St. Michael, raramente faltando à missa semanal, à qual ia com os pais. A vida girava em torno da paróquia, com orações diárias, batizados, casamentos, funerais e inúmeras reuniões sociais. O pároco era uma figura paterna que estava sempre presente em momentos de necessidade.

Jesse tinha voltado da guerra com a noiva a tiracolo e não se casara na St. Michael. Mas Lance e Carmen Malco haviam se casado lá em 1948, diante de inúmeros familiares e amigos. Jesse estava sentado na última fileira.

Dois dias após o atentado, e com a comunidade ainda atordoada e cambaleante, a St. Michael estava lotada para a missa, uma vez que amigos, vizinhos, conhecidos e eleitores buscavam refúgio e força em sua fé. Todos sentiam a necessidade de fazer uma oração pela família Rudy. Jesse era sua maior história de sucesso, e sua morte violenta e sem sentido fora um golpe violento para toda a comunidade.

No Point, em Back Bay e no restante de Biloxi, as igrejas católicas estavam mais movimentadas do que o normal na sombria manhã de domingo. A St. John, a Nativity, a Our Mother of Sorrows, bem como a St. Michael, receberam muitas pessoas de luto, todas acreditando piamente que tinham alguma ligação com Jesse Rudy.

42

No domingo bem cedo, uma enfermeira injetou novamente um medicamento no soro de Henry e o apagou. Ele foi levado para o centro cirúrgico, onde os médicos passaram uma hora recolocando sua tíbia no lugar e envolvendo a parte inferior de sua perna com um gesso menor. De acordo com o alto escalão do hospital, era bastante urgente que o paciente fosse tratado da melhor maneira possível para que pudesse seguir seu caminho. Não houve menção à polícia ou ao FBI. Na verdade, pouca coisa foi mencionada; havia apenas a mensagem clara de que Henry Taylor precisava ser liberado.

Enquanto ele ainda estava inconsciente, duas vans pertencentes a uma empresa de encanamento de Union City, Tennessee, pararam na entrada da garagem dele. Os encanadores circularam pela casa algumas vezes, como se estivessem em busca de vazamentos de esgoto ou algo do tipo, mas na verdade estavam analisando a vizinhança. Ele morava em um terreno de aproximadamente um hectare perto da periferia da cidade. A casa do vizinho mais próximo mal podia ser vista. Quando perceberam que ninguém estava olhando, entraram depressa na casa e começaram a vasculhar gavetas, armários, escrivaninhas, qualquer lugar onde Henry pudesse manter registros. Dois agentes grampearam seu telefone e esconderam um transmissor no sótão. Outro agente copiou registros bancários usando uma minicâmera. E mais um encontrou um molho de chaves e começou a testá-las nas fechaduras.

Um grande galpão no quintal guardava produtos para limpeza de carpetes e equipamentos para cuidar do gramado. Uma porta parcialmente escondida com um cadeado pesado escondia uma sala de 9 metros quadrados onde, evidentemente, o psicopata preparava seus artefatos. Como nenhum dos agentes sabia como manusear explosivos, tiveram receio de tocar em qualquer coisa. Fotografaram o máximo que puderam e saíram da sala, deixando o resto para outro dia e outro mandado de busca.

De volta a Biloxi, a caminhonete Dodge de Taylor também estava recebendo atenção. Tomando cuidado para não acumular muitos quilômetros no hodômetro, Jackson Lewis a levou a uma oficina no Point e pagou ao proprietário uma bela gratificação para que fizesse vista grossa. Os técnicos instalaram um rastreador magnético à prova d'água entre o radiador e a grade frontal, e o conectaram à bateria; era impossível enxergar qualquer um dos dois exceto com uma busca minuciosa. A antena foi substituída por outra idêntica que, além de receber sinais de rádio para que Henry pudesse continuar a desfrutar de suas músicas, também transmitia sinais em um raio de 16 quilômetros.

Se tudo corresse como planejado, o sistema de rastreamento seria verificado periodicamente ou mesmo substituído em um mês ou mais, numa noite em que Henry estivesse dormindo profundamente.

Ele dormiu bastante depois da cirurgia e por fim acordou no início da tarde de segunda-feira. Acusou a enfermeira de exagerar nos sedativos, e ela ameaçou apagá-lo de novo. Ele ficou satisfeito ao ver um gesso muito menor e afirmou que sua perna estava ótima.

Na manhã de terça-feira, o médico fez as primeiras visitas aos quartos e disse que ele poderia receber alta. A documentação já estava preparada e, quando ficou tudo pronto, um maqueiro o ajudou a se sentar em uma cadeira de rodas para que pudesse seguir até a porta de entrada do hospital. Lá, os mesmos dois policiais de Biloxi o aguardavam com um par de muletas. Eles o ajudaram a caminhar uma curta distância até sua adorada caminhonete, colocaram-no no banco do motorista, comentaram que ele tinha sido muito sábio em comprar uma picape com câmbio automático e, cheios de orgulho, informaram que haviam enchido o tanque.

A perna já doía absurdamente, mas ele abriu um sorriso corajoso ao se afastar.

Que dupla de otários!

Outros otários seguiram o Dodge azul até o Beach Bay Motel, onde observaram o sujeito usar suas novas muletas com grande dificuldade ao se equilibrar, cambalear e mancar até a porta do quarto número 19.

Lá dentro, Henry morria de dor enquanto puxava o colchão e pegava sua carteira, o dinheiro, as chaves, o canivete e as pistolas. Havia sonhado com eles e não conseguia acreditar que nada daquilo tinha sido encontrado pelas faxineiras. Jogou tudo dentro de uma bolsa de lona junto das suas roupas e estava prestes a começar a limpar o quarto quando alguém bateu. Era o gerente, cobrando os 62 dólares extras referentes à estadia das últimas quatro noites. Henry mancou até o aparador, pegou o dinheiro e pagou.

Depois que o homem saiu, Henry trancou a porta, molhou uma toalha e começou a limpar todas as superfícies em que poderia ter tocado na semana anterior. Controles de televisão, persianas, maçanetas, torneiras, cômoda, chuveiro, interruptores, revestimentos de portas e suporte para papel higiênico.

Ele estava um pouco atrasado. A equipe do FBI havia levantado impressões digitais das mesmas superfícies, bem como de sua caminhonete e de seu quarto de hospital. Poucos suspeitos na história recente haviam fornecido um portfólio tão vasto de impressões digitais.

Henry limpou tudo com alegria, orgulhoso de sua esperteza e seguro de que estava enganando os caipiras. Quando teve certeza de que o quarto 19 estava livre de impressões digitais, jogou a chave na cama, mancou até a caminhonete, atirou a bolsa na parte de trás, fez um esforço para se posicionar atrás do volante e foi embora.

Eles o seguiram para fora da cidade, pela Highway 90, depois rumo ao norte, na Highway 49. Outra equipe começou a acompanhá-lo a partir de Hattiesburg, e uma terceira, de Jackson. Seis horas depois, Henry era seguido enquanto contornava o centro de Memphis no anel rodoviário e pegava a Highway 51 rumo ao norte. Na cidade de Millington, parou para encher o tanque e comprar um refrigerante na loja de conveniência, mancando dolorosamente e tentando tirar o peso da perna. Duas horas depois, estava sendo seguido na periferia de Union City, até que finalmente chegou em casa.

Lá dentro, foi direto para a cozinha pegar um copo d'água. Apanhou também um punhado de analgésicos, engoliu-os e secou a boca com o antebraço. Depois, alcançou o sofá, onde desmaiou. Sentia como se lanças em brasa estivessem perfurando a carne e os músculos da perna.

Depois de um tempo, a dor começou a diminuir, e ele pôde respirar normalmente pela primeira vez em horas. Havia repassado seus erros mil vezes no hospital e não queria começar a fazer isso mais uma vez. Considerava-se extremamente sortudo por ter escapado com tantos policiais por perto.

Aqueles sulistas eram mesmo um bando de otários.

NO FINAL DA TARDE de terça-feira, Keith e Tim foram de carro até o escritório no centro da cidade. Ficaram admirados com a inacreditável quantidade de arranjos de flores que cobria completamente a varanda e a maior parte do pequeno gramado na frente da propriedade. Caminharam alguns quarteirões até as barricadas para tentar obter notícias no fórum. Keith falou com um policial de Biloxi que conhecia e agradeceu pelas condolências. De volta ao escritório, os dois entraram na sala de Jesse e, por um bom tempo, ficaram parados no meio dela, sorvendo a vida do pai. No Mural de Vitórias, encontravam-se diplomas, prêmios, fotos e recortes de jornal da época do Camille. Sobre o aparador, havia uma dezena de fotos de Agnes e das crianças em várias idades. A escrivaninha, raramente usada nos últimos cinco anos, estava em perfeita ordem, com presentes que os filhos haviam dado: um abridor de cartas de prata, canetas de pena sofisticadas que ele nunca tinha usado, um relógio de bronze, uma lupa da qual não precisava e uma bola de beisebol autografada por Jackie Robinson. Jesse o vira jogar em uma partida de exibição em 1942.

Era impossível medir o tamanho do sentimento de perda. A devastação emocional era esmagadora; a dor física, depois de cinco dias, entorpecedora. O homem que eles adoravam por conta de seu amor incondicional pela família, de sua integridade, coragem, garra, inteligência e amabilidade, havia partido, arrancado deles em seu auge. Jamais havia passado pela cabeça deles e das irmãs perder o pai. Jesse era uma presença importantíssima em suas vidas e sempre estaria lá para eles. Não era para estar morto aos 52 anos.

Tim, o mais emotivo dos quatro, jogou-se no sofá e cobriu os olhos. Keith, o mais impassível, passou muito tempo sentado à escrivaninha do pai com os olhos fechados, tentando ouvir a voz de Jesse.

Em vez disso, ouviu uma leve batida na porta de entrada. Olhou para o relógio e se levantou com um salto. Havia se esquecido do compromisso das cinco da tarde.

Keith cumprimentou calorosamente o juiz Oliphant e o conduziu à sala de reuniões no primeiro andar. O homem estava com quase 80 anos e sempre fora ágil e perspicaz, mas, naquele momento, parecia envelhecido. Mancava de leve e recusou um café. Sua estreita amizade com Jesse Rudy havia começado durante os processos envolvendo o Camille e só se aprofundou quando o novo promotor assumiu o gabinete em frente ao seu. Eram tão próximos que o juiz se preocupava com a questão da imparcialidade. Com frequência, Jesse reclamava que Oliphant estava tão preocupado em ser justo que se esforçava para dificultar as coisas para a promotoria. Os dois não cediam às pressões um do outro no tribunal, mas depois riam das encenações em meio a bebida e charutos.

O juiz estava arrasado com a morte de Jesse e obviamente sofria bastante. Eles lamentaram por um tempo, mas Keith logo se cansou daquilo. Para manter as pessoas longe de casa e de Agnes, preferia se encontrar com amigos no escritório. Cada visita começava com a costumeira rodada de lágrimas e condolências, e elas cobravam seu preço.

– Não foi só um assassinato a sangue-frio – dizia Oliphant –, foi também um ataque ao nosso sistema judiciário. Eles explodiram o fórum, Keith, o lugar onde a justiça é feita. Podiam ter matado o Jesse em vários lugares, inclusive parecem especialistas no assunto, mas escolheram o tribunal de justiça.

– E quem são *eles*?

– As mesmas pessoas que Jesse perseguiu. As mesmas pessoas que ele indiciou, arrastou para o tribunal, o meu tribunal, as mesmas que apavorou tanto a ponto de se declararem culpadas.

– Malco?

– Claro que foi o Malco, Keith. O Jesse prendeu muitos criminosos ao longo de cinco anos, como qualquer outro promotor, acho. Isso faz parte do trabalho. Mas Lance Malco era o peixe grande e deixou pra trás um grupo de criminosos que ainda está ativo e é capaz de se vingar.

– No momento em que soube que uma bomba fora jogada no fórum, eu pensei em Malco – afirmou Keith. – É tão óbvio que a gente chega a se perguntar se eles são mesmo tão descarados ou burros desse jeito.

– Eles passaram tanto tempo afrontando a lei que acreditam estar acima dela. Isso me choca, é um choque para todos nós, mas não deveria ser algo surpreendente.

Eles passaram algum tempo em silêncio, pesando as implicações do que já haviam decidido. Por fim, Keith perguntou:

– Você acha que Lance ordenou o assassinato da prisão?

– Ainda não sei dizer. Seria fácil pra ele tomar essa decisão, e ele não tem nada a perder. Mas ele é esperto demais pra isso. Lance evitava chamar atenção, preferia operar nas sombras, não gostava que o vissem nem escrevessem sobre ele. No momento, todos na Costa, em especial a polícia, estão achando a mesma coisa: Malco.

Keith assentiu.

– Concordo – disse ele. – O Lance é muito inteligente, mas o Hugh é um bocó. Agora ele tá no controle e quer provar que é um verdadeiro chefe do crime. Ao matar o promotor e se safar disso, ele se torna uma lenda.

– Vai ser difícil provar, Keith. Mortes por encomenda são praticamente impossíveis de serem provadas porque o culpado não toca em nada.

– Mas tem o dinheiro.

– Tem o dinheiro, mas é impossível rastreá-lo.

Outra pausa enquanto ouviam vozes do lado de fora. Mais flores estavam sendo entregues.

– Sabe, Keith – disse Oliphant –, o governador Finch vai nomear um promotor interino pra preencher a vaga. Eu conheço o Cliff. Nós trabalhamos juntos na legislatura estadual. Ele também atuou como promotor por oito anos. Quero que você reflita sobre pedir a vaga pra ele. Tenho certeza de que já pensou nisso.

– Já, mas só de passagem. Não falei nada pra Ainsley nem pra minha mãe. Duvido que qualquer uma das duas fique animada com a ideia.

– Então você vai pensar no assunto?

– Eu conversei com a Egan, e ela não tem nenhum interesse. Disse que está planejando passar um tempo fora. Não consigo pensar em mais ninguém que queira o emprego, especialmente agora. É uma boa forma de acabar se machucando.

Oliphant sorriu.

– Você é um talento nato, Keith, e vai poder continuar de onde Jesse parou.

– E vou participar da investigação. O governador Waller telefonou ontem à noite para me dar os pêsames. Como você sabe, ele e o meu pai se tornaram amigos. Ele prometeu falar com o governador Finch e pressioná-lo para dar prioridade ao caso. A polícia estadual e o FBI parecem estar trabalhando juntos, pra variar. Eu quero estar presente no meio disso tudo, Excelência.

– Vou falar com o governador Finch.

– E eu vou falar com a minha mãe, mas não agora. Vamos esperar até depois do velório.

COM O PADRE NORRIS no controle e guiando a família, os procedimentos seguiram estritamente os preceitos católicos. Na noite de sexta-feira, uma grande multidão se reuniu na St. Michael para a vigília de preces. O padre Norris conduziu as orações e pediu a vários amigos que lessem a Sagrada Escritura. Como não haveria epicédios no dia seguinte durante a missa fúnebre, eles foram oferecidos durante a vigília. Um amigo de infância do Point foi o primeiro e quebrou o gelo com uma história engraçada da época. O juiz Oliphant falou com eloquência sobre as origens humildes de Jesse, sua determinação em se tornar um advogado fazendo aulas noturnas na Loyola, em Nova Orleans, sua motivação e ambição. Mas, acima de tudo, sua coragem.

O ex-governador Waller descreveu como era para um promotor receber ameaças de morte simplesmente por fazer seu trabalho. Ele havia passado por isso e sabia como era sentir esse medo. A coragem de Jesse lhe custara a vida, mas o trabalho que havia começado um dia seria concluído. Os bandidos e mafiosos que o mataram seriam levados à justiça.

Dentre os familiares, não havia dúvidas em relação a quem falaria. Tim sabia que não conseguiria manter a compostura. Beverly e Laura cederam de bom grado a vez ao irmão mais velho. Quando Keith subiu ao púlpito, fez-se silêncio absoluto na igreja. Com uma voz forte e articulada, ele agradeceu a todos em nome da família. Assegurou-lhes de que a família não apenas sobreviveria, mas também resistiria e venceria. A mãe dele, Agnes, e os irmãos, Beverly, Laura e Tim, agradeciam pelas orações e por todo o apoio demonstrado.

Jesse lhe ensinara muitas lições sobre a vida e também sobre a lei. Ninguém nasce um grande advogado de júri: torna-se. Os melhores simplesmente contam uma história ao júri, da qual têm domínio absoluto. A história deve ser escrita e reescrita, e editada um pouco mais, até o ponto em que o advogado saiba cada palavra, pausa e piada de cor. O discurso foi suave, mas não muito polido, nem de forma alguma ensaiado. Ouvindo Keith falar sem anotações e sem uma única sílaba desperdiçada, era difícil acreditar que ele tinha apenas 28 anos e havia participado de apenas três tribunais do júri que haviam chegado até o fim.

O jovem contou histórias de quando ia pescar com o pai no estreito do Mississippi, das partidas de beisebol no quintal, dos milhares de jogos aos quais Jesse sempre assistia das arquibancadas. Ele nunca perdeu nenhum. Quando Keith tinha 15 anos, Jesse o levou ao tribunal para assistir a um julgamento e, durante o jantar, eles discutiram cada passo dado pelos advogados e pelo juiz. Muitos outros vieram depois. Aos 16, ele usava terno e gravata e se sentava logo atrás do pai.

A voz de Keith não falhou em nenhum momento. Sua fala foi tão suave quanto a de um ator de teatro veterano. Embora tenha mantido a compostura, sua eulogia foi extremamente sentimental.

– Nosso pai não morreu em vão – concluiu ele. – O trabalho dele havia apenas começado e será concluído. Seus inimigos morrerão na cadeia.

A MISSA FÚNEBRE ATRAIU uma multidão ainda maior, e a igreja transbordava de tanta gente. Os que chegavam atrasados eram encaminhados para uma grande tenda ao lado do edifício. Um sistema de som transmitiu cada momento: a aspersão de água benta no caixão ao entrar pelas portas da frente; a família recebendo-o no altar e colocando uma Bíblia aberta sobre ele; a leitura da Sagrada Escritura por Beverly e Laura; um solo de soprano; a leitura do Evangelho de Lucas pelo irmão de Jesse; uma reflexão sobre os versículos da Bíblia realizada pelo padre Norris, seguida de uma longa homilia na qual ele dissertou sobre a morte segundo a crença cristã e disse coisas maravilhosas a respeito de Jesse Rudy; um organista tocando um belo hino; a leitura de uma oração por Tim, que conseguiu concluí-la. A comunhão durou meia hora e, quando acabou, o padre Norris aspergiu mais água benta no caixão enquanto proclamava a eulogia final.

43

No início de setembro, o fórum reabriu. A metade oeste do segundo andar foi bloqueada com uma divisória temporária enquanto as equipes terminavam a limpeza e davam início aos reparos. O juiz Oliphant estava ansioso para organizar a pauta e marcar suas audiências.

Dois dias depois, em seu tribunal, foi realizada uma breve cerimônia. De acordo com uma nomeação do governador Cliff Finch, Keith Rudy preencheria a vaga deixada após a morte do pai e exerceria o cargo de promotor de justiça pelo restante do mandato, até 1979. O juiz Oliphant leu a nomeação e empossou o novo promotor. Agnes e Ainsley assistiram, cheias de orgulho, embora guardassem muitas dúvidas. Ambas haviam se oposto à ideia, mas Keith estava decidido. Para Agnes, ele se parecia com Jesse em muitos aspectos. Quando sentia que estava certo, era impossível dissuadi-lo.

Beverly e Laura acompanharam tudo, junto a Egan, os irmãos Pettigrews e uma série de outros amigos. Ainda estavam um tanto desorientados por conta do assassinato, mas a nomeação de Keith os deixou esperançosos de que a justiça seria feita. Não houve discurso, mas um repórter do *Register* cobriu a cerimônia e conversou com Keith no final. Sua primeira pergunta foi óbvia:

– Vai ser capaz de ser justo e imparcial caso denuncie a pessoa ou as pessoas responsáveis pelo assassinato de seu pai?

Keith sabia que isso ia acontecer e respondeu:

– Sou capaz de ser justo, mas não preciso ser imparcial. Em qualquer investigação de homicídio, a polícia e o promotor concluem que o réu é culpado muito antes do júri, portanto, nesse aspecto, não são exatamente imparciais. Só posso prometer ser justo.
– Se o caso for solucionado, você participará do julgamento?
– É muito cedo para falar em um julgamento.
– Você tem algum suspeito?
– Não.
– Vai se envolver na investigação?
– Em cada passo. Vamos seguir todas as pistas, revirar tudo que for necessário. Não vou descansar até que esse crime seja solucionado.

Perguntas semelhantes o perseguiram durante seus primeiros dias no cargo. Os repórteres cercaram o escritório Rudy & Pettigrew e foram repetidamente convidados a se retirar. Havia um fluxo constante de amigos e simpatizantes que paravam para prestar condolências, e Keith logo se cansou da presença deles. A porta da frente acabou sendo trancada. Gage e Gene trabalhavam na sala de reuniões do térreo e ficavam de olho no tráfego de pedestres. O telefone tocava sem parar e era ignorado na maior parte do tempo. Eles pediram paciência aos clientes.

Com a maior parte dos registros do promotor destruídos, um dos primeiros desafios de Keith foi recompor os arquivos e descobrir quem havia sido indiciado e qual era a situação de cada réu. Sem exceção, os integrantes da seccional da Ordem dos Advogados do condado o apoiaram e forneceram cópias de todos os registros que possuíam. O juiz Oliphant interferiu e não deu espaço para os advogados de defesa. Rex Dubisson passou horas com Keith e o orientou pelos meandros do trabalho. Pat Graebel, promotor do vizinho Distrito Dezenove, fez o mesmo e deixou sua equipe à disposição.

Os dias de Keith começavam levando Agnes à missa matinal na igreja de St. Michael.

DOIS DIAS DEPOIS QUE Keith se tornou promotor de justiça, Hugh fez outra viagem para o norte, rumo a uma terra de ninguém, a fim de visitar o pai. O algodão estava em plena floração, e as planícies estavam brancas como neve em ambos os lados da estrada. Era interessante observar o Delta mudar de cor com a estação à medida que as plantações se preparavam para a colheita, mas ainda assim ele achava aquilo um tanto deprimente. Animou-se ao ver a primeira colhedora de algodão, uma John Deere verde brilhante que lembrava um inseto gigante rastejando em meio à neve. Depois viu outra, e logo elas estavam por toda parte. Passou por uma carreta indo em direção à descaroçadora, botões soltos voando no ar e caindo nas margens da rodovia como se fossem lixo.

Oito quilômetros ao sul do presídio, viu algo tão surpreendente que diminuiu a velocidade e quase parou no acostamento. Um guarda com uma espingarda e um chapéu de caubói montava um Quarto de milha e observava um grupo de cerca de uma dezena de presidiários negros arrancando botões de algodão de caules que chegavam quase à altura do peito. Depois, eles enfiavam o algodão em grossos sacos de juta, que arrastavam atrás de si.

Era setembro de 1976, mais de um século depois do fim da escravidão.

Parchman cobria mais de 7 mil hectares de solo fértil. Com seu suprimento infindável de mão de obra gratuita, tinha sido, pelo menos ao longo da história, uma mina de ouro para o estado. Em seus dias de glória, muito antes da intervenção federal e da noção de direitos dos prisioneiros, as condições de trabalho eram brutais, principalmente para os presos negros.

Hugh balançou a cabeça e seguiu em frente, mais uma vez surpreso com o atraso do Mississippi e feliz por ser natural da Costa. Era outro mundo.

Até aquele momento, Lance tinha conseguido evitar a colheita de algodão, um trabalho repugnante então reservado àqueles que passavam por alguma punição. Ele vivia na Unidade 26, um dos muitos "acampamentos" separados e espalhados pela extensa fazenda. Embora os tribunais federais tivessem reiteradamente requerido ao estado que a penitenciária de Parchman fosse dessegregada, ainda havia alguns lugares onde os presos com um pouco de dinheiro conseguiam sobreviver sem medo da violência. A Unidade 26 era o endereço preferido nesses casos, embora as celas carecessem de ar-condicionado e ventilação.

Hugh passou pelo portão da frente e seguiu por estradas bem sinalizadas até as profundezas da fazenda. Parou o carro no pequeno estacionamento da Unidade 26, passou por outro posto de segurança e entrou em um prédio administrativo de tijolos vermelhos. Foi revistado mais uma vez e conduzido à sala de visitas.

Lance apareceu do outro lado de uma tela de metal, e eles se cumprimentaram. Embora as visitas devessem ser confidenciais, Lance não confiava em ninguém na prisão e advertiu Hugh sobre falar demais.

Além de alguns cabelos grisalhos a mais e rugas ao redor dos olhos, Lance havia mudado pouco em dezesseis meses. Os problemas cardíacos que praticamente o teriam matado no ano anterior desapareceram misteriosamente. O homem disse que estava bem de saúde e sobrevivendo às provações da cadeia. Trabalhava na biblioteca, fazia caminhadas pelo acampamento várias vezes ao dia e escrevia cartas para amigos, embora toda a correspondência fosse rastreada. Em termos cautelosos, os dois conversaram sobre os negócios da família, e Hugh garantiu que tudo corria bem. Pança tinha mandado lembranças, assim como Nevin e os demais. Carmen estava muito melhor agora que Lance havia partido, embora Hugh minimizasse a felicidade que a mãe sentia. Lance fingiu preocupação com o bem-estar dela.

Os dois conversaram sobre tudo, exceto o óbvio. A morte de Jesse Rudy nunca foi mencionada. Lance não tinha nada a ver com o ocorrido e temia que o filho imprevisível tivesse feito algo burro.

Todas as suspeitas recaíam sobre Hugh porque não havia outros suspeitos possíveis.

COMO SEU ANTECESSOR, BILL Waller, o governador Finch havia cumprido dois mandatos enquanto promotor de justiça. O assassinato brutal de um deles era algo impensável, e ele fez da investigação sua maior prioridade. Formou uma força-tarefa conjunta com a polícia estadual e o FBI e prometeu total cooperação e financiamento.

No final de setembro, a força-tarefa se reuniu em segredo pela primeira vez em um hotel em Pascagoula. Os agentes especiais Jackson Lewis e Spence Whitehead estavam lá em nome do FBI. O chefe da polícia estadual, capitão Moffett, presidiu o encontro. Ele estava acompanhado por dois de seus investigadores. Mais dois de seus homens, policiais estaduais uniformizados, guardavam a porta. Keith tomava notas e falava pouco.

Era significativo o fato de as autoridades locais estarem ausentes. Albert Bowman e sua gangue jamais seriam incluídos, já que não eram confiáveis. A polícia de Biloxi não estava qualificada para participar de uma investigação tão importante e complexa. Ninguém naquela sala queria que os locais se envolvessem, a menos que fosse necessário. O sigilo era crucial.

O agente Lewis repassou com eles um relatório elaborado pelo laboratório de Quantico. Os peritos estavam certos de que a explosão havia sido causada por Semtex, um explosivo plástico amplamente utilizado pelos militares nos Estados Unidos. Eles acreditavam que o bombista teve acesso a um material extremamente perigoso e que não estava cem por cento familiarizado com sua força. A estimativa era de que haviam sido utilizados de 2 a 5 quilos do produto, muito mais do que o necessário para matar um homem dentro de uma sala.

Enquanto discutiam os danos, os sons fracos de martelos e serras dos reparos eram ouvidos, vindos do corredor.

Keith lutava para ignorar o fato de que estava sentado no tribunal onde seu pai havia deixado sua marca processando seguradoras após o Camille e, mais tarde, notórios criminosos. A menos de 6 metros de distância se encontrava o banco onde Lance Malco estava quando se declarou culpado e foi sentenciado pelo juiz Oliphant.

Em seguida, houve uma discussão sobre possíveis testemunhas. Henry Taylor nunca foi mencionado. O FBI praticamente o expulsou da cidade, com a perna quebrada e tudo, três dias após o crime, e depois pediu às polícias estadual e local que não mencionassem sua existência. O FBI tinha grandes planos para Taylor, mas era arriscado demais envolver qualquer um em Biloxi em um estágio tão inicial da investigação. O vazamento de qualquer informação poderia comprometer o esquema elaborado por Jackson Lewis. Pelo mesmo motivo, o juiz Oliphant, que havia assinado os mandados de busca da caminhonete e do quarto de hotel de Taylor, havia prometido sigilo.

Keith seria informado sobre Henry Taylor no devido tempo. Ele estava consumido pelo luto, movido pelo sentimento de vingança e era completamente inexperiente. Mantê-lo no escuro era uma questão delicada, mas o FBI não tinha escolha. O fato de Keith lidar com a denúncia também era algo complicado. Nenhum dos presentes acreditava que ele teria permissão para perseguir o assassino, ou assassinos, até o julgamento. De acordo com as conversas nos bastidores entre o capitão Moffett e o FBI, outro promotor seria especialmente nomeado pela Suprema Corte Estadual.

A força-tarefa repassou os nomes de todas as pessoas que eles sabiam que estavam no tribunal ou que haviam acabado de deixar o local no momento da explosão. Treze ficaram feridas, a maioria por estilhaços de vidro. Egan

Clement foi jogada no chão e ganhou um corte na cabeça e uma pequena concussão. Um tal de Alan Taylor, de Necaise, foi derrubado da escada e quebrou a perna. Ele alegou que estava indo comprar placas para seu carro no departamento de registro de veículos no segundo andar. A história foi confirmada, de acordo com o FBI.

– Falei com a Egan várias vezes, e ela acredita ter visto um entregador carregando umas caixas perto da escada no momento da explosão – disse Keith.

Lewis assentiu, afirmando:

– Sim, e nós conversamos muito com ela. Como você sabe, ela ficou inconsciente. As lembranças nem sempre são as mesmas. A maior parte da história dela é bastante confusa, pra dizer o mínimo. Mas ainda estamos investigando.

– Então é possível que a gente tenha um suspeito?

– Sim, é possível. Esse homem, se é que ele existe, é uma prioridade.

– E ninguém mais falou nada sobre tê-lo visto?

– Ninguém.

– Como a bomba foi parar no gabinete?

– Ainda não sabemos. É tudo muito preliminar, Keith.

Keith estava desconfiado, mas deixou passar. Era cedo demais para pressionar os investigadores, mas ele tinha certeza de que eles sabiam mais do que diziam. Pelo menos existia a possibilidade de haver um suspeito.

Todo mundo sabia que quando autoridades estaduais e federais trabalhavam juntas, havia muitas suspeitas e disputas por território. Depois de alguma embromação, ficou acordado que Jackson Lewis e o FBI assumiriam a liderança na investigação. Moffett simulou frustração, mas estava sob ordens diretas do governador para não bater de frente com o FBI.

NOS NOVENTA DIAS ANTERIORES ao homicídio, Henry Taylor fez ou recebeu 515 ligações. Todos os números tinham sido verificados; a maioria eram chamadas locais para familiares, amigos, algumas moças que ele parecia conhecer bem. Trinta e uma eram chamadas de longa distância, mas nenhuma era suspeita. Duas semanas antes do assassinato, ele havia recebido uma ligação de um telefone público de Biloxi, mas era impossível saber quem fora o autor.

Taylor administrava seu negócio em uma pequena loja em um antigo armazém. Um magistrado federal emitiu outro mandado, autorizando que o telefone do escritório dele fosse grampeado. Foram coletados registros da companhia telefônica, e o material estava sendo analisado. Praticamente todas as chamadas eram relacionadas a negócios; novamente, nenhuma delas parecia suspeita.

O agente Lewis estava intrigado. Um atentado à bomba daquela magnitude quase certamente exigiria atividade telefônica. De onde vieram os explosivos? Como ele os conseguira? Lewis e Whitehead revistaram a pequena oficina de bombas atrás da casa de Taylor e não encontraram explosivos, apenas resíduos e dispositivos para detonadores. Tinha que ter havido algum contato com o mandante ou com algum intermediário.

Várias chamadas realizadas da casa revelavam que a perna quebrada vinha sendo um problema considerável e que ele não estava conseguindo trabalhar. Havia falado com dois de seus funcionários de meio período e não estava contente com nenhum deles. Um alegou que Taylor devia alguns salários atrasados; os dois discutiram. Taylor ligou para o médico e reclamou. Tentou pedir dinheiro emprestado a um irmão, mas a conversa não correu bem. Havia cada vez menos chamadas de clientes em potencial para seu escritório.

A história que contava era de que tinha ido pescar no Golfo, acabou escorregando em uma marina e por isso quebrou a perna. Seis semanas após o assassinato, ainda usava muletas e sentia dores constantes.

Em 14 de outubro, fez uma ligação curiosa. Um tal Sr. Ludlow atendeu à chamada de Taylor no banco e ouviu seus problemas. Ele não estava conseguindo trabalhar, com a perna quebrada e tudo mais, e estava em apuros, precisava de dinheiro emprestado. Eles pareciam se conhecer de negócios anteriores. Henry queria 10 mil dólares e estava disposto a fazer uma segunda hipoteca da casa. O Sr. Ludlow disse que pensaria a respeito. Ele ligou de volta no dia seguinte e afirmou que não seria possível.

Um alvo com problemas financeiros. Eles continuaram ouvindo.

44

O Conselho de Supervisores do Condado de Harrison decidiu gastar uma bela quantia de dinheiro consertando o fórum e exagerou um pouco no gabinete do novo promotor de justiça. Quando Keith se instalou, uma semana antes do Dia de Ação de Graças, ficou impressionado com a reforma, os móveis requintados e os equipamentos de escritório de última geração. As paredes, pisos e tetos ainda cheiravam a tinta fresca. Havia tapetes bonitos em todos os andares. Obras de arte moderna adornavam as paredes, embora ele logo fosse substituí-las. Em suma, houvera de fato um grande esforço do Conselho, um gesto bastante significativo.

Seu problema mais premente era a falta de uma equipe. A secretária de longa data de Jesse se recusava a entrar no tribunal, e Keith não conseguiu convencê-la a se aposentar. Nem sua própria assistente estava pronta para retornar. Egan Clement estava deprimida e ainda assustada. Uma senhora do cartório se ofereceu para atender ao telefone pelos dois meses seguintes.

Durante os primeiros dias, ele lutou contra as emoções que vinham à tona toda vez que entrava no antigo gabinete do pai, mas por fim encontrou a determinação de que precisava para seguir em frente. Jesse não iria querer vê-lo o tempo todo cabisbaixo quando havia trabalho a fazer. O nó em seu estômago finalmente diminuiu, depois se dissipou. Quando não estava ocupado, saía do gabinete e fazia longas viagens de carro pelo campo, ao norte da cidade. Ele precisava mesmo era de seu primeiro julgamento com um júri. Nada como um belo confronto para fazer um advogado esquecer seus problemas.

Convocou seu primeiro grande júri e apresentou meia dúzia de denúncias: um caso simples de tráfico de drogas, uma agressão durante um desagradável conflito doméstico e uma invasão de propriedade à mão armada que quase se tornou fatal.

O caso *Estado do Mississippi vs. Calvin Ball* envolveu uma troca de socos em um boteco que se transformou em troca de tiros e acabou deixando uma pessoa morta. Com dificuldade, Jesse tinha conseguido arrancar a denúncia de seu mais recente grande júri, seis meses antes. Calvin Ball, o vencedor da briga, alegou legítima defesa. Nada menos que oito clientes estavam envolvidos na situação em alguma medida, e todos estavam bêbados, drogados ou em um estado semelhante a isso. Tudo aconteceu pouco depois da meia-noite de um sábado na zona rural do condado de Stone. O advogado de Ball estava fazendo pressão para que eles fossem a julgamento porque seu cliente queria limpar seu nome. Keith por fim jogou a toalha; era difícil dizer quem venceria.

O julgamento durou três dias em Wiggins e quase se transformou em outra briga. Após oito horas de deliberações acaloradas, o júri empatou em seis a seis, e o juiz declarou a anulação do julgamento. No caminho de volta para Biloxi, Keith conseguiu achar graça em alguns dos depoimentos e no fato de ter perdido seu primeiro julgamento como promotor. Lembrou-se das histórias que o pai havia contado sobre aqueles botecos. Jesse não queria levar Calvin Ball a julgamento.

Na semana seguinte, Keith conquistou sua primeira vitória em um caso de peculato. Na semana anterior ao Natal, condenou dois motociclistas da Califórnia que atacaram um frentista de um posto de gasolina em Gulfport e o espancaram sem motivo.

Keith havia praticamente crescido dentro do tribunal. Ele carregava a maleta do pai para as sessões quando era adolescente. Conhecia as normas sobre a juntada de provas em audiência muito antes de começar a faculdade de Direito. Aprendeu procedimentos, regras de etiqueta e táticas ao assistir a uma centena de julgamentos. Jesse adorava sussurrar dicas, truques e manobras engenhosas, como se estivesse passando informações privilegiadas.

Um advogado em um tribunal do júri tem muitas coisas em mente. Participar de um julgamento exige uma preparação meticulosa. Não havia tempo para se lamentar, se preocupar, temer, sentir pena de si mesmo. Aos 28 anos, Keith estava se tornando um bom audiencista, do qual seu pai se orgulharia.

Suas três primeiras audiências foram emocionantes e, em alguns momentos, desviaram sua mente de todo aquele pesadelo.

AGNES ESTAVA DETERMINADA A animar a família com um alegre fim de ano. Decorou a casa como nunca havia feito antes e planejou pelo menos três festas. Beverly, Laura e Tim estavam em casa para o Natal. Keith e Ainsley moravam a quatro quarteirões de distância. A cozinha se tornou o local de encontro conforme a família entrava e saía e os amigos apareciam com bolos, flores e presentes. Embora houvesse muitas lágrimas à noite e Jesse nunca estivesse longe de seus pensamentos, eles seguiram com as comemorações como se não houvesse nada fora do comum. Eles se sentaram juntos durante a Missa do Galo e foram cercados por amigos quando a cerimônia acabou.

Um novo capítulo em suas vidas começou no dia seguinte, durante o almoço de Natal, quando Keith anunciou que Ainsley estava grávida de dois meses. Um novo Rudy entraria em cena, e ele ou ela era extremamente necessário.

Agnes havia conseguido encarar as dificuldades e atravessar aqueles meses todos, mas, quando ouviu a maravilhosa notícia de que seria avó, desabou. A emoção foi contagiante, e em um minuto a família inteira estava aos prantos. Eram lágrimas de alegria.

45

O apartamento ficava em um condomínio grande e antigo. Henry Taylor já havia feito limpezas lá antes. Imóveis pequenos e baratos, do tipo que atraía locatários que muitas vezes fugiam no meio da noite, deixando nada para trás exceto o que estivesse pregado às paredes, além de muita sujeira e manchas. O sujeito ao telefone disse que estava se mudando e queria que os carpetes fossem limpos. Eles se encontraram na porta na hora marcada, e o cara entregou a ele 120 dólares em espécie pelo serviço. Em seguida, saiu, dizendo que voltaria mais tarde.

Henry estava trabalhando sozinho – ainda não tinha conseguido encontrar um auxiliar decente depois das festas de fim de ano – e estava mancando, cortando um dobrado, e até mesmo xingando a perna machucada, embora fossem apenas oito da manhã. Carregava dois grandes jarros de detergente para o apartamento quando um desconhecido apareceu do nada na porta e o assustou. Casaco, gravata, cara fechada, o tipo de olhar que muitas vezes deixava Henry em alerta, devido à sua violenta atividade paralela. Se as pessoas soubessem a facilidade com que Henry se assustava... Mesmo sendo um bombista experiente, de mãos firmes e cabeça fria, muitas vezes perdia o fôlego quando confrontado exatamente com o tipo de homem que naquele momento o encarava da porta. Sem sorrir, o sujeito disse:

– Estou procurando Henry Taylor.

Será que ele era policial? Estaria na sua cola? Henry teria finalmente cometido algum deslize ao longo do caminho e estava prestes a ser pego pela perícia?

– Sou eu mesmo. O que você quer?

Finalmente, um leve sorriso. O homem entregou a ele um cartão de visita e se apresentou:

– J. W. Gross, investigador particular.

Henry respirou aliviado, mas tentou não demonstrar. O desconhecido lhe entregava um cartão, não um mandado. Ele o pegou, examinou, virou-o, não encontrou nada no verso. Um detetive particular com endereço em Nashville.

Devolveu o cartão como se não tivesse nenhum interesse, mas Gross ignorou o gesto.

– Prazer em te conhecer – disse Henry.

– Igualmente. Tem um minuto?

– Não. Preciso trabalhar e tô atrasado.

Gross deu de ombros, mas não deu nenhum sinal de que iria embora.

– Dois minutos é tudo que eu peço, e pode ser que valha a pena.

– Um minuto e fale rápido.

Gross olhou ao redor.

– Vamos entrar – disse ele.

Isso certamente significaria mais de um minuto, mas Henry se rendeu. Gross entrou e fechou a porta, e Henry olhou para o relógio com irritação.

– Um cliente meu tem um amigo cheio do dinheiro que tá precisando de um servicinho, sabe como é?

– Não sei, não. Não faço a menor ideia do que você tá falando.

– Você é altamente recomendado, Sr. Taylor. Um verdadeiro profissional com muita experiência, um homem que dá conta do recado.

– Você é policial?

– Não, nunca fui. Nem gosto de policiais.

– Imagino que esteja usando uma escuta. O que diabos tá acontecendo?

Gross riu, abriu bem os braços e falou:

– Pode me revistar. Quer que eu tire a camisa?

– Ah, não, já vi o suficiente. Seu um minuto acabou. Tô ocupado.

Gross deu outro sorriso falso.

– Claro – disse ele. – Mas é muito dinheiro. Muito mais do que Biloxi.

Um chute no estômago não teria acertado com mais força. O queixo de Henry caiu quando ele olhou para Gross, incapaz de falar.

Gross observou a reação dele e disse:

– Cinquenta mil, em dinheiro. Você tem meu número.

Ele se virou, deixou o apartamento e fechou a porta.

Henry a encarou por um bom tempo, desconcertado. Ninguém sabia sobre Biloxi, exceto ele e seu contato de lá. Ou será que mais alguém sabia? Obviamente, sim. Henry não havia contado a ninguém; nunca contava. Era impossível sobreviver naquele meio se segredos fossem divulgados. Alguém em Biloxi tinha a boca grande demais. Havia se espalhado pelo submundo a informação de que Henry Taylor atacara novamente. Henry, porém, não ligava para reputação. Isso só atrairia a polícia.

Passou duas horas limpando os carpetes imundos, depois precisou de uma pausa e de alguns analgésicos. Dirigiu até a biblioteca do centro de Union City e folheou as listas telefônicas das maiores cidades do Tennessee. Nas páginas amarelas de Nashville, encontrou um pequeno anúncio de J. W. Gross, detetive particular. Honesto. Confiável. Vinte anos de experiência.

Ele zombava de qualquer um que anunciasse honestidade.

Foi para o escritório, tomou um analgésico e se esticou em uma cama dobrável que costumava usar para tirar alguns cochilos. Os remédios finalmente fizeram efeito, e a dor diminuiu. Pegou o telefone e ligou para um amigo. O número foi rastreado até uma residência em Brentwood, Tennessee, na região metropolitana de Nashville.

Estavam ouvindo.

– Conheci um detetive particular da sua cidade – disse Henry. – Me diz uma coisa: conhece alguém chamado J. W. Gross?

– Por que eu deveria conhecer um detetive particular? – respondeu o amigo.

– Pensei que você conhecesse todo mundo desse meio.

– Bom, conheço você.

– Rá, rá. Se importa de fazer umas ligações e tentar descobrir quem é esse cara?

– O que você tem pra me oferecer?

– Minha eterna amizade.

– Venho tentando abalar nossa amizade há anos.

– Vamos lá. Você me deve uma.

– Vou ver o que consigo descobrir.

– Não precisa se expor demais. Só quero ter certeza de que ele é confiável, sabe como é?

Os dois passaram um tempo conversando sobre mulheres e desligaram.

Henry começou a pensar no dinheiro. Havia recebido 20 mil dólares para mandar Jesse Rudy pelos ares, e deveria ter pedido mais. Dar fim em um funcionário público eleito de alto escalão valia o dobro. Quem no mundo valia 50 mil? E, se o cara realmente tinha dinheiro e estava oferecendo 50 mil de cara, certamente Henry poderia pedir mais. A ganância invadiu seus pensamentos, acompanhada do instinto de sobrevivência.

Ele abriu um sorriso e pegou no sono.

AS NOVIDADES ACERCA DE J. W. Gross foram satisfatórias. Reputação sólida, pequena empresa com ele mesmo no comando e alguns caras mais jovens no escritório. Trabalhou em divórcios sofisticados e com segurança corporativa. Sem antecedentes criminais.

Henry estava obcecado com o dinheiro. Ligou para o número do cartão de visita e marcou um encontro no estacionamento de um campo de softbol na zona leste de Union City. Nada de carros passando, nenhuma testemunha. Era início de janeiro, então nada de softbol também.

Estava frio e o vento soprava forte. J. W. acompanhou Henry, que usava uma bengala, até uma lanchonete onde a porta estava destrancada. Eles entraram para se proteger do vento.

– Como vou saber se você não tá com uma escuta? – perguntou Henry.

Mais uma vez, J. W. abriu os braços e disse:

– Vá em frente.

– Se importa em tirar o casaco?

Gross parecia incomodado, mas tirou o casaco. Por baixo, havia um blazer preto barato. Henry deu um passo à frente e começou a dar tapinhas em seu peito e ao redor do cinto. Ele parou no quadril direito.

– Tá armado?

J. W. puxou o blazer para trás e mostrou a Henry uma pistola automática presa ao coldre.

– Sempre, Sr. Taylor. Quer ver minha licença?

– Não precisa. Vira.

Gross obedeceu, e Henry tateou seu pescoço, as axilas e a cintura.

– Tá, parece que não tem nada.

– Obrigado.

Gross vestiu o casaco de volta.

– Vamos lá – disse Henry.

– Eu não conheço o cara, não sei o nome verdadeiro dele, então vamos chamá-lo de Sr. Getty. Ele tem cerca de 60 anos, mora em algum lugar deste estado, mas tem uma porção de belas casas espalhadas pelo país. A esposa dele é vinte anos mais nova, a terceira, acho. O clássico... um cara mais velho com dinheiro, uma garota mais jovem estonteante. Uma vida boa, exceto que ela tem um namorado. Na verdade, um dos ex-maridos, de quem ainda gosta muito. O Sr. Getty está chateado, de coração partido, irritado, e não é o tipo de homem acostumado a levar um fora. Pior ainda, ele também suspeita que ela e o garanhão possam estar planejando um golpe pra colocar a mão no dinheiro dele. É complicado. Alguns anos atrás, o Sr. Getty e alguns amigos ricos construíram um resort perto de Gatlinburg, nas montanhas.

– Eu conheço Gatlinburg.

– A mulher dele ama as montanhas, gosta de ir pra lá com as amigas, às vezes sozinha. Às vezes com o Sr. Getty. E muitas vezes com o namorado. É o ninho de amor favorito deles.

– O serviço é explodir o local.

– E ela. E ele. O Sr. Getty quer um evento dramático, de preferência quando eles estiverem na cama.

– Esse timing pode não funcionar.

– Entendo. Estou só repassando as informações, Sr. Taylor.

– E a casa?

– Uma construção de 185 metros quadrados, uma de quatro unidades. As outras três raramente estão ocupadas, ainda mais durante o frio. Meu contato vai conseguir pra você desenhos, plantas, fotos, o que for necessário. A Sra. Getty e o garotão estão sendo vigiados, então vamos saber quando eles forem pras montanhas.

– Você mencionou que o seu contato era cliente de um amigo, ou amigo de um cliente. Isso é muito vago.

– E vai ter que continuar assim. Eu nunca vou me encontrar com o Sr. Getty. Pelo que entendi, ele é cliente de um amigo que trabalha no mesmo ramo. Serviços particulares.

– E quem passou meu nome?

– Não posso responder a essa pergunta.

– Muito bem. Dois alvos importantes valem muito mais do que 50 mil.

– Não tenho autoridade pra negociar, Sr. Taylor. Estou só repassando as mensagens.

– Cem mil.

Gross se encolheu um pouco e franziu a testa, mas logo se restabeleceu, como um verdadeiro profissional.

– Não o julgo. Vou repassar a proposta.

– Quando vai ser?

– Logo. O Sr. Getty tem vários seguranças e está acompanhando os dois de perto. Ele obviamente está preocupado. Além disso, à medida que os dias quentes se aproximarem agora na primavera, o lugar vai ficar mais movimentado. Ele acha que o melhor momento é entre agora e o início de abril.

– Vou ter que verificar minha agenda.

Gross deu de ombros, sem muita certeza de como responder.

– Traz pra mim as plantas e as fotos, e eu vou dar uma olhada – disse Henry.

OS AGENTES RESPONSÁVEIS POR rastrear e ouvir cada passo de Taylor fecharam o cerco.

Ele saiu de casa em sua caminhonete no sábado, 22 de janeiro, e dirigiu por três horas até Nashville, onde encontrou Gross no estacionamento de um shopping e pegou uma pasta com as informações necessárias. De lá, dirigiu por mais quatro horas até Pigeon Forge e se hospedou em um hotel barato escondido nas montanhas Great Smoky. Pagou 24 dólares em dinheiro por uma noite e usou uma carteira de motorista falsa como documento de identidade. Foi até uma churrascaria próxima ao hotel, comeu um sanduíche e dirigiu 13 quilômetros até Gatlinburg. Acabou se perdendo nas estradas íngremes e sinuosas, mas por fim chegou ao resort ao entardecer.

Enquanto ele estava fora, uma equipe de técnicos do FBI entrou em seu quarto de hotel, grampeou o telefone e plantou seis escutas.

Gross havia garantido a Taylor que o lugar estaria vazio durante o fim de semana e que não havia sistema de alarme. O criminoso saiu de lá, dirigiu até uma lanchonete e matou tempo tomando um café. Às nove, voltou ao local, que estava praticamente deserto, e se esgueirou em direção ao prédio em meio à escuridão. Com pouco esforço, arrombou a fechadura e entrou.

Os rastreadores do FBI ficaram impressionados com a capacidade de Taylor de se mover sem ser notado.

Taylor voltou ao hotel às onze da noite e ligou para J. W. Gross. Eles combinaram de se encontrar no domingo de manhã em uma parada de caminhões na Interstate 40, a leste de Nashville. Ele não fez mais nenhuma ligação e foi para a cama.

Caía granizo, e a parada estava lotada de caminhões de dezoito eixos tentando sair da estrada. Gross encontrou a picape de Taylor estacionada perto do restaurante, mas o homem não estava dentro dela. Aguardou um pouco até dar onze e meia, o horário combinado. Taylor saiu do restaurante, aproximou-se, e Gross acenou com a cabeça para que ele entrasse, onde estava quente e seco. Taylor se acomodou no lado do passageiro e disse:

– Tá lotado lá dentro. Não consegui pegar uma mesa.

A cabine da caminhonete estava grampeada. Os ouvintes, já em alerta máximo e escondidos a cerca de 15 metros de distância, prenderam a respiração. Que sorte. Como Taylor estava sendo burro.

– Você encontrou o lugar?

– Sim, foi fácil – respondeu Taylor, presunçoso. – Não vejo nenhuma dificuldade, a não ser o timing. Vou precisar de pelo menos três dias de antecedência.

– Daqui a três semanas, no dia 11 de fevereiro, o Sr. Getty e a esposa planejam passar o fim de semana fora. Ele não vai conseguir ir, uma questão urgente de trabalho vai surgir. Ela provavelmente irá de qualquer maneira e com certeza usará o namorado pra substituir o marido e se divertir um pouco. Parece a nossa primeira oportunidade. Pode ser nesse dia?

– Pode ser. E você quer os dois mortos?

– Não, eu pessoalmente não dou a mínima. Mas o Sr. Getty quer que os dois sejam mortos e que a casa voe pelos ares.

– Não posso garantir, entende?

– O que você pode garantir? Porra, por 100 mil você tem que fazer algumas promessas, Sr. Taylor.

– Eu sei. Mas também sei que não há dois projetos iguais, nem duas bombas se comportam da mesma forma. É uma arte, J. W., não uma ciência. Vou ajustar pra que aconteça às três da manhã, um horário em que é seguro presumir que os dois estarão na mesma cama, certo?

– Acho que sim. O especialista é você.

– Obrigado. Bom, e agora, o dinheiro.

OS PROBLEMAS DA CADEIA de fornecimento afligem todos os malditos bombistas, e as ligações podem deixar rastros.

Em 26 de janeiro, com o FBI a reboque, embora não tivesse a menor ideia disso, Henry Taylor dirigiu até um condomínio de prédios nas montanhas Ozark, perto da pequena cidade de Mountain Home. Ele já havia estado lá antes e achava que conseguiria entrar com facilidade. Aquela era a base de abastecimento altamente fortificada de um homem considerado pelo FBI um traficante de armas doméstico. Em um país com leis brandas em relação ao porte de armas e cheias de brechas, o homem não estava fazendo nada de errado e nunca havia sido condenado.

Henry não conseguiu que o deixassem entrar e foi embora. Os agentes que o seguiam presumiram que ele estava em busca de explosivos. Ele dirigiu até Memphis e fez ligações de três cabines telefônicas públicas, mas houve tempo para que as chamadas fossem rastreadas.

Em 30 de janeiro, Gross ligou para a casa de Henry e pediu-lhe que retornasse no dia seguinte de uma linha segura. Henry obedeceu, e Gross o informou de que a viagem de fim de semana em 11 de fevereiro do Sr. Getty e da esposa estava de pé. Henry confirmou que estaria pronto, mas não relatou a Gross que estava tendo dificuldades em encontrar os explosivos.

Em 1º de fevereiro, Henry cometeu seu maior erro. Havia seis telefones públicos em um raio de 8 quilômetros em torno da casa e do escritório dele. O FBI imaginou que ele pudesse usá-los por conveniência, e todos os seis foram grampeados. Deu certo. Henry dirigiu até uma barraquinha de cachorro-quente perto do centro de Union City e entrou numa cabine telefônica vermelha. A ligação foi para uma boate em Biloxi, uma bem famosa, conhecida como Red Velvet. Cinco minutos depois, o telefone tocou e Henry atendeu.

Ele disse a Nevin Noll que estava em apuros e precisava de alguns suprimentos. Noll o xingou por ligar para a boate e bateu o telefone na cara dele. Minutos depois, Noll retornou a chamada de um telefone público, ainda irritado. Numa linguagem cautelosa e até codificada, Henry disse que precisava de 2 quilos. Noll disse que o custo seria de 2 mil dólares o quilo, incluindo a entrega.

Absurdo, nas palavras de Henry, mas ele não tinha escolha. Os dois pareceram chegar a um acordo e decidiram acertar os detalhes da entrega mais tarde.

Jackson Lewis e sua equipe de agentes do FBI estavam muito entusiasmados. Todo o esquema e paciência deles agora os levara à Strip. Os dias de dezoito horas estavam prestes a compensar.

EM 8 DE FEVEREIRO, Henry Taylor dirigiu quatro horas até um hotel interestadual ao sul de Nashville. Ele pagou em dinheiro por uma noite e se recusou a fornecer qualquer tipo de documento de identidade. Passou uma hora aguardando no saguão e observou cada veículo e pessoa que passava. Às quatro e meia da tarde em ponto, J. W. Gross parou seu Buick no estacionamento e caminhou em direção ao saguão, carregando uma maleta. Lá dentro, fez contato visual com Taylor e o acompanhou até seu quarto no primeiro andar.

Como agora eram uma equipe, Taylor não se preocupou em procurar uma escuta em Gross. De todo modo, não teria encontrado nada. A escuta estava embutida na fivela do cinto; o transmissor, escondido na coronha da pistola. Os rastreadores ouviam cada palavra em alto e bom som:

TAYLOR: Então, alguma novidade?
GROSS: Nada mudou. O Sr. Getty diz que eles estão prontos pra passar um fim de semana romântico nas montanhas e animados com a previsão do tempo. Parece que vão ser dias bonitos.
TAYLOR: Ótimo. Conseguiu o dinheiro?
GROSS: Tá bem aqui. Cinquenta mil em dinheiro. A outra metade vai estar te esperando assim que recebermos a terrível notícia.
TAYLOR: Vai ser um baita show. Vocês deveriam escolher um lugar próximo para assistir aos fogos de artifício. Três da manhã deste sábado.
GROSS: Obrigado, mas vou passar. Normalmente estou dormindo a essa hora.

TAYLOR: É sempre divertido assistir.
GROSS: Acho que você conseguiu os explosivos.
TAYLOR: Consegui. Vamos nos encontrar no sábado à tarde pra eu pegar o resto do dinheiro. Eu te ligo quando acabar.
GROSS: Combinado.

Eles observaram J. W. sair do hotel e esperaram duas horas até que Taylor aparecesse com sua pequena bolsa de viagem. Eles o seguiram até a cidade de Pulaski, no Tennessee, onde Nevin Noll aguardava no estacionamento de um mercadinho movimentado. Estava fumando um cigarro, ouvindo rádio, observando o trânsito, esperando uma caminhonete Dodge azul. Em sua caçamba, havia 2 quilos de Semtex comprados no mercado clandestino perto de Keesler.

Eles estavam de olho, e a visão de Noll fumando de um jeito casual e jogando as cinzas na calçada, com uma bomba no porta-malas, os deixou inquietos. Eles mantiveram distância.

O Dodge azul chegou e estacionou ao lado de Noll. Ele entrou na caminhonete, e os dois conversaram por alguns minutos. Em seguida, saíram do carro, e Noll abriu o porta-malas da picape. Entregou uma caixa para Taylor, que a colocou em um recipiente de metal na caçamba de seu veículo. Noll fechou o porta-malas, disse algo a Taylor e foi embora.

O plano de Taylor era dirigir a noite toda e ficar na casa de um amigo, perto de Knoxville. Os explosivos estavam guardados em segurança dentro de uma caixa de metal hermética e à prova d'água, construída por ele mesmo. Levaria cerca de uma hora para montar a bomba.

Tanto esforço para nada. A 8 quilômetros de Pulaski, a rodovia foi repentinamente bloqueada por luzes azuis e havia ainda mais gente correndo em sua direção. Ele foi preso sem dizer uma palavra, algemado, jogado na traseira de uma viatura da Polícia Estadual do Tennessee e levado para Nashville.

Eles foram pacientes e esperaram até que Nevin Noll voltasse para o território do Mississippi. Não havia necessidade de transferi-lo posteriormente se isso pudesse ser evitado. Quando ele cruzou a fronteira do estado perto de Corinth, um babaca qualquer colou na traseira dele com os faróis acesos e não o ultrapassava de jeito nenhum. Então, as luzes azuis se acenderam.

46

É claro que não havia nenhum Sr. Getty, nenhuma esposa rebelde, nenhum amante, nenhum ninho de amor que precisasse ser detonado. J. W. Gross era um personagem real que interpretara a si mesmo de forma brilhante e recebera uma boa quantia do FBI. Ele adorou a aventura e disse estar disponível para uma próxima. Todos os 50 mil dólares em notas marcadas foram recuperados.

Jackson Lewis se deleitou com o sucesso de sua operação secreta e teve certeza de que aquilo mudaria sua carreira, mas havia pouco tempo para celebrar.

DEPOIS DE ALGUMAS HORAS de sono agitado em um colchão sujo na cama de baixo do beliche, porque a de cima era território do Big Duke, Henry Taylor foi retirado da cela, algemado a uma cadeira de rodas, teve a cabeça coberta com um capuz preto e foi empurrado em silêncio até uma sala sem janelas no porão da prisão. Depois de colocado em frente a uma mesa, o capuz foi removido, mas as algemas não.

Os agentes especiais Jackson Lewis e Spence Whitehead o encararam, ambos muito sérios.

Para aliviar aquele momento terrível, Taylor puxou conversa, dizendo:

– Bom, rapazes, não sei o que tá acontecendo, mas vocês pegaram o homem errado.

Nenhum dos dois sorriu.

– Isso é o melhor que você pode fazer? – rebateu Lewis.

– Por enquanto, sim.

– Nós encontramos 2 quilos de explosivos plásticos, de uso militar e altamente ilegais, na caçamba da sua caminhonete. Onde conseguiu isso?

– Isso é novidade pra mim. Alguém deve ter colocado lá.

– Claro. Nós pegamos o seu amigo Nevin Noll ontem à noite no Mississippi. Ele afirma que você pagou a ele 10 mil dólares pelo material. Por coincidência, ele tinha 10 mil dólares em dinheiro nas coisas dele.

Taylor tentou disfarçar, mas não conseguiu manter os lábios fechados. Seus ombros cederam, e ele baixou o olhar. Quando voltou a falar, a voz estava rouca.

– Por que vocês colocaram esse capuz na minha cabeça?

– Porque a gente acha a sua cara repugnante. Porque somos o FBI e vamos fazer o que quisermos.

– Imagino que vocês vão ficar com o meu dinheiro, quem sabe dividir entre os dois.

– Dinheiro é a última coisa com que você deveria se preocupar, Taylor. Conspiração envolvendo um homicídio sob encomenda é crime punível com pena de morte no Tennessee. Aqui eles usam a cadeira elétrica. Lá no Mississippi, matar alguém por dinheiro vai te mandar pra câmara de gás.

– Cada escolha uma renúncia. Eu tenho direito de opinar?

– Não. Você vai pra Biloxi. Já esteve lá?

– Não.

Whitehead entregou um objeto a Lewis, que o colocou sobre a mesa.

– Reconhece isso, Taylor?

– Não.

– Imaginei. É o detonador que você deixou no fórum de Biloxi, o mesmo usado pra detonar a bomba que matou Jesse Rudy. Quanto desleixo. Seu nome era Lyle naquela época. Encontramos a sua camisa também na mesma lata de lixo. Tem uma impressão digital parcial no detonador que corresponde às digitais tiradas do seu quarto de hospital. Desleixado outra vez. Por coincidência, essas digitais correspondem a pelo menos uma dúzia que encontramos no quarto 19 no Beach Bay Motel, em Biloxi, incluindo seis tiradas das duas armas que você tentou esconder debaixo do colchão. De novo, por coincidência, essas digitais correspondem às que tiramos da sua caminhonete Dodge, junto de outras dezenas tiradas da sua casa, do seu pequeno laboratório de bombas nos fundos e do seu escritório no armazém em Union City. Você é burro demais, Taylor. Deixou pra trás impressões digitais suficientes pra derrubar toda a Dixie Mafia.

– Não tenho nada a dizer.

– Bom, talvez queira reconsiderar isso. Seu amigo Noll está falando, cantando feito um passarinho, tentando salvar a própria pele, já que não dá a mínima pra sua.

– Eu gostaria de falar com um advogado.

– Muito bem, vamos arrumar um pra você, em algum momento. Vamos te deixar trancado aqui por uns dias enquanto concluímos algumas coisas. Eles vão colocar você em uma cela sozinho, sem telefone, sem contato com ninguém.

– Não tenho direito a uma ligação?

– Isso é só pros bêbados e espancadores de mulheres. Você não tem direito a nada, Taylor, até que a gente diga que tem.

– A comida é uma porcaria.

– Vá se acostumando. No Mississippi, eles deixam você na solitária do corredor da morte por dez anos antes de te mandar pro gás. Duas vezes por dia, eles te dão a mesma gororoba, serragem misturada com merda de rato.

QUATRO HORAS DEPOIS, Lewis e Whitehead chegaram a Corinth e estacionaram no presídio do condado de Alcorn. O xerife os encontrou, e eles trocaram algumas informações. O homem os conduziu a uma pequena sala, onde esperaram alguns minutos enquanto o carcereiro buscava o sujeito.

Noll estava algemado, mas não encapuzado. Ele se sentou na cadeira do outro lado da mesa e olhou com escárnio para os agentes, como se os dois estivessem interrompendo alguma coisa.

– Você tá bem longe de Biloxi – comentou Lewis.

– Você também.

– Tinha 10 mil dólares com você ontem à noite. De onde veio?

– Gosto de andar com dinheiro. Não é ilegal.

– Claro que não, mas vender Semtex roubado é. Onde você conseguiu? Keesler?

– Tenho direito a um advogado. O nome dele é Joshua Burch. Não tenho mais nada a declarar.

UM AVIÃO FRETADO OS ajudou a economizar seis horas de viagem até a Costa. Chegaram a Biloxi às três e meia da tarde e se dirigiram ao fórum. Keith Rudy havia sido avisado e estava esperando. O capitão Moffett, da polícia estadual, e dois de seus investigadores se juntaram a eles. O grupo se reuniu no novo gabinete de Keith e trancou a porta. Dois policiais uniformizados se sentaram do lado de fora e eram o alerta a quem quer que ousasse se aproximar.

Jackson Lewis estava no comando e dirigia o show. Ele começou de forma dramática:

– Keith, temos sob custódia o homem que matou seu pai.

Keith sorriu e respirou fundo, mas não demonstrou nenhuma outra emoção. Dada a urgência em organizar a reunião, já esperava grandes novidades. Mas nada poderia tê-lo preparado para o que acabara de ouvir. Ele assentiu, e Lewis lhe entregou uma foto ampliada e colorida.

– O nome dele é Henry Taylor, de Union City, Tennessee. Limpa tapetes para viver, constrói bombas como hobby. Dez anos atrás, era membro da Klan e explodiu algumas igrejas frequentadas por pessoas negras na época. Foi indiciado pelo menos duas vezes, mas nunca condenado. Conhecido no meio como um matador de aluguel que prefere explosivos.

– Onde ele está?

– No presídio de Nashville. Falamos com ele hoje de manhã, mas o sujeito não tá muito a fim de colaborar.

Keith conseguiu abrir um sorriso ainda maior e disse:

– Muito bem, vamos ouvir o que você tem pra contar. Como acharam ele?

– É uma longa história.

– Quero cada detalhe.

ENQUANTO A REUNIÃO ESTAVA em andamento, Hugh Malco deixou seu apartamento em West Biloxi e dirigiu para o trabalho em seu mais recente carro, um Corvette Sting Ray 1977. A dois quarteirões de casa, notou um policial atrás dele em uma viatura. Quando as luzes azuis se acenderam, começou a praguejar. Não estava em alta velocidade. Não havia violado nenhuma lei de trânsito. Ele parou, saltou do carro e correu na direção do policial quando percebeu que a rua estava sendo bloqueada por policiais estaduais. Um deles gritou:

– Mãos ao alto! Você está preso!

Pelo menos três revólveres foram apontados para ele, que levantou as mãos devagar. Foi empurrado contra o capô de seu Corvette de braços abertos, revistado, algemado, um pouco maltratado.

– Eu não estava em alta velocidade, juro – protestou ele.

– Cala a boca – vociferou um dos policiais.

Eles o arrastaram até uma viatura, jogaram-no lá dentro e deixaram o local em uma carreata. Duas horas depois, ele foi levado para a prisão do condado em Hattiesburg e colocado sozinho em uma cela.

47

A sala de audiências principal foi mais uma vez escolhida para a ocasião. Mesas e cadeiras foram movidas, e um púlpito, montado próximo à divisória, ficava de frente para a galeria. Quando as portas se abriram, uma multidão barulhenta entrou, liderada por repórteres e cinegrafistas de várias estações de notícias – Biloxi, Jackson, Nova Orleans e Mobile. Eles invadiram o púlpito e colocaram seus microfones à vista, depois recuaram para a parede do fundo com suas câmeras imensas. Um oficial de justiça os reuniu em um único lugar. Repórteres da mídia impressa disputavam as primeiras filas. Outros oficiais de justiça apontavam aqui e ali, tentando manter a ordem em alguma medida. Atrás da imprensa, a galeria se encheu rapidamente: frequentadores assíduos do tribunal, curiosos, colegas do acusado e pessoas que simplesmente passavam pela rua. Advogados e escrivães se aglomeravam atrás do púlpito, felizes com sua condição de membros do tribunal e, portanto, autorizados a entrar e sair. Quando todos os assentos foram ocupados, um oficial de justiça fechou a porta enquanto outro ficou de guarda no corredor, a fim de mandar embora aqueles que não tiveram a sorte de conseguir entrar.

Às dez em ponto, cedo o suficiente para virar notícia nos jornais de meio-dia, uma porta lateral se abriu e o promotor de justiça apareceu, seguido pelo FBI e pela polícia estadual. Nenhum morador foi convidado para o show. Keith subiu ao púlpito, com Egan Clement à sua esquerda. Estavam flanqueados pelos agentes especiais Jackson Lewis e Spence Whitehead, o capitão Moffett e dois investigadores da polícia estadual.

Keith começou com um sorriso e agradeceu a todos por estarem ali. Ele tinha 28 anos, era bonito, elegante, bem-vestido e muito consciente de que estava falando para um público bastante amplo.

– Ontem, o grande júri do condado de Harrison, reunido neste mesmo tribunal, indiciou três homens por homicídio qualificado mediante encomenda contra o ex-promotor de justiça, Jesse Rudy. A denúncia aponta que em 20 de agosto do ano passado, 1976, Nevin Noll e Henry Taylor conspiraram para cometer, e de fato cometeram, o homicídio de Jesse Rudy. Nevin Noll pagou uma grande quantia em dinheiro a Henry Taylor para que ele realizasse o crime. O Sr. Taylor é um personagem conhecido do submundo e um talentoso fabricante de bombas. O grande júri denunciou os réus por homicídio qualificado mediante encomenda, sendo o delito executado por Henry Taylor. O crime, de acordo com a Seção 98-17-29 da legislação do Mississippi, é passível de pena de morte, a ser cumprida na penitenciária estadual de Parchman. O estado do Mississippi fará de tudo para condenar os réus à pena de morte. Os dois foram presos na semana passada e estão sendo mantidos em diferentes prisões do estado, fora do condado de Harrison.

Keith fez uma pausa, para que os repórteres anotassem tudo. Tentou ignorar a fileira de câmeras na parede do fundo da sala, que estava lotada e silenciosa; todo mundo aguardava por mais informações.

– O homicídio foi solucionado pelo magnífico trabalho da nossa polícia estadual e, especialmente, pela grande talento investigativo do FBI. Os agentes especiais Jackson Lewis e Spence Whitehead conduziram uma operação secreta que foi nada menos que brilhante. Por muitos motivos, não posso entrar em detalhes, mas espero que um dia a história seja contada. Nós, o povo deste estado, temos uma grande dívida com esses grandes oficiais. Não me aprofundarei neste ponto agora. O objetivo deste comunicado era informar a população. Vou responder às perguntas, mas apenas algumas.

Uma repórter na primeira fila se levantou e gritou:

– Quando os réus serão levados a julgamento?

– O juiz Oliphant marcou a audiência de custódia para sexta-feira de manhã, aqui neste tribunal.

– Eles terão permissão para pagar a fiança e responder em liberdade? – perguntou outro.

– O Ministério Público vai se opor à concessão de fiança, mas isso é uma decisão do juiz.

– A investigação foi obstruída pelas autoridades policiais locais?

– Bem, com certeza elas não ajudaram. Recebemos alguma ajuda da polícia da cidade de Biloxi, mas mantivemos a investigação bem longe do departamento do xerife.

– Por quê?

– Por motivos óbvios. Não é um setor de confiança.

– Haverá outros réus?

– Nada a declarar nesse sentido. Porém, sem dúvida podemos esperar muitas manobras jurídicas do momento presente até o julgamento.

– O doutor será o promotor responsável pelo caso?

– É o meu objetivo, sim, a partir de agora. É o meu trabalho.

– O doutor não acha que há um conflito de interesses?

– Não, mas se for necessário que eu me afaste do caso, eu o farei.

– Deseja que esses homens sejam mortos por assassinar o seu pai?

Sem hesitar, Keith respondeu:

– Sim.

O GRANDE JÚRI INDICIOU também o sargento Eddie Morton, um mecânico de carreira da Força Aérea que estava alocado havia nove anos em Keesler. Uma denúncia anônima havia notificado o FBI de que Morton estava vendendo explosivos e material bélico às escondidas. Morton estava sob vigilância na prisão da base por conta de risco de suicídio e enfrentaria uma corte marcial e uma longa pena.

Na presença de seu advogado, ele se sentou diante da polícia da Força Aérea e contou sua história. Estava em Keesler havia nove anos e passava muito tempo nas boates. Tinha um sério problema com bebida e imensas dívidas de jogo. O Sr. Malco, do Lucky Star, havia se oferecido para perdoar suas dívidas em troca de alguns explosivos. Em 3 de agosto do ano anterior, Morton entregara 2 quilos de Semtex para Nevin Noll, apresentado como associado de Malco.

Quando Keith foi informado disso, soltou um enorme suspiro de alívio. Depois se reuniu com seu grande júri para uma sessão de emergência. Em um rápido encontro, indiciou Hugh Malco por homicídio em primeiro grau.

JOSHUA BURCH NÃO CONSEGUIA visitar seus clientes, e ninguém parecia muito preocupado com isso. Ele ligou para Keith várias vezes e se opôs com veemência ao fato de ele estar escondendo os três réus. Alegava a existência de algum direito constitucional qualquer que previa que o réu deveria ser alojado em uma prisão perto de casa, mas Keith educadamente respondeu que aquela era uma afirmação absurda.

O principal dilema de Burch era qual réu representar, embora a resposta não fosse tão complicada; ele pegaria aquele que tivesse mais dinheiro. Quando finalmente conseguiu falar com Nevin Noll por telefone, tentou gentilmente lhe dar a má notícia e explicar que, em um caso de homicídio qualificado com três réus, havia muitos possíveis conflitos de interesse para qualquer advogado conseguir dar conta. Ele, Burch, era leal aos Malco, e Noll teria que encontrar outro advogado. Foi uma conversa difícil, porque Noll havia nutrido certo afeto por Burch desde que ele o livrara do homicídio de Earl Fortier, treze anos antes. Foi o primeiro assassinato de Noll e, depois de ser considerado inocente, aquilo o inspirou a matar outras vezes.

E, naquele momento, seu advogado de confiança estava lhe dispensando. Burch prometeu encontrar outro criminalista talentoso, mas não seria barato. Noll presumiu que os Malco cobririam os gastos.

Depois que levaram seu dinheiro, Henry Taylor não tinha como arcar com os custos de contratar ninguém, principalmente um advogado. Por quatro dias, foi mantido na solitária, na prisão de Nashville, e não tocou em um telefone até o terceiro dia.

A NOTÍCIA DAS DENÚNCIAS recebeu cobertura de primeira página em todo o Extremo Sul, e o rosto severo e bonito de Keith estava por toda parte. Logo de início, a história era extremamente cativante – filho em busca de vingança pela morte do pai –, mas se tornou de fato irresistível quando o *Gulf Coast Register* encontrou uma foto antiga de Keith e Hugh posando com seus companheiros de equipe no Time das Estrelas de Biloxi, em 1960.

Keith foi inundado com ligações e perguntas de repórteres de todo o país. Foi forçado a deixar seu novo gabinete no tribunal e buscar refúgio no Rudy & Pettigrew. O frenesi só piorou conforme eles se preparavam para as audiências de custódia.

NA SEXTA-FEIRA, DIA 18 DE FEVEREIRO, o fórum foi cercado por viaturas recém-higienizadas da polícia rodoviária. Os agentes estavam por toda parte, alguns organizando o tráfego. As vans dos programas de notícias estavam paradas em um pequeno estacionamento nos fundos do edifício, e as câmeras foram direcionadas para uma área perto da entrada dos fundos. A polícia de Biloxi garantiu às equipes de filmagem que estariam na posição perfeita para filmar os três réus enquanto eles fossem conduzidos ao tribunal.

De fato, estavam. Às 9h45, três viaturas chegaram juntas. Hugh Malco foi retirado da primeira e, algemado e com correntes nos tornozelos, foi escoltado lentamente para dentro do prédio. Alguns repórteres fizeram perguntas banais para ele, mas o homem apenas sorriu. Logo atrás, vieram Nevin Noll, com uma expressão séria, e Henry Taylor, com olhos e cabeça baixos.

Keith tinha um nó no estômago do tamanho de uma bola de beisebol. Sentou-se à mesa da acusação, com Egan à sua esquerda e uma multidão silenciosa atrás dele, aguardando o momento em que os réus seriam trazidos por uma porta lateral e ele e Hugh ficariam frente a frente pela primeira vez.

Do outro lado, Joshua Burch estava sentado com sua equipe e os outros advogados de defesa, todos franzindo a testa gravemente para documentos e de vez em quando cochichando estratégias importantes uns para os outros.

Keith estava muito abaixo dele e sabia disso. Em seus cinco meses como promotor de justiça, havia participado de oito casos do início ao fim, e, embora tivesse vencido os últimos sete, tinham sido vitórias fáceis. Nunca havia sequer assistido a uma sessão de julgamento em um caso de homicídio punível com pena de morte. Seu pai servira como promotor público por quase cinco anos e nunca tinha participado de um caso como aquele. Eram cansativos, complicados e os riscos eram imensos.

Burch, por outro lado, havia passado as últimas três décadas diante de júris e exalava um ar de extrema confiança, independentemente da culpa ou inocência de seus clientes. Jesse havia dito muitas vezes que Joshua Burch era o advogado mais tranquilo que já havia enfrentado. "Se algum dia eu for indiciado", dissera Jesse mais de uma vez, "quero Burch como meu advogado".

Uma porta lateral se abriu, e os policiais entraram. Escoltaram os três réus para cadeiras próximas à mesa da defesa e removeram suas algemas e as correntes dos tornozelos. Keith lançou um olhar furioso para Hugh Malco, esperando transmitir a mensagem: *Você está no meu tribunal, sob meu controle, e isso não vai acabar nada bem para você.* Hugh, porém, mantinha os olhos no chão e ignorava todos ao redor.

Assim que o juiz Oliphant se sentou na tribuna, agradeceu a todos por estarem ali e mostrarem tanto interesse, e prosseguiu explicando que o propósito daquela audiência preliminar era certificar-se de que os réus haviam entendido as acusações apresentadas na denúncia e verificar as condições relacionadas a seus representantes legais. Ele chamou Henry Taylor primeiro.

Seis meses antes, Taylor havia entrado no tribunal escuro e vazio enquanto examinava o edifício e planejava o atentado. Na época, jamais imaginou que voltaria ali, principalmente algemado, denunciado por homicídio e correndo o risco de ser condenado à pena de morte. Ele mancou até o banco onde Keith Rudy o aguardava com uma carranca. Taylor respondeu a uma série de perguntas do juiz. Sim, havia lido a denúncia e entendia as acusações. Declarou-se inocente. Não, não tinha advogado e não tinha condições de pagar por um. O juiz Oliphant explicou que o Estado designaria um advogado para representá-lo e pediu que voltasse ao seu lugar.

O juiz chamou Nevin Noll, que se apresentou com Millard Cantrell, criminalista veterano de Jackson, um sujeito radical e de cabelos compridos com experiência em casos passíveis de pena de morte, com quem Burch havia trabalhado antes. Após as três primeiras conversas por telefone, Keith já desprezava o sujeito e sabia que não se dariam bem. Nada no processo de Noll seria fácil. Ele respondeu às mesmas perguntas, alegou que era inocente e que tinha contratado o Sr. Cantrell para defendê-lo. Cantrell, como todo advogado diante de uma multidão, obviamente solicitou uma audiência para tratarem da fiança. Sua Excelência não gostou nada e deixou bem claro que eles não estavam lá para discutir fiança e que a questão poderia ser resolvida mais tarde, após a apresentação de um pedido formal em nome do réu. Ele os mandou de volta aos seus lugares.

Quando o nome de Hugh foi chamado, ele se adiantou e ficou entre Joshua Burch e o promotor. Os desenhistas do tribunal rabiscavam freneticamente enquanto tentavam capturar a cena. Não havia nenhum outro som além dos lápis arranhando os blocos de papel vegetal.

Os dois já tinham sido do mesmo tamanho. Em seus dias de glória, aos 12 anos, como estrelas do esporte, tinham aproximadamente a mesma altura e peso, embora ninguém se preocupasse em medir nada disso na época. À medida que foram crescendo, seus genes assumiram o controle e Hugh parou em 1,78 metro. Seus pés ficaram mais lentos e o peitoral cresceu, uma ótima constituição física para um boxeador. Keith cresceu mais 10 centímetros e ainda era magro, mas não era páreo para seu velho amigo. Hugh se movia com a segurança de um homem que sabia como cuidar de si mesmo, mesmo dentro de um tribunal.

O juiz Oliphant prosseguiu com as mesmas formalidades. Hugh se declarou inocente. Burch não disse quase nada. Todos voltaram a seus assentos, e em seguida Burch se levantou e solicitou uma audiência para tratarem do pedido para que os réus fossem mantidos na prisão do condado de Harrison. Burch tinha apresentado uma petição, e o juiz Oliphant concordou em ouvir o que ele tinha a dizer.

Como sempre, Burch adorava uma multidão e desfilava como se estivesse em um palco. Reclamou que era absolutamente injusto "esconder" seu cliente em uma prisão a horas de distância e até transferi-lo, a fim de que ninguém, nem mesmo ele, seu advogado, soubesse onde o cliente estava. Seria impossível se preparar para o julgamento. Ele nunca havia sofrido tamanho ultraje.

– Onde sugere que ele seja mantido? – perguntou o juiz Oliphant.

– Aqui mesmo, em Biloxi! Os réus são sempre alojados em seus condados de origem, Excelência. Nunca tive um cliente levado de sua cidade e escondido em outro lugar.

– Dr. Rudy.

Keith sabia o que estava por vir e estava pronto para uma resposta engraçadinha. Deu um sorriso e disse:

– Excelência, se os réus forem entregues à custódia do xerife do condado de Harrison, daqui a uma hora terão sido todos liberados mediante uma fiança de 10 dólares e estarão de volta ao Red Velvet, tomando uísque e dançando com as strippers.

O tenso tribunal explodiu em gargalhadas, e demorou um pouco para que todos se acalmassem. Por fim, um sorridente juiz Oliphant bateu com o martelo e proclamou:

– Ordem! Ordem, por favor.

Ele assentiu para Keith, que declarou:

– Excelência, não me importa onde eles estão presos, apenas certifique-se de que não darão um jeito de sair.

NA SEMANA SEGUINTE, um grande júri em Nashville indiciou Henry Taylor e Nevin Noll pelo crime de conspiração para cometer homicídio por encomenda. Keith havia convencido o promotor de lá a obter as acusações, embora não fosse haver nenhum esforço para processar de fato os dois. Eles já tinham problemas suficientes no Mississippi.

Keith queria usar a acusação extra para piorar a situação de Taylor.

48

A batalha judicial começou para valer. Três semanas depois, em uma audiência de fiança que durou um dia inteiro, o juiz Oliphant negou a soltura dos três réus que aguardavam julgamento, independentemente de quantas promessas eles fizessem. Hugh foi enviado para um presídio perto dali, no condado de Jackson; o xerife de lá não tinha nenhum apreço por Pança e sua gangue, e prometeu manter o prisioneiro praticamente acorrentado. Seria uma viagem de trinta minutos para Joshua Burch, que ainda reclamava da injustiça. Nevin Noll foi transferido para a prisão do condado de Forrest, em Hattiesburg, para ficar mais perto de Millard Cantrell, de Jackson. Henry Taylor se tornou cliente de Sam Grinder, um advogado durão de Pass Christian. Taylor foi enviado para o presídio do condado de Hancock.

Durante as audiências preliminares, Keith insistiu que os três réus fossem mantidos longe uns dos outros, e o juiz Oliphant concordou. De fato, parecia que Sua Excelência concordaria com praticamente qualquer coisa que a acusação pedisse, e Joshua Burch estava atento a isso. Em particular, vinha reclamando havia anos que Oliphant era muito próximo de Jesse. Agora que seu promotor favorito havia sido assassinado, ele parecia determinado a ajudar o Estado a prender os assassinos. Burch planejava fazer o que todos já esperavam: apresentar uma petição requerendo o afastamento do juiz.

Isso nunca chegou a acontecer. No início de maio, o juiz Oliphant foi levado às pressas para o hospital após sofrer uma queda em seu gabinete. Sua pressão arterial estava totalmente descompensada. Os exames revelaram uma série de miniderrames, nenhum dos quais chegaria a ser fatal, mas o estrago já estava feito. Após três semanas no hospital, ele foi liberado para repouso domiciliar e depois voltou para sua pilha de processos. Por ordem dos médicos, tão cedo não presidiria outro tribunal do júri, se é que voltaria a fazê-lo. Sua esposa o encorajou a se aposentar porque, afinal, Oliphant estava chegando aos 80 anos, e ele prometeu pensar sobre o assunto.

No final de julho, ele notificou Keith e os advogados de defesa que estava voluntariamente se abstendo de participar dos três casos. Ele pediria à Suprema Corte do estado que nomeasse um juiz especial para isso. O Tribunal concordou em fazê-lo, mas meses se passaram até a chegada de um novo magistrado.

Keith não estava tentando apressar o julgamento. Henry Taylor, em confinamento solitário no presídio do condado de Hancock, não andava nada bem. Quanto mais tempo ficasse confinado em uma cela apertada, úmida, sem janelas e sem ar-condicionado, mais chances teria de perceber que Parchman só seria pior.

Com ou sem juiz, Joshua Burch continuou engordando a papelada com uma estonteante variedade de petições. Por fim, solicitou ao tribunal que afastasse o promotor, por óbvio conflito de interesses. Keith respondeu rapidamente e se opôs ao pedido.

Por alguns maravilhosos dias no início de agosto, ele conseguiu se esquecer dos processos e dos criminosos. Ainsley deu à luz uma menina saudável, Eliza, e o clã Rudy se reuniu em casa para receber a criança. Keith estava encantado por sua menina. Um filho teria complicado as coisas, por conta da pressão para que a criança fosse batizada de Jesse.

EM AGOSTO, QUASE UM ano após o assassinato, o sargento Eddie Morton foi levado à corte marcial e condenado a quinze anos de prisão por vender explosivos do depósito de munições de Keesler. Parte do acordo judicial exigia que ele colaborasse com o promotor de justiça de Biloxi.

Em seu primeiro encontro, dentro de Keesler, e com o FBI e a polícia estadual presentes e gravando, Morton revelou que em 3 de agosto de 1976 havia entregado 2 quilos do explosivo plástico Semtex para Nevin Noll, um homem que conhecia havia alguns anos. Morton admitiu ser viciado em jogos e também ter um gosto pela vida noturna na Strip. Em troca dos explosivos, o Sr. Malco prometeu perdoar suas dívidas.

Cinco meses depois, Noll ligou outra vez, em busca de mais explosivos.

Morton admitiu ter vendido quantidades menores de Semtex, Harrisite, C4, HMX, PETN e outros explosivos militares ao longo dos últimos cinco anos. Ao todo, seu pequeno negócio no mercado clandestino lhe rendera cerca de 100 mil dólares. Agora ele estava arruinado, divorciado, em absoluta desgraça e rumo à prisão.

Keith e os investigadores ficaram impressionados com Morton e avaliaram que ele seria uma excelente testemunha. No entanto, quem eles queriam de fato era Henry Taylor.

EM SETEMBRO, AINDA à espera da nomeação de um novo juiz, Keith decidiu finalmente abordar Sam Grinder com um acordo. No gabinete de Keith, ele apresentou o caso do Estado *versus* Henry Taylor. As impressões digitais coletadas por si só eram suficientes para convencer qualquer júri. A acusação conseguiria facilmente provar que Taylor estava dentro do tribunal no momento da explosão. E por qual outro motivo ele, um famoso fabricante de bombas, estaria em Biloxi?

Por um lado, Keith estava enojado com a ideia de fazer um acordo com o homem que de fato havia matado seu pai. Por outro, seu alvo era Hugh Malco, e para pegá-lo ele precisava de dados concretos.

Como sempre, um acordo judicial era cheio de incertezas e suspeitas. Em troca da colaboração, o Estado não costumava prometer perdão judicial. No entanto, essa ideia estava sendo debatida. Primeiro, as acusações no Tennessee seriam retiradas e esquecidas. Taylor testemunharia contra Nevin Noll, a única pessoa com quem havia feito contato, contaria tudo, depois se declararia culpado e receberia uma sentença. O Estado recomendaria uma pena de prisão de dez anos. A polícia estadual encontraria um lugarzinho melhor para ele em uma cadeia local, longe de Biloxi, e Taylor escaparia de Parchman. Se ele se comportasse, seria elegível para liberdade condicional antecipada e quem sabe encontraria um esconderijo permanente.

Caso contrário, iria para o corredor da morte para um encontro com a câmara de gás. Keith planejava levar Taylor a júri primeiro, antes dos outros dois, e conseguir a condenação, que usaria contra Noll e Malco.

Grinder era um advogado experiente que sabia identificar um bom acordo. Passou horas com Taylor e finalmente o convenceu a aceitar a proposta.

A VERDADE É QUE a Suprema Corte estava tendo dificuldades de encontrar um juiz que se oferecesse para presidir um caso tão importante contra um grupo de bandidos que havia acabado de explodir o fórum onde o próprio julgamento aconteceria. O sul era mesmo um local perigoso!

Por fim, conseguiram persuadir um velho e excêntrico juiz chamado Abraham Roach a tirar o pó de sua toga, dar uma pausa na aposentadoria e entrar no campo de batalha. Roach era do Delta do Mississippi, não muito longe de Parchman, e havia crescido em um meio em que as armas faziam parte da vida. Na infância, caçava veados, patos, codornas e praticamente qualquer outro animal selvagem que se movesse. No auge de sua carreira, havia servido como juiz do circuito por mais de trinta anos. Era conhecido por carregar uma Magnum .357 em sua pasta e mantê-la sempre ao lado da tribuna. Não tinha medo de armas nem dos homens que as carregavam. Além disso, aos 84 anos, tivera uma ótima vida e estava entediado.

Ele chegou em fevereiro de 1978, cheio de energia, e passou dois dias seguidos inteiros ouvindo a argumentação oral dos advogados a respeito de uma série de questões. Por conta da idade, não deixava nada para depois e decidia tudo na hora. Sim, o julgamento seria transferido para outro condado que não o de Harrison. Não, ele não forçaria Keith Rudy a se retirar do caso, pelo menos não em um futuro próximo. Haveria três julgamentos separados, e o promotor, não a defesa, decidiria a ordem.

Àquela altura, dezoito meses haviam se passado desde o crime. Os réus estavam sob custódia havia quase um ano. Era hora de um julgamento, e o juiz Roach marcou a audiência de Henry Taylor para o dia 14 de março de 1978, no tribunal do condado de Lincoln, em Brookhaven, no Mississippi, 260 quilômetros a noroeste de Biloxi.

Enquanto os advogados assimilavam a decisão, Keith se levantou e declarou calmamente:

— Excelência, o Ministério Público tem um comunicado a fazer. Não será necessário levar o Sr. Taylor a julgamento. Assinamos um acordo com ele, no qual o réu se declarará culpado em uma data posterior e colaborará com o Estado.

Joshua Burch grunhiu alto como se tivesse levado um soco no estômago. Millard Cantrell se virou e apontou um dedo zangado para Sam Grinder. Seus subordinados absorveram o golpe, cochicharam em voz alta, vasculharam a papelada. A defesa unificada de repente se viu completamente em desalinho, e o Sr. Malco e o Sr. Noll tinham acabado de ser empurrados para muito mais perto da câmara de gás.

Burch por fim se levantou e começou a reclamar sobre como a escolha do momento para dar aquele aviso era injusta, e assim por diante, mas não havia nada que ele pudesse fazer. O promotor de justiça tinha um enorme poder para fechar acordos, pressionar testemunhas e qualquer réu que escolhesse como alvo.

– Dr. Rudy, quando o acordo foi fechado? – perguntou o juiz Roach, em tom sério.

– Ontem, Excelência. Já está em andamento há algum tempo, mas o Sr. Taylor só assinou ontem.

– Eu preferiria que o doutor tivesse me contado isso logo de manhã.

– Desculpe, Excelência.

Keith estava tudo, menos arrependido. Havia aprendido a arte da emboscada com seu pai. Era importante deixar a defesa no escuro.

HENRY TAYLOR DEIXOU A prisão do condado de Hancock em um carro sem identificação e foi conduzido pela polícia estadual até a cidade de Hernando, seis horas ao norte, muito próximo de Memphis. Ele foi registrado no presídio do condado de DeSoto sob um pseudônimo e ganhou uma cela só para ele, a única com ar-condicionado. O jantar foi um pedaço de costela de porco que um carcereiro amigável tinha assado numa grelha em algum lugar dos fundos. Os policiais não faziam ideia de quem ele era, mas ficou óbvio que o novo prisioneiro era alguém importante.

Embora ainda estivesse encarcerado e fosse permanecer por anos, Henry estava aliviado por estar longe da Costa e da constante ameaça de ter sua garganta cortada.

Ele havia cumprido um ano; faltavam apenas nove. Conseguiria sobreviver, e um dia sairia e nunca mais olharia para trás. Seu fascínio por bombas já era coisa do passado. Teve sorte de não ter se explodido, embora tivesse chegado muito perto disso.

UM JÁ FORA, FALTAVAM DOIS. O juiz Roach imediatamente definiu que o julgamento do caso *Estado* versus *Nevin Noll* ocorreria no dia 14 de março, no condado de Pike.

Antes de deixar a Costa para retornar à sua fazenda, ele foi convidado para almoçar na casa do juiz Oliphant, um colega da magistratura que conhecia havia muitos anos. Keith também foi convidado e, enquanto saboreavam chá gelado e salada de camarão na varanda, o objetivo do almoço ficou claro.

– Keith – disse o juiz Roach por fim –, eu e o Harry compartilhamos a opinião de que é hora de você se afastar e deixar que um promotor especial assuma o comando.

– O caso é muito pessoal pra você, Keith – completou o juiz Oliphant. – Você é uma vítima. Seu trabalho até agora tem sido exemplar, mas a gente acha que não deveria apresentar o caso ao júri.

Keith não ficou surpreso; na verdade, se sentiu estranhamente aliviado. Sozinho, em muitas ocasiões parava diante de um júri fantasma e fazia suas alegações iniciais e finais. Ambas tinham sido escritas meses antes e ajustadas centenas de vezes. Se apresentadas adequadamente em um tribunal silencioso, levariam qualquer ser humano às lágrimas e à ação. À justiça. Porém, em nenhuma dessas vezes, nem mesmo completamente sozinho, ele tinha sido capaz de chegar ao final. Não era uma pessoa emotiva e se orgulhava de manter o controle, mas, ao falar com doze estranhos sobre a morte do pai, ele desabava. À medida que as audiências se aproximavam, ficava cada vez mais convencido de que deveria apenas assistir.

Ele sorriu e perguntou:

– Quem vocês têm em mente?

– Chuck McClure – respondeu o juiz Roach, sem hesitar.

O juiz Oliphant concordou com a cabeça. Não havia dúvida de que eles haviam debatido aquele assunto várias vezes antes de convidar Keith para almoçar.

– Ele vai aceitar?

– Se eu pedir, sim. Como você sabe, ele nunca foi de se esquivar de uma câmera.

– E ele é muito bom – acrescentou o juiz Oliphant.

McClure havia servido como promotor de justiça em Meridian por doze anos e enviado mais homens para o corredor da morte do que qualquer promotor na história do estado. O presidente Johnson o nomeara procurador-geral do Distrito Sul, onde serviu com distinção por sete anos. Naquele momento, trabalhava no Departamento de Justiça em Washington, mas, de acordo com o juiz Roach, estava ansioso para voltar para casa. O assassinato de Jesse Rudy era o caso perfeito para ele.

De forma extremamente respeitosa, Keith afirmou:

– Cavalheiros, como sempre, farei o que me pedirem.

49

Faltando um mês para o julgamento de Nevin Noll, seu advogado, Millard Cantrell, abriu a correspondência em uma manhã sombria e ficou surpreso ao ver uma decisão do juiz Roach. Ele deferia o pedido de Burch para afastar Keith Rudy, uma solicitação à qual Cantrell não aderiu, e substituía Keith por Chuck McClure, um conhecido promotor.

Cantrell ficou furioso porque Burch tinha conseguido estragar tudo mais uma vez. Como Cantrell estava começando a entender, a grandeza de Burch enquanto advogado se manifestava no tribunal, onde ele florescia, mas não na trama de estratégias pré-julgamento. A intenção dele era soterrar o adversário em petições e mantê-lo na defensiva. Mais e mais, no entanto, toda essa papelada acabava cobrando um preço de Burch.

Keith era um novato sem experiência em homicídios em que o réu poderia ser condenado à pena de morte. McClure era fulminante.

Cantrell ligou para Burch em busca de mais uma discussão, mas ele não atendeu.

O espetacular colapso de Henry Taylor e sua transformação de réu em testemunha do Estado haviam enfraquecido gravemente a defesa de Nevin Noll e Hugh Malco. A chegada de Chuck McClure era o último prego no caixão. O maior desafio que tinham diante de si, entretanto, era o simples fato de ambos serem culpados pela morte de Jesse Rudy.

No entanto, aos olhos da lei, Nevin era mais culpado do que Hugh, simplesmente porque havia mais provas nesse sentido. Henry Taylor nunca tinha encontrado Hugh e não fazia ideia do que ele e Noll haviam discutido. Não havia mais ninguém por perto quando Hugh ordenou o atentado. Mas Taylor tinha certeza, e certamente poderia convencer um júri, de que Noll lhe pagara 20 mil dólares para matar Jesse Rudy, além de ter fornecido os explosivos.

Cantrell era advogado de Noll havia um ano e passara dezenas de horas com ele na prisão. Não se dava ao trabalho de fingir afeto por seu cliente e secretamente o detestava. Ele o via como um assassino a sangue-frio, incapaz de sentir remorso, um gângster orgulhoso que nunca ganhara um dólar de forma honesta e um psicopata que mataria de novo se recebesse uma boa quantia em dinheiro. A máfia corria em seu sangue, e ele jamais delataria um colega criminoso.

Mas, como seu advogado, Cantrell tinha o dever de cuidar dos interesses de seu cliente. Em sua experiente opinião, Noll estava diante de um julgamento perdido, que seria seguido por dez a doze anos miseráveis no corredor da morte, e tudo chegaria ao fim em dez minutos, no momento em que ele entrasse na câmara de gás e sufocasse com o cianeto de hidrogênio. Cantrell não tinha certeza se conseguiria conquistar um final melhor do que aquele, mas era seu dever tentar.

Eles se encontraram em uma pequena sala na prisão do condado de Forrest, a mesma de sempre. Um ano na cadeia só havia piorado a aparência de Noll. Ele tinha apenas 37 anos, mas havia rugas ao redor dos olhos e olheiras sob eles. O cabelo preto e grosso ficava mais grisalho a cada mês. Ele fumava um cigarro atrás do outro, como se pouco a pouco cometesse suicídio.

– Daqui a alguns dias, vou me encontrar com o juiz pra outra audiência – explicou Cantrell. – Em breve, ele vai perguntar se houve algum esforço pra resolver o caso, qualquer conversa sobre um acordo de confissão. Acho que nós dois deveríamos pelo menos falar sobre isso.

– Você quer que eu me declare culpado?

– Eu não quero que você faça nada, Nevin. Meu trabalho é te dar opções. A primeira opção é ir a julgamento. A segunda é evitar um julgamento chegando a um acordo judicial. Você admite que é culpado, concorda em ajudar a acusação e o juiz te dá uma trégua.

Cantrell meio que esperava ser xingado por sugerir uma colaboração com o Estado. Um cara durão como Nevin Noll aguentaria qualquer punição que "aqueles desgraçados" pudessem aplicar.

Mas, quando Noll perguntou "E como seria essa trégua?", Cantrell achou que havia se enganado com seu cliente.

– Não sei. E só vamos saber depois que conversarmos com o promotor.

Noll acendeu outro cigarro e soprou a fumaça para o teto. A fachada havia desaparecido, a arrogância, o jeito durão, o sorriso sempre grudado no rosto, mostrando seu desprezo por todos ao redor. Na primeira pergunta sincera desde que haviam se conhecido, Noll indagou:

– O que você faria?

Cantrell organizou os pensamentos e se precaveu. Aquela poderia ser sua única chance de salvar a vida de seu cliente. Suas palavras deveriam ser escolhidas com cautela.

– Bom, eu não iria a julgamento.

– Por que não?

– Porque você vai ser considerado culpado, vai receber a pena máxima e depois ser enviado pra Parchman, pra definhar no corredor da morte. O júri tá doido pra te condenar. O juiz vai vir com tudo pra cima de você. Nada de bom vai sair desse julgamento.

– Então você não vai estar lá pra me proteger?

– Claro que vou, mas tem um limite para o que eu posso fazer, Nevin. Você se livrou de uma acusação de homicídio treze anos atrás com muita ajuda dos seus amigos. Não vai ser assim dessa vez. Há muitas provas contra você.

– Prossiga.

– Eu aceitaria um acordo, diminuiria o prejuízo, tentaria dar algum espaço pra ter esperança no futuro. Você está com 37 anos agora, talvez possa sair quando estiver com 60 e ainda ter alguns bons anos pela frente.

– Parece terrível.

– Não tão terrível quanto a câmara de gás. Pelo menos você vai estar vivo.

Noll sugou o filtro com força, encheu os pulmões e deixou a fumaça sair pelo nariz.

– E você acha que o Estado vai me dar uma trégua?

– Não tenho como saber até perguntar. E o Keith tem um novo membro na equipe dele, um cara chamado Chuck McClure, provavelmente o melhor promotor do estado. Ele mandou mais homens pro corredor da morte do que qualquer um na história. O cara é de fato muito bom no tribunal, uma lenda, na verdade, e agora você tá na mira dele.

Mais fumaça saiu do nariz e dos lábios de Noll.

– Tá bem, Millard, fala com eles – disse Nevin por fim.

EMBORA OFICIALMENTE AFASTADO DO CASO, Keith ainda era o promotor de justiça do distrito e, como tal, estaria envolvido na acusação. Ele ajudaria Chuck McClure em tudo, exceto no julgamento em si, durante o qual ficaria sentado perto da mesa da acusação, tomaria notas e observaria os procedimentos. Não seria apresentado aos jurados, que não saberiam que ele era filho da vítima.

O telefonema de Millard Cantrell veio do nada. Eles haviam conversado diversas vezes ao telefone e não tinham gostado um do outro de imediato, mas, quando Cantrell disse a palavra "acordo", Keith ficou surpreso. Ele nunca havia, nem por um segundo, cogitado a possibilidade de que um criminoso durão como Nevin Noll consideraria fazer um acordo no qual confessaria o crime. Entretanto, quantos deles haviam corrido o risco de ir parar na câmara de gás?

O navio estava afundando, e os ratos, pulando no mar.

Eles se encontraram dali a dois dias no gabinete de Keith. Cantrell havia sugerido que se encontrassem em Hattiesburg, no meio do caminho, mas Keith era o promotor e defendia que todos os advogados respeitassem os seus termos e o seu território.

Antes da reunião, Keith e Chuck McClure conversaram por uma hora e discutiram as estratégias a seguir. Um acordo com Nevin Noll enviaria Hugh Malco direto para o corredor da morte, quase sem pausa para a formalidade de um julgamento. Keith queria os dois no corredor da morte, talvez até mortos ao mesmo tempo em uma dupla execução, mas McClure o lembrou de que Hugh Malco era de fato o grande prêmio.

Keith não ofereceu café e não se esforçou para ser agradável. Ele franziu a testa para Cantrell e disse:

– Colaboração total, depoimento contra o Malco, e ele pega trinta anos. Nem um ano a menos.

Cantrell já estava derrotado e ambos sabiam disso. Um tanto contido, ele respondeu:

– Eu esperava algo que pudesse atrair um pouco mais o meu cliente. Um acordo que ele pudesse aceitar.

– Lamento.

– Keith, olha só. A meu ver, você precisa desesperadamente do Noll porque ninguém mais pode colocar toda a culpa no Malco. Não tinha mais ninguém presente além deles. Partindo do pressuposto de que o Malco tenha ordenado o atentado, ninguém mais pode provar isso.

– O Ministério Público tem muitas provas, e o seu cliente vai ser o primeiro a cair. É impossível ele escapar da câmara de gás.

– Eu concordo, Keith, concordo mesmo. Mas não tenho tanta certeza de que você vai conseguir condenar o Malco.

– Trinta anos para uma confissão de culpa. Colaboração. A acusação do Tennessee é retirada. Sem negociação.

– A única coisa que posso fazer é debater com meu cliente.

– Eu espero que ele diga não, Millard. De verdade. Só vou ficar satisfeito quando vir Nevin Noll ser amarrado na câmara de gás e o interruptor, ligado. Visualizo essa cena diariamente e sonho com ela todas as noites. Todas as manhãs, na missa, rezo pra que isso aconteça, sem nenhum remorso.

– Já entendi.

– Você tem 48 horas pra tomar uma decisão.

50

O julgamento de Hugh Malco começou na manhã de segunda-feira, 3 de abril, no tribunal do condado de Hattiesburg. O juiz Roach escolhera a cidade por vários motivos, alguns legais, outros práticos. Curiosamente, a defesa queria o desaforamento porque Joshua Burch estava convencido de que o nome Malco era tóxico ao longo de toda a Costa. O juiz Roach havia contratado um especialista que fez uma enquete nos três condados e ficou surpreso ao descobrir que quase todos os entrevistados acreditavam que a gangue Malco havia executado Jesse Rudy por vingança. Já o Estado queria mudar o local do julgamento para mantê-lo longe de Albert Bowman e suas artimanhas. Hattiesburg ficava a 120 quilômetros ao norte, a meio caminho de Jackson, e era uma cidade universitária de 40 mil habitantes com bons hotéis e restaurantes. Em uma de suas viagens de volta ao Delta, o juiz Roach e seu escrivão examinaram o tribunal do condado de Forrest e ficaram impressionados com a espaçosa e bem conservada sala de audiências. O juiz do circuito acolheu o julgamento e disponibilizou sua equipe. O xerife do condado e o chefe de polícia concordaram em fornecer segurança.

Um dia antes do início do julgamento, Hugh Malco foi transferido para a prisão do condado de Forrest, o mesmo lugar onde Nevin Noll havia passado o ano anterior. Mas ele não estava lá; tinha sido transferido para um local não revelado e seria mantido sob um forte regime de segurança quando necessário.

Por volta das oito da manhã, as vans de notícias começaram a chegar e as equipes de filmagem se instalaram em uma área perto da porta da frente, que foi isolada e estava sendo observada por muitos homens uniformizados. Cada porta do tribunal era vigiada, e os funcionários do condado só podiam entrar mediante apresentação de credenciais. Um passe numerado emitido por um escrivão do circuito era necessário para os espectadores. A capacidade do tribunal era de duzentas pessoas, metade das quais seriam os possíveis jurados. As equipes jurídicas – Burch na defesa e Keith e McClure na acusação – entraram por uma porta lateral e foram escoltadas até a sala de audiências. O réu chegou acompanhado por várias viaturas e foi conduzido rapidamente pela porta dos fundos, longe das câmeras.

Quando o juiz Roach se sentou na tribuna às nove em ponto, encarou a multidão e agradeceu a todos pelo interesse. Ele explicou que passariam a maior parte daquele dia e talvez do próximo selecionando o júri. Seria um processo lento, e ele não tinha pressa. Depois, apresentou as partes. À sua esquerda e sentado na mesa mais próxima do júri, encontrava-se o Dr. Chuck McClure, o promotor que representava o estado do Mississippi. Ao lado dele, estava sua assistente, Egan Clement.

Keith estava sentado bem atrás de McClure, do outro lado da divisória, e não foi apresentado.

À direita, e apenas a alguns metros de distância, encontrava-se o réu, o Sr. Hugh Malco, espremido entre seus advogados, Joshua Burch e Vincent Goode, seu sócio.

Keith olhou para a primeira fila e sorriu para Agnes, que estava sentada com seus outros três filhos. Atrás deles, havia duas fileiras de repórteres.

A empolgação com o sinal que indicava a abertura da sessão logo passou, quando o juiz Roach começou a podar seu júri, embora o grupo tivesse sido cuidadosamente selecionado. A intenção era que fossem excluídos os maiores de 65 anos, as pessoas doentes, candidatos que apresentavam as mais variadas desculpas, como demandas de trabalho e família, preocupações médicas adicionais e reservas quanto a serem convocados a impor a pena de morte a alguém, caso necessário. Cerca de metade dos possíveis jurados admitiu ter ouvido as notícias sobre o atentado a bomba no tribunal de Biloxi e a morte de Jesse Rudy.

Keith resistiu ao impulso de encarar Hugh, que escrevia sem parar em blocos de papel e não olhava para ninguém. Um esboço de um desenhista do tribunal mostraria os dois homens sentados a apenas alguns centímetros de distância, olhando um para o outro, mas não seria uma imagem precisa.

O juiz Roach era metódico, às vezes tão lento que chegava a ser dolorosa e eminentemente justo com aqueles que falavam. Ao meio-dia, havia dispensado trinta dos 102 candidatos, e os advogados ainda não haviam dito uma palavra. Ele fez um recesso de duas horas para o almoço e prometeu mais do mesmo para o período da tarde.

Para um homem de 84 anos, Sua Excelência mostrava uma resistência notável. Ele acelerou o ritmo quando permitiu que Chuck McClure e Joshua Burch falassem no púlpito. Os dois não tinham permissão para discutir os fatos nem começar a traçar estratégias. O trabalho deles durante o processo de seleção era aprovar os jurados de quem gostavam e eliminar aqueles de quem não gostavam.

Às seis e meia da tarde, a sessão foi encerrada com apenas os quatro primeiros aprovados sentados na bancada do júri.

O CLÃ DOS RUDY e a equipe de acusação foram para um hotel, encontraram o bar e desfrutaram de um longo jantar. Os advogados – Keith, Egan, McClure e os irmãos Pettigrews – concordavam que o primeiro dia tinha sido bom. Agnes estava nervosa nos dias que antecederam o julgamento e se recusou a comparecer, mas os filhos insistiram e, ao longo do dia, ela foi ficando fascinada com o processo de seleção. Durante anos, trabalhara no escritório e conhecia o jargão, e além disso havia assistido a Jesse em vários casos e estava familiarizada com o procedimento. Durante o jantar, ela compartilhou várias observações sobre os jurados restantes. Um cavalheiro em particular tinha uma linguagem corporal ruim e uma carranca permanente, e isso a incomodava. McClure prometeu eliminá-lo.

ÀS 10H45 DA MANHÃ de terça-feira, o último jurado tomou seu lugar na bancada. Sete homens, cinco mulheres, oito brancos, três negros, um asiático. Todos "qualificados para a execução", como dizem os advogados, o que significava que todos juraram a Chuck McClure que seriam capazes de impor a pena de morte se convocados a fazê-lo.

A morte estava no ar. Ela havia reunido todos ali e, até o fim do julgamento, seria discutida e analisada, e ameaças também viriam. A justiça não seria feita até que Hugh Malco fosse condenado e sentenciado à morte.

O juiz Roach acenou com a cabeça para Chuck McClure, mas ele já estava de pé. O promotor se apresentou diante do júri e começou a falar, de forma dramática:

– O réu, Hugh Malco, é um assassino que merece a pena de morte, e não apenas por um motivo, mas por três. Primeiro: neste estado é crime capital assassinar um funcionário público eleito. Jesse Rudy foi eleito duas vezes pelo povo da Costa como promotor de justiça. Segundo: neste estado é crime capital pagar a alguém para matar outra pessoa. Hugh Malco pagou 20 mil dólares a um matador de aluguel para assassinar Jesse. Terceiro: neste estado é crime capital matar outra pessoa usando explosivos. O assassino contratado usou explosivos militares roubados para explodir o fórum de Biloxi, tendo Jesse como alvo. As provas são claras. Este caso já está resolvido.

McClure se virou, apontou um dedo furioso para Hugh e declarou:

– Este homem é um assassino a sangue-frio que merece a pena de morte.

Todos os doze olharam para o réu. O tribunal estava quieto, silencioso. Embora a primeira testemunha não tivesse sequer sido chamada ao banco, o julgamento já tinha chegado ao fim.

Hugh assimilou aquelas palavras sem vacilar. Estava determinado a não olhar para ninguém, a não reagir a nada, a não fazer nada além de rabiscar um bloco de notas e fingir estar trabalhando duro em suas anotações. Parecia estar em outro mundo, mas seus pensamentos estavam cem por cento no tribunal. Eles se misturavam em perguntas como: *Onde foi que o plano deu errado? Por que confiamos em uma besta como Henry Taylor? Como Nevin foi capaz de me delatar? Como posso encontrar Nevin e falar com ele? Quanto tempo vou ficar no corredor da morte antes de escapar?*

Ele não nutria um único pensamento sobre ser inocente.

McClure permitiu que suas palavras ecoassem pelo tribunal, depois lançou uma narrativa prolixa sobre a história do crime organizado na Costa, com forte ênfase no papel central desempenhado pela família Malco. Jogos de azar, prostituição, drogas, bebidas ilegais, corrupção, tudo promovido por homens como Lance Malco, agora preso por seus pecados, e depois por seu filho, seu sucessor, seu herdeiro, o réu. Depois de décadas de atividades criminosas arraigadas, o primeiro funcionário público com coragem de ir atrás dos chefes do crime fora Jesse Rudy.

McClure falava sem consultar anotações, mas com domínio total de seu discurso. Havia ensaiado as alegações iniciais várias vezes com sua equipe, e cada versão só ficava melhor. O homem se movia pelo tribunal como se fosse dono dele. Os jurados observavam cada movimento, absorviam cada palavra.

Ele falou sobre Jesse e suas frustrações em seus primeiros dias como promotor, quando era um guerreiro solitário lutando contra o crime sem a ajuda da polícia; seus esforços inúteis para fechar as casas noturnas; e suas preocupações com a segurança da família. Mas era um homem destemido e jamais desistiu. O povo percebeu, os eleitores se importavam com a situação e, em 1975, ele foi reeleito sem oposição. Continuou lutando, tentando uma manobra legal após a outra, até que começou a vencer. Tornou-se mais do que uma pedra no sapato dos chefes do crime; tornou-se uma ameaça legítima para seus impérios. Quando prendeu Lance Malco, pai do réu, a hora da vingança chegara. Jesse Rudy pagou o preço mais alto por lutar contra a Dixie Mafia.

Keith tinha visto o pai se tornar um mestre no tribunal, mas, naquele momento, teve que admitir que Chuck McClure era tão brilhante quanto ele. E se lembrou de sua sábia decisão de ficar de lado. Não seria tão eficaz quanto McClure, cujas palavras evocavam muitas emoções.

McClure concluiu em 45 minutos, e todos respiraram fundo. Havia vencido de forma brilhante a batalha inicial sem mencionar os nomes de Henry Taylor e Nevin Noll. Os dramáticos depoimentos de suas principais testemunhas selariam o destino de Hugh Malco.

Joshua Burch revelou rapidamente sua estratégia, embora não fosse surpresa para ninguém. Ele tinha muito pouco com o que trabalhar. Afirmou que seu cliente era um homem inocente que estava sendo incriminado pelos verdadeiros assassinos, bandidos do submundo que haviam feito acordos com o Estado para se safarem. Alertou os jurados para que não acreditassem nas mentiras que estavam prestes a ouvir dos homens que haviam assassinado Jesse Rudy. Hugh Malco não era nenhum gângster! Era um empresário que administrava vários negócios: uma rede de lojas de conveniência, uma loja de bebidas com licença legal, dois restaurantes. Havia construído e administrava edifícios de apartamentos e um shopping center. Trabalhava desde os 15 anos e teria ido para a faculdade, mas seu pai precisava dele conforme os negócios da família cresciam.

O assassinato de Jesse Rudy foi o mais sensacional da história da Costa do Golfo, e o Estado estava desesperado para solucioná-lo e punir alguém. Em sua ânsia, porém, havia sacrificado a busca pela verdade, baseando-se no depoimento de homens nos quais não se podia confiar. Não havia nenhum outro elo direto com Hugh Malco, um jovem de boa índole que sempre respeitara Jesse Rudy. Na verdade, ele admirava a família Rudy.

Keith observou as expressões dos jurados e não viu nenhuma simpatia pelo réu, nada além de suspeitas.

Depois que Burch se sentou, o juiz Roach suspendeu a sessão para um longo almoço.

EM UM JULGAMENTO POR HOMICÍDIO, a primeira testemunha a ser chamada pela maioria dos promotores é um membro da família da vítima. Ainda que isso raramente contribua para o conjunto probatório, costuma dar o tom e despertar a simpatia do júri. Agnes não queria fazer parte disso, e Keith achava desnecessário.

McClure chamou um investigador da polícia estadual. O trabalho dele era mostrar ao júri a cena do crime e descrever o que tinha acontecido. Usando uma série de fotos ampliadas, ele conduziu o júri pela explosão e os consequentes danos. Quando chegou a hora de mostrar as imagens da vítima, Keith acenou para um oficial de justiça, que caminhou até a primeira fila e escoltou Agnes, Tim, Laura e Beverly para fora do tribunal. Foi uma saída dramática, planejada cuidadosamente por Keith e McClure, o que irritou Joshua Burch, que se levantou para protestar, mas desistiu. Chamar atenção para a família de Jesse só pioraria as coisas.

Keith olhou para o chão enquanto os jurados se escandalizavam diante das quatro fotos do corpo mutilado e desmembrado de Jesse coladas na parede.

Um legista subiu ao banco das testemunhas para explicar a causa da morte, embora seu depoimento não fosse necessário.

Um perito do laboratório do FBI passou meia hora explicando o impacto da explosão causada por 2 quilos de Semtex em uma sala pequena, do tamanho de um escritório. Era muito mais do que o necessário para matar um homem.

Joshua Burch não fez uma única pergunta às três primeiras testemunhas da acusação.

Até aquele momento, as provas haviam sido apresentadas em depoimentos objetivos e sem rodeios. McClure conduzia tudo de forma a manter as respostas breves, indo diretamente ao ponto. As fotos falavam por si.

Durante o recesso da tarde, Agnes e a família voltaram para a primeira fila. Eles jamais veriam as tenebrosas fotos de Jesse. Keith as tinha visto meses antes e seria assombrado para sempre por aquelas imagens.

O drama começou com a quarta testemunha, o ex-sargento da força aérea, Eddie Morton. McClure se antecipou e explicou que Morton havia sido submetido à corte marcial e estava cumprindo pena em uma prisão federal. Morton descreveu seu negócio paralelo vendendo explosivos militares para inúmeros compradores durante um período de cinco anos. Admitiu ter problemas com jogos de azar e uma predileção por frequentar as boates de striptease de Biloxi, e então contou que cerca de três anos antes havia conhecido um sujeito chamado Nevin Noll. Em 6 de julho de 1976, ele deixou Keesler com 2 quilos de Semtex, dirigiu até um lugar chamado Foxy's, localizado na Strip, tomou um drinque com Noll e saiu de lá com 5 mil dólares em dinheiro. Os dois foram até o estacionamento, onde Morton abriu seu porta-malas e entregou a Noll uma caixa de madeira contendo o material. Em fevereiro de 1977, foi contatado novamente por Noll, que queria mais explosivos.

O depoimento de Morton foi hipnotizante, e o tribunal inteiro ficou fascinado com o que ele contou.

Ao interrogá-lo, Joshua Burch deixou claro que a testemunha era um criminoso condenado, um ladrão, um traidor e uma vergonha para a Força Aérea e para o país. Questionou a credibilidade de Morton e indagou diversas vezes se a promotoria havia lhe prometido perdão judicial em troca do testemunho. Morton negou com veemência, mas Burch insistiu mesmo assim.

Como todo grande advogado, Burch manteve a compostura e em momento algum pareceu perder a confiança em seus argumentos. Mas Keith o tinha visto em ação antes e sabia que a arrogância dele havia esmaecido um pouco. Seu cliente era um homem morto, e ele sabia disso.

Hugh conseguiu passar o tempo todo rabiscando e sem erguer os olhos, como se fingisse que não havia mais ninguém dentro do tribunal. Em momento algum cochichou qualquer coisa para seus advogados, nem reagiu a uma única palavra vinda do banco das testemunhas. Keith olhava para ele de vez em quando e se perguntava o que diabos ele estava escrevendo. A mãe dele, Carmen, não estava presente, nem seus irmãos. O pai estava sobrevivendo a mais um dia na prisão, sem dúvida ansioso para ler os jornais do dia seguinte.

Keith e Chuck McClure haviam passado horas planejando suas estratégias quanto a quais testemunhas convocar. Uma das ideias era intimar alguns dos outros criminosos da Strip e passar um dia inteiro com eles sentados no banco das testemunhas. O objetivo seria provar a motivação para o crime. Eles odiavam Jesse Rudy e havia muita animosidade. A melhor ideia que tiveram foi atrair o xerife Bowman e despedaçá-lo diante do júri. No final das contas, porém, concordaram que os fatos estavam claramente a favor da acusação. Tinham provas e testemunhas. Não fazia sentido complicar as coisas. O melhor era ir direto ao ponto, agir rápido e obter a condenação.

A QUARTA-FEIRA COMEÇOU COM um baque no momento em que McClure anunciou a testemunha seguinte da acusação, o Sr. Henry Taylor. Para a ocasião, ele teve permissão para tirar o macacão laranja da cadeia e usar uma camisa branca engomada e calças cáqui bem passadas. McClure havia passado duas horas com ele na noite anterior, e a série de perguntas e respostas fora muito bem ensaiada.

Taylor estava ansioso para colaborar, embora soubesse que passaria o resto da vida desconfiado e com medo. Para uma multidão em absoluto silêncio, ele relatou ter sido contatado por um intermediário em julho de 1976, que lhe ofereceu um "serviço" em Biloxi. Uma semana depois, dirigiu até Jackson, no Mississippi, e se encontrou com um sujeito chamado Nevin Noll. Eles acertaram os detalhes e fecharam o acordo: o assassinato de Jesse Rudy. Por 20 mil dólares em espécie, Taylor construiria uma bomba, dirigiria até Biloxi, seguiria o Dr. Rudy até aprender todos os seus movimentos, entregaria a bomba em seu gabinete e a detonaria na hora certa. Noll afirmou que tinha uma fonte de explosivos militares e poderia cuidar do fornecimento. Em 17 de agosto, Taylor chegou a Biloxi, encontrou-se com Noll mais uma vez, foi informado por ele sobre o melhor momento para fazer o trabalho e pegou 2 quilos de Semtex. Na noite seguinte, invadiu o fórum, depois o gabinete do promotor, e vasculhou o local. Na sexta-feira, 20 de agosto, ao meio-dia, entrou no tribunal vestido como um entregador carregando pacotes, foi até o gabinete, cumprimentou o Dr. Rudy e deixou um pacote em uma cadeira ao lado de sua mesa. Fugiu depressa, mas as coisas desandaram quando cruzou com Egan Clement, a promotora adjunta, voltando do almoço. Ele não queria que ela fosse um dano colateral, então se apressou em detonar a bomba. A explosão foi muito mais forte do que ele esperava e o arremessou escada abaixo, levando-o a fraturar a perna. Taylor deu um jeito de sair de lá em meio ao caos, mas não conseguia andar. Acabou desmaiando e foi transportado para o hospital de Biloxi, onde passou três longos dias planejando sua fuga. Por fim, voltou para casa, pensando que tinha conseguido evitar um desastre.

A testemunha prendeu a atenção de todos os presentes, e McClure não teve pressa. Repassou alguns dos passos de Henry e apresentou toda a história. Pediu permissão ao juiz para que a testemunha deixasse o banco e se dirigisse a uma mesa diante da bancada do júri. Os jurados e os advogados, e todos os demais que se esforçaram o suficiente para ver, observaram fascinados enquanto Taylor montava uma bomba falsa. McClure fez perguntas sobre cada parte do artefato. A testemunha então montou a bomba, devagar e com cuidado, enquanto explicava os perigos inerentes a cada movimento. Ele acionou o interruptor e explicou o que acontecia quando o botão de detonação estava a certa distância. Gentilmente, colocou a bomba falsa em uma caixa de madeira e fingiu selá-la.

De volta ao banco das testemunhas, McClure perguntou a Taylor quantas bombas ele já havia detonado. O homem se recusou a criar provas contra si mesmo.

Burch chegou atacando e perguntou a Taylor se por acaso estava confessando um crime capital. Ele desconversou e se esquivou um pouco, disse que não tinha certeza quanto a ser um crime capital ou não, mas, sim, havia matado Jesse Rudy por dinheiro. Admitiu ter feito um acordo judicial com o Estado em troca de seu depoimento, e Burch continuou pressionando de forma implacável. Por que outro motivo um homem admitiria um crime passível de pena de morte se não tivessem prometido a ele uma sentença mais leve? O interrogatório era fascinante, às vezes de tirar o fôlego.

Burch lançou um golpe atrás do outro, analisando cada pequena discrepância enquanto embelezava o óbvio, e, por fim, sobraram poucas dúvidas de que Henry Taylor estava ali depondo com o intuito de evitar punições mais severas. Após duas horas de perguntas, Taylor estava a ponto de explodir e todos no tribunal estavam exaustos. Depois que a testemunha foi dispensada, o juiz Roach anunciou um recesso.

O intervalo não ajudou em nada a diminuir o drama, que só se intensificou quando Nevin Noll assumiu o banco de testemunhas. McClure começou devagar, com uma série de perguntas que contavam a narrativa da longa e animada história de Noll a serviço da família Malco. Ele não foi questionado sobre seus outros assassinatos. Tal depoimento seria problemático de muitas maneiras, e McClure não queria desacreditar sua principal testemunha. Não havia dúvidas, porém, de que Noll jamais evitara ser violento nos vários papéis que havia desempenhado – segurança, guarda-costas, fiscal, cobrador, traficante de drogas e gerente de boate em meio período.

Em momento algum Noll olhou para Hugh, que passou o tempo todo escrevendo sem parar.

Depois que sua história na bandidagem foi amplamente confirmada, McClure passou para o assassinato de Jesse Rudy. Noll admitiu que ele e Hugh debateram a execução do promotor assim que Lance foi preso. As conversas se estenderam por semanas, depois meses. Quando souberam que Jesse Rudy estava investigando o assassinato de Dusty Cromwell, decidiram que era hora de agir. Sentiam que não havia escolha.

– Quem tomou a decisão de matar Jesse Rudy? – perguntou McClure, a voz ecoando pelo silencioso tribunal.

Noll demorou um pouco, mas, por fim, respondeu:

– Hugh era o chefe. A decisão foi dele, mas eu concordei.

Dado o sinal verde, Noll contatou alguns de seus conhecidos na Dixie Mafia. Ninguém queria fazer o serviço, independentemente do valor. Matar um funcionário público era muito arriscado. Matar um promotor importante como Jesse Rudy era suicídio. Por fim, chegou até ele o nome de Henry Taylor, um homem de quem já ouvira falar no submundo. Eles se encontraram e fecharam o acordo, vinte mil dólares em dinheiro. Hugh pegou os explosivos com Eddie Morton em Keesler.

Entrar em contato com os detalhes práticos da trama para matar seu pai foi difícil para Keith. Mais uma vez, sentiu-se grato por Chuck McClure estar no comando, e não ele. Na primeira fila, Agnes e as filhas enxugavam os olhos. Tim só conseguia olhar com ódio para Nevin Noll. Se tivesse uma arma, teria se sentido tentado a atacar o banco das testemunhas.

Quando o interrogatório terminou, McClure passou a testemunha para a defesa e se sentou. Todos pareciam exaustos, e o juiz Roach convocou um recesso de duas horas para o almoço.

A TARDE FOI TODA de Joshua Burch. Trinta minutos depois de um longo e brutal interrogatório, ele conseguiu deixar claro que Nevin Noll era um bandido de carreira que nunca tivera um emprego honesto e passara toda a vida adulta espancando e até matando outras pessoas no submundo de Biloxi, tudo a serviço da família Malco. Em nenhum momento Noll tentou minimizar as aventuras de seu passado. Como sempre, foi pedante, arrogante, até mesmo orgulhoso de sua carreira e reputação. Burch acabou com ele e deixou claro para todos os presentes que o sujeito não era confiável. Chegou a mencionar a morte de Earl Fortier treze anos antes em Pascagoula, mas Noll, sem se abalar, quebrou a linha de interrogatório do advogado ao afirmar:

– Bom, Dr. Burch, o senhor era o meu advogado naquela época e falou pra eu mentir pro júri.

– Mais uma mentira! – gritou Burch. – Por que não consegue dizer a verdade?

O juiz Roach se manifestou e pediu que dois homens se acalmassem.

Mas Burch não se intimidou. No volume máximo, disparou:

– Quantos homens você matou?

– Só um, e foi em legítima defesa. O senhor que me livrou da cadeia, Dr. Burch. Tá lembrado?

– Sim, e me arrependo disso – respondeu Burch, sem refletir sobre o que estava dizendo.

– Já chega! – praticamente gritou o juiz Roach em seu microfone.

Burch respirou fundo e caminhou até sua mesa, onde consultou seu assistente, Vincent Goode. Sempre profissional, porém, Burch conseguiu se recuperar e calmamente conduzir Noll através de uma longa série de histórias sobre homens que ele havia intimidado, espancado ou matado. Hugh se lembrava bem deles e tinha passado todas as informações a Burch. Noll, claro, negou a maior parte dos ocorridos, especialmente os assassinatos.

Como o júri poderia acreditar em qualquer coisa que saíra da boca daquele homem?

A MANHÃ DE QUINTA-FEIRA começou com uma série de lamúrias da defesa, quando Joshua Burch convocou um garoto de recados de carreira da gangue Malco, um tal de Bobby LaMarque, para o banco de testemunhas. Burch engrandeceu seu currículo, acrescentando descrições como "vice-presidente executivo", "gerente" e "supervisor". A essência de seu depoimento estava na extrema proximidade que tinha com Hugh Malco e no fato de há anos estar por dentro de tudo, começando pela relação com Lance. Ele lidava com Hugh e Nevin Noll diariamente e tinha tanto conhecimento acerca dos negócios do estabelecimento quanto qualquer outra pessoa. Nunca tinha ouvido Hugh nem Nevin falarem sobre Jesse Rudy. Ponto final. Nada de bom, nada de ruim. Absolutamente nada. Se houvesse um plano para executar o promotor, ele, LaMarque, certamente saberia disso. Viu o jovem Hugh crescer nos negócios e o conhecia bem. Ele era um jovem de boa índole, que trabalhava duro administrando os negócios legítimos enquanto o pai estava fora. LaMarque nunca, em quinze anos, havia visto nenhum rastro de violência no rapaz, a menos, é claro, quando ele estava lutando boxe.

McClure fez breves perguntas à testemunha, destacando que ele ainda estava na folha de pagamento de Malco, como havia estado ao longo dos últimos dezoito anos. Tinha abandonado a escola após o nono ano. Além dos empregos intelectuais mencionados por Burch, LaMarque admitiu ter trabalhado como cozinheiro, zelador, barman, entregador e motorista. Ele também admitiu ter sido crupiê de blackjack no passado.

LaMarque falava devagar e olhava com nervosismo para os jurados, como se ele próprio estivesse sendo julgado por algum crime. A verdadeira razão pela qual fora escolhido para defender Hugh era o fato de ser um dos poucos funcionários dos Malcos sem antecedentes criminais.

Se a vida de Hugh dependia de sujeitos como LaMarque, então ele já era um homem morto.

A segunda grande testemunha era ainda pior. Com a expectativa de impressionar os jurados do sexo masculino, ou até mesmo assustá-los, Burch chamou Tiffany Barnes para o banco. No palco, seminua, era chamada de Sugar, mas, bem-vestida como uma boa menina, era Tiffany. Se ela estava vestida adequadamente ou não, era algo que poderia ser debatido. Sua saia justa batia vários centímetros acima dos joelhos, revelando pernas longas e bem torneadas impossíveis de passarem despercebidas, mesmo que apenas por um segundo. Suéter justo e decotado, um belo rosto com um sorriso radiante. Metade de seu depoimento foi revelada apenas na apresentação.

As mentiras vieram logo. A história que contava era que ela e Hugh namoravam havia três anos, estavam noivos havia dois, moravam juntos havia um e planejavam se casar no mês seguinte. Supondo, é claro, que ele pudesse se casar. Ela conhecia seus pensamentos mais íntimos – seus sonhos, preocupações, medos, preconceitos, tudo. Seu noivo nunca faria mal a outro ser humano; simplesmente não estava em sua composição genética. Ele era um homem carinhoso e amoroso que fazia de tudo para ajudar os outros. Ela nunca o ouvira mencionar o nome Jesse Rudy.

Foi uma belíssima performance, e os jurados, pelo menos os homens, aproveitaram, mesmo que apenas por pouco tempo.

Chuck McClure a destruiu em menos de cinco minutos.

– Srta. Barnes, quando você e Hugh deram entrada na papelada do casamento? – perguntou ele.

Sorriso grande, dentes perfeitos.

– Bom, a gente ainda não resolveu isso, sabe? Como ele está preso, fica meio difícil.

– Claro. O Hugh tem duas irmãs. Você sabe o nome delas?

O sorriso da mulher desapareceu, e seus ombros caíram um pouco. Ela olhou para a bancada do júri, o olhar apavorado de um cervo diante de faróis.

– Sim, uma delas se chama Kathy. A outra eu não conheço.

– Sinto muito, mas esse não é o nome dela. O Hugh só tem uma irmã, e o nome dela é Holley. Ele tem irmãos?

– Não sei. Ele não fala sobre isso. A família não é muito próxima.

– Bom, com certeza ele fala sobre a mãe. Ela mora em Biloxi. Qual é o nome dela?

– Eu só a chamo de Sra. Malco. Foi assim que fui criada.

– Claro. Mas qual é o primeiro nome dela?

– Eu nunca perguntei.

– Onde ela mora em Biloxi?

– Na zona oeste.

– Em qual rua?

– Meu Deus, eu sei lá. Não sou boa em nomes de ruas.

– Nem de pessoas. Vocês namoram há três anos, estão noivos há dois, moram juntos há um, e você não sabe onde a mãe dele mora na mesma cidade que vocês.

– Como eu disse, ela mora na zona oeste de Biloxi.

– Lamento, Srta. Tiffany, mas Carmen é o primeiro nome dela. E Carmen Malco se mudou pra Ocean Springs há dois anos.

– Ah.

– Por acaso sabe onde você mora?

– Claro que sei. Com o Hugh.

– E qual é o seu endereço?

Talvez lágrimas pudessem salvá-la. Ela olhou para McClure, acenou com a cabeça e começou a enxugar o rosto. Depois de um longo e doloroso silêncio, McClure declarou:

– Sem mais perguntas, Excelência.

NO FINAL DA TARDE de quinta-feira, o júri deliberou por 47 minutos e considerou Hugh Malco culpado de homicídio qualificado. Na manhã de sexta-feira, a fase da sentença começou quando Chuck McClure chamou Agnes Rudy para depor. Com grande determinação e apenas algumas lágrimas silenciosas, ela fez um bom trabalho ao seguir o roteiro que ela e Keith haviam treinado. Falou sobre o marido, a vida deles juntos, os filhos, o trabalho dele e, mais importante, sobre o vazio inimaginável que a morte de Jesse havia deixado.

Ela sentia muita falta do marido e nunca havia conseguido aceitar a morte dele. Talvez, quando os responsáveis por seu assassinato fossem presos para o resto da vida, ela pudesse começar a seguir em frente.

Uma segunda mãe seguiu a primeira. Carmen Malco havia evitado o julgamento até então e não tinha vontade nenhuma de se expor. Mas Joshua Burch a convencera de que ela era a única pessoa capaz de salvar a vida do filho.

Não era. Apesar de seu apelo emocional aos jurados, eles deliberaram novamente por menos de uma hora e retornaram com a decisão pela pena de morte.

Parte Quatro

O Corredor

51

Janeiro de 1979 começou lento, mas terminou com alguma emoção. No dia 17, Ainsley Rudy deu à luz a segunda filha, outra menina, e os pais orgulhosos recorreram ao livro de nomes de bebês e selecionaram um sem nenhuma ligação familiar. A pequena Colette Rudy pesava 2,5 quilos e nascera quase um mês mais cedo, mas era saudável e tinha pulmões fortes que comprovavam isso. Quando Agnes finalmente pôs as mãos na criança, os pais acharam que nunca mais iriam recuperá-la.

Em 20 de janeiro, o gabinete do procurador-geral notificou Keith de que os advogados de Hugh Malco haviam apresentado a apelação à Suprema Corte do estado. Seria o primeiro de uma série de recursos que se estenderiam por anos.

Joshua Burch se considerava um advogado de júris e não tinha interesse nessa fase do processo. Ele e Hugh seguiram cada um o seu caminho após o julgamento, de comum acordo. Por mais que Burch adorasse os holofotes, estava farto dos Malcos e queria correr atrás de honorários maiores em casos cíveis. Ele encaminhou o caso de Hugh para um escritório especializado em casos de pena de morte em Atlanta e lavou as mãos. Burch e sua equipe sabiam que havia pouco a argumentar na apelação. O caso fora julgado "de forma limpa", como costumavam dizer, e o juiz Roach tinha sido certeiro em suas decisões.

De acordo com a legislação estadual, os casos de pena de morte eram tratados pela Divisão de Recursos Criminais do gabinete do procurador-geral de Jackson. Uma semana após o veredito que havia considerado o réu culpado em Hattiesburg, Keith de bom grado encaixotou tudo o que tinha sobre Malco e enviou ao procurador-geral. Enquanto ele fosse o promotor, permaneceria informado e seria mantido a par de todos os desdobramentos. No entanto, não seria obrigado a (1) vasculhar a transcrição de 5 mil páginas do julgamento em busca de questões problemáticas, nem a (2) escrever relatórios volumosos em resposta a qualquer coisa que os advogados de Hugh acabassem inventando, tampouco a (3) participar de sustentações orais perante a Suprema Corte Estadual dois anos mais tarde.

Por enquanto, Malco estaria bem longe de sua mesa e de seu gabinete, e ele poderia se concentrar em assuntos mais urgentes. Em 31 de janeiro, protocolou junto ao cartório do tribunal do circuito a documentação necessária e anunciou que se candidataria à eleição para seu primeiro mandato completo de quatro anos. Ele tinha 30 anos, era o promotor mais jovem do estado e provavelmente o mais conhecido. A tragédia envolvendo a escandalosa morte de seu pai e o espetáculo gerado em torno do julgamento de Hugh mantiveram o nome da família nas manchetes. Após o julgamento, ele foi bastante generoso e dedicou seu tempo a conceder inúmeras entrevistas. Era evasivo em relação a seus planos, mas não demorou muito até ser questionado acerca de suas ambições políticas.

Keith não esperava oposição em sua corrida para a promotoria e, ao longo das semanas subsequentes, não houve mesmo nenhum indício de que isso aconteceria. Seu grande júri se reuniu em março e lhe devolveu uma pilha de denúncias, a maioria relacionadas a posse de entorpecentes, roubos de carros e de residências, brigas domésticas, lesões corporais graves e pequenas fraudes. Dois casos de estupro pareciam legítimos e graves.

Não pela primeira vez, Keith se perguntou por quanto tempo se contentaria em lidar com criminosos de pequeno porte e mandá-los para a cadeia, onde cumpririam três anos de prisão antes de sair, apenas para infringir a lei mais uma vez. Ele havia encarado tribunais lotados e sentido a pressão quase sufocante provocada por casos maiores, e sentia falta disso. Porém, seguiu em frente, fazendo o trabalho para o qual fora eleito e aproveitando a vida de um jovem pai.

Estava de olho na Strip, e o pessoal vinha se comportando na maior parte do tempo. Vez ou outra, a polícia estadual enviava agentes infiltrados para avaliar as atividades. Não havia jogos de azar visíveis. Muitas garotas nuas dançavam nos palcos e tudo mais, mas era impossível saber o que acontecia nos andares de cima. Os informantes garantiram a Keith e à polícia que as prostitutas haviam deixado a Costa e que os apostadores tinham se mandado para Las Vegas.

EM UM DIA FRIO de ventania no final de março, Lance Malco foi algemado por um guarda e conduzido a uma van do presídio, toda arrebentada e amassada, que tinha pelo menos vinte anos e era completamente imprópria para circular por rodovias. Um funcionário a dirigia enquanto dois guardas ficavam de olho em Lance no banco traseiro do veículo. Eles percorreram aos trancos e barrancos estradas de terra e cascalho em meio às vastas planícies de Parchman, passando por outros acampamentos cercados por alambrados e arame farpado, cheios de detentos uniformizados realizando suas atividades inúteis. Passando o tempo. Contando os dias.

Para Lance, seu tempo na prisão estava chegando ao fim. Já cumprira metade da pena e planejava voltar para a Costa. Ele e Pança tinham um plano para transferi-lo para uma instalação de segurança média no sul do Mississippi, e Pança tinha certeza de que poderia trocar um prisioneiro ou dois de lugar e levar seu velho amigo de volta para a prisão do condado de Harrison. Eles tinham que manter o plano em segredo. Se Keith Rudy ficasse sabendo, faria um alvoroço danado, ligaria para o governador e acabaria com tudo.

Lance nunca tinha estado na Unidade 29, conhecida simplesmente como "O Corredor". Ficava a 5 quilômetros de sua unidade, mas poderiam ter sido mil. Parchman não concedia passeios a outros presos. O pedido para visitar o filho tinha passado treze meses no gabinete do diretor antes de ser aprovado.

O corredor da morte, no entanto, era fonte de muitas fofocas e lendas, e parecia que todo preso em Parchman conhecia alguém no Corredor. O fato de que Lance agora tinha um filho lá dera a ele um status elevado, para o qual o homem não ligava nem um pouco. Todo prisioneiro praguejava contra o promotor que o prendera, e matar um fizera de Hugh uma lenda em Parchman, mas Lance não se impressionava com isso. Quase três anos após o assassinato, ele ainda achava difícil acreditar que Hugh pudesse ter feito algo tão burro.

Enquanto os pneus carecas levantavam poeira, eles passaram pela Unidade 18, uma espécie de quartel no estilo Segunda Guerra Mundial usado para abrigar prisioneiros de guerra alemães na época. Segundo uma fonte, e Lance ainda estava tentando verificar se era verdade, Nevin Noll havia sido designado para lá, mas sob um pseudônimo. Durante seus primeiros quatro meses em Parchman, ele esteve sob custódia protetiva, segundo a mesma fonte. Depois foi liberado e reunido à população carcerária com um novo nome.

Lance estava no encalço dele, subornando guardas, encarregados e delatores.

Lance, Hugh e Nevin, juntos novamente, mais ou menos. Estavam espalhados por uma fazenda deplorável e abandonada, ao lado de outras 5 mil almas perdidas, tentando sobreviver a mais um dia miserável.

O Corredor era um edifício plano e atarracado de tijolos vermelhos e telhado coberto com alcatrão, bem distante do acampamento mais próximo. O motorista estacionou a van, e eles desceram. Os guardas conduziram Lance pela porta da frente, fizeram o devido registro, removeram as algemas e o levaram a uma sala de visitas vazia, dividida em duas por uma longa malha de arame grosso.

Hugh estava esperando do outro lado, sentado em uma cadeira de metal barata, tranquilo e sorridente.

– E aí, pai? – disse ele em um tom amigável.

Lance não pôde deixar de sorrir. Sentou-se em uma cadeira, olhou através da malha de arame e falou:

– Não somos uma ótima dupla?

– Tenho certeza de que a mamãe está orgulhosa da gente.

– Tem falado com ela?

– Uma carta por semana. Ela parece bem. Pra falar a verdade, depois que você foi embora, ela se animou bastante, virou outra mulher. Nunca a vi tão feliz.

– Não me incomodo com isso. Eu gostaria que ela fosse em frente e pedisse o divórcio.

– Vamos falar de outra coisa. Presumo que tenha alguém ouvindo a gente agora, correto?

Lance olhou ao redor da sala encardida e pouco iluminada.

– Legalmente, eles não deveriam ouvir, mas sempre parta do princípio de que estão escutando. Não confie em ninguém aqui... seu companheiro de cela, seus amigos, os outros detentos, os guardas, os encarregados e principalmente as pessoas que administram esse lugar. Qualquer um pode te apunhalar pelas costas.

– Não podemos falar sobre os nossos problemas, então? Passado, presente, futuro?

– Que problemas?

Ambos conseguiram esboçar um sorriso.

– Companheiro de cela? Quem disse que eu tenho um companheiro de cela? Meu quartinho tem 7,5 metros quadrados, uma cama, uma privada de metal, sem chuveiro. Com certeza não tem espaço pra outra pessoa, embora eu ache que eles já tenham tentado isso em algum momento. Passo 23 horas por dia na solitária e nunca vejo ninguém além dos guardas, um bando de animais. Consigo falar com o cara à minha direita, mas não dá pra ver ele. O cara à minha esquerda saiu do ar anos atrás e não fala com ninguém.

– Quem é o sujeito à sua direita?

– Um cara branco chamado Jimmy Lee Gray. Estuprou e matou a filha de 3 anos da namorada. Diz que matou outras pessoas. Um sujeito realmente impressionante.

– Então ele admite os crimes que cometeu. Eu achava que a maioria dos caras aqui se dizia inocente.

– Ninguém é inocente aqui, Lance. E esses caras adoram se gabar de seus assassinatos, ao menos uns pros outros.

– E você se sente seguro?

– Claro. O corredor da morte é o lugar mais seguro na prisão. Não há contato com outros presos. Tenho direito a uma hora por dia no pátio, um pouco de sol pra reforçar meu bronzeado, mas sempre sozinho.

Ambos acenderam cigarros e sopraram nuvens de fumaça em direção ao teto. Lance estava morrendo de pena do filho, um jovem de 30 anos que deveria estar aproveitando a vida na Costa, correndo atrás das garotas como sempre fez, administrando os estabelecimentos que praticamente funcionavam sozinhos, contando os dias até que o pai voltasse para casa e a vida voltasse ao normal. Em vez disso, tinha sido trancado em um cubículo dentro de um presídio terrível e provavelmente morreria em uma câmara de gás muito em breve. Pena, entretanto, era um sentimento que Lance tinha aprendido a deixar de lado. Os dois, pai e filho, tinham feito as próprias escolhas. Consideravam-se gângsteres linha-dura e haviam passado décadas desrespeitando a lei. Sempre acreditaram que aqueles que não eram capazes de aceitar a pena que lhes cabia não deveriam cometer crimes.

E, para Lance Malco, ao menos, a vida no crime não havia terminado.

52

As eleições de 1979 foram mais tranquilas do que de costume. Albert Bowman não conseguiu convencer ninguém a concorrer contra ele, então foi eleito para outro mandato de quatro anos, seu quinto. Com o jogo e a prostituição sob controle, as maracutaias que fazia em troca de "proteção" diminuíram drasticamente e os criminosos não precisavam mais dele. As boates de striptease e os bares ainda estavam cheios, mas, não havendo nada ilegal para oferecer, os donos tinham pouco a temer. A incômoda polícia estadual mantinha presença com agentes secretos e informantes. A cidade de Biloxi tinha uma nova administração, e o chefe de polícia estava determinado a manter as boates na linha. Os Malcos estavam cumprindo pena e seus subordinados ainda administravam os negócios, mas os outros chefes do crime se contentavam apenas em obedecer às leis. O promotor era um figurão que não tinha medo deles.

Pança precisava de dinheiro e viu uma mina de ouro na possibilidade de trabalhar com os traficantes de drogas.

EM ABRIL DE 1980, a Suprema Corte do Mississippi, por unanimidade, ratificou a decisão que condenava Hugh Malco por homicídio qualificado e a sentença de pena de morte. Os advogados dele apresentaram petições volumosas e pediram que o tribunal reconsiderasse, mais um passo em um longo caminho. Meses se passariam antes que a Corte decidisse novamente.

EM JUNHO, KEITH RECEBEU um telefonema de um desconhecido que alegava ter uma carta contrabandeada de Parchman. Ele dirigiu até um café em Gulfport e se encontrou com um sujeito que tinha apenas o primeiro nome: Alfonso. Ele dizia que era amigo próximo de Haley Stofer, um traficante de drogas que Jesse havia enviado para Parchman por quinze anos em 1975.

Nada sobre Alfonso garantia o menor nível de confiança, mas Keith estava intrigado. O homem explicou que durante uma visita a Stofer em Parchman, haviam pedido a ele que levasse uma carta para Keith. Alfonso entregou o envelope lacrado com "promotor Keith Rudy" impresso em letras maiúsculas na frente, depois acendeu um cigarro e observou enquanto Keith o abria.

Caro Dr. Rudy, lamento pelo seu pai. Ele me mandou pra cadeia cinco anos atrás com base em uma acusação de tráfico de drogas, da qual eu era culpado. Portanto, não tenho nenhuma mágoa em relação a ele. Na época, eu estava envolvido com alguns traficantes de Nova Orleans. Através de meus contatos de lá, estou de posse de informações altamente valiosas sobre o envolvimento do seu xerife em operações de contrabando. As drogas, principalmente a cocaína, entram no país por Nova Orleans e são lançadas de avião em uma determinada fazenda no condado de Stone, de propriedade do xerife. Posso fornecer mais informações, mas em troca quero sair da cadeia. Juro que sei do que estou falando.

Juro que é tudo verdade. Obrigado pelo seu tempo, Haley Stofer.

Keith agradeceu a Alfonso, saiu de lá com a carta e voltou para seu gabinete. Como os arquivos de Jesse haviam sido destruídos no atentado, Keith foi ao cartório do circuito e vasculhou os registros antigos. Encontrou um arquivo sobre Haley Stofer e o leu com grande interesse.

Em seu terceiro ano na faculdade de Direito na Universidade do Mississippi, Keith havia visitado Parchman em uma viagem de campo com seus colegas da turma de Direito Penal. Uma visita fora o suficiente, e ele jamais pensara em voltar. No entanto, a carta de Stofer o deixou intrigado. Ele também tinha um desejo perverso de confirmar o quão horrível era o local, agora que tantos de seus inimigos estavam lá. Enquanto promotor, não teria dificuldades em ter acesso ao corredor da morte. Poderia até marcar um encontro com Hugh, embora não tivesse vontade de fazê-lo.

Uma semana depois de se encontrar com Alfonso, tirou um dia de folga e dirigiu sozinho por cinco horas até Parchman. Ele gostava da solidão, da ausência de telefones tocando constantemente e da rotina diária no fórum. Pensava muito no pai, o que quase sempre acontecia quando estava sozinho no carro. Sentia falta da amizade perdida de um homem que ele praticamente venerava. Normalmente, quando esses pensamentos pesavam demais, colocava uma fita cassete e cantava com Springsteen e os Eagles.

Ao norte de Jackson, quando as colinas se aplainaram e o Delta surgiu, seus pensamentos se voltaram para Lance e Hugh Malco, dois homens que conhecia a vida inteira e que agora estavam trancados em um presídio lastimável longe de sua amada Costa. Lance estava lá havia cinco anos e, segundo todos os relatos, vivia tão bem quanto era de se esperar. Estava em um acampamento mais seguro, junto de presos comuns, tinha sua própria cela com televisão e ventilador, além de uma comida melhor. Com mais dinheiro do que qualquer outro interno em Parchman, poderia pagar para conseguir quase tudo, menos a liberdade. E, depois de cinco anos, havia poucas dúvidas de que estava tramando alguma coisa para manipular o conselho, conseguir a liberdade condicional e dar o fora de lá. Keith estava acompanhando tão de perto quanto possível.

Hugh, por outro lado, estava confinado em uma cela de 7,5 metros quadrados, 23 horas por dia, sob um calor sufocante no verão e um frio congelante no inverno.

Keith tinha visto o corredor da morte e se sentado em uma cama vazia, com a porta ainda aberta, assim como todos os estudantes de Direito na excursão. Não conseguia imaginar como alguém, principalmente uma pessoa criada com tantos privilégios, poderia sobreviver ali um dia após o outro.

Uma imagem fugaz o fez sorrir conforme se aproximava da entrada do presídio. Os dois meninos no Time das Estrelas de Biloxi disparando home runs consecutivos em uma eliminatória contra o time de Gulfport.

Keith estacionou e conseguiu tirar os Malcos de seus pensamentos. Dirigiu-se até a recepção do prédio da administração e praticamente recebeu um passe livre. Como era promotor de justiça, os guardas trouxeram Haley Stofer até ele. Durante duas horas, ouviu o preso contar sua notável história, sobre como fora forçado por Jesse a trabalhar infiltrado em troca de uma pena mais leve. Stofer assumiu todo o crédito por conseguir que Lance Malco fosse acusado por prostituição, as denúncias que finalmente o levaram para a cadeia. Ele admitiu ter fugido de Jesse. Mais tarde, foi capturado e devolvido ao condado de Harrison, e então enfrentou toda a ira do promotor. Jesse mostrou alguma gratidão e concordou com uma pena de quinze anos. O máximo era trinta. Àquela altura, Stofer já havia passado tempo suficiente por lá, na opinião dele, e queria sair. Seu contato em Nova Orleans era um primo que ainda trabalhava para os traficantes e sabia tudo sobre as rotas de contrabando para o Mississippi. O xerife Bowman era uma figura-chave e estava prestes a ficar ainda mais rico.

UMA APREENSÃO TÃO GRANDE seria complexa demais para a promotoria isoladamente, então Keith ligou para os agentes do FBI Jackson Lewis e Spence Whitehead. Eles, por sua vez, entraram em contato com a Agência Antidrogas dos Estados Unidos e elaboraram um plano.

Keith recorreu à polícia estadual e conseguiu que Stofer fosse transferido para o presídio de Pascagoula, no condado de Jackson. Levou um mês para que ele fizesse contato com o primo em Nova Orleans. Até então, tudo o que Stofer tinha dito fora confirmado pela polícia.

POUCO DEPOIS DA MEIA-NOITE de 3 de setembro, Albert Bowman, o Pança, com seu assistente-chefe de longa data, Rudd Kilgore, ao volante, seguia vagarosamente para o norte de Biloxi e chegava a uma das fazendas de Pança na zona rural do condado de Stone. Dois outros assistentes bloqueavam a única estrada de cascalho que levava à propriedade. Pança e Kilgore se encontraram com dois homens em uma caminhonete que tinha um trailer em cima da caçamba. Os quatro aguardaram em um galpão de feno perto de um pasto aberto, tomando cerveja, fumando charutos e observando o céu claro e iluminado pela lua.

Uma equipe de agentes do departamento antidrogas se materializou na floresta e silenciosamente prendeu os dois assistentes do xerife que tomavam conta do portão. Mais uma dúzia de policiais fortemente armados se moviam em meio à escuridão, monitorando o que restava da pequena gangue. À uma da manhã, conforme planejado, um monomotor Cessna 208 "Caravan" sobrevoou o pasto bem de perto e fez o retorno. Na volta, mergulhou a menos de 30 metros do solo e deixou cair sua carga, seis caixas plásticas muito bem embrulhadas em plástico grosso. Pança, Kilgore e os dois homens rapidamente colocaram os pacotes na caminhonete e estavam prestes a deixar o local quando foram cercados por alguns sujeitos de aparência séria com grande poder de fogo. Os criminosos foram presos e levados para um local não divulgado.

No dia seguinte, no tribunal federal de Hattiesburg, o procurador-geral do Distrito Sul presidiu uma coletiva de imprensa lotada. De pé, ao lado dele, estava Keith Rudy, e atrás deles havia uma fileira de agentes do FBI. Ele anunciou a prisão do xerife Albert Bowman, conhecido como Pança, três de seus assistentes e quatro traficantes de drogas de uma quadrilha de Nova Orleans. Expostos para que todos pudessem ver, havia mais de 50 quilos de cocaína, avaliados em 30 milhões de dólares. Segundo ele, a parcela que cabia ao xerife Bowman era de dez por cento.

Procuradores eram famosos por monopolizar os holofotes, mas ele foi rápido em dar crédito a Keith Rudy e sua equipe em Biloxi. Sem o Dr. Rudy, a apreensão não teria sido bem-sucedida. Keith falou e agradeceu, dizendo que o trabalho que seu pai começara em 1971 havia rendido frutos. Prometeu mais denúncias no tribunal estadual, tanto de funcionários públicos eleitos quanto de criminosos que passaram muito tempo ignorando as leis.

A notícia era extremamente relevante e se espalhou. Durante dias, o *Gulf Coast Register* e outros jornais do estado cobriram os desdobramentos. O belo rosto de Keith estava estampado nas primeiras páginas de todos os jornais, desde Mobile, passando por Jackson e chegando a Nova Orleans.

Em Parchman, Lance Malco praguejou diante da notícia e encarou a realidade: não sairia da prisão tão cedo. Hugh soube do ocorrido em algum momento, mas tinha outras preocupações. Seus recursos no tribunal estadual tinham sido indeferidos, e ele passaria anos apresentando habeas corpus na instância federal.

Depois de seis meses em uma prisão do condado, Albert Bowman se declarou culpado pelo crime de tráfico de drogas no tribunal federal e foi condenado a vinte anos de prisão. Antes de ir para o local onde ficaria preso em definitivo, no entanto, foi liberado por um fim de semana para se despedir da família. Em vez disso, dirigiu até sua cabana de caça no condado de Stone, foi até o lago, caminhou até o final do píer, sacou uma Magnum .357 e explodiu os miolos.

Haley Stofer estava em liberdade condicional e sabia que corria perigo. A polícia estadual coordenou um programa de proteção a testemunhas com agentes federais e o mandou para longe, sob um novo nome, para viver pacificamente no norte da Califórnia.

53

Com Lance e Hugh Malco presos, Albert Bowman em um necrotério e a vida relativamente tranquila na Strip, Keith começou a ficar entediado com seu cargo de promotor de justiça da Costa. A vaga certamente seria sua por muito tempo, mas ele queria uma promoção, e uma das grandes. Desde que almoçara com o governador Bill Waller quando era um jovem advogado, sonhava em concorrer a um cargo estadual, e uma oportunidade estava surgindo.

No final de 1982, dirigiu até Jackson e almoçou com Bill Allain, o então procurador-geral, na esperança de falar sobre seu futuro. Havia boatos de que Allain estava se preparando para concorrer ao cargo de governador, e Keith o pressionou para saber mais. Allain, sempre político, não quis se comprometer, mas Keith foi embora de lá convencido de que a corrida pela vaga na procuradoria logo teria início. Ele tinha apenas 34 anos e se sentia jovem demais para um cargo tão importante, mas havia aprendido que, na política, timing era algo crucial. O Mississippi tinha uma tradição de reeleger seus procuradores-gerais até que eles morressem no cargo e, se a vaga estava mesmo prestes a ficar disponível, era hora de agir.

O trabalho do procurador-geral certamente seria mais desafiador do que o de um promotor local, mas Keith sabia que seria capaz de lidar com isso. Teria um setor inteiro com dezenas de advogados representando os interesses jurídicos do estado, cíveis e criminais, e haveria novos desafios a cada dia. Seria também uma equipe de alto nível, que poderia levar a outra ainda melhor.

O único aspecto do trabalho que Keith não discutia com ninguém eram as questões envolvendo a Divisão de Recursos Criminais. Enquanto chefe, teria a última palavra em relação a todos os recursos envolvendo penas de morte. Especificamente, os de Hugh Malco.

Keith sonhava em testemunhar a execução do homem que havia matado seu pai. Enquanto procurador-geral, poderia praticamente garantir que esse dia chegaria mais cedo ou mais tarde.

Os recursos estavam atolados nos habituais e intermináveis atrasos decorrentes das manobras jurídicas realizadas pelos advogados após a condenação. Mas o relógio estava andando, ainda que a passos lentos. Os advogados de Malco até então não haviam impressionado ninguém com seus argumentos de defesa. Portanto, havia pouco a discutir. O julgamento estava livre de vícios graves. O réu tinha sido considerado culpado porque de fato era.

EM JANEIRO DE 1983, Lance Malco entrou com um pedido de liberdade condicional. Ele havia cumprido oito anos de sua pena por prostituição, era um prisioneiro modelo e tinha direito ao benefício.

Os cinco membros do conselho que avaliavam os pedidos de liberdade condicional foram pressionados por Keith, Bill Allain e muitos outros, incluindo o governador, a dizer não. Por cinco a zero, o pedido foi indeferido.

Para Keith, o alívio foi apenas temporário. Em razão de seu bom comportamento na prisão, a sentença de Lance terminaria em breve, e ele logo estaria livre para retornar à Costa e retomar suas operações. Com a morte de Pança e com homens honestos no comando do departamento do xerife e da cidade de Biloxi, ninguém sabia que mal Lance poderia criar. Talvez ele tentasse seguir em frente e ficasse longe de confusão. Tinha muitos negócios legítimos para administrar. Mas o que quer que decidisse fazer, Keith estaria observando.

Com o retorno iminente do marido, Carmen Malco finalmente pediu o divórcio. Seus advogados negociaram um acordo generoso, e ela deixou a Costa e se mudou para Memphis, a apenas duas horas de Parchman. Visitava o filho no corredor da morte todo domingo.

Mas não visitava o ex-marido.

EM FEVEREIRO, KEITH, AINSLEY e o restante do clã Rudy deram uma grande festa para anunciar sua campanha para procurador-geral no Broadwater Beach Hotel, perto da Strip. O salão principal estava lotado de familiares e amigos, grande parte dos advogados locais, os amigos do fórum e um impressionante grupo de líderes empresariais da Costa. Keith fez um discurso empolgante e prometeu usar o gabinete da procuradoria-geral para dar continuidade ao combate ao crime, especificamente o tráfico de drogas. A cocaína se espalhava pelo país, e o sul do Mississippi estava repleto de pontos de distribuição que mudavam toda semana. Os cartéis tinham mais homens e dinheiro, e o estado, como sempre, estava ficando para trás em seus esforços de controlar a criminalidade. Sem se deixar levar demais, Keith assumiu uma parte generosa dos créditos pela limpeza da Costa, mas advertiu que os antigos vícios em jogos de azar e prostituição não eram nada comparados aos perigos da cocaína e de outras drogas. Prometeu ir atrás não apenas dos narcotraficantes e de seus distribuidores, mas também dos funcionários públicos e policiais que fizessem vista grossa.

De Biloxi, Keith e Ainsley voaram para Jackson para outro evento. Ele foi o primeiro candidato a se qualificar para a eleição ao cargo de procurador-geral, e a imprensa estava interessada. Keith atraiu uma bela multidão até um hotel de Jackson, depois se reuniu com um grupo de advogados que tinham dinheiro e sempre foram politicamente ativos.

Keith tinha cerca de cem amigos da faculdade de Direito espalhados pelo estado e, nos últimos seis meses, vinha consolidando essa rede de apoio. Como não estava desafiando um titular, os amigos estavam ansiosos para se envolver, e a maioria deles decidiu apoiá-lo. De Jackson, Ainsley foi para casa e Keith pegou a estrada em um carro alugado, sozinho. Durante dezoito dias consecutivos, cruzou o estado, reunindo-se com voluntários recrutados por seus amigos advogados, fazendo contatos em fóruns, discursando em organizações sociais, conversando com editores de jornais de cidades pequenas e até angariando votos em movimentados centros comerciais. Ele se hospedava na casa de amigos e gastava o mínimo possível.

Em sua primeira viagem de campanha, visitou 35 dos 82 condados e conquistou centenas de apoiadores. O dinheiro começou a entrar.

Sua estratégia era conquistar votos na metade sul do estado e levar a Costa por uma ampla margem. Um provável oponente era de Greenwood, no Delta. Outro era um senador de uma pequena cidade perto de Tupelo.

Vários outros eram mencionados, mas todos viviam ao norte de Jackson. Não havia nenhum favorito de fato ao cargo, não até o editor de um jornal em Hattiesburg informar a Keith que ele havia ficado em primeiro lugar em uma votação não oficial. Quando isso se tornou uma matéria publicada na página quatro do primeiro caderno do jornal, Keith imprimiu mil exemplares do artigo e o enviou a seus voluntários e apoiadores. O mesmo editor disse a Keith que o nome Rudy era altamente conhecido. O candidato abraçou seu papel de favorito e trabalhou duro para convencer os eleitores.

Desde a derrota para Jesse em 1971, Rex Dubisson havia construído um poderoso escritório de advocacia especializado em acidentes de trabalho ocorridos em plataformas de petróleo em alto-mar. Estava fazendo uma fortuna e era bastante ativo nas organizações de advogados. Correu atrás do apoio de alguns colegas, estrelas em casos de danos morais, e passou o chapéu. Quando sentiu que não estavam levando seu pedido a sério o suficiente, passou o chapéu de novo. Depois disso, ofereceu um coquetel no Mary Mahoney's e informou a Keith que havia levantado 100 mil dólares, prometendo no mínimo uma quantia igual até o verão. Rex também estava de olho em associações e escritórios especializados em responsabilidade civil, e estava otimista de que poderia angariar ainda mais dinheiro.

Durante um momento tranquilo em meio a drinques, Rex confidenciou a Keith que os advogados de júri precisavam de um amigo e o viam como uma estrela em ascensão. Ele era jovem, mas era disso que precisavam. Eles o queriam na mansão do governador para ajudá-los na luta contra a crescente onda de reforma da responsabilidade civil.

Keith não fez promessas, mas aceitou o dinheiro com entusiasmo. Rapidamente contratou uma empresa de consultoria de Jackson para organizar sua campanha. Contratou também um motorista/office boy, e abriu um pequeno escritório em Biloxi. No final de março, havia quatro outros homens na corrida, dois de Jackson e dois do norte. Keith e seus consultores ficaram encantados com o aumento no número de candidatos e torciam para que outros entrassem na briga. As pesquisas internas continuavam a mostrá-lo à frente, ampliando cada vez mais a liderança. Cerca de quarenta por cento da população do estado vivia nos vinte condados mais ao sul, e o nome Rudy era reconhecido por setenta por cento dos entrevistados. O segundo colocado chegou a impressionantes oito por cento das intenções de voto.

Mas as melhores campanhas eram alimentadas pelo medo de perder, e Keith não desacelerou em momento algum. De abril em diante, deixou Egan no controle do gabinete da promotoria e pegou a estrada. Deu um beijo de despedida em Ainsley antes do amanhecer na segunda-feira e a abraçou forte quando voltou, depois do anoitecer, na sexta. Nesse meio-tempo, ele e sua equipe invadiram todos os tribunais de justiça do estado. Keith discursou em comícios, igrejas, churrascos em quintais, almoços com membros da ordem, conferências de juízes e tomou café nos escritórios de incontáveis advogados de cidades pequenas. Todo fim de semana, porém, ficava em casa com Ainsley e as meninas, e todo domingo a família ia à missa com Agnes.

Seu aniversário de 35 anos caiu em um sábado de abril. Rex Dubisson deu uma festa na praia e convidou duzentos amigos e funcionários da campanha. O 4 de Julho caiu numa segunda-feira, e uma grande multidão se reuniu para um discurso no Harrison County Fairgrounds. Bill Allain e cinco outros candidatos estavam em uma disputa acirrada pelo cargo de governador, e todos os seis estavam na programação do evento. Keith foi bem-recebido pelos locais e prometeu praticamente tudo o que podia. Dois de seus oponentes também falaram. Ambos eram homens mais velhos e políticos veteranos que pareciam perceber que estavam invadindo o território de Rudy. O contraste era revelador. O novo *versus* o velho. Futuro *versus* passado.

Duas semanas depois, em 17 de julho, o *Gulf Coast Register* e o *Hattiesburg American* publicaram editoriais apoiando Keith Rudy. A atitude provou ser contagiosa. Na semana seguinte, uma dúzia de jornais do condado, quase todos perto da Costa, seguiram o exemplo. Como era de se esperar, o jornal de Tupelo endossava diariamente seu apoio ao senador oriundo daquela região do estado, porém, no domingo, 31 de julho, dois dias antes das primárias, o maior jornal do estado, *The Clarion Ledger*, de Jackson, deixou claro seu apoio a Keith.

Em 2 de agosto, quase 700 mil eleitores foram às urnas nas primárias democratas. Com apoio maciço do extremo sul do estado, Keith liderou a chapa com 38 por cento dos votos, o dobro de seu oponente em segundo lugar. Como de costume, o sucesso atraiu dinheiro, que veio de todas as direções, incluindo alguns grupos empresariais poderosos ansiosos para fazer amigos e participar do evento. Os consultores de Rudy estavam prontos e, em três dias, a campanha estava veiculando anúncios de TV nos maiores mercados. Seu oponente estava falido e não tinha como rebater.

No segundo turno, em 23 de agosto, Keith Rudy saiu com 62 por cento dos votos, uma lavada que nem mesmo seus consultores previram. Nas eleições gerais de novembro, ele enfrentaria uma oposição muito mais fraca de um republicano. Aos 35 anos, Keith se tornaria o procurador-geral mais jovem da história do estado e o mais jovem do país.

54

As comemorações pós-eleitorais foram interrompidas de maneira abrupta uma semana depois, quando uma história ainda mais escandalosa tomou conta do estado. Vencedores e perdedores foram repentinamente esquecidos quando ficou claro que o Mississippi estava prestes a usar sua querida câmara de gás pela primeira vez em mais de dez anos. Os recursos processuais de um notório assassino haviam chegado ao fim, e seu encontro com a morte se tornou notícia de primeira página.

Em 1972, a Suprema Corte dos Estados Unidos, no caso *Furman* versus *Georgia*, suspendera todas as execuções. A Corte se dividiu em cinco a quatro e, em uma miscelânea de opiniões, concordâncias e divergências, deixou pouca orientação para os estados seguirem. A lei foi parcialmente destrinchada em 1976, quando a Corte, novamente dividida em cinco a quatro, mas com uma composição diferente, deu sinal verde para que os estados adeptos à pena de morte retomassem a prática. A maioria o fez com grande entusiasmo.

No Mississippi, entretanto, as autoridades ficaram frustradas com o ritmo lento e, entre 1976 e 1983, não houve uma única execução em Parchman. Políticos de todas as categorias e de todos os cantos do estado protestaram contra o sistema que parecia pegar leve com o crime. Pelo menos 65 por cento das pessoas defendiam a pena de morte e, se outros estados tinham sido liberados, o que havia de errado com o Mississippi? Finalmente, os recursos de um preso condenado à morte haviam se esgotado, e ele acabou emergindo como o candidato mais provável para a retomada das execuções.

Seu nome era Jimmy Lee Gray, e era impossível encontrar um vilão mais perfeito em qualquer corredor da morte no país. Branco, 34 anos, oriundo da Califórnia, era um vagabundo que havia sido condenado por homicídio no Arizona aos 20. Cumpriu apenas sete anos, recebeu a liberdade condicional e foi para Pascagoula, onde sequestrou, estuprou e estrangulou uma menina de 3 anos. Foi capturado, condenado e enviado para Parchman em 1976. Sete anos depois, sua sorte acabou e as autoridades estaduais começaram a se preparar para sua execução com entusiasmo. Em 2 de setembro, o presídio de Parchman estava repleto de policiais, repórteres de todo o mundo e até mesmo alguns políticos tentando se envolver no ato.

Na época, a câmara de gás tinha um poste de aço vertical que ia do chão até as aberturas superiores, logo atrás da cadeira. Sob os olhares das testemunhas que lotavam as salas de observação, Gray foi levado para a câmara apertada, um cilindro com menos de 1,5 metro de largura. O homem foi preso por tiras de couro e deixado sozinho lá dentro com a porta aberta. O diretor leu a sentença, determinando sua morte. Gray se recusou a dizer suas últimas palavras. A porta foi fechada e trancada com segurança, e o algoz deu início aos trabalhos. Não havia correia para prender a cabeça de Gray e, ao respirar o cianeto, ele começou a se debater contra o poste de aço. Ele martelava a parte de trás da cabeça sem parar, enquanto se sacudia e gemia alto. Oito minutos após a liberação do gás, as autoridades entraram em pânico e esvaziaram as salas de observação.

Longe de ter sido uma morte rápida e indolor, a execução foi malfeita, e ficou claro que o sofrimento de Gray fora imenso. Vários repórteres descreveram a cena em detalhes, e um deles chegou a descrever o ato como "uma punição absolutamente cruel e incomum". O Estado recebeu tantas críticas que rapidamente mudou da câmara de gás para a injeção letal, mas apenas no caso de presos condenados após 1º de julho de 1984.

Quando chegasse sua hora, Hugh Malco não teria a sorte de morrer pacificamente por injeção letal. Ele havia sido condenado em abril de 1978, e a câmara de gás ainda o esperava.

Como os homens ficavam em confinamento solitário 23 horas por dia, tomavam banho e se exercitavam sozinhos, era difícil fazer amigos no corredor da morte. Hugh nunca havia considerado Jimmy Lee Gray um amigo, mas suas celas eram adjacentes e eles passavam horas conversando, todos os dias. Trocavam cigarros, comida enlatada e livros de bolso quando os tinham. Gray nunca teve um centavo, mas também nunca pediu nada. Hugh foi talvez o preso mais rico já enviado para o corredor da morte e ficava feliz em compartilhar esse dinheiro com Gray. Uma secretária do Foxy's mandava 500 dólares por mês para ele, o máximo permitido, para poder se alimentar melhor e pagar por algumas coisinhas extras. Ninguém mais, exceto, talvez, seu pai, tinha acesso a tais fundos.

A execução de Gray, a menos de 30 metros de distância, entristeceu Hugh muito mais do que ele imaginara. Como a maioria dos internos do Corredor, ele esperava que um milagre de última hora atrasasse todo o processo por anos. Quando Gray foi levado embora, Hugh se despediu, mas tinha certeza de que nada aconteceria. Depois que Gray morreu, sua cela ficou vazia por uma semana, e Hugh sentia falta das longas conversas dos dois. Gray tivera uma infância miserável e estava destinado a ter uma vida difícil. Hugh teve uma infância maravilhosa e ainda se perguntava o que tinha dado errado. Depois que Gray havia partido, Hugh estava surpreso com o quanto sentia falta dele. As horas e os dias de repente se tornaram mais longos. Hugh caiu em profunda depressão, e não pela primeira vez.

O Corredor ficou muito mais silencioso após a execução de Gray. Quando os presos ouviram falar do que havia acontecido na "Câmara da Morte" e do péssimo serviço feito pelo Estado, a maioria de repente se deu conta do que poderia acabar enfrentando um dia. A piada que circulava pelo Corredor era que o Estado era incompetente demais para matar um detento, mas aqueles tempos haviam acabado. O Mississippi estava de volta à matança, e seus líderes queriam ainda mais.

Os recursos de Jimmy Lee Gray se esgotaram em menos de sete anos. Os de Hugh estavam em tramitação havia apenas cinco, mas seus advogados pareciam estar perdendo as esperanças. Com seus inimigos ganhando poder, ele começou a ficar preocupado de realmente ser condenado à morte. Havia chegado a Parchman confiante de que o dinheiro e os contatos de seu pai poderiam de alguma maneira poupar sua vida, quem sabe até comprar sua liberdade, mas uma nova realidade estava se estabelecendo.

EMBORA A EXECUÇÃO TENHA lançado uma mortalha sobre o Corredor, seu impacto em outros lugares ao redor de Parchman foi muito pequeno. Na Unidade 18, a apenas 3 quilômetros de distância, do outro lado dos campos de algodão, em outro mundo, a vida continuou como se nada tivesse acontecido. Quando Nevin Noll ouviu a notícia sobre Jimmy Lee Gray, sorriu consigo mesmo. Ficou satisfeito ao saber que o Estado finalmente havia voltado às execuções. Talvez pegassem Hugh, mais cedo ou mais tarde.

Mas Noll passava pouco tempo pensando nos Malcos. Estava convencido de que jamais o encontrariam, e, ainda que isso acontecesse, ele estaria pronto. Seu pseudônimo, escolhido pelos funcionários do presídio, era Lou Palmer, e se alguém conseguisse encontrar seu arquivo falso, descobriria que ele estava cumprindo uma pena de vinte anos por vender drogas perto de Jackson.

Em seus cinco anos em Parchman, Noll havia solidificado sua associação a uma gangue de supremacistas brancos e era um soldado em ascensão. Foram necessárias apenas duas brigas para chamar a atenção dos líderes da gangue, e ele sobreviveu à iniciação com pouco esforço. Não era nenhuma surpresa que o crime organizado lhe caísse tão bem; ele nunca havia conhecido nada diferente de fato. As gangues eram divididas de acordo com a cor da pele – negros, pardos e brancos –, e a sobrevivência muitas vezes dependia de quem o protegia. A violência fervilhava logo abaixo da superfície, mas a guerra escancarada não era vista com bons olhos. Se os guardas fossem forçados a sacar suas espingardas, as punições seriam severas.

Então Nevin Noll lavava pratos por 5 dólares por dia e, quando os cozinheiros não estavam olhando, roubava batatas e farinha, que desviava para uma destilaria administrada por sua gangue. A vodca caseira era bastante popular no acampamento e garantia renda e proteção para a gangue. Noll descobriu uma maneira de traficar o material para outros acampamentos, subornando os encarregados e os guardas que dirigiam as vans e caminhonetes. Também montou uma rota de contrabando de maconha usando contatos na Costa, que enviavam as drogas em pacotes para uma agência dos correios em Clarksdale, a uma hora de distância. Um guarda os recolhia e levava para a Unidade 18.

Noll a princípio não teve interesse no comércio sexual e ficou surpreso com o quão vibrante era. Desde os 20 anos de idade, sempre teve acesso ilimitado a mulheres fáceis e nunca tinha sido exposto ao sexo entre homens. Sempre um empreendedor, entretanto, viu a oportunidade e montou um bordel em um banheiro de um antigo ginásio, que na época funcionava como gráfica. Ele o controlava com regras rígidas e mantinha os guardas afastados com subornos em dinheiro vivo e vodca frutadas.

O bingo era popular e, em pouco tempo, Noll havia reestruturado o jogo e oferecia pequenos prêmios em maconha e guloseimas roubadas de um depósito central.

Em suma, depois de alguns anos em Parchman, ele já estava fazendo as mesmas coisas que sempre havia feito em Biloxi. Depois de cinco anos, porém, estava pronto para uma mudança de cenário.

O objetivo dele nunca fora ser o líder de uma gangue nem ganhar dinheiro. Desde o dia em que chegara a Parchman, vinha planejando sua fuga. Não tinha a menor intenção de cumprir trinta anos de prisão. Muito antes de poder pensar em liberdade condicional, planejava se esconder na América do Sul e ter uma boa vida por lá.

Prestava atenção em tudo: cada veículo que entrava e saía do acampamento; cada mudança de turno dos guardas; cada visitante que ia e vinha; cada preso que era designado para o acampamento e todos que iam embora. Depois de alguns meses na cadeia, os sintomas da institucionalização lentamente começavam a se manifestar nos homens. Mantinham-se na linha sem reclamar porque fazer isso só piorava suas vidas. Seguiam as regras e os horários determinados pelos oficiais. Comiam a comida, davam conta dos serviços braçais, faziam suas pausas, limpavam suas celas e tentavam sobreviver a cada dia porque o seguinte seria mais um passo rumo à liberdade condicional. Quase todos paravam de esperar, observar, contar, conspirar, imaginar e planejar.

Mas não Nevin Noll. Após três anos de cuidadoso escrutínio, tomou a importante decisão de escolher Sammy Shaw como seu companheiro na missão. Shaw era um cara negro de um bairro barra-pesada de Memphis que fora pego traficando drogas e se declarara culpado, pegando quarenta anos de cadeia. Ele também não planejava ficar tanto tempo por lá. Era experiente, durão, observador e conhecia a vida nas ruas como ninguém.

Noll e Shaw fecharam o acordo e começaram a fazer planos. Uma prisão que se estendia por mais de 7 mil hectares era impossível de ser protegida. Suas fronteiras eram porosas. O movimento de entrada e saída mal era notado.

Parchman tinha uma longa e animada história de fugas. Nevin Noll estava esperando o momento certo. E observando, sempre observando.

55

Em 5 de janeiro de 1984, Keith Rudy foi empossado como o 37º procurador-geral do Mississippi. Foi uma cerimônia tranquila nas câmaras da Suprema Corte, com o presidente do tribunal fazendo as honras. Ainsley e suas duas filhas, Colette e Eliza, estavam ao lado de Keith, orgulhosas. Agnes, Laura, Beverly, Tim e outros parentes assistiam da primeira fila. Os irmãos Pettigrews, Egan Clement, Rex Dubisson e uma dúzia de amigos próximos da faculdade de Direito aplaudiram educadamente depois que ele fez o juramento e esperaram pela chance de serem fotografados com o novo procurador-geral.

Durante as festas de fim de ano, Keith e Ainsley haviam concluído a mudança para Jackson e estavam então desfazendo as malas em sua pequena casa numa rua tranquila no centro da cidade, perto da Faculdade Belhaven. O trajeto diário para seu novo escritório na High Street, em frente à sede do governo estadual, era de quinze minutos.

Às sete e meia da manhã seguinte, ele estava em seu gabinete, e pronto para seu primeiro compromisso. Desde 1976, Witt Beasley estava à frente da Divisão de Recursos Criminais da procuradoria-geral e, nessa função, era encarregado de defender as condenações dos 31 presos no corredor da morte àquela altura. A empolgação com a execução de Jimmy Lee Gray havia apenas aumentado a pressão sobre Beasley e sua equipe para acabar com os incômodos atrasos e dar sinal verde ao algoz em Parchman. Depois de anos nas trincheiras, Beasley conhecia muito bem as complicações e frustrações que envolviam as decisões pela pena de morte. Os políticos, não. Ele também sabia que seu novo chefe tinha um desejo pulsante de agilizar os recursos de Hugh Malco.

– Dei uma olhada nos casos de pena de morte, todos os 31 – disse Keith. – É difícil dizer quem provavelmente vai ser o próximo da fila.

– De fato é, Keith – respondeu Beasley, coçando a barba.

Ele era vinte anos mais velho que seu chefe e não estava sendo desrespeitoso. Keith já havia implementado uma política de "primeiro nome" para os 46 advogados que faziam parte de sua equipe. Das secretárias e escrivães era esperado o uso de "Dr." e "Dra.".

– Os recursos de Jimmy Lee Gray foram concluídos depressa, comparativamente falando, mas ele não tinha muito o que argumentar – explicou Beasley. – De agora em diante, não vejo outra execução sendo realizada ao longo de pelo menos dois anos. Se eu tivesse que chutar, diria que o próximo será Wally Harvey.

– Que crime terrível.

– São todos terríveis. Por isso os autores foram condenados à pena de morte. É por esse motivo que as pessoas estão clamando por mais.

– E o Malco?

Beasley respirou fundo e continuou coçando a barba.

– Difícil de dizer. Os advogados dele são bons.

– Eu li cada palavra.

– Eu sei. Nesse momento, já se passaram mais de cinco anos do veredito. O resultado do habeas corpus no tribunal federal deve sair este ano, talvez no próximo, e provavelmente vamos ganhar. Eles não têm muito o que argumentar... é o de sempre, assistência ineficaz do advogado durante o julgamento, jurados pressionados a dar o veredito, esse tipo de coisa. Estão fazendo um bom trabalho questionando as provas. Como você sabe, as únicas testemunhas de fato foram Henry Taylor e Nevin Noll, dois cúmplices que abriram o bico pra salvar a própria pele. O argumento do Malco é bem coerente, mas não consigo ver nenhum tribunal caindo nessa. Eu diria que vai levar mais uns dois anos para o caso ser concluído na instância federal, depois, vale tudo. Esses caras têm experiência e vão tentar qualquer coisa.

– Quero prioridade nesse caso, Witt. É pedir demais?

– Todos os casos têm prioridade, Keith. Estamos lidando com a vida das pessoas e levamos esses casos a sério.

– Eu sei, mas isso é diferente.

– Compreendo.

– Coloque seu melhor pessoal nisso. Sem atrasos. Nesse momento, só tenho quatro anos garantidos nesse cargo. Só Deus sabe o que vai acontecer depois disso.

– Entendido.

– Conseguimos fazer isso em quatro anos, Witt?

– Bom, é impossível prever. A gente teve só uma execução desde 1976.

– E estamos ficando pra trás. O Texas está enterrando gente a torto e a direito.

– Eles têm muito mais gente no corredor da morte.

– E Oklahoma? Foram cinco nos últimos três anos, e nós temos mais homens no corredor da morte.

– Eu sei, eu sei, mas nem sempre depende da procuradoria. A gente precisa esperar um bando de juízes federais que, de modo geral, odeiam lidar com habeas corpus. Eles são conhecidos por serem ponderados e pouco colaborativos. Os escrivães odeiam casos de pena de morte porque sempre é muita papelada. Este é o meu mundo, Keith, e sei o quão devagar as coisas andam por aqui. Vamos pressionar o máximo que pudermos, prometo.

Keith ficou satisfeito e abriu um sorriso.

– É só o que peço.

Beasley lançou um olhar cauteloso para ele e garantiu:

– Vamos fazer isso acontecer, Keith, e o mais rápido possível. Mas uma questão importante é se você está pronto pra isso. Você é considerado vítima nesse crime, você e a sua família. É um caso único, no qual a vítima exerce um poder muito grande sobre a máquina judiciária, em especial, das penas de morte. Algumas pessoas já levantaram a hipótese de um conflito de interesses.

– Eu li todos os documentos, Witt, e entendo o que estão afirmando. Não estou incomodado com isso. O povo me elegeu como procurador-geral sabendo muito bem que meu pai foi assassinado por Hugh Malco e que seria minha responsabilidade defender o Estado contra seus recursos. Não vou me deixar distrair por uma meia dúzia de críticas. Dane-se a imprensa.

– Muito bem.

Witt foi embora da reunião e voltou para sua sala, a algumas portas de distância. Sozinho, riu consigo mesmo do esforço um tanto descabido do procurador-geral de fingir desinteresse pela imprensa. Poucos políticos na história recente demonstravam maior afeição pelas câmeras do que Keith Rudy.

DURANTE OS PRIMEIROS TRÊS meses de cada ano, a apreensão entre o eleitorado aumentava quando o legislativo estadual se reunia na sede do governo. A cidade de Jackson se sentia sitiada toda vez que 144 parlamentares eleitos, todos políticos veteranos, chegavam de todos os cantos do estado com suas equipes, comitivas, lobistas, projetos e ambições.

Milhares de projetos de lei, praticamente todos inúteis, eram debatidos em dezenas de comitês. Audiências importantes chamavam pouca atenção. Os debates no plenário se arrastavam diante das galerias vazias. A Câmara passava semanas rejeitando os projetos aprovados pelo Senado, que, ao mesmo tempo, estava ocupado rejeitando os projetos aprovados pela Câmara. Pouco era realizado; pouco se esperava. Já havia leis suficientes para sobrecarregar a população.

Como procurador do Estado, o gabinete de Keith tinha a responsabilidade de representar todas as agências, conselhos e comissões existentes, e foram necessários três dúzias de advogados para fazê-lo. Às vezes, durante seus primeiros meses no cargo, ele se sentia nada mais do que um burocrata bem pago. Seus longos dias eram preenchidos com intermináveis reuniões de equipe enquanto a legislação proposta era monitorada. Pelo menos duas vezes por dia, ele ia para a grande janela de seu esplêndido escritório, olhava para a sede do governo do outro lado da rua e se perguntava o que diabos estariam fazendo lá dentro.

Uma vez por semana, às quartas-feiras, pontualmente às oito da manhã, ele tomava um café de quinze minutos com Witt Beasley e recebia as últimas atualizações sobre os recursos de Hugh Malco. Com a velocidade de uma geleira, eles avançavam lentamente ao longo da pauta federal.

No início de maio, ele foi informado de que Lance Malco seria solto em julho, oito anos e três meses depois de se declarar culpado por operar uma casa de prostituição. Keith admitia que fora uma sentença dura para um delito relativamente inofensivo, mas não se importava. Lance havia cometido crimes muito mais graves ao longo de sua violenta carreira e merecia morrer na prisão, como o filho.

Mais importante do que isso, nada mudaria a opinião de Keith de que Lance tinha ordenado o assassinato de Jesse Rudy. Contudo, a não ser que houvesse uma dramática confissão, isso jamais seria provado.

COMO SE ANUNCIASSE SEU retorno à vida civil, ou talvez uma forma de se preparar para as tarefas que tinha pela frente, Lance, ainda na prisão, enviou uma mensagem.

Durante os últimos seis anos, Henry Taylor havia cumprido pena em uma série de presídios do condado em todo o estado. A cada transferência, recebia um novo nome e um histórico ligeiramente modificado. Cada novo xerife era apoiado pela polícia estadual e instruído a tomar conta do sujeito, tratá-lo bem, talvez até permitir que ajudasse na prisão como encarregado. Os xerifes eram assegurados de que ele não se tratava de um interno perigoso e de que tinha apenas entrado em conflito com alguns narcotraficantes em algum lugar da Costa. Cada xerife administrava seu pequeno reino e raramente compartilhava informações com seus colegas vizinhos.

Um dia, já no final da tarde, Henry estava resolvendo algumas coisas. Deixou a sala do escrivão do circuito com uma pilha de intimações a serem levadas até o gabinete do xerife, que deveria intimar os possíveis jurados no dia seguinte. Como encarregado, ele usava uma camisa branca e uma calça de brim azul com uma faixa branca na perna, um aviso a todos de que era residente do presídio do condado de Marshall. Ninguém se importava. Os encarregados iam e vinham, e eram comumente vistos circulando pelo fórum. Quando estava prestes a sair pela porta dos fundos, uma barra de aço atingiu sua nuca e o nocauteou. Ele foi arrastado para um pequeno e escuro almoxarifado. Com a porta trancada, foi sufocado até a morte com um pedaço de corda de náilon de pouco mais de meio metro. Seu corpo foi colocado em uma caixa de papelão. O agressor saiu do almoxarifado, fechou a porta, trancou-a e entrou num banheiro com dois mictórios e uma cabine. Às 16h50, um faxineiro entrou, olhou em volta e apagou a luz. O agressor estava na cabine, agachado em cima da tampa do vaso sanitário.

Duas horas depois, quando o fórum vazio começou a escurecer, o agressor desceu os corredores do andar de baixo e do andar de cima na ponta dos pés e não viu ninguém. Como examinou o edifício inteiro, sabia que não havia guardas nem sistema de segurança. Quem invadiria tribunais em cidades do interior?

Taylor deveria ter voltado para a prisão duas horas antes e provavelmente alguém já havia dado falta dele. Tempo, portanto, era algo crucial. O agressor caminhou até a porta dos fundos, saiu, fez sinal para seu cúmplice e esperou que ele dirigisse uma caminhonete até a porta sob uma pequena varanda. Já havia passado muito da hora de fechar, e as lojas e escritórios ao redor da praça estavam vazios e escuros. Dois cafés estavam cheios, mas ficavam do outro lado da praça.

O cadáver estava sangrando, então eles envolveram sua cabeça com alguns trapos sujos. Eles o carregaram dentro de uma caixa de papelão e rapidamente o colocaram na caçamba da caminhonete. Voltando a entrar no fórum, o agressor, usando luvas, atirou as intimações no corredor dos fundos e não fez nenhum esforço para limpar o sangue de Taylor. Cinco quilômetros ao sul da cidade de Holly Springs, a caminhonete entrou em uma estrada municipal e depois em uma trilha de terra que desaparecia em meio à floresta. O corpo foi transferido para o porta-malas de um carro. Seis horas depois, o carro e a picape chegaram ao cais de Biloxi, onde o corpo de Henry Taylor foi levado até um barco de camarão.

Ao primeiro indício de luz do sol, a traineira deixou o cais e dirigiu-se para o estreito do Mississippi em busca de camarão. Quando não havia outro barco à vista, o corpo foi jogado no convés, as roupas, removidas, e o fio de uma rede foi enrolado em seu pescoço. Ele foi içado por uma grua e ficou lá pendurado por um momento enquanto era fotografado. Depois disso, a grua desceu o cadáver em direção à água, a rede foi cortada e Henry foi jogado aos tubarões.

Exatamente como nos velhos tempos.

O DESAPARECIMENTO DE HENRY do tribunal do condado de Marshall era um mistério sem pistas. Uma semana se passou até que a polícia estadual fosse parar no gabinete da procuradoria-geral para informar Keith de que sua testemunha sob proteção não estava tão protegida assim, afinal. Keith tinha uma boa ideia a respeito do que havia acontecido. Lance Malco estava prestes a ser solto e queria que seus inimigos soubessem que ele ainda estava no comando.

Como seu pai, Keith não tinha medo dos Malcos e adorava a ideia de ir atrás de Lance se ele retomasse seus velhos hábitos.

E não estava tão incomodado assim por perder Henry Taylor. Afinal, ele era o homem que havia "puxado o gatilho" e matado Jesse Rudy.

A FOTO ERA UMA impressão em preto e branco tamanho 13 x 18 cm e foi contrabandeada até Parchman por um guarda que trabalhava para Lance Malco, que passou o dia inteiro admirando a imagem e pensou em como seria bom ver certa pessoa na mesma situação. Ensanguentado, nu, morto, pendurado em uma grua. Ali estava o bombista incompetente que delatara seu filho e o mandara para o corredor da morte.

Lance subornou outro guarda para que entregasse a foto em mãos a um tal de Lou Palmer, também conhecido como Nevin Noll, atualmente alojado na Unidade 18, na penitenciária de Parchman.

Nenhuma mensagem foi incluída. Não era necessário.

56

Em 7 de junho, Keith e um assistente entraram no banco traseiro de uma viatura da polícia rodoviária novinha em folha para uma viagem até Hattiesburg. Uma das vantagens de ser procurador-geral era ter um motorista para levá-lo aonde quer que desejasse, com um guarda-costas sempre por perto. O lado negativo eram as ameaças recorrentes à sua integridade física, que geralmente vinham na forma de cartas meio malucas e mal escritas, muitas delas enviadas em geral de prisões. A polícia estadual monitorava as correspondências e, até então, não tinha visto nada com o que se preocupar.

Outra vantagem era o raro uso do jatinho estadual, um bem cobiçado por uma meia dúzia de funcionários eleitos, mas controlado exclusivamente pelo governador. Keith já havia estado nele uma vez, tinha gostado muito e podia se ver lá dentro no futuro.

A reunião foi no tribunal federal em Hattiesburg. A ocasião foi uma sustentação oral acerca do habeas corpus impetrado por Hugh Malco. Dois repórteres, sem câmeras, esperavam no corredor do lado de fora do fórum e pediram a Keith alguma declaração. Ele educadamente se recusou.

Lá dentro, sentou-se à mesa do Estado junto de Witt Beasley e dois de seus principais advogados.

Na frente deles, os advogados de Hugh, de Atlanta, ocupavam-se com a papelada. Até então, suas volumosas petições não haviam produzido nada de benéfico para o cliente. Eles haviam perdido na Suprema Corte do Estado por nove a zero. Uma petição requerendo uma audiência, uma mera formalidade, foi indeferida. Recorreram junto à Suprema Corte dos Estados Unidos e perderam quando a instituição se recusou a ouvir o caso. Com o início da segunda fase de recursos, eles deram entrada em um pedido de revisão criminal na Suprema Corte do Estado, que também foi indeferido. Solicitaram uma nova audiência, outra formalidade, e o pedido foi negado. Recorreram perante à Suprema Corte dos Estados Unidos, que novamente se recusou a ouvir o caso. Com os processos estaduais esgotados, foi iniciada a terceira fase, junto ao tribunal federal, com a apresentação de um habeas corpus.

Hugh tinha sido condenado à morte no tribunal do condado de Forrest, em Hattiesburg, em abril de 1978. Seis anos depois, na mesma cidade, mas em um tribunal diferente, ele e seu caso ainda estavam vivos. De acordo com Witt, porém, ambos estavam em perigo. A linha de chegada estava à vista. Os poderosos advogados de Hugh eram inteligentes e experientes, mas seus argumentos ainda não haviam ganhado força. Keith, que ainda lia cada palavra anexada aos autos, concordava.

Enquanto esperavam por Sua Excelência, mais repórteres se reuniram na primeira fila, atrás dos advogados. Não havia muita gente assistindo. Afinal, era uma manobra de apelação bastante sem graça e monótona. Quando a notificação chegou, um mês antes, Keith quis tratar pessoalmente da sustentação oral. Ele conhecia o caso tão bem quanto Witt e certamente era capaz de enfrentar os advogados da defesa, mas percebeu que não era uma boa ideia. O assassinato de seu pai seria discutido em alguma medida, e ele e Witt concordaram que deveria permanecer sentado em sua cadeira.

Hugh queria comparecer à audiência, e seus advogados deram entrada no requerimento. No entanto, era de costume que tal pedido fosse aprovado ou reprovado pelo procurador-geral, e Keith alegremente o indeferiu. Ele queria que Hugh deixasse o Corredor em um caixão, e não antes. Foi um prazer lhe negar algumas horas fora de sua miserável cela minúscula.

Sua Excelência finalmente apareceu para colocar as coisas em ordem. Enquanto parte lesada e requerente, os advogados de Hugh foram os primeiros e passaram a primeira hora descrevendo em detalhes enfadonhos o péssimo trabalho que Joshua Burch havia realizado defendendo seu cliente durante o julgamento. A assistência ineficaz do advogado costumava ser invocada por advogados desesperados e quase sempre era apresentada em segunda instância. O problema era que Joshua Burch não era um defensor dativo nomeado pelo tribunal para um cliente que não podia arcar com os custos de sua defesa. Ele era Joshua Burch, um dos melhores advogados criminalistas do estado. Ficou claro que o ataque ao Dr. Burch não estava convencendo Sua Excelência.

Em seguida, outro advogado argumentou que as testemunhas do Estado tinham sérios problemas de credibilidade. Henry Taylor e Nevin Noll eram originalmente corréus antes de se virarem contra Hugh em um esforço para evitar a câmara de gás.

Sua Excelência pareceu cochilar. Tudo o que estava sendo dito já havia sido apresentado nos volumosos memorandos anexados ao processo semanas antes. Durante duas horas, os advogados falaram e falaram, num discurso monótono que não ia a lugar algum. Meses antes, Keith e Witt haviam percebido que Hugh e sua equipe não tinham nada de novo: nenhuma testemunha surpresa, nenhuma estratégia nova, nenhum argumento brilhante que Joshua Burch deixara escapar no julgamento. Estavam simplesmente fazendo seu trabalho e seguindo o protocolo em um caso em que o cliente era claramente culpado.

Quando Sua Excelência se cansou, deixou isso bem claro e fez um recesso para um café.

Sendo um veterano com trinta anos de recursos nas costas, fazia muito tempo que Witt Beasley tinha aprendido a defender seus argumentos com resumos escritos concisos e lógicos, e falando o mínimo possível no tribunal. Ele achava que advogados falavam demais e também sabia que, quanto mais besteiras um juiz ouvia, menos paciência ele tinha.

Witt abordou os pontos principais, terminou em menos de uma hora, e eles saíram para almoçar.

Conhecendo bem o juiz, Witt previa uma decisão dentro de seis meses. Presumindo que seria a favor do Estado, Hugh recorreria em seguida no Quinto Circuito, em Nova Orleans. O Quinto Circuito era conhecido por ser um tribunal bastante diligente, e muitas vezes as decisões saíam em menos de um ano. Se eles confirmassem o posicionamento do tribunal estadual, então o próximo e provavelmente último recurso de Hugh seria junto à Suprema Corte dos Estados Unidos, em que já havia perdido duas vezes.

Keith não contaria os meses até que a data de execução pudesse ser marcada, mas estava contando os anos. Se tudo desse certo no Mississippi, Hugh Malco seria executado enquanto Keith ainda fosse o procurador-geral.

A EUFORIA DE LANCE Malco ao deixar Parchman levou um banho de água fria quando o criminoso retornou à vida civil na Costa. Sua família tinha ido embora. Carmen morava em Memphis para ficar mais perto de Hugh. Os outros filhos haviam se espalhado pelo país havia mais de dez anos e praticamente não mantinham contato com o pai ou com Hugh. Após o divórcio, a casa da família fora vendida, a mando de Lance. Seus fiéis soldados estavam trabalhando em outro lugar ou haviam deixado a Costa em definitivo. Sua fortaleza, Albert Bowman, estava morto. O novo xerife, junto às novas autoridades, já havia comunicado que o retorno do Sr. Malco não era bem-vindo e que ele seria vigiado de perto.

Ele ainda era dono dos estabelecimentos – Red Velvet, Foxy's, Desperado, O'Malley e Parada do Jerry –, mas estavam todos em ruínas e precisavam de reforma. Haviam perdido popularidade para outros mais novos e chamativos ao longo da Strip. Dois de seus bares haviam fechado. Em um mundo onde o dinheiro mandava, ele tinha quase certeza de que havia sido roubado por gerentes, bartenders e seguranças. Era impossível administrar as coisas da prisão. Se Hugh e Nevin não tivessem estragado tudo, poderiam ter ficado no controle do império e mantido os outros na linha. Sem eles, porém, ninguém teve coragem nem inteligência para tomar a frente, receber as ordens do Chefe e proteger os interesses dele.

A euforia durou apenas alguns dias até Lance se dar conta de que estava entrando em depressão. Ele tinha 62 anos e gozava de boa saúde, apesar dos oito anos de cadeia, o que havia acelerado seu processo de envelhecimento. Seu filho favorito estava no corredor da morte. Seu casamento tinha acabado havia muito tempo. Embora ainda possuísse muitos bens, seu império estava em sério declínio. Os amigos o abandonaram. As poucas pessoas cuja opinião importava tinham certeza de que ele estava por trás da morte de Jesse Rudy.

O nome Malco, outrora temido e respeitado por muitos, estava arruinado.

Ele era dono de uma série de apartamentos em St. Louis Bay, no condado de Hancock. Mudou-se para um deles, alugou alguns móveis, comprou um pequeno barco de pesca e começou a passar os dias na água, sem pescar nada e sem tentar fazê-lo, na verdade. Era um homem solitário, sem família, sem amigos, sem futuro. Decidiu ficar por lá e gastar o que fosse necessário para salvar Hugh, e, se isso não desse certo, venderia tudo, juntaria seu dinheiro e se mudaria para as montanhas.

A Strip parecia estar a milhares de quilômetros de distância.

57

A tão esperada oportunidade apareceu no final de setembro, quando Sammy Shaw notou que os prisioneiros que trabalhavam na gráfica haviam colocado algumas caixas de papelão vazias na lixeira, que estava praticamente transbordando. Quando Sammy viu o caminhão de coleta todo detonado chegar ao portão lateral para esvaziá-la, fez um sinal para Nevin Noll, que estava pronto. Haviam repassado esse primeiro momento da fuga uma centena de vezes. Ambos carregavam um saco de papel pardo com suprimentos quando pularam na lixeira e se enterraram sob as caixas de papelão. Ela era usada pela cozinha e pela lavanderia, e imediatamente os dois ficaram cobertos de comida estragada e outras imundícies. A primeira etapa tinha sido bem-sucedida: ninguém os vira.

Cabos chacoalharam quando o motorista enganchou a lixeira, depois um motor ganiu conforme o recipiente era erguido e começava a se envergar em direção à caçamba. Houve um ruído metálico, o recipiente se encaixou no lugar, depois ficou imóvel. Nevin e Sammy estavam a pouco mais de um metro de profundidade em meio ao lixo, completamente no escuro, mas ficaram aliviados quando a lixeira começou a se mover. O caminhão parou, o motorista gritou, alguém gritou de volta, um portão bateu, e eles voltaram a se locomover.

O aterro sanitário não passava de um gigantesco pântano de lixo e lama, escavado a quilômetros das unidades, o mais longe possível. Cada unidade tinha uma cerca com guardas e arame farpado, mas a fazenda, de modo geral, não. Quando o caminhão ultrapassou outra cerca, os fugitivos entenderam que estavam livres e a salvo, pelo menos por ora. A segunda etapa também tinha sido bem-sucedida.

O descarregamento seria a parte mais delicada. A porta traseira foi destravada e a lixeira começou a se inclinar bruscamente. Nevin e Sammy começaram a deslizar, um movimento que ou os levaria a uma liberdade temporária ou faria com que fossem alvejados ali mesmo. Eles haviam cortado e ajeitado as caixas de papelão e estavam completamente escondidos dentro delas. Em meio a uma coleção de sacos de lixo, garrafas soltas, latas e potes, os dois ganharam velocidade, deslizaram para fora da lixeira e caíram cerca de 3 metros para dentro do aterro, mergulhando num mar de comida podre, animais mortos e vapores nocivos.

Os dois ficaram paralisados no lugar. Ouviram a lixeira voltar para o caminhão, que deixou o local em seguida. Eles esperaram. À distância, podiam ouvir uma escavadeira rastreando as últimas cargas de lixo e sujeira, aglomerando tudo a fim de abrir espaço para mais.

Cuidadosamente, e tentando não se engasgar, subiram lentamente em direção à superfície. A escavadeira estava a cem metros de distância, indo de um lado para outro. Quando ela se afastou, os dois correram para fora da pilha e, mantendo-se abaixados, seguiram em frente até que a escavadeira virou, e eles se esconderam outra vez. À distância, outro caminhão de coleta vinha na direção deles.

Embora velocidade fosse importante, eles não podiam correr. Era cerca de uma e meia da tarde. A primeira checagem das celas era às seis e meia.

Esquivando-se da escavadeira e dos caminhões de coleta, eles finalmente conseguiram sair do aterro e adentrar um lindo campo de algodão branco como a neve, com caules na altura do peito. Uma vez lá, começaram a correr, um trote lento e controlado que os tirou do terreno da prisão e os levou para a propriedade de outra pessoa. O terceiro passo estava indo bem; tecnicamente estavam fora da prisão, embora longe de estarem livres.

Se era possível fugir da maioria das prisões, então por que a maioria dos fugitivos era capturada em 48 horas? Nevin e Sammy tinham passado horas conversando sobre isso. De modo geral, sabiam o que esperar dentro da prisão. Fora dela, quase não faziam ideia do que encontrariam. Uma coisa era certa: só poderiam correr. Jipes, triciclos, helicópteros e cães de caça logo estariam em seu encalço.

Depois de duas horas, encontraram um lago lamacento e desabaram dentro dele. Removeram as roupas fedorentas da prisão e vestiram jeans e camisas que haviam roubado e escondido meses antes. Comeram sanduíches de queijo e beberam água enlatada. Enrolaram as roupas sujas em chumaços apertados, envolveram-nas com arame farpado, amarraram-nas a uma pedra e as soltaram no lago. Dentro dos sacos de papel, tinham comida, água, uma pistola e algum dinheiro.

De acordo com o irmão de Sammy, Marlin, a mercearia mais próxima ficava na Highway 32, cerca de 8 quilômetros da fronteira oeste da prisão. Eles a encontraram por volta das quatro da tarde e ligaram para Marlin do telefone público. Ele saiu de Memphis imediatamente, para um encontro que, em sua opinião, provavelmente nunca aconteceria. De acordo com o plano, ele iria de carro até um infame boteco chamado Big Bear, no lado norte de Clarksdale, a uma hora do presídio. Tomaria uma cerveja, vigiaria a porta e tentaria se convencer de que seu irmão mais velho estava prestes a entrar a qualquer momento.

Eram quatro e meia – duas horas antes de as celas serem verificadas e dos alarmes ressoarem, supondo, é claro, que ainda não tivessem sido vistos. Eles saíram da loja e caminharam três quilômetros, fora de vista. Esconderam-se debaixo de uma árvore e observaram o trânsito. A maioria das pessoas que morava na área eram negras, então Sammy pediria a carona, carregando a pistola. Ouviram um carro se aproximando, então ele pulou do acostamento e esticou o polegar. O motorista era branco e não diminuiu a velocidade em momento algum. O veículo seguinte era uma antiga caminhonete dirigida por um senhor negro idoso, que também não reduziu a velocidade. Esperaram quinze minutos; não era uma estrada movimentada. À distância, viram um sedã de modelo recente e concluíram que Nevin deveria tomar a frente. Ele esticou o polegar, conseguiu parecer inofensivo, e o motorista mordeu a isca. Era um quarentão branco de sorriso simpático, dizia-se vendedor de fertilizantes. Nevin contou que seu carro havia quebrado alguns quilômetros atrás. Ao se aproximarem da mesma loja, Nevin sacou a pistola e disse ao cara para dar a volta. Ele ficou pálido e falou que tinha mulher e três filhos.

– Ótimo – retrucou Nevin. – E você os verá mais tarde essa noite, basta fazer o que eu mandar. Qual é o seu nome?

– Scott.

– Beleza, Scott. Só faz o que eu te disser e ninguém vai se machucar, tá?

– Sim, senhor.

Eles buscaram Sammy e seguiram para o oeste pela Highway 32.

– Ei, Eddie, esse aqui é o Scott, nosso novo motorista – disse Nevin por cima do ombro. – Fala pra ele que somos bons meninos que não querem machucar ninguém.

– Isso aí, Scott. Somos só escoteiros.

Scott não conseguia falar.

– Quanto tem de gasolina? – perguntou Nevin.

– Meio tanque.

– Vira aqui.

Nevin havia memorizado alguns mapas e conhecia todas as estradas municipais da região. Eles ziguezaguearam rumo ao norte até deixarem a cidade de Tutwiler. Nevin apontou para uma estradinha e falou:

– Agora vira aqui.

Cem metros adiante na estrada, ele fez Scott parar, e os dois trocaram de lugar. Nevin deu a pistola para Sammy no banco de trás, que manteve o cano colado na nuca de Scott. Em uma estrada deserta, entre dois vastos campos de algodão, Nevin parou o carro e disse:

– Desce.

– Por favor, senhor – implorou Scott.

Sammy o cutucou com o cano da arma, e ele saiu do carro. Eles o conduziram por uma fileira de algodão, pararam, e Nevin ordenou:

– Ajoelha.

Scott estava chorando.

– Por favor, eu tenho esposa e três filhos lindos. Por favor, não faz isso.

– Me dá sua carteira.

Scott a entregou depressa e caiu de joelhos. Ele abaixou a cabeça, tentou orar e continuou murmurando:

– Por favor.

– Deita aí – disse Nevin, e Scott obedeceu.

Nevin piscou para Sammy, que colocou a arma no bolso. Eles deixaram Scott chorando em meio ao campo de algodão. Uma hora depois, estacionaram o sedã em frente a uma loja de conveniência em uma área perigosa de Clarksdale. As chaves ficaram na ignição. A dois quarteirões de distância, Nevin esperou do lado de fora, no escuro, enquanto Sammy cruzava a porta da frente do Big Bear e abraçava o irmão.

Marlin os levou até um hotel de beira de estrada em Memphis, onde tomaram um banho longo e quente, comeram hambúrguer e batata frita, beberam cerveja gelada e vestiram roupas melhores. Eles dividiram o que possuíam: 210 dólares em dinheiro que haviam economizado na prisão; 35 dólares do pobre Scott. Jogaram fora a carteira e os cartões de crédito do sujeito.

Na rodoviária, despediram-se sem um abraço. Não havia necessidade de chamar atenção. Apertaram as mãos como amigos agora distantes. Nevin partiu primeiro, em um ônibus para Dallas. Meia hora depois, Sammy partiu para St. Louis.

Marlin ficou aliviado por se livrar dos dois. Ele sabia que as probabilidades estavam contra eles, mas, para dois homens que enfrentariam anos, senão décadas em Parchman, por que não correr o risco?

DOIS DIAS DEPOIS, KEITH foi informado pela polícia estadual. Uma fuga da cadeia era sempre algo inesperado, mas Keith não estava surpreso. Após o misterioso desaparecimento de Henry Taylor, sabia que a pressão aumentaria contra Nevin Noll. E ele estava confiante de que Noll uma hora seria encontrado.

Ainda assim, era perturbador saber que ele estava solto. Nevin Noll era tão culpado de matar o pai de Keith quanto Taylor e Hugh Malco, e seu lugar era dentro de uma cela no corredor da morte.

SAMMY SHAW FOI PRESO em Kansas City depois de a polícia receber uma denúncia anônima. Alguém que o conhecia precisava de 500 dólares.

Um mês se passou sem nenhum sinal de Nevin Noll. Então, dois.

Keith tentava não pensar nele.

Lance Malco também não estava preocupado. O último lugar onde Noll apareceria seria a Costa. Lance estava oferecendo uma recompensa de 50 mil dólares para quem o encontrasse e se certificou de que Noll soubesse disso.

Se tivesse bom senso, o que era o caso, daria um jeito de ir para o Brasil.

58

Como um boxeador pendurado nas cordas do ringue, espancado, ensanguentado, mas se recusando a cair, a defesa de Hugh Malco levava um golpe após o outro e voltava para mais. Em outubro de 1984, o juiz federal de Hattiesburg indeferiu todos os pedidos. Os advogados devidamente recorreram ao Quinto Circuito, que ratificou a decisão do tribunal inferior em maio de 1985. Sem ter mais para onde ir, os advogados recorreram mais uma vez junto à Suprema Corte dos Estados Unidos. Embora os ministros já tivessem indeferido as reivindicações de Malco em dois recursos anteriores, eles levaram sete meses para fazê-lo pela terceira vez. Em seguida, ordenaram que o estado do Mississippi marcasse uma data para a execução.

Keith estava na sede do governo, preparando-se para testemunhar perante o comitê judiciário do senado estadual, quando Witt Beasley o encontrou. Sem dizer uma palavra, entregou-lhe um pedaço de papel no qual havia anotado: *Execução marcada, 28 de março, meia-noite. Parabéns.*

A notícia correu pelo estado e ganhou visibilidade. Quase todos os jornais publicaram a manchete junto de fotos de arquivo de Jesse Rudy em vários momentos no tribunal. O *Gulf Coast Register* republicou a antiga foto do time das estrelas da liga infantil, com Keith e Hugh, e esse pano de fundo mais uma vez se mostrou irresistível. Várias histórias floresceram sobre a infância dos dois no Point. Ex-técnicos, professores, amigos e colegas de equipe foram localizados e entrevistados. Alguns se recusaram a comentar, mas a maioria tinha algo interessante a acrescentar.

Keith foi inundado com convites para entrevistas, mas, por mais que gostasse da exposição, recusou todos. Ele sabia que ainda havia uma boa chance de a execução ser adiada.

EM SEUS DOIS ANOS DE MANDATO, o governador e o procurador-geral trabalharam bem juntos. Bill Allain havia ocupado o cargo de procurador-geral quatro anos antes de Keith e estava sempre pronto para dar conselhos, se necessário. Tinha gostado de ocupar aquele cargo; seu trabalho atual era outra coisa. Em uma campanha desonesta, havia sido caluniado com alegações de má conduta sexual e, embora tivesse recebido 55 por cento dos votos, a nuvem cinza jamais iria embora. Ele ansiava pela vida reservada de um advogado do interior em sua cidade natal, Natchez.

Os homens brancos que escreveram a constituição do estado em 1890 queriam um legislativo forte e um governador fraco, por isso o limite de quatro anos. Nenhum outro cargo eletivo no estado estava submetido à restrição de um único mandato.

Bill Allain deixaria o cargo, mas ainda não era a hora.

Ele e Keith almoçavam toda primeira terça-feira de cada mês na mansão do governador, momento no qual se esforçavam bastante para evitar qualquer conversa sobre política. Futebol e pesca eram os temas preferidos. Ambos eram católicos, algo incomum em um estado que era 95 por cento protestante, e eles gostavam de fazer piadas com batistas, pastores, encantadores de cobras, até mesmo uma crítica ou outra a um padre. Em fevereiro de 1986, porém, não havia como evitar a notícia que circulava por todo o estado.

Por ser o governador, além de um contador de histórias nato, foi Allain quem mais falou. Em seus tempos na procuradoria, havia participado da execução de Jimmy Lee Gray e gostava de relembrar o drama.

– No final, é uma loucura. Advogados disparando petições pra todos os tribunais possíveis, conversando com os repórteres, tentando aparecer na frente das câmeras. Políticos indo atrás dessas mesmas câmeras, bradando por mais execuções. O governador Winter era pressionado pelo pessoal dos direitos humanos de um lado e pelos defensores da pena de morte do outro. Ele recebeu umas seiscentas cartas de vinte países diferentes. O Papa se manifestou, pediu que poupassem a vida do garoto. O presidente Reagan queria a câmara de gás. A história se tornou nacional porque fazia tempo que ninguém era executado. A imprensa liberal estava massacrando a gente. A imprensa conservadora ficou na torcida. Faltando dois dias, parecia que a execução realmente iria acontecer, e Parchman virou um zoológico. Centenas de manifestantes surgiram do nada. De um lado da Highway 49, havia pessoas pedindo sangue, doidos armamentistas brandindo fuzis, e, do outro, freiras, padres e um pessoal um pouco mais gentil, que rezavam muito. Todos os xerifes do estado encontraram uma desculpa pra correr até Parchman e participar daquela festança. E isso foi só o começo. A do Malco vai ser um circo ainda maior.

– Ele deu entrada num pedido de indulto ontem.

– Acabei de ver. Tá na minha mesa, em algum lugar. Como você se sente em relação a isso?

– Eu quero que ele seja executado.

– E a sua família?

– Já discutimos isso muitas vezes. Minha mãe fica um pouco hesitante, mas eu quero vingança, meus três irmãos também. Simples assim, governador.

– Nunca é simples. Nada em relação à pena de morte é simples.

– Eu discordo.

– Muito bem, vou te provar como esse assunto é complicado. Vou deixar essa com você, Keith. Você vai decidir sobre o indulto, não eu. Posso decidir tanto a favor quanto contra. Conhecia o seu pai e tinha muito respeito por ele. O assassinato por encomenda de um promotor de justiça foi um ataque ao cerne do nosso sistema judicial e não pode ser tolerado. Eu entendo. Posso usar esse discurso; já usei, na verdade. Entendo o desejo de vingança. Compreendo o sentimento. Mas, por outro lado, se matar é errado, e todos conseguimos concordar que é, então por que permitimos que o Estado mate? Como o Estado se torna tão hipócrita a ponto de se colocar acima da lei e sancionar os próprios assassinatos? Eu fico confuso, Keith. Como já falei, não é uma questão simples.

– Mas o indulto é problema seu, não meu.

– De acordo com a lei, sim, mas ninguém precisa saber sobre esse nosso arranjo. É um acordo de cavalheiros. Você toma a decisão. Eu levo a conhecimento público e assumo a responsabilidade.

– E os desdobramentos?

– Eu não tô preocupado com isso, Keith, porque nunca mais vou concorrer a nenhum cargo público. Depois que eu sair daqui, e não vai ser agora, meus tempos na política terão terminado. Ouvi de uma fonte confiável que o legislativo está mesmo pensando em liberar a sucessão governamental. Só vou acreditar quando vir, mas isso não vai me afetar em nada, porque já estarei longe. Meus dias correndo atrás de votos acabaram.

– Bem, obrigado, acho. Eu não pedi isso e não tenho certeza de que quero essa responsabilidade.

– Pois vá se acostumando, Keith. Você é o favorito pra esse cargo daqui a dois anos. Há pelo menos quatro execuções a caminho.

– Tá mais pra cinco.

– Que seja. O que eu quero dizer é que o próximo governador terá muito trabalho a fazer.

– Eu não sou exatamente imparcial neste caso, governador.

– Então você tomou a sua decisão? Se disser não ao indulto, o Malco vai pra câmara de gás.

– Deixa eu pensar sobre isso.

– Pois pense. E é nosso segredo, hein?

– Posso contar pra minha família?

– Claro que pode. Farei o que você e a sua família quiserem e ninguém jamais vai ficar sabendo. Combinado?

– Eu tenho escolha?

O governador deu um raro sorriso e respondeu:

– Não.

59

O governador ofereceu generosamente o jatinho estadual, e o procurador-geral aceitou de imediato. Quando o último recurso foi negado, pouco depois das oito da noite, Keith deixou seu gabinete em Jackson e voou para Clarksdale, a cidade mais próxima com uma pista de pouso comprida o suficiente. Foi recebido por dois policiais estaduais, que o acompanharam até a viatura. Assim que deixaram o aeroporto, Keith pediu que desligassem as luzes azuis piscantes e diminuíssem a velocidade. Ele não estava com pressa e também não estava a fim de conversar.

Sozinho no banco de trás, observou as infinitas planícies do Delta, tão distantes do oceano.

Eles têm 12 anos.

É a semana mais gloriosa do ano: acampamento de verão em Ship Island com outros trinta escoteiros. O decepcionante final da temporada de beisebol já foi esquecido há muito tempo, conforme os meninos acampam, pescam, pegam caranguejos, cozinham, nadam, velejam, fazem trilhas, andam de caiaque, velejam mais um pouco e passam horas intermináveis nas águas rasas ao redor da ilha. Suas casas ficam a apenas 20 quilômetros de distância, mas parecem estar em outro mundo. As aulas começam dentro de uma semana, e eles tentam não pensar nisso.

Keith e Hugh são inseparáveis. Como estrelas do time de beisebol, são muito admirados. Como líderes das patrulhas, também.

Estão sozinhos em um catamarã de 14 pés, com a ilha à vista, a um quilômetro e meio de distância. O sol está começando a cair no oeste; outro dia longo e preguiçoso no mar está chegando ao fim. Metade da semana já se passou, e eles querem que dure para sempre.

Keith está no controle do leme e o vira lentamente contra uma brisa suave. Hugh está esparramado no convés, com os pés descalços pendurados na proa. Ele diz:

– Eu li uma história na Boys' Life *sobre esses três caras que cresceram juntos perto da praia, na Carolina do Norte, acho, e quando eles tinham 15 anos tiveram a ideia maluca de consertar um antigo veleiro e atravessar o Atlântico dentro dele quando terminassem o ensino médio. E eles fizeram isso. Passaram muito tempo trabalhando nele, restauraram tudo, economizaram dinheiro pras peças e suprimentos, coisas assim, e, no dia seguinte à formatura, zarparam. As mães choraram, as famílias achavam que eles eram malucos, mas eles não se importavam.*

– O que aconteceu com eles?

– Tudo. Tempestades. Tubarões. Passaram uma semana sem rádio. Se perderam algumas vezes. Levaram 47 dias pra chegar à Europa, desembarcaram em Portugal. Tudo no lugar. Estavam durinhos de pedra, então venderam o adorado barco pra comprar passagens de volta pra casa.

– Parece divertido.

– Um cara escreveu a história dez anos depois. Os três se encontraram no mesmo cais pra uma reunião. Disseram que foi a maior aventura de suas vidas.

– Eu ia adorar ficar em mar aberto por alguns dias, você não?

– Claro. Dias, semanas, meses – diz Hugh. – Nenhuma preocupação, coisa nova pra ver todos os dias.

– A gente deveria fazer isso, sabia?

– Tá falando sério?

– Por que não? A gente tem só 12 anos, então são, o quê, seis anos pra se preparar?

– A gente não tem um barco.

Eles refletem enquanto a brisa aumenta e o catamarã desliza sobre a água.

– A gente não tem um barco – repete Keith.

– Bom, eles três também não tinham. Deve ter uns mil saveiros velhos

atracados perto de Biloxi. A gente pode encontrar um barato e começar a trabalhar.

– Nossos pais não vão deixar.

– Os pais deles também não gostaram da ideia, mas eles tinham 18 anos e estavam determinados a fazer isso.

Outra longa pausa enquanto desfrutavam da brisa. Estavam se aproximando de Ship Island.

– E o beisebol? – perguntou Keith.

– Sim, isso pode ser um problema. Você já se perguntou o que vai acontecer se a gente não chegar às grandes ligas?

– Na verdade, não.

– Nem eu. Mas e se? O meu primo me disse que esse ano, 1960, não tem um único jogador da Costa nas ligas principais. Ele falou que as chances de chegar lá são mínimas.

– Não acredito nisso.

– Tudo bem, mas digamos que aconteça alguma coisa e a gente não consiga. Nossa aventura no mar pode ser um plano reserva. Vamos embarcar pra Portugal um dia depois da formatura.

– Eu gosto dessa ideia. Talvez a gente precise de um terceiro imediato.

– Temos muito tempo ainda. Vamos manter isso em segredo por alguns anos.

– Fechado.

A ALGUNS QUILÔMETROS DE DISTÂNCIA, eles viram as luzes de dois helicópteros que pairavam sobre o presídio como vaga-lumes. A Highway 49 tinha pouco tráfego nos dias mais movimentados, mas, por volta das nove da noite, havia carros parados ao norte e ao sul da entrada principal. O acostamento do lado oeste estava coberto de manifestantes segurando velas e cartazes pintados à mão. Eles cantavam baixinho e muitos rezavam. Do outro lado da estrada, um grupo menor observava, ouvia respeitosamente e acenava com os próprios cartazes. Ambos os lados eram monitorados de perto pelo que parecia ser um exército inteiro de oficiais do condado e policiais rodoviários. Bem em frente ao portão, havia uma base improvisada da imprensa com uma dúzia de vans. Câmeras e fios corriam de lá para cá enquanto os repórteres circulavam à espera de notícias.

Keith notou uma van pintada com as cores vivas da WLOX-Biloxi. Claro que a Costa estaria lá.

Seu motorista virou no portão e esperou atrás de outras duas viaturas. Oficiais do condado. Era uma execução, uma noite importante para as autoridades, e uma velha tradição estava sendo revivida. Esperava-se que todos os xerifes do estado fossem até Parchman em uma viatura de última geração e se sentassem e esperassem pela boa notícia de que as coisas haviam saído conforme o planejado. Outro assassino havia sido eliminado. Muitos deles se conheciam e se reuniam em grupinhos, fofocavam e riam enquanto um grupo de presidiários grelhava hambúrgueres para o jantar. Se e quando chegassem as boas-novas, eles comemorariam, parabenizariam uns aos outros e voltariam para casa, com o mundo mais seguro.

Na porta do prédio da administração, Keith dispensou um repórter, um dos que tinham credenciais suficientes para entrar no presídio. A notícia de que o procurador-geral havia chegado se espalhou depressa. Ele se qualificava como vítima e tinha autorização para testemunhar a execução. Seu nome estava na lista.

Agnes havia pedido que ele não fosse. Nem Tim nem Laura tinham estômago para isso, mas queriam vingança. Beverly estava hesitante e ficou ressentida com o governador por colocar aquela pressão na família. Eles só queriam que aquilo tudo acabasse.

Keith foi direto ao gabinete do superintendente e o cumprimentou. O advogado do presídio estava lá e confirmou que os advogados de defesa haviam se rendido.

– Não há mais nenhum recurso a apresentar – afirmou ele, em um tom sombrio.

Eles conversaram por alguns minutos, depois entraram numa van branca do presídio e se dirigiram para o Corredor.

HAVIA DUAS CADEIRAS DOBRÁVEIS no meio de uma pequena sala sem janelas. Uma escrivaninha e uma cadeira de escritório tinham sido colocadas junto à parede. Keith se sentou e aguardou, sem paletó, o nó da gravata frouxo, as mangas arregaçadas. Era uma noite quente para o final de março. O trinco da porta estalou ruidosamente e o assustou. Um guarda entrou, seguido por Hugh Malco, depois outro guarda. Os olhos de Hugh dispararam ao redor. Ele estava visivelmente abalado com a presença de Keith. Estava algemado, tinha os tornozelos acorrentados e usava uma camisa e calças brancas, que pareciam bem passadas. O traje da morte. Roupas para o enterro. Ele seria levado de volta a Biloxi e sepultado no jazigo da família.

Keith não se levantou, mas olhou para o primeiro guarda e disse:

– Pode tirar as algemas e as correntes.

O guarda travou, como se Keith tivesse pedido que ele cometesse um crime.

– Você quer que eu chame o diretor? – insistiu Keith.

Os guardas removeram as algemas e as correntes e as colocaram sobre a mesa. Quando um deles abriu a porta, o outro disse:

– Estamos bem aqui fora.

– Não vou precisar de vocês.

Eles saíram, e Hugh se sentou na cadeira dobrável vazia. Os sapatos dos dois estavam a menos de 2 metros de distância. Eles se encararam sem piscar; nenhum deles estava disposto a demonstrar a menor inquietação.

Hugh falou primeiro.

– O meu advogado disse que você seria uma das testemunhas. Não esperava que fosse aparecer pra me fazer uma visita.

– O governador me mandou aqui. Ele está tendo dificuldades com a questão do indulto, precisa de ajuda. Então, me deu uma procuração. A decisão é minha.

– Ora, ora. Você deve estar adorando. Vida e morte em jogo. Você tem a chance de brincar de Deus. O governante supremo.

– Parece um momento estranho pra me insultar.

– Foi mal. Lembra a primeira vez que você me chamou de espertinho?

– Lembro. Sexto ano, a professora era a Sra. Davidson. Ela me ouviu, me arrastou até o corredor, me deu três cascudos, e você passou uma semana rindo da minha cara.

Ambos conseguiram esboçar um breve sorriso. Um helicóptero zumbiu, voando baixo, e depois foi embora.

– Tá animado lá fora, hein? – comentou Hugh.

– Bastante. Você tá assistindo?

– Tô. Tenho uma televisão na minha cela, é bem pequena, mas colorida, e como os guardas são muito legais por aqui, estão me dando um tempinho extra na última noite da minha vida. Parece que vou sair daqui um mártir.

– É isso que você quer?

– Não, eu quero ir pra casa. Pelo que entendi, o governador tem quatro opções: conceder o perdão judicial, não conceder, prorrogar a execução ou conceder o indulto.

– É o que diz a lei.

– Então, andei pensando, seria bom mesmo um perdão absoluto.

Keith não estava a fim de frivolidades nem nostalgia. Olhou para Hugh e perguntou:

– Por que você matou o meu pai?

Hugh respirou fundo, baixou o olhar e depois encarou o teto.

– Não era pra ser daquele jeito, Keith, eu juro – disse ele depois de uma longa pausa. – É claro que contratamos o Taylor pra bombardear o escritório, mas não era pra ninguém se machucar. Era um aviso, uma forma de intimidação. O seu pai mandou o meu pra cadeia e tinha começado a investigar o assassinato de Dusty Cromwell. Ele estava vindo atrás da gente e chegando perto. Explodir o gabinete dele no tribunal seria o último aviso. Eu juro que não tínhamos planos de machucar ninguém.

– Não acredito nisso. Ouvi cada palavra que Henry Taylor e Nevin Noll disseram no tribunal. Observei o olhar deles, a linguagem corporal, tudo, e não havia dúvida pra ninguém de que você e o Nevin contrataram o Taylor pra matar meu pai. Você continua mentindo, Hugh.

– Juro que não tô.

– Não acredito em você.

– Eu juro, Keith.

A fachada de criminoso durão rachou um pouco. Ele não estava implorando, mas parecia um homem dizendo a verdade e querendo desesperadamente que alguém acreditasse nele. Keith o encarou, nenhum dos dois piscou, e o primeiro traço de umidade apareceu nos olhos de Hugh. Eles não se falavam havia anos, e Keith foi duramente atingido pela percepção de que talvez as coisas fossem diferentes se tivessem continuado a se falar.

– O Lance estava envolvido no assassinato?

– Não, não, não – insistiu Hugh, balançando a cabeça, uma reação sincera. – Ele estava aqui preso e não sabia de nada. E não era pra ser um assassinato.

– Fala isso pra minha mãe, Hugh. Pro meu irmão e pras minhas irmãs.

Hugh fechou os olhos e franziu a testa, sua primeira expressão de sofrimento.

— Sra. Agnes — sussurrou ele. — Quando eu era criança, achava que ela era a mulher mais bonita de Biloxi.

— Ela era. Ainda é.

— Ela quer me ver morto?

— Não, mas ela é mais legal do que o resto de nós.

— Então a família tá dividida?

— Isso não é da sua conta.

— Jura? Me parece muito da minha conta. É o meu pescoço em jogo, certo? Eu deveria estar implorando pela minha vida aqui, Keith, é isso? Você tem o poder nas mãos, polegar pra cima ou pra baixo, vida ou morte, cortar minha cabeça ou me deixar ficar com ela. Foi por isso que você passou aqui antes do grande evento? Quer que eu rasteje?

— Não. O Lance sumiu com Henry Taylor?

— Não faço ideia. Acredite ou não, Keith, as fofocas da Costa não chegam aqui no Corredor, e tenho outros assuntos mais urgentes na cabeça. Mas não, não me surpreenderia se o Lance tivesse sumido com Henry Taylor. É assim que o nosso mundo funciona. Essa é a lei.

— E essa lei dizia que era hora de se livrar de Jesse Rudy.

— Não, você tá errado de novo. A lei dizia que era hora de dar uma lição nele, não de machucá-lo. Foi por isso que escolhemos bombardear o tribunal, um ataque bastante descarado ao sistema. O Taylor estragou tudo.

— Bom, tô feliz por ele estar morto.

— Somos dois, pelo menos.

Keith olhou para o relógio. Havia vozes no corredor. Um helicóptero zumbia ao longe. Em algum lugar, um relógio estava correndo. Tique-taque.

— O Lance vai vir aqui esta noite? — perguntou Keith.

— Não. Ele queria ficar comigo até o fim, mas me recusei a aprovar a presença dele. Não suporto a ideia de nenhum dos meus pais me ver morrer desse jeito.

— Eu também não vou assistir. Preciso ir.

— Olha, Keith, eu, é... cheguei ao fim da linha, beleza, e tô tranquilo com isso. Passei um tempo com o padre, fiz minhas orações, tudo mais. Estou aqui há oito anos e se você ou o governador concederem o perdão, significa que vou sair do corredor da morte e passar o resto da vida junto dos outros presos. Pensa nisso, Keith. Você e eu temos 38 anos, não chegamos nem na metade do caminho ainda. Eu não quero passar os próximos quarenta anos neste lugar horroroso. Seria pior do que morrer. Não se culpe. Vamos apertar esse botão e acabar logo com isso.

Keith assentiu e viu uma lágrima escorrer pela bochecha esquerda de Hugh.

– Mas olha, Keith, tem uma coisa – disse Hugh. – Você tem que acreditar em mim quando eu digo que não pretendia matar Jesse Rudy. Por favor. Eu nunca faria mal a ninguém da sua família. Por favor, acredita em mim, Keith.

Era impossível não acreditar nele.

– Sou um homem morto, Keith – insistiu Hugh. – Por que continuaria mentindo? Por favor, diz pra Sra. Agnes e pro resto da sua família que eu não pretendia fazer isso.

– Pode deixar.

– E você acredita em mim?

– Acredito, Hugh. Eu acredito em você.

Hugh enxugou os olhos com a camisa. Cerrou os dentes e lutou para recuperar a compostura. Depois de uma longa pausa, murmurou:

– Obrigado, Keith. Isso vai ser sempre culpa minha. Eu que fiz tudo acontecer, mas juro que o plano não era machucar o Jesse. Eu sinto muito, de verdade.

Keith se levantou e caminhou até a porta. Ele olhou para seu velho amigo, um homem que havia odiado durante os últimos dez anos, e quase sentiu compaixão.

– O júri disse que você merece morrer, Hugh, e eu concordei. Continuo concordando agora. Por muito tempo, sonhei em assistir à sua execução, mas não consigo. Vou voltar pra Biloxi pra ficar com a minha mãe.

Hugh olhou, assentiu, sorriu e disse:

– Até mais, amigo. Nos vemos do outro lado.

Nota do autor

Em meados do século passado, havia algumas gangues de bandidos que transitavam pelo sul dos Estados Unidos arrumando confusão. Eles compravam e vendiam tudo o que era ilegal e tinham certa inclinação à violência. Nunca ficou claro se suas atividades estavam relacionadas. Alguém, provavelmente uma autoridade, deu a eles o nome "Dixie Mafia", e assim nasceu a lenda.

Alguns desses personagens realmente se estabeleceram ao longo da Costa do Golfo por volta de 1950, sem dúvida atraídos pelo descaso em relação aos vícios. A agitada história de Biloxi, de sua indústria de frutos do mar e dos imigrantes que a construíram é descrita com precisão. Todo o resto é pura ficção.

Dois agentes do FBI, Keith Bell e Royce Hignight, trabalharam na Costa nos anos 1970 e 1980. Eles estão aposentados agora e me contaram histórias suficientes para encher uma dúzia de livros. Algumas usei aqui de uma forma um tanto embelezada.

Mike Holleman é um amigo próximo dos tempos da faculdade de Direito na Universidade do Mississippi. Ele sempre morou em Gulfport, é um verdadeiro filho da Costa e foi uma fonte valiosa de conhecimento em áreas como história, geografia, pessoas, lendas, mitos e procedimentos legais. O pai dele, o grande Boyce Holleman, serviu como promotor de justiça distrital e mais tarde se tornou um lendário advogado de júri.

Mary Mahoney realmente existiu, e em 1964 ela abriu um ótimo restaurante em Biloxi. Ela o chamou de The Old French House e ele ainda existe, sendo agora administrado por seu filho Bob, um amigo querido. Ele cresceu no Point, tem orgulho de suas origens e sabe de ainda mais histórias do que os dois caras do FBI.

Agradeço também a Gerald Blessey, Paige Gutierrez, Teresa Beck Tiller, Michael J. Ratliff, Ronnie Musgrove e Glad Jones.

CONHEÇA OUTROS LIVROS DO AUTOR

A firma

Quando Mitch McDeere aceita trabalhar na Bendini, Lambert & Locke, em Memphis, tem certeza de que ele e sua linda esposa, Abby, tiraram a sorte grande.

Além de ser uma firma que se orgulha de ter os maiores salários e benefícios do país, ainda lhe oferece um BMW, quita suas dívidas estudantis, arranja um financiamento de imóvel a juros baixos e contrata uma decoradora para sua casa.

Justamente quando começa a achar que tudo parece bom demais para ser verdade, Mitch é procurado por um agente do FBI, que lhe revela informações confidenciais sobre a empresa e lhe diz que ele mesmo está sob investigação.

Ao ser pressionado para se tornar informante, Mitch se vê num beco sem saída. Se não concordar em colaborar, será denunciado à justiça, mas se a firma descobrir seu papel duplo, o preço a pagar pode ser a própria vida.

Acerto de contas

Numa cidadezinha no interior do Mississippi, Pete Banning era considerado herói da Segunda Guerra, além de fazendeiro próspero, marido apaixonado, pai devotado e membro fiel da Igreja Metodista. Até que, numa manhã de outono, ele entrou calmamente na igreja e matou o reverendo Dexter Bell com três tiros.

Por que Pete fez isso? Essa pergunta iria pairar por anos sobre a cidade.

Como se o assassinato a sangue-frio já não fosse chocante o suficiente, era ainda mais desconcertante saber que Pete não tinha absolutamente nada a declarar sobre o crime. Nenhuma explicação, nenhuma motivação, nada que os advogados pudessem argumentar em sua defesa.

Os advogados tentam de tudo para salvar Pete de uma sentença que irá condená-lo à cadeira elétrica. Mas ele não tem medo da morte e está disposto a levar suas razões para o túmulo.

Cartada final

Numa pequena cidade da Flórida, o advogado Keith Russo é morto a tiros em seu escritório. O assassino não deixa pistas e não há testemunhas, mas a polícia logo suspeita de Quincy Miller, um jovem negro que já foi cliente de Keith.

Quincy é julgado, condenado e sentenciado à prisão perpétua. Por 22 anos ele continua jurando inocência. Só que ninguém está ouvindo. Desesperado, Quincy escreve uma carta para a Guardiões da Inocência, uma pequena organização que luta contra condenações injustas e defende pessoas esquecidas pelo sistema.

O apelo de Quincy convence o advogado Cullen Post, e ele inicia a própria investigação. Só que o caso logo se mostra muito mais difícil – e perigoso – do que ele esperava. As pessoas poderosas e cruéis que assassinaram Keith Russo não querem que Quincy Miller seja absolvido.

Há 22 anos elas mataram um advogado. Agora estão dispostas a matar outro sem pensar duas vezes.

Tempo de matar

Na cidade rural de Clanton, Mississippi, a pequena Tonya Hailey, uma criança negra de 10 anos, é estuprada por dois homens brancos e abandonada num riacho para morrer. Quase imediatamente, os criminosos são capturados num bar de beira de estrada, onde estão se vangloriando de seu feito.

Alguns dias depois, quando eles se apresentam no tribunal, o pai de Tonya, Carl, invade o subsolo do fórum e mata os dois com um fuzil. Assassinato ou execução? Justiça ou vingança?

O jovem advogado Jake Brigance é contratado para defender Carl. Por dez dias, cruzes em chamas e os disparos de um franco-atirador tomam as ruas de Clanton. Enquanto o país assiste fascinado ao julgamento, Jack luta para salvar seu cliente e, depois, também a própria vida.

Em *Tempo de matar*, John Grisham analisa as profundezas monstruosas da violência racial e, com uma narrativa eloquente, reflete sobre a face questionável da justiça em uma cidade pequena no Sul dos Estados Unidos.

Tempo de perdoar

Stuart Kofer é um policial exemplar. Por isso, mesmo afundando cada vez mais na bebida e descontando sua fúria na namorada, Josie, e nos filhos dela, ele se sente protegido pelo pacto de silêncio entre os colegas da corporação.

Uma noite, porém, Stuart vai longe demais: depois de espancar Josie mais uma vez, ele a deixa desmaiada no chão, antes de cair de bêbado. Drew, o filho dela de 16 anos, sabe que só tem essa chance de salvá-los. Sem pensar direito, pega uma arma e faz justiça com as próprias mãos.

Em Clanton, Mississippi, não há ninguém mais odiado que um assassino de policiais, portanto o advogado Jake Brigance quer distância desse caso. Mas quando fica sabendo os detalhes do que aconteceu no dia do crime, ele decide que vai fazer de tudo para salvar Drew da câmara de gás, mesmo que acabe colocando sua carreira, suas finanças e a segurança de sua família novamente em risco.

Tempo de perdoar levanta questões pertinentes e atemporais sobre raça, classe, religião, política e laços de sangue. Repleto de ação, intrigas típicas de cidade pequena e personagens inesquecíveis, é ao mesmo tempo um drama emocionante e um suspense vertiginoso.

O júri

Uma gigante da indústria do tabaco está no banco dos réus, no centro de uma importante batalha jurídica. Milhões de dólares estão em jogo, e uma condenação abrirá um perigoso precedente legal que poderá mudar para sempre o Direito americano.

A defesa então recorre a Rankin Fitch, um consultor cujos princípios éticos questionáveis sempre lhe renderam vitórias. Agindo nos bastidores, ele contrata investigadores e criminosos com o intuito de manipular os membros do júri e alcançar um resultado favorável.

O julgamento começa sem maiores sobressaltos, mas logo o jurado nº 2 fica convencido de que está sendo perseguido e observado. O juiz determina então que o júri seja colocado em isolamento, frustrando os planos de Fitch de interferir nas deliberações do caso.

Porém, logo depois o consultor é abordado por uma jovem supostamente capaz de prever o comportamento dos jurados e, assim, controlar o veredito final. E ela tem um negócio a lhe propor.

A lista do juiz

Lacy Stoltz atua como investigadora na Comissão de Justiça da Flórida. Três anos depois de quase ser assassinada ao averiguar o caso de um juiz que recebia milhões em propina do crime organizado, ela está cansada do seu trabalho – e pronta para uma mudança.

Mas uma mulher chamada Jeri Crosby a procura e faz uma denúncia apavorante. O pai dela foi morto há vinte anos, um crime que nunca foi solucionado e acabou arquivado. Jeri sabe quem é o assassino: Ross Bannick, um juiz da Flórida, a jurisdição de Lacy. Após observá-lo ao longo de duas décadas, ela descobriu algo ainda mais horripilante: ele fez muitas outras vítimas.

Porém parece impossível conseguir provas. Ross é brilhante, paciente, sabe como funciona a perícia forense, os procedimentos policiais e o mais importante: a lei.

Ele tem uma lista com o nome de suas vítimas e alvos, sempre pessoas inocentes e azaradas o suficiente para terem cruzado o caminho dele e o prejudicado de alguma forma. E agora Lacy precisa descobrir como pegá-lo sem se tornar o próximo nome na sua lista.

CONHEÇA OS LIVROS DE JOHN GRISHAM

Justiça a qualquer preço

O homem inocente

A firma

Cartada final

O Dossiê Pelicano

Acerto de contas

Tempo de matar

Tempo de perdoar

O júri

A lista do juiz

Em lados opostos

Para saber mais sobre os títulos e autores da Editora Arqueiro,
visite o nosso site e siga as nossas redes sociais.
Além de informações sobre os próximos lançamentos,
você terá acesso a conteúdos exclusivos
e poderá participar de promoções e sorteios.

editoraarqueiro.com.br